W3
LE SOURIRE DES PENDUS

Jérôme Camut et Nathalie Hug, respectivement nés en 1968 et 1970, se rencontrent fin 2004 à travers *Malhorne* de J. Camut, la série culte qui a renouvelé le fantastique. La magie opère immédiatement. Depuis, ils se sont mariés et consacrent leur vie à l'écriture. Après leur tétralogie à quatre mains, *Les Voies de l'ombre*, désormais culte, ils se lancent dans une série haletante dont *Le Sourire des pendus* est le premier volet.

JÉRÔME CAMUT & NATHALIE HUG

Le Sourire des pendus

W3 *

ÉDITIONS SW TÉLÉMAQUE

*À Deborah Kaufmann, et à ses nombreux talents,
dont celui d'être une belle personne.*

Paris, juillet 2002

L'homme composa le code d'ouverture de la porte d'un immeuble de l'avenue de Friedland, se faufila sans un bruit jusqu'au dernier étage, et grimpa sur les toits par une lucarne du couloir. Entièrement vêtu de noir, une cagoule sur la tête et le tour des yeux noirci au charbon, il se confondait avec la nuit.

Sur l'arrière du bâtiment, il attacha une corde à un conduit de cheminée contre lequel il s'installa pour observer les jardins de sa cible, l'avocat d'affaire Éric Moreau.

Près de trois heures durant, l'homme eut le loisir d'étudier les lieux où se tenait une fête, les allées et venues, et il prit de nombreux clichés.

Aux alentours de 1 heure, il composa un message sur son portable et se laissa glisser le long du filin qu'il abandonna contre le mur. Les serveurs achevaient de débarrasser le jardin et la terrasse. En se glissant derrière les haies, il parvint au plus près de l'entrée. Cinq minutes plus tard, il était dans la place, trouvait une cachette sous une table recouverte d'une nappe et attendait que la maison s'endorme.

À 2 h 45, son téléphone vibra ; ses complices étaient en place.

Une lunette de vision nocturne sur les yeux, il quitta son abri et enjamba les deux gardes du corps d'Éric Moreau, saucissonnés et bâillonnés, pour grimper dans les étages.

Les six pièces du deuxième niveau étaient desservies par un couloir d'une quinzaine de mètres. Les deux premières, identifiées grâce à des lettres en céramique – Clémence et Juliette – étaient les chambres des fillettes, les suivantes, une salle de jeux et un bureau, l'avant-dernière, la chambre de Guylaine Moreau, agrémentée d'un immense dressing, et au fond, celle de la cible. Des ronflements provenaient de cette direction.

Tour à tour, l'homme entra dans la chambre des enfants et appliqua un chiffon imbibé de chloroforme sur leur visage. Puis il envoya un nouveau message via son portable, et s'introduisit dans le bureau où il démonta le disque dur de l'ordinateur. Dans la salle de jeux, il récupéra des peluches qu'il glissa dans son sac.

Quand il ressortit de la pièce, deux silhouettes silencieuses, chargées chacune du corps d'une fillette, se dirigeaient vers l'escalier de service, situé à l'autre extrémité du couloir. Il leur fit un bref signe de tête, indiqua sa montre puis leva la main en écartant les doigts avant d'entrer dans la chambre de Guylaine Moreau. D'un mouvement souple, il bondit sur le lit et s'assit à califourchon sur la femme qui se réveilla brusquement.

L'homme plaqua une de ses mains gantées sur sa bouche, étouffant ses cris, et posa la longue lame d'un couteau sur sa gorge.

— Bientôt, lui murmura-t-il à l'oreille avec un léger accent d'Europe de l'Est, Clémence et Juliette voyageront dans un container pour l'Indonésie. Comme tu le sais, les blondinettes pré-pubères sont très appréciées, là-bas.

La femme remua.

— Une petite prière avant de mourir, Guylaine? demanda l'homme en soulevant sa main, tout en accentuant la pression du couteau sur sa gorge. Un dernier mot?

— Va te faire foutre, connard! croassa-t-elle. J'ai rien à dire.

— Bien sûr, murmura l'homme ironiquement. Tu n'as jamais rien eu à dire.

Il trancha la gorge de sa victime et posa l'oreiller sur son visage. Puis il retourna dans le couloir, ferma la porte et se faufila dans la dernière chambre. Dans l'image verte de son IL[1], la silhouette d'Éric Moreau paraissait minuscule sur le lit king-size. Ses ronflements s'interrompirent une dizaine de secondes, puis reprirent de plus belle.

L'homme s'écrasa de tout son long sur le corps endormi et lui injecta dans la carotide le contenu d'une seringue de Propofol.

Éric Moreau ouvrit des yeux affolés, se cabra, tenta de ruer, puis s'immobilisa sous l'action de l'anesthésiant et le poids de son agresseur.

Quand il fut certain qu'Éric Moreau ne bougerait plus, l'homme fit glisser son sac sur le sol, en retira une

---

1. Intensificateur de lumière.

corde d'une vingtaine de mètres, puis il ouvrit la porte-fenêtre, déclenchant l'alarme silencieuse.

D'ici quatre à cinq minutes, une patrouille arriverait pour sécuriser l'hôtel particulier. L'homme poursuivit son plan. Il fit passer la corde autour de la rambarde du balcon de l'étage supérieur, en récupéra une extrémité, puis retourna dans la chambre, chargea le corps de sa victime sur son dos et l'emporta sur la terrasse où il le suspendit par les aisselles.

L'homme tira sur la corde et la noua à la balustrade pendant que sa main droite partait à la rencontre du couteau encore maculé de sang. Il gifla l'avocat plusieurs fois, puis saisit sa mâchoire pour le forcer à le regarder en face.

— Tu ne sais pas qui je suis, souffla Éric Moreau d'une voix pâteuse. Ils vont t'arracher les couilles…

— Ton tour d'abord, rétorqua l'homme en enfonçant son arme dans l'estomac de l'avocat.

Éric Moreau tressauta sous la violence du choc.

— Sache que je m'appelle Ilya Kalinine et qu'il ne faut jamais prendre ce qui m'appartient.

D'un coup sec, l'homme éventra l'avocat, puis l'expédia par-dessus le garde-fou. Le corps rebondit contre la façade avant de se balancer lentement, juste devant les fenêtres de l'étage inférieur. Les viscères libérés s'échappaient de la plaie béante.

L'homme récupéra son sac et dévala l'escalier jusqu'au rez-de-chaussée où il s'accroupit auprès des gardes du corps ligotés par ses complices. Il posa son index sur ses lèvres puis désigna la rue d'où montaient des bruits encore lointains de sirène.

— Chut…

12

Les gardes du corps opinèrent avec des mouvements de tête inquiets.

L'homme esquissa un léger sourire et les fixa un instant. Quelques secondes plus tard, il quittait la demeure par la porte principale, évitant d'un bond souple la flaque de sang qui s'étalait sur le trottoir. Il retira sa cagoule et traversa l'avenue Van-Dyck sans se retourner.

Plus loin, il franchit les grilles du parc Monceau et descendit vers la Seine. Quelques gouttes d'eau s'écrasèrent sur l'asphalte, puis un déluge s'abattit sur Paris, effaçant ses traces au-delà de l'avenue de Friedland.

10 ans plus tard

Entre samedi 16 juin et mardi 19 juin

Entre mercredi 20 juin et vendredi 22 juin

Entre samedi 23 juin et lundi 25 juin

Mardi 26 juin

Mercredi 27 juin

Entre jeudi 28 juin et samedi 30 juin

Entre dimanche 1er juillet et lundi 2 juillet

Entre mardi 3 juillet et jeudi 5 juillet

Vendredi 6 juillet

Entre samedi 7 juillet et dimanche 8 juillet

Lundi 9 juillet

Mardi 10 juillet

Mercredi 11 juillet

Jeudi 12 juillet

Vendredi 13 juillet

Entre samedi 14 juillet et lundi 23 juillet

1

Installée sur une nacelle de la grande roue des Tuileries, **Lara Mendès** vérifia une dernière fois son maquillage, arrangea ses mèches rebelles et ajusta la chaîne alourdie par un pendentif en cristal Swarovski qui ornait son cou. Puis elle jeta un coup d'œil à ses pieds.

Les dizaines de milliers d'humains qui déambulaient sur les Champs-Élysées ressemblaient à des insectes attirés par les lumières du Grand Palais, celles des échoppes de vendeurs de glaces et des vitrines des grandes enseignes encore ouvertes à cette heure tardive.

Son oreillette grésilla.

— Une minute, dit-elle à l'intention de l'homme d'une quarantaine d'années qui se tenait à ses côtés.

Face à eux, le cameraman échangeait avec l'unité mobile stationnée au pied de la grande roue.

— On passe avant la page de pub, poursuivit-elle. Sur le plateau, Morgan fait monter la pression, je lance le sujet, et je vous présente, c'est tout.

L'homme décocha un sourire ravageur à Lara. Ses traits harmonieux, le grain fin de sa peau chocolat, ses yeux sombres soulignés de khôl et son costume Dolce

& Gabana ouvert sur une chemise bleu électrique, tout en lui transpirait élégance et assurance.

— Vingt secondes, prévint Lara en jetant un dernier regard vers les jardins des Tuileries.

La grande roue se remit en mouvement. La nacelle acheva son ascension et bascula vers le sol au moment où commençait le direct.

Grâce à son oreillette, Lara suivit l'entrée en matière de Morgan, l'animateur vedette de l'émission « Un samedi pas comme les autres » – on pouvait la voir hocher la tête dans une incrustation à l'écran – avant de prendre l'antenne et de réciter son texte avec un naturel désarmant.

— Bonsoir Morgan ! Bonsoir à toutes et à tous. Le moment que vous attendiez est enfin arrivé ! Non, vous ne rêvez pas ! Ce soir, nous sommes en compagnie d'Herman Stalker, le célèbre organisateur de soirées underground ! Bonsoir Herman !

— Bonsoir, ma chère Lara !

— Exceptionnellement, et pour la première fois en direct à la télévision, Herman Stalker, roi de la musique électronique, nous ouvre les portes d'une de ses célèbres Happy Night ! À l'heure où je vous parle, trois mille personnes triées sur le volet reçoivent par SMS l'adresse jusque-là tenue secrète. Si vous faites partie des heureux élus, n'hésitez pas à nous envoyer vos impressions via Twitter : *#uspcla* ! Alors, Herman, maintenant que le moment est venu, nous en direz-vous un peu plus sur cette soirée *très* spéciale ?

— Laissons faire le mystère, répondit Herman Stalker de sa voix grave où roulaient des accents d'outre-Rhin, mais je peux te garantir que ça va être la nuit de ta vie ! ajouta-t-il avec un clin d'œil en direction du cadreur.

— D'autres m'ont déjà dit ça. J'attends de voir !

— Crois-moi, Lara, tu n'es pas au bout de tes surprises !

La jeune femme lança un regard faussement mutin à son invité et se tourna vers la caméra.

— Comme vous le voyez, il fait un temps splendide sur Paris et tout annonce une soirée exceptionnelle ! On se retrouve dans quarante-cinq minutes pour confirmer qu'Herman Stalker n'est pas qu'un beau parleur !

Le cadreur fit pivoter sa caméra vers l'avenue des Champs-Élysées pendant que Morgan reprenait la parole sur le plateau, où cinquante personnes applaudissaient et criaient selon les directives d'un chauffeur de salle. Puis le réalisateur annonça la fin du direct.

— OK, on casse[1] et on file sur le décor 2, dit Lara. Herman, on peut y aller.

Cinq minutes plus tard, le van régie quittait la Concorde en direction de la Madeleine, suivant au plus près la Mercedes SLK d'Herman Stalker où Lara avait pris place, juste avant de déclencher discrètement son Tascam, un enregistreur numérique portable.

Le GPS les guida le long du boulevard Malesherbes vers la porte d'Asnières, puis ils traversèrent Levallois et franchirent la Seine.

— On est dans les temps ? s'enquit Lara.

Herman Stalker tranquillisa la jeune femme. La soirée se déroulerait sur l'île Saint-Denis, à quelques

---

1. Expression corporatiste qui signifie : on plie le décor.

21

kilomètres de là, dans le parc d'une propriété vouée à la destruction dès le lundi suivant.

— Vous et moi serons à l'heure pour ouvrir le bal! précisa-t-il avec un petit rire.

Une vague de frissons leva le duvet blond qui couvrait les bras de Lara. Ce type lui sortait par les yeux. Mais elle savait ce qu'elle faisait là.

Depuis que Pascale Faulx, la rédactrice en chef de *Century*, l'hebdomadaire le plus lu en France, avait accepté de lui confier une rubrique si elle écrivait un papier original et percutant, Lara n'avait pas chômé. Elle avait choisi comme thème : « l'évolution des tendances sexuelles des Parisiens et leurs dérives des vingt dernières années », et peu à peu, ses recherches l'avaient conduite sur des chemins insoupçonnés : l'affaire Moreau, ou l'assassinat d'un avocat et de sa femme, en juillet 2002 à Paris. La sauvagerie du meurtre de ce couple avait inquiété le monde de la nuit et fait grand bruit à l'époque – d'autant que leurs fillettes s'étaient volatilisées. Mais l'affaire n'avait jamais été élucidée, malgré la volonté des autorités.

— On m'a dit que vous connaissiez bien maître Moreau, lança Lara sur un ton désinvolte.

— On vous a dit? rétorqua froidement Herman Stalker. Alors, c'est pour ça que vous êtes là ce soir?

Lara sentit une nouvelle vague de frissons parcourir sa nuque.

— Ça vous pose un problème d'ego?

Un sourire crispé étira les lèvres d'Herman Stalker.

— Que voulez-vous savoir?

— Maître Moreau était un habitué de vos soirées, non?

— Éric était mon avocat. Il se trouve qu'il fréquentait la dizaine de discothèques qu'il gérait pour moi. C'était un jeune loup, toujours sur le coup pour trouver le bon investissement. Il est mort quelques semaines après avoir sauvé ma société de production de la banqueroute.

— Ce n'est pas une société de production, précisa Lara avec effronterie, mais plutôt une holding aux activités opaques. Il paraît que vous profitez de ces soirées pour enregistrer des films X amateurs !

Herman Stalker serra ses mains autour du volant et fronça les sourcils.

— Vous n'avez donc pas de tact ?

— Vous confirmez que vous tournez des films X amateurs ?

— Je me suis diversifié, rétorqua-t-il, c'est le meilleur moyen pour ne pas crever.

— Moreau connaissait vos activités parallèles ?

— Non. Et puis, c'était pas vraiment sa came.

— J'ai lu des articles où vous restez vague au sujet des circonstances de sa mort, insista Lara. Pourquoi ?

La Mercedes vira brusquement pour s'engager dans un chemin de terre.

— Il est mort parce qu'il a refusé de représenter un mafieux russe, articula gravement Herman Stalker. Un fou furieux qui se fait appeler Ilya Kalinine.

— Un fou furieux ? Vous pouvez m'en dire plus ?

— Vous en savez déjà trop, ma chère, s'agaça subitement Herman Stalker. Et j'ai, me semble-t-il, déjà fait suffisamment preuve de patience devant votre numéro de journaliste à la con.

Lara tenta de masquer sa surprise et sa frustration.

— Vous plaisantez ? Il ne s'agit pas de me balancer un nom au hasard pour me faire taire !

— Connaître ce nom suffit pour se retrouver pendu comme un porc, avec les tripes en guirlandes. Je suis certain que vous détesteriez, ainsi que vos parents.

Quels parents ? songea amèrement Lara. *Je n'ai pas de parents.*

La Mercedes pénétra dans l'enceinte d'une vaste propriété et longea une allée bordée d'arbres. Au loin, de nombreuses lueurs éclairaient la masse sombre d'une immense bâtisse. Herman Stalker coupa le contact et se tourna vers Lara. Toute trace d'agacement avait disparu de son visage.

— Quand je pense que ce bijou va être rasé ! se navra-t-il sur un ton badin. Nous vivons vraiment dans un monde privé de repères.

Il bondit de la Mercedes pour ouvrir la portière. Les phares du van régie illuminèrent un instant ses traits et firent briller ses yeux d'un éclat inquiétant.

— Venez, ma chère, fuyons ces emmerdeurs.

La maison, ancienne résidence des directeurs d'une société de métallurgie aujourd'hui disparue, en imposait par ses proportions cubiques et par son parc ceint de hauts murs et parcouru d'allées, de coins et de recoins, vestiges d'un siècle révolu.

— Il y a du dessous-de-table dans l'air, expliqua Herman Stalker lorsqu'ils passèrent derrière un grand écran de projection masquant des camions vidés de leur matériel. Une propriété pareille aurait dû être réhabilitée, ou transformée en parc de loisirs pour les gosses. On est dans un département défavorisé, merde. Même l'office HLM n'a pas posé son veto sur le projet. Le fric gouverne le monde, c'est comme ça.

Si le parc avait été nettoyé et parsemé de canapés, de tentes façon berbère où les invités pourraient trouver une intimité recherchée, l'arrière de la maison était resté dans l'état où des générations de tagueurs l'avaient laissé. Des dizaines de Caddies, de restes de matelas, de frigos, tous plus rouillés les uns que les autres, avaient été amoncelés au plus près du mur d'enceinte, pour gêner le moins possible le travail des employés.

— Comment connaissez-vous le nom du meurtrier de Moreau alors que la police cherche encore ? demanda Lara à brûle-pourpoint. Qui est ce Kalinine ? Savez-vous ce qu'il a fait des deux fillettes ?

Herman Stalker fit volte-face et se planta devant la jeune femme, lui indiquant des silhouettes qui s'affairaient en tous sens, toutes moulées dans des combinaisons très près du corps.

— Lara, je vous ai déjà demandé de ne plus m'emmerder avec cette histoire. Je vous l'ai dit : Moreau refusait de représenter ce type. Il en est mort. Basta. (Il reprit après un silence :) Regardez, soixante-dix serveuses, blondes, belles et racées. Des bombes aryennes !

Il s'esclaffa et le sang de Lara se glaça. Cela ne dura pas.

— Je dis ça en off, bien entendu. Certes, je suis allemand, mais je suis aussi black ! Venez, ça va commencer.

Ils passèrent sous une succession de barnums où réchauffaient des milliers de petits-fours surveillés par une batterie de cuisiniers, puis entrèrent dans la maison où les tags, le salpêtre et les plaques de plâtre en décomposition avaient été sciemment conservés. Par endroits, des moquettes recouvraient le sol, là où il avait fallu sécuriser les parquets défoncés en les recouvrant de contreplaqué.

Dans l'immense salle de réception surmontée d'une coursive, les consoles d'une table de mixage encerclaient un célèbre DJ français dont les tarifs par soirée avoisinaient les 25 000 euros.

Lara n'en croyait pas ses yeux.

— *Gott mit uns*, se gargarisa Herman Stalker. Vous voyez, la concurrence ne m'effraie pas. Peu de choses m'effraient, en réalité, ajouta-t-il dans l'oreille de Lara. Sauf peut-être, Ilya Kalinine.

Le service communication avait installé un miniplateau éclairé dans un recoin du parc, au plus loin des enceintes. De cette position, Lara pouvait observer l'arrivée des invités. Carton plein, comme toujours. Il semblait que cet animal prétendument né en RDA transformait en or tout ce qu'il touchait.

Comme souvent, Lara sentit son estomac se nouer avant la prise d'antenne. Elle repassa mentalement son texte tout en observant Herman Stalker qui faisait le joli cœur devant une assistante juste à côté du canapé. Cet homme était une énigme. Inquiétant, et une seconde plus tard, joyeux et amical.

— Quatre-vingt-dix secondes, grésilla une voix dans son oreillette.

Lara devait se faire une raison, elle n'apprendrait rien de plus ce soir.

Soixante secondes.

Elle soupira en écoutant distraitement la fille des infos égrener ses titres de malheur. Une joggeuse avait été violée et son corps calciné, un tremblement de terre avait secoué la Turquie, faisant des centaines de morts, les cent onze passagers d'un bateau s'étaient noyés après le naufrage de celui-ci à proximité de Terre-Neuve. Une déferlante.

Certes, Lara ne pratiquait pas le métier dont elle rêvait, mais elle avait la santé, un travail, une famille, et surtout, elle sortait avec Bruno Dessay, le plus beau des journalistes télé. Il animait une célèbre émission de reportages sur une chaîne nationale et travaillait pour *Century*, le journal pour lequel Lara rêvait d'écrire.

La main de la jeune femme se porta vers le pendentif de cristal qu'il lui avait offert. Le cœur contenait une clé USB, tout le travail de la jeune journaliste. Des mois de recherche. Bientôt, le dossier « Moreau » qui ne contenait que peu d'informations, allait s'étoffer.

Je t'aurai, Herman Stalker. D'une façon ou d'une autre, je te ferai cracher le morceau.

Dix secondes, Lara entendit le jingle de retour à l'émission.

Il subsistait dans le ciel une luminosité diluée dans des bleus profonds. Peu d'étoiles viendraient piquer cette merveille – on était à Paris – mais c'était ce que Lara appelait l'heure de grâce. Juste avant la nuit véritable, quand tout semble possible.

— Vous devriez exiger une maquilleuse, mon chou, persifla Herman Stalker trois secondes avant la prise d'antenne. Le look, c'est important dans votre métier.

Laisse tomber, crevette. C'est un connard.

Le nœud dans l'estomac de Lara se serra d'un cran, puis disparut d'un coup.

C'était à elle.

— Nous sommes au cœur de la soirée Happy Night organisée par Herman Stalker. Dans un endroit fascinant, quelque part dans le 9-3.

Un moniteur posé au sol montrait le retour plateau. Morgan asticota Lara pour connaître l'adresse de la soirée, sans succès, deux chroniqueurs glissèrent un mot qui se voulait amusant, puis ce fut de nouveau à Lara, qui proposa à Herman Stalker de détailler les conditions d'admission à ses soirées.

— Faut de la thune, voilà ce qu'il faut. Mais c'est quoi, mille euros, dans une vie ? Mes soirées, tu t'en souviens jusqu'à la tombe.

Lara se demanda pourquoi son invité passait au tutoiement sitôt qu'une caméra braquait son objectif sur lui.

Quel branchouille !

En professionnelle, elle poursuivit :

— Il y a aussi des invités désignés par concours.

— Oui, c'est le nec plus ultra des soirées Stalker. Une sorte de grand saladier où on met de tout. Mais attention, pas en n'importe quelle quantité. On favorise les mélanges inter CSP. Des jeunes, des vieux, des riches, des pauvres, peu importe, tant qu'ils passent une soirée de délire et qu'ils se gavent. L'important, c'est après. Les invités par tirage au sort sont mes meilleurs ambassadeurs.

— Et ils sont nombreux, ce soir ?

— C'est un peu comme dans la vie. Si tu veux que ça marche, il faut plus de bons payeurs que de chômeurs indemnisés. Sinon, c'est la *Sozialdemokratie* !

À l'antenne, il s'ensuivit une succession d'images de la soirée, montées juste avant le direct, où des centaines de personnes acclamaient Herman Stalker en héros. Debout sur une estrade amovible, les bras écartés, il surplombait la foule, encourageant ses invités à se lâcher pour vivre la soirée de leur vie. À la fin de son speech mégalo, il appuya sur une télécommande, libérant une pluie de ballons, de préservatifs et de billets de banque.

Retour sur Lara et Herman Stalker.

— Morgan me demande si ce sont de vrais billets que vous venez de lâcher sur vos invités.

— Il ne demande pas si ce sont de vraies capotes ! (Herman Stalker éclata de rire.) Tu vois, dans mes soirées, on est là pour s'amuser. Chez moi, tu ne verras jamais de carré VIP, ni de tarifs à la gueule du client ! Ici, tu paies une fois, après, tu t'éclates ! Les problèmes, la crise, les prises de tête, tout ça reste dehors. Les gens le savent. La seule condition, c'est d'être majeur. Je demande une pièce d'identité, si, si, les jeunes d'aujourd'hui ont grandi trop vite à coups de Nestlé et de Danone. Et ce soir, ceux qui sont venus seuls repartiront à deux, ou à trois, ou à douze ! Il n'y a pas de mal à se faire du bien !

Pendant les explications d'Herman Stalker, Lara regarda l'opérateur de direct, qui lui fit signe qu'il restait quelques secondes pour conclure.

— Nous vous envions, Lara ! s'exclama Morgan depuis le plateau. Cette soirée a battu tous les records !

Nous avons enregistré cent tweets par seconde, pourtant, personne n'a deviné où vous étiez ! Bravo ! À la semaine prochaine pour une autre soirée surprise, et prenez soin de vous !

— Merci Morgan ! Et merci à vous, Herman.

— Comment ? Mais ça ne fait que commencer, Lara ! s'exclama-t-il en l'entraînant par la taille. Puisque vous aimez vibrer, venez, je sais que vous adorez Santana. Juste pour vous…

Le cameraman suivit tant bien que mal le couple qui s'élança dans une danse endiablée sur un remix de *Smooth*.

— Quel vibrato on va se faire, Lara ? ajouta-t-il en collant la jeune femme contre lui. Électrique, sismique ? Ou le grand vibrato orgasmique d'Herman Stalker ?

Après la danse, sous l'œil des caméras de « Un samedi pas comme les autres », Lara prit congé d'Herman Stalker, non sans avoir encore tenté de lui arracher des informations sur la mort de Moreau.

— Je ne sais pas de quoi vous parlez, Lara. Maître qui ?

Elle fit le tour des bâtiments et des barnums. La caméra incrustée dans un faux bouton de sa veste capturait de nombreux visages connus et inconnus – au vu de ce qu'elle avait appris au cours de son enquête sur les nuits parisiennes, chaque détail compterait – et elle rassembla son équipe pour quitter les lieux.

Deux heures plus tard, Lara faisait un détour par les bureaux de Canal 9 pour rendre la caméra miniature, mettre son enregistreur à l'abri du tiroir de son bureau, et récupérer la voiture de Bruno pour un court week-end à Vendôme, où il était en reportage. Dimanche soir, Lara serait de retour à Paris, gare Montparnasse où elle accueillerait Valentin son frère cadet – 1,92 mètre de muscles et des pieds de Hobbit. Valentin squatterait son appartement de Pigalle, trop petit pour les accueillir tous les deux, tandis qu'elle dormirait chez Bruno. Finalement, ces huit cents euros de loyer, pour un studio qu'elle occupait une semaine par mois, se justifieraient.

Après avoir sauvegardé les données sur Skydrive, Lara rangea la caméra miniature et un petit mot à l'attention d'un des ses collègues dans une enveloppe qu'elle posa en évidence sur un bureau voisin.

Il était déjà presque minuit. En temps normal elle n'aurait pas fait la route mais ce dimanche, Bruno allait enfin la présenter à sa famille. L'idée était stressante et excitante à la fois, d'autant que ce moment, Lara l'attendait depuis un bail. Cela faisait plusieurs fois que le rendez-vous avait été reporté et Lara soupçonnait Bruno de freiner des quatre fers lorsqu'il s'agissait d'officialiser leur liaison.

Elle s'apprêtait à prendre l'ascenseur vers le parking quand la voix de son producteur, venant de l'autre bout du couloir, la fit sursauter.

— Pas de signature, pas d'Assedic, mon trésor ! Pas d'Assedic, pas de week-end !

— J'arrive !

Lara fit volte-face en soupirant et s'engouffra dans le bureau d'Arnault de Battz.

— Salut ! dit-elle en lui claquant une grosse bise sur la joue. Écoute, j'ai vraiment pas le temps pour la paperasse, ce soir ! J'ai de la route.

— Par ici, Honey! Viens donc t'asseoir deux minutes, proposa-t-il en lui tendant un scotch qu'elle refusa poliment, malgré la pointe d'agacement qui montait dans sa poitrine.

Arnault de Battz s'installa tranquillement dans son fauteuil, son verre à la main. Les glaçons tintaient contre les parois.

Très raffiné dans ses attitudes et ses excentricités vestimentaires, Arnault de Battz incarnait le dandy sexagénaire, producteur estimé, homosexuel accompli, qui ne quittait jamais ses lunettes de soleil, pas même en régie.

— Tu sais ce qu'un homme préfère entre une bonne fille de ferme et une pétasse sur talons aiguilles? Aucune des deux, poursuivit-il sans attendre de réponse. Il a de l'affection pour la première et du désir pour la seconde.

— C'est fou ce qu'un homo pense savoir sur les femmes, rétorqua Lara. Tu peux me dire ce qu'il y a, il faut vraiment que j'y aille!

— Je te taquine, trésor, gloussa Arnault. On a bossé tard, et j'ai un rendez-vous demain avec M6 pour un nouveau concept de quotidienne. Je suis tout excité! Anyway, dis-moi, tu as du neuf pour ta petite enquête?

— Je pense qu'Herman Stalker a des informations sur le meurtre de Moreau. Tu sais, l'avocat qu'on a retrouvé sur sa façade, les tripes à l'air, il y a dix ans.

— Tu bosses sur l'affaire Moreau, cette cochonnerie? Ouh là là! Mais tu ne me l'avais pas dit!

— Pascale Faulx veut du sensationnel, et toi, tu me vires si je t'écris de la merde ou si je me contente de te raconter comment une telle et un tel se font sucer en public. Alors, je fais quoi ?

— Lara ! Qu'est-ce que tu as découvert ?

— Tu attendras que j'aie fini.

— Tu ne peux pas traiter ce genre de sujet sensible sans me tenir un minimum au courant. Et s'il t'arrivait quelque chose ?

La jeune femme leva les yeux au ciel tandis qu'Arnault de Battz se lançait dans un exposé sur les risques à prendre et les limites à ne pas dépasser dans le métier de journaliste.

Entre les scellés volatilisés dans le bureau des juges, les journalistes menacés, les flics muselés, le suspect envolé, et les fillettes dont jamais personne n'avait retrouvé la trace, l'affaire Moreau sentait le soufre.

— J'ai le début d'une piste ! Tu ne vas quand même pas te mettre à me censurer !

— Qu'est-ce que tu racontes ! s'insurgea Arnault. Je ne veux pas te censurer, mais te protéger !

— Arrête, tu n'y crois pas une seconde !

— Anyway, tu travailles pour moi, et je n'ai pas l'intention d'être obligé de recruter parce qu'un méchant t'aura jetée dans la Seine, enchaînée à un gros boulet ! Allez, signe tes contrats et disparais, vilaine !

À cent kilomètres des tours de Notre-Dame, l'Austin conduite par Lara bifurqua sur une aire de repos déserte. Le bloc w.-c. se trouvait à une vingtaine de mètres du parking, et l'éclairage défaillant ne répandait qu'une lumière chiche sur le lieu. Alors Lara décida qu'elle se soulagerait au plus près de sa voiture.

Elle venait de prendre de l'essence quelques kilomètres avant et pestait qu'une station-service ferme ses toilettes après 22 heures sous prétexte que ça devenait glauque pour les employés.

— Et c'est pas glauque de pisser dans ce trou à rat ?

Lara glissa sur le siège passager et s'accroupit derrière la portière ouverte. Du revêtement émanaient la chaleur emmagasinée au cours de la journée et une épouvantable odeur de goudron.

En urinant, elle songea à la bande de jeunes gens qu'elle avait croisés dix minutes plus tôt à la station, et qui pissaient sur les pompes à essence à son arrivée. Ils l'avaient reconnue et lui avaient proposé de lui faire le plein. Lara avait accepté et ri avec eux, regrettant de ne pas savoir comment pisser debout.

Une paire de phares balaya le parking. Un van se gara du côté de la porte passager avant qu'elle ait eu le temps de terminer. Si bien que la silhouette de Lara sembla jaillir du sol, comme un diable d'une boîte, au moment où le conducteur descendit de sa camionnette. Il y eut un bref échange de regards.

— Vieux schnock vicieux, pesta la jeune femme entre ses dents.

Elle se coula dans l'habitacle et glissa d'une main tremblante la clé dans le démarreur.

— Calme-toi, crevette !

Lara inspira profondément.

Elle n'avait plus 18 ans, elle n'était pas sur ce parking où ce drôle de type l'avait suivie jusqu'à sa voiture, la Mini ne calait pas au démarrage comme sa petite Fiat merdique, non, et il n'y avait pas de taré qui se masturbait pour éjaculer sur son pare-brise.

Tout ça c'était avant.

Incapable de maîtriser ses tremblements, Lara se retourna pour faire marche arrière quand sa portière s'ouvrit. Elle hurla de surprise.

Des mains gantées la tirèrent brutalement hors de la voiture et, alors qu'elle se débattait, plaquèrent un masque à gaz sur son visage.

Terrorisée, Lara ouvrit la bouche pour happer de l'air et perdit aussitôt connaissance.

2

Sookie Castel trouvait que le hangar à bateaux sentait l'huile de moteur, l'algue en décomposition et le plastique. Au début de sa planque, la veille vers 22 heures, elle s'était réjouie de recroiser cette odeur de protège-cahier, véritable madeleine de Proust. Mais après sept heures, la jeune femme aurait tout donné pour respirer l'air iodé du golfe du Morbihan.

Les yeux rivés sur l'écran du portable, Sookie scrutait la grande demeure bourgeoise via une caméra infrarouge. Un mouvement dans les sous-bois l'alerta. Elle effectua un zoom dans l'image. Il devait s'agir d'un animal, un renard peut-être, ou un chien errant. Rien qui soit muni d'une pince-monseigneur ou d'un pied-de-biche.

Sookie recadra la maison dans son ensemble, et se tourna vers le gendarme Mehdi Kharja qui prenait sa pause, allongé sur un tas de gilets de sauvetage posés à même le sol.

— À ton tour, j'en ai ma claque.

Mehdi Kharja grogna. Un froid pénétrant se dégageait de l'eau et il rechignait à quitter la protection de la couverture.

— Caporal-chef, s'agaça Sookie, la collaboration inter-services ne vaut que si elle est réciproque ! Magne-toi !

Décision de la préfecture insufflée par le ministère, on attendait des forces de l'ordre une parfaite cohésion, une exemplarité jusque dans les provinces les plus reculées. Ceci expliquait pourquoi, alors qu'elle travaillait d'ordinaire avec un autre policier, Sookie passait sa nuit en compagnie de Mehdi Kharja, plus habitué à sillonner les eaux du golfe qu'à monter une planque.

Les chiffres du deuxième trimestre de l'année étaient la cause de cette audacieuse promiscuité des services. Dans les trois derniers mois, un peu plus d'une vingtaine de résidences secondaires avaient été visitées, certaines intégralement vidées, parement de cheminée et parquet compris. La préfecture et les offices de tourisme voyaient d'un mauvais œil cette publicité exacerbée par un magazine de reportages qui avait surnommé la bande de cambrioleurs : « les Antiquaires ».

— Castel, vous voilà responsable d'enquête, avait déclaré le lieutenant Renaud Cochin, un type à la peau grêlée que Sookie avait catalogué TLJ.

TLJ, pour Tommy Lee Jones.

Depuis l'enfance, Sookie rangeait les gens dans des boîtes, par associations d'idées, comparaisons avec des visages connus, panel de références qui s'étendait de sa famille aux stars du cinéma, de la politique à des personnages de peintures célèbres.

Renaud Cochin avait plus qu'un petit quelque chose de Tommy Lee Jones. Ses yeux plissés lançaient des expressions dans lesquelles les femmes ignoraient si elles devaient lire de l'amusement ou de la grivoiserie.

Dans son métier de policier, cette capacité de physionomiste était pratique. Sookie n'oubliait jamais un visage et il suffisait de rouvrir la bonne boîte pour qu'apparaissent avec lui la situation, les sons, l'époque de la première rencontre.

Cochin, c'était Tommy Lee Jones, Mehdi Kharja entrait pour sa part dans la boîte Einstein, les cheveux ébouriffés en moins, quant à Erwan Guenarec, son compagnon, médecin-pompier à Vannes, il aurait pu se vanter d'appartenir à celle de Kevin Costner, la quarantaine sublime, s'il l'avait su. Mais il ne se doutait pas du talent particulier de Sookie. Garder pour elle ce qui la distinguait des autres était un modus vivendi. Elle estimait qu'être noire parmi les Blancs était une différence suffisante.

— C'est un petit pas pour l'homme, mais un bond de géant pour un Breton du sud, grésilla la voix de Renaud Cochin.

L'idée qu'elle gâchait une nuit avec Erwan pour une planque inutile disparut. Le lieutenant et ses codes bizarres annonçaient que plusieurs embarcations accostaient l'île.

— Deux canards pour maman poule, poursuivit le lieutenant Cochin sur les ondes. Par le nord.

Deux embarcations approchaient en provenance de l'île d'Arz. De leur côté, les policiers étaient répartis en trois binômes. Un dans le hangar à bateaux, un à l'intérieur de la demeure, le dernier planqué dans une zone en friche à l'arrière de l'île. Évidemment, le lieutenant Cochin ainsi que le gendarme le plus gradé de l'opération se trouvaient dans la maison. Sookie et Mehdi Kharja avaient hérité de l'abri à bateaux, et les bleus chassaient les moustiques dans les buissons. L'ordre immuable qui gouvernait le monde était respecté.

Sookie vérifia son arme et alla se poster dans l'embrasure de la porte.

À 4 h 57, le golfe du Morbihan baignait encore dans une nuit noire et il était difficile de distinguer les contours de la maison à l'œil nu.

— C'est pour toi, Soka, émit la voix de Bergeron, l'un des bleus.

Sookie détestait ce surnom composé des deux premières syllabes de ses nom et prénom. Tout ça à cause d'une chanson des années 90 dont les policiers et gendarmes raffolaient et qu'ils passaient en boucle dans les soirées corporatistes.

Sur l'écran, quatre silhouettes apparurent nettement. Les trois hommes et une femme, vu sa faible corpulence, portaient tous des sacs chargés de matériel. Sans doute comptaient-ils demeurer un moment sur place.

Sur le côté de la maison, Sookie vit Bergeron qui s'avançait.

— On se calme les bleus, chuchota-t-elle dans son micro. On attend l'infraction, sinon vous vous les serez gelées pour rien.

Il n'y eut pas de réponse. Les bleus se plaquèrent contre le mur oriental de la demeure et ne bougèrent plus.

Pendant ce temps, les malfrats s'étaient déchargés de leurs sacs et l'un d'eux, la femme probablement, grimpait sur le toit en s'aidant du tuyau d'évacuation de la gouttière.

— C'est pour vous, lieutenant, murmura Sookie dans son micro. On couvre les extérieurs.

— Bien reçu !

C'est par un indic de Sookie, un accro aux champignons hallucinogènes, que l'info du cambriolage avait transpiré. Quand elle n'était pas de service, Sookie donnait une partie de son temps libre à des œuvres caritatives qui la mettaient en contact avec les invisibles, ceux qui ne se déplacent pas vers les centres sociaux pour toucher le RSA. Ils étaient des centaines, habitués à se débrouiller entre eux. Les échanges se payaient rubis sur l'ongle. Certains ignoraient le métier de Sookie, d'autres l'évitaient pour cette raison, d'autres encore monnayaient leur tranquillité contre des renseignements glanés dans les bas-fonds.

Il y eut des bruits de tuiles, puis plus rien pendant un long moment. L'écran affichait 5 h 13 quand une des fenêtres du rez-de-chaussée s'ouvrit sur les premières lueurs de l'aube. On entendit du vacarme à l'intérieur de la maison, puis un tonitruant « Police nationale ! », proféré par Renaud Cochin qui eut pour conséquence immédiate l'éparpillement des cambrioleurs dans le parc.

— Merde ! s'exclama Mehdi Kharja pour tout commentaire.

Sookie et lui s'élancèrent dans un même mouvement.

Le gendarme chargea la silhouette la plus trapue, et Sookie se colla sur la trajectoire de la femme. Sa course l'entraîna jusque sur une anse tapissée de sable fin. La fuyarde était déjà dans l'eau quand Sookie gagna le rivage.

— C'est de l'inconscience, hurla-t-elle pour couvrir le bruit des vagues. Vous allez vous noyer ! Merde ! ajouta-t-elle avant de se jeter dans l'eau froide.

Excellente nageuse, elle rattrapa sa cible en quelques minutes.

La main de cette dernière, prolongée d'un couteau, jaillit vers Sookie. Furieuse, celle-ci abattit ses poings sur la tête de la fuyarde qui lâcha son arme au premier impact, et s'écroula dans les bras de Sookie au cinquième.

Sookie la ramena sur le rivage et se laissa tomber à ses côtés, hors d'haleine. Malgré la fatigue et le froid, elle ne put s'empêcher d'ouvrir la boîte Edith Piaf pour y ranger la fille qui gémissait, complètement sonnée.

— Putain, tu ne me refais plus jamais ça, tête de piaf! hurla-t-elle alors que sa prisonnière ouvrait les yeux.

— Sale négresse! eut-elle droit pour réponse.

Sookie envoya son coude dans le nez de la cambrioleuse au moment où un coup de corne de brume annonçait l'arrivée d'une vedette de la gendarmerie maritime.

— T'auras qu'à dire que tu t'es fait ça en trébuchant, grinça Sookie en lui passant les bracelets. Et pas question de me faire porter le chapeau, ou je te casse les dents.

Rapatrier les malfaiteurs sur Vannes avait demandé une heure, une douche au vestiaire une demi-heure, un café-croissant avec les collègues une autre demi-heure. À présent, il était 8 h 15 et Sookie subissait les remontrances du lieutenant Cochin, dans le bureau de ce dernier.

Malgré tous ses efforts, Sookie ne parvenait pas à rester impassible. Elle ne pouvait oublier le visage de

Mehdi Kharja qui, quelques instants plus tôt, racontait en pleurant de rire comment Renaud Cochin s'était lamentablement ramassé la figure dans un massif d'hortensias.

— J'ai le sentiment que vous vous payez ma tête, Castel !

Le menton égratigné du lieutenant témoignait de la rudesse de la chute. Pour ne pas s'esclaffer, Sookie scrutait la collection de boules à neige exposée sur le bureau et sur le rebord de la fenêtre. Il y avait de nombreux modèles dont plusieurs tours Eiffel.

— C'est la fatigue, mon lieutenant, soutint Sookie tout en pensant – ce qui la fit sourire de plus belle – que Renaud Cochin ressemblait vraiment à un Tommy Lee Jones qui aurait collectionné des tours Eiffel.

— Je vous le demande donc à nouveau, avez-vous sciemment frappé cet individu lors de son interpellation ?

La vérité prend aussi des airs de connerie sans nom, si la dire te fout dans la merde.

C'était l'une des maximes préférées de son père, Léon Castel, qu'elle reprenait parfois à son compte.

— J'y suis pour rien, lieutenant, mentit Sookie. Je suppose qu'elle s'est fait ça en courant à travers bois.

Renaud Cochin la regarda par en dessous, et Sookie ne sourcilla pas. Elle songeait à la journée à venir. La loi sur le flag lui permettait de perquisitionner au domicile des cambrioleurs sans avoir recours à une commission rogatoire.

Pas de juge entre les pattes, pas de proc, juste Cochin. Pénible, mais supportable.

Il ne fallait pas traîner. Si les cambrioleurs avaient des complices, alors, ceux-ci auraient tôt fait de déplacer toute preuve de leurs larcins antérieurs. Et alors, adieu l'inculpation pour vol en bande organisée et recel. Avec un bon avocat, les quatre s'en sortiraient avec une simple tentative d'effraction. « Vous comprenez, monsieur le juge, mes clients faisaient du tourisme dans le golfe du Morbihan. Ils ont eu une panne de moteur. C'est pour ça qu'ils ont accosté sur cette propriété privée ! Ils cherchaient un moyen de réparer. » En quinze ans de carrière, Sookie en avait entendu de toutes les couleurs. Plus rien ne l'étonnait vraiment.

— Le toubib lui en a collé pour huit jours d'ITT, grondait Renaud Cochin. Rendez-vous compte, Castel ! Je le répète donc : on ne fait pas usage de violence pour arrêter une délinquante désarmée !

Désarmée, mon cul ! Elle avait un couteau cette saleté, et pas pour ouvrir les huîtres, un chlass de première classe. Putain, Tommy Lee, tu déconnes.

Renaud Cochin était certes caractériel et un peu original, mais c'était un bon flic et c'est pourquoi Sookie le respectait. En revanche, il était incapable de gérer la pression de sa hiérarchie et craignait par-dessus tout d'être mal noté, ce qui faisait de lui un mauvais chef. Aussi se contenta-t-elle de hocher la tête tout en repoussant difficilement une scène de *Men in Black* qui lui venait à l'esprit : le retour de K à l'agence après qu'il a été effacé à la fin du premier film. TLJ hagard, en bermuda…

— Pas quand elle tente de s'échapper par voie maritime, poursuivait l'officier. Où avez-vous appris…

Par voie maritime ! Elle se barrait en nageant, cette conne !

Il commençait à l'emmerder franchement.

— Elle porte plainte, chef ?

— Non, grinça Renaud Cochin. Pas pour l'instant.

— Alors RAS, déclara Sookie avant de quitter le bureau. Ça restera entre nous !

Les quatre suspects appartenaient tous à la famille Jezequel, Bretons de souche et paysans depuis des générations, plus capables de vivre du produit de leur terre. De l'exploitation agricole il ne restait que des vestiges. Quelques vaches, des poules, deux cochons, trois hectares de maïs et une meute de chiens qu'il avait fallu enfermer à l'arrivée des policiers.

Sookie avait fouillé l'intérieur d'une maison familiale traditionnelle, avec ses photos encadrées sur le buffet du salon où on pouvait voir les délinquants en compagnie de leurs parents, décédés depuis.

Le père Jezequel ressemblait à Groucho Marx, la mère à Katie Holmes, et les trois frères s'apparentaient aux débiles du film *Délivrance*.

Boîte Délivrance augmentée de trois individus.

Quant à la petite dernière, Yanna Jezequel, elle aurait pu entrer dans la boîte Jodie Foster, mais en grandissant, c'était vraiment devenu Édith Piaf. Pour Sookie, les différences s'établissaient dans des boîtes sous-groupes, à la manière des poupées russes.

Boîte Jodie Foster tête de Piaf.

Sous une bâche agricole, Sookie et ses collègues avaient découvert des motoculteurs flambant neufs, des ordinateurs soigneusement emballés, des téléviseurs plasma, et tout un assortiment de petit électroménager. Il suffirait de rapprocher les numéros de série des PV de cambriolage de grandes surfaces, et l'affaire serait conclue.

Mais nulle part, Sookie n'avait déniché de planque de meubles anciens, de cheminées descellées, de tableaux ou de bijoux. La fratrie délinquante bouffait à tous les râteliers mais n'était pas la fameuse bande des « Antiquaires » qu'elle espérait alpaguer.

— Tommy Lee va faire la gueule, dit Sookie à haute voix tandis que Mehdi Kharja démarrait le moteur de la Scenic. Et ça, c'est pas bon pour mon karma.

En grande conversation avec sa femme – il était question du menu du dîner le gendarme ne releva pas. Le téléphone rivé à l'oreille, il quitta le chemin caillouteux de la ferme et s'engagea sur une route vicinale qui rejoignait la départementale 203 en direction de Réguiny.

Quelques secondes plus tard, un chien de bonne taille surgit du fossé et heurta le pare-chocs avant de rouler sur la partie gauche de la chaussée, forçant Mehdi Kharja à s'arrêter sur le bas-côté. En deux enjambées Sookie était auprès de l'animal, un doberman aux flancs amaigris et au pelage crasseux.

— Le touche pas, Soka !

C'était peine perdue. La jeune femme n'aurait pas eu peur d'un animal blessé, fusse-t-il un dragon de Komodo. Longtemps, la maison familiale avait été une arche de Noé, mais à la mort de Valie, la mère de Sookie, Léon avait libéré les oiseaux, jeté les cages et les innombrables gamelles qui empuantissaient le sous-sol, et abandonné les animaux au refuge de la SPA le plus proche.

— Alors, mon gros, tu ne sais pas qu'il ne faut pas traverser la route quand un gendarme est au volant? Surtout quand il a la tronche d'Einstein?

Piqué au vif, Mehdi Kharja vérifia l'état de son pare-chocs en critiquant la stupidité de ces bestioles.

Aux couinements que le chien – en réalité une femelle – émit quand Sookie palpa son abdomen, elle sut qu'il fallait agir vite. Elle emporta le doberman dans ses bras et l'installa sur la banquette arrière, la tête de l'animal posée sur ses genoux.

Tandis que Mehdi Kharja fonçait vers le cabinet vétérinaire de Josselin, Sookie se remémora Pinto, le terrier que son père lui avait offert quelques jours après son adoption.

« T'as le blues? disait Léon Castel. Adopte n'importe quel animal, pourvu que ce soit un mammifère! Va faire un câlin à une mygale, toi. Ou à un python. Je te souhaite bien du courage! »

Pinto avait usé trois longes, rongé deux laisses et abîmé tous les bas de portes, avant que Sookie et Léon décident de le libérer. Finalement, celui qu'on surnommait « le roi de la belle » avait vécu une vie de chien heureux – malgré les tentatives d'empoisonnement du voisinage –, jusqu'à ce que sa truffe en quête de friandises croise les roues d'un tracteur.

Rallier le cabinet vétérinaire de garde à Josselin prit seulement dix minutes mais Sookie et Mehdi Kharja durent se rendre à l'évidence. Entre l'attente et la durée des soins, cette histoire de chien écrasé allait prendre des heures, d'autant que Sookie refusait d'abandonner l'animal avant d'avoir joint les propriétaires. Comme le tatouage correspondait à une adresse du côté de la forêt de Paimpont, et qu'elle n'avait pas de déjeuner dominical en vue, elle proposa à Mehdi Kharja de rentrer sur Vannes pendant qu'elle s'occuperait de la chienne. À charge pour lui d'établir le rapport concernant la perquisition.

Soulagée, Sookie regarda le gendarme quitter le cabinet vétérinaire. Puisque son petit ami n'était pas d'astreinte, elle allait lui proposer de la rejoindre pour un pique-nique dans la forêt de Paimpont.

Un beau dimanche en perspective.

3

Lara Mendès ouvrit les yeux. Les souvenirs affluèrent. La route, l'envie pressante, le parking dans la nuit, les odeurs de pissotière, Bruno qui ne l'attend pas avant le lendemain... et puis ce van qui arrive au mauvais moment, sa vessie qui n'en finit pas de se vider, le conducteur dont elle ne se souvient absolument pas... l'idée qu'elle s'en est tirée à un cheveu, que cet homme ne l'a pas vue pisser sur le parking, qu'elle va pouvoir retourner vers l'anonymat de la nuit et l'habitacle de sa voiture. Et puis cette main gantée, cette force qui l'attire inexorablement, et ses jambes qui l'abandonnent.

C'est un cauchemar, crevette. Un putain de cauchemar.

L'impuissance de Lara fut propulsée hors de sa gorge sous la forme d'un hurlement révolté. Puis elle cessa d'elle-même, paniquée à l'idée d'attirer l'attention.

Son univers visuel tanguait tant que Lara peina à s'asseoir.

La pièce mesurait six mètres sur quatre. Un plan incliné d'un mètre cinquante de large conduisait à une porte en métal, aux proportions biscornues. Trop basse pour qu'un homme de taille moyenne y passe sans se baisser, trop large pour un usage normal. Une belle porte de cachot, épaisse, une porte de désespoir.

Sur le sol, le vestige d'un rail achevait de rouiller au milieu de marques de frottements et d'anciennes traces de pas. Les parois en béton dévoilaient les graviers qui avaient servi à sa construction et au plafond, une ampoule pendait au bout d'un fil gainé de plastique noir. Ce fil, cloué dans le béton, disparaissait dans un trou pratiqué dans le métal de la porte. Au cœur de l'ampoule brillait un filament en tungstène dont la boucle distendue traînait dangereusement près du verre.

Entièrement nue, Lara était assise dans un angle de la pièce, juste à côté d'un seau d'aisance et d'un broc rempli d'eau. Un filet de salive avait formé une auréole de la taille d'une pièce de deux euros sur le matelas, souillé d'autres taches, jaunes, brunâtres et nauséabondes.

Lara ignorait depuis combien de temps elle était retenue ici. Un long moment, certainement.

Elle crevait de froid et de faim.

Quand la porte s'ouvrit, Lara hurla de peur. La tête de l'homme qui s'approchait d'elle était dissimulée sous une cagoule en cuir, et il portait un short de la même matière, ainsi qu'une paire de chaussures de boxe. Sa peau laiteuse recouverte d'une toison rousse saillait à la ceinture, ses bras et ses jambes étaient gonflés par de puissants muscles.

— Salut ma belle. Si tu veux à bouffer, va falloir que tu le mérites.

Il traînait un agacement dans sa voix quand il extirpa un rasoir coupe-chou de sa poche, et le déplia. Puis il déboutonna sa braguette et fit jaillir un sexe dont la taille horrifia la jeune femme.

— Au cas où t'aurais envie de mordre, précisa-t-il en approchant la lame de son œil. Si tu veux bouffer, tu suces !

Lara eut un hoquet d'horreur.

— Quoi, t'aimes pas les grosses queues ? Tu serais bien la seule !

L'homme commença à se masturber en la regardant, l'air narquois. Son énorme sexe raidi était à quelques centimètres des lèvres de Lara, qui tremblait de tous ses membres.

— Va pourtant falloir que tu suces, ma belle. C'est le prix ici, pour bouffer.

Un spasme de dégoût secoua l'estomac de Lara et une forte amertume emplit sa bouche. Des grains scintillants voltigèrent devant ses yeux.

— Je vous en supplie… bredouilla-t-elle.

L'homme gémit, accéléra ses mouvements et Lara recula sur les fesses jusqu'au mur, les mains sur son visage.

— Ouvre la bouche, ma salope, j'envoie la purée, grogna l'homme en éjaculant sur les cheveux et les bras de Lara.

La jeune femme fut secouée par de nouveaux spasmes et vomit un flot de bile.

— D'abord tu suces, répéta l'homme en refermant son short. Après tu bouffes. Et si tu t'obstines, je te ligote et je te gave de foutre, comme une oie !

Son rire s'évanouit lorsqu'il verrouilla la porte derrière lui.

4

À mi-chemin entre les villes de Paimpont et Beignon, là où elle segmente la partie orientale de la forêt de Brocéliande, **Erwan Guenarec** quitta la D71 pour s'engager sur une voie privée. Une pancarte livrait le nom de la propriété : « la Malhornière ». À côté, montée sur un piquet métallique, une boîte aux lettres surmontée d'un toit à deux pentes révélait le nom des occupants : Raspail.

Installé sur une couverture de déménagement à côté de Sookie, la chienne couina.

— C'est chez toi, ma grosse mère, encouragea-t-elle l'animal qui tentait de se redresser.

— Qu'est-ce qu'il pue ce clébard ! râla Erwan Guenarec. Je ne serai pas mécontent de le rendre à ses maîtres.

— Tu sentirais encore plus mauvais à sa place, railla Sookie en frottant le crâne de la chienne. Ne fais pas attention, cet homme n'aime que lui.

Le chemin récemment asphalté longea un ruisseau, puis le traversa pour aboutir à une aire dégagée où un moulin resplendissait dans la lumière du soleil.

L'endroit était magnifique. Bâtie en moellons de granite rouge, la demeure enjambait le ruisseau sur l'arrière.

Elle devait mesurer une trentaine de mètres de longueur et comptait deux dépendances.

Erwan Guenarec se gara à côté d'une berline immatriculée dans le 92. Plus loin, deux autres voitures étaient stationnées.

— C'est pas étonnant qu'ils ne répondent pas! Quand tu vois la taille de la baraque!

Sookie énuméra les raisons qui poussaient les gens à ne pas répondre au téléphone et acheva sa liste par « faire l'amour », loisir auquel elle proposait de s'adonner sitôt le chien rendu à ses propriétaires.

— Tu ne crois quand même pas que j'avais juste envie de pique-niquer dans les bois d'Arthur?

Elle accompagna ses mots d'une caresse appuyée sur l'entrejambe de son homme.

— Pique-niquer est un joli mot dans ta bouche, ma petite perle noire.

— Arrête tes surnoms à la con, sinon tu te feras du bien tout seul.

Avec un rire et un baiser, Sookie planta Erwan entre les voitures et s'éloigna vers la porte d'entrée où une cordelette se balançait dans le vent léger. Elle fit tinter la cloche à plusieurs reprises, attendit quelques instants en grimaçant, puis réitéra son geste. Une minute passa.

Une glycine en pleine floraison grimpait sur la moitié de la façade, chargeant l'air d'un parfum envoûtant. Une nuée d'insectes bourdonnait parmi les grappes de fleurs violettes.

— Je déteste cette odeur, râla Sookie en se pinçant le nez.

— Moi, c'est les chiens, toi les fleurs. Mais des deux, il y en a un qui n'est pas normal. Je te laisse deviner.

Vous les hommes, vous n'êtes que des petits garçons qui veulent faire plaisir à leur maman. Voilà pourquoi tu cherches à être normal.

Au lieu de formuler sa pensée, la jeune femme s'approcha d'une fenêtre, porta ses mains contre le carreau et jeta un œil à l'intérieur.

— Il n'y a pas âme qui vive là-dedans. Merde, qu'est-ce qu'on va faire de la chienne ?

Sookie décida de contourner la maison par la rivière et Erwan Guenarec partit de l'autre côté.

Au pied du mur, une longe était accrochée à un anneau scellé dans un moellon. Posées sur les gravillons, deux écuelles vides en émail blanc portaient un nom, incrusté dans l'émail en lettres carmin.

— A-t-on idée d'appeler son chien Guernica ?

Sookie s'agenouilla et observa la surface des écuelles.

— Elle n'avait sans doute plus rien à manger ni à boire depuis plusieurs jours, marmonna-t-elle. Pauvre bête.

Quand elle se releva, Sookie observa les abords avec plus d'acuité. Son instinct avait été mis en alerte par une réflexion toute simple : on ne s'absente pas en laissant son chien attaché sans une sérieuse réserve d'eau et de nourriture.

Pas quand on lui offre des gamelles émaillées à son nom !

Sookie franchit le ruisseau par une passerelle qui jouxtait une ancestrale roue en bois aux ferrures rongées de rouille. Elle tenta d'ouvrir une porte basse qui donnait sur l'ancienne meunerie et poursuivit son chemin. Elle longea une dépendance, traversa l'emplacement d'un ancien potager délimité par un muret et pénétra dans la cour arrière par un petit porche non clôturé. Le ruisseau était en partie couvert par une grande terrasse en bois. Quatre chaises longues y prenaient le soleil, accompagnées par une table basse où traînaient une cruche et trois verres. À l'odeur qui s'en dégageait, Sookie sut qu'on avait bu un apéritif anisé. Un roman de Maud Tabachnik reposait près d'une chaise longue. Ses pages gondolées montraient qu'il avait pris l'eau.

— La dernière pluie remonte à quand ? demanda Erwan qui venait de la rejoindre.

— Il y a eu un orage mercredi soir.

Dans sa poche de pantalon, Sookie récupéra son portable et enfonça la touche « appel ». Une sonnerie stridente résonna dans la maison. Après une dizaine de secondes, l'appel bascula sur la messagerie, comme lors des précédentes tentatives.

Voitures, chien, apéro abandonné sur la table… y'a vraiment un truc pas normal !

Sookie s'approcha de la porte vitrée. Il n'y avait toujours aucun mouvement à l'intérieur. Une nouvelle fois, elle fit sonner le téléphone, attendit encore, puis elle décida d'entrer tandis qu'Erwan Guenarec récupérait sa trousse de soins dans sa voiture.

La porte n'était pas verrouillée.

— Police nationale, héla-t-elle à la cantonade en faisant coulisser la baie sur son rail.

Une odeur la heurta aussitôt, une note doucereuse que Sookie connaissait trop bien. Elle déboucha dans un salon plus vaste que son appartement. Un passage voûté desservait l'aile droite de la demeure et, à l'opposé, une porte fermée peinait à stopper l'odeur, plus forte dans cette direction.

La main couverte d'un mouchoir, Sookie abaissa la poignée et poussa lentement le vantail. Ébranlée par la puanteur, elle chancela et referma précipitamment la porte.

Mais elle avait eu le temps de voir.

Trois pendus faisaient face à l'entrée, chacun une chaise renversée à ses pieds. Leurs visages noirâtres étaient gonflés, des vers s'accumulaient dans leur bouche et leurs yeux, et un nuage de mouches bourdonnait tout autour.

L'image des malheureux s'était imprimée dans l'esprit de Sookie. Mais chose inhabituelle, elle ne parvint pas à les faire entrer dans une de ses boîtes.

Pas tout de suite.

Puis une connexion se fit : boîte Nuremberg.

5

Embrumé par la drogue, l'esprit de **Lara Mendès** s'était réfugié dans une image de l'enfance. Il faisait beau, un soleil généreux illuminait la plage de Meschers, dans l'estuaire de la Gironde, un vent tiède caressait sa peau. L'unique menace se trouvait à un jet de pierre, sous l'eau, là où ses parents lui avaient dit de ne pas nager parce qu'une fosse gigantesque créait des courants qui vous avalaient des enfants en un clin d'œil. D'ailleurs, à cet endroit, l'inconscient de Lara projetait une eau noire, comme si elle avait contenu tous les miasmes de la terre.

C'était avant la disparition.

La seconde qui précéda le retour de la conscience fut à l'image d'un rêve qui se brise. Lara sut qu'elle ne se réveillerait ni dans son studio de Pigalle, ni chez mémé Carmela qui les avait élevés, elle et Valentin, encore moins chez Bruno.

Elle se souvint que la fosse était un pieu mensonge destiné à ce qu'elle ne s'éloigne pas du rivage. Un instant, elle tenta de s'accrocher aux bribes de son rêve. La réalité était insupportable. Et pourtant il fallut l'affronter.

Je ne serai pas à la gare pour prendre Valentin, mémé va être furieuse.

Et les parents de Bruno ? Ils vont croire que je me suis dégonflée.

Fait chier !

Lara était couchée sur le côté. Des fourmillements engourdissaient son flanc et des liens entravaient ses poignets sur son ventre.

La colère passée, la panique refit surface.

L'homme à la cagoule l'avait droguée. Dieu seul savait ce qu'il avait pu lui faire…

Les doigts tremblants, Lara s'assura qu'elle ne présentait pas de lésion vaginale ou anale puis s'effondra sur le matelas, prise d'une crise de sanglots incoercibles.

Jamais elle ne s'était sentie aussi faible et vulnérable. La faim mêlée à la terreur ressemblait à un tourbillon qui l'aspirait de l'intérieur et accélérait à mesure que les heures passaient. Perdue dans ce déferlement de sensations, elle espéra que le tourbillon l'emporterait, la ferait rapetisser jusqu'à ce qu'elle disparaisse.

Mais tout ce qui existait conserva cruellement les mêmes proportions.

— Tu n'as rien fait de mal ! se répéta-t-elle tout en se berçant sur le matelas. Il n'y a pas de raisons qu'il s'attaque à toi.

Courage crevette, Valentin va appeler mémé, mémé va s'affoler et appeler la police. Ils vont trouver la voiture de Bruno, ils vont comprendre. Gagne du temps, surtout, gagne du temps.

La petite fille en Lara tenta de s'en persuader, mais c'était compter sans l'autre Lara qui analysait la situation de façon lucide, et ne gardait que peu d'espoir sur la nature humaine.

Tu rêves, pauvre folle. Les violeurs aiment anéantir.

C'est pour cette raison qu'on l'avait déshabillée. Sa nudité la rabaissait. Tout ça était parfaitement cohérent. Et le pendentif qu'il lui avait arraché serait son trophée, celui sur lequel il se branlerait pour se souvenir de ce moment.

Lara eut un haut-le-cœur lorsqu'elle entendit le grincement de la serrure, et elle se recroquevilla sur le matelas.

Vite, trouve une solution.

— Elle a fait caca, gloussa l'homme en jetant un regard dans le seau d'aisance.

Il s'approcha d'elle, armé d'un couteau de chasseur.

— Me faites pas de mal, supplia Lara en se maudissant de pleurnicher, je vous en prie…

— Du mal ? s'interrogea l'homme en s'agenouillant près d'elle. Mais tu n'y penses pas. J'ai besoin de toi belle comme tu es.

— Je ne dirai rien, bafouilla Lara. Je ne sais même pas qui vous êtes. Laissez-moi partir.

L'homme attendit qu'elle cesse de parler. Puis il braqua vers elle son iPhone dont il avait activé le mode vidéo tout en la menaçant de son couteau.

— Parle, qu'on entende ta voix. Tu t'appelles comment ?

Dans l'esprit de Lara, il y eut une tempête. Que voulait-il faire avec sa vidéo, qui était ce « on » ?

— Ton prénom ! répéta l'homme plus vivement.

Toujours allongée sur le matelas, les jambes repliées pour cacher ses seins et son sexe, Lara se força à regarder l'objectif.

Une solution, trouve un truc ! Merde !

— Je m'appelle Lara Mendès.

— Non, la coupa l'homme, on recommence, juste ton prénom.

Il effaça le plan en marmonnant.

— Tu t'appelles comment?

Lara répondit, un sanglot dans la voix.

— Lara.

— Si tu ne parles pas plus fort, ils vont croire que t'es timide.

Il y avait un ton amusé dans la voix de cet homme, et cette attitude décalée terrifia encore plus la jeune femme.

Joue le jeu, crevette, s'invectiva-t-elle. *Joue le jeu si tu veux vivre!*

— Lara, dit-elle à nouveau, un ton plus haut, je m'appelle Lara.

— T'es pas timide, Lara, hein! Dis que t'es pas timide. Montre-nous ce que tu sais faire, tous les samedis soir à la télé, quand tu vas aguicher les mecs.

C'en était trop, elle se sentait incapable de jouer la comédie, même si sa vie en dépendait.

— On va leur montrer que t'es une bonne petite salope, s'agaça l'homme en baissant son short. Vas-y Lara, suce-moi.

— Non! hurla-t-elle, les bras sur sa tête.

Si tu veux vivre, tu le fais!

Tétanisée, Lara était incapable de s'exécuter.

— Tu veux une fessée?

L'homme attrapa violemment ses poignets, coupa ses liens et tordit ses bras derrière son dos, puis il la menotta et la força à se mettre à quatre pattes.

Lara était si faible qu'elle ne parvint même pas à résister.

— Tu vois, il faut que tu manges. Et puis tu sais ce qui va t'arriver si je découvre que tu ne sers à rien? menaça l'homme en lui assenant quelques coups de paume sur les fesses tandis qu'il filmait la scène.

Lara sanglota de honte et d'impuissance. Quand il redressa sa tête en la tirant par les cheveux et plaqua son visage sur sa verge raidie, elle lui cracha dessus.

L'homme se mit à rire de plus belle.

— C'est exactement ce que je veux. Une belle tigresse. Allez, Lara, fais pas ta timide.

Tu dégueuleras plus tard! Fais-le sinon tu vas crever! Est-ce que ça vaut le coup?

— Non! hurla-t-elle. Jamais!

Putain Lara, compte le nombre de fois où tu t'es forcée, juste pour faire plaisir à ton mec!

— Tu ne voudrais quand même pas que j'aille chercher ta gentille mémé à La Réole pour qu'elle me suce à ta place, susurra l'homme froidement. Quoique… je pourrais aussi embarquer ton petit frère. Valentin, c'est ça? Il me semble qu'il t'attend à Montparnasse, ce soir…

— Non!

Lara secoua la tête, complètement affolée.

Satisfait de son coup, l'homme pressa son sexe turgescent contre les lèvres serrées de Lara. La jeune femme eut plusieurs hoquets de dégoût et de grosses larmes roulèrent sur ses joues.

— Allez, ma salope, murmura-t-il en pressant la lame de son couteau sur la gorge de Lara. Montre-moi ce que tu sais faire!

— Je ne peux pas, sanglota Lara. Pas comme ça. J'ai l'hépatite B.

L'homme recula brutalement.

— Quoi ?

— J'ai l'hépatite B, répéta Lara. C'est une saloperie, très contagieuse.

L'homme éclata de rire.

— T'es maligne...

Il sembla hésiter et Lara sentit l'espoir refaire surface. Mais cela ne dura que quelques secondes.

— Mais je suis vacciné, ricana l'homme. Allez ma grande, goûte-moi ça...

6

Après une heure et demie passée dans un TER pour rallier La Réole à Bordeaux, voyage suivi d'un peu moins de trois heures dans un TGV bondé, **Valentin Mendès** bouillait d'impatience.

Alors que les voyageurs se déversaient sur le quai de la gare Montparnasse, cette grosse dame d'un certain âge qui lui avait fait la causette, peinait à sortir de son siège. Il l'avait écoutée l'air attentif, mais l'esprit tourné vers l'image qu'il gardait de sa grand-mère, la pupille humide sur le quai de la gare, émue de voir son petit-fils disparaître de sa sphère d'influence pour la première fois.

— Moi aussi, mémé. Je t'appelle en arrivant. Et puis n'oublie pas que je ne pars pas à Katmandou, mais à Paris, et que Lara m'attend.

Peine perdue. Carmela Mendès trônait au panthéon des femmes inquiètes. Que son petit-fils rejoigne sa sœur ou un harem d'intrigantes ne changeait rien. Il partait pour Paris, ville réputée terre de perdition pour les jeunes gens en général. Donc pour son « pitchounet » en particulier.

Arrivé au bout du quai, Valentin chercha Lara des yeux, ne la trouva pas dans la foule et décida de s'adosser à un pilier.

C'est l'aventure ! Y'a qu'à laisser couler et le reste viendra.

Pragmatique et calme, Valentin Mendès était un jeune homme robuste au corps sculpté sur les terrains de rugby depuis la section des poussins. D'après son entraîneur, il galopait comme un lapin et ferait un trois-quarts aile formidable dans l'équipe de France, s'il assistait plus souvent aux entraînements plutôt que de dilapider son temps libre sur ses fichus ordinateurs. Tout sourire, Valentin acquiesçait sans rien changer à ses habitudes, certain que son avenir n'était pas sur les terrains mais devant un écran à fouiner dans le disque dur des autres.

À 20 h 10, il laissa un premier message à Lara.

« Salut, crevette, j'espère que tu n'as pas oublié ton petit frère. Quai 17, je m'emmerde. À tout'. »

À 20 h 20, il se fendit d'un deuxième appel, sans laisser de message. Deux minutes plus tard, son téléphone vibra au fond de sa poche. Il mentit à Carmela Mendès qui se faisait un sang d'encre. À la demie, Valentin quitta l'abri du pilier pour se payer un croissant qu'il dévora en trois bouchées, les yeux rivés sur un groupe d'Italiennes qui s'esclaffaient à tout bout de champ.

Faudrait que je me mette à l'italien, songea-t-il en reluquant les formes harmonieuses des jeunes femmes. *Et je te les emballerais en moins de deux.*

Lorsque le groupe d'Italiennes disparut dans le hall, il rappela Lara, puis tenta de joindre Bruno Dessay sans succès.

Une bouffée d'excitation le gagna quand il posa le pied sur le parvis de la gare. Ce n'était pas la première fois qu'il venait à Paris, mais jamais il n'avait eu à s'y débrouiller seul. Il faisait beau, encore chaud, et une activité importante régnait aux abords de la gare. Rien à voir avec un dimanche soir à La Réole.

Valentin descendit la rue de Rennes jusqu'au boulevard Saint-Germain, songea à ses cours de français en passant devant le café de Flore, et se sentit intimidé et fier de se trouver devant un endroit qu'avaient fréquenté Vian, Sartre, Camus et tant d'autres. Il songea y prendre un verre, puis renonça devant les prix indiqués à la carte. Son portefeuille ne contenait qu'un billet de cent euros, et il ignorait jusqu'à quand il allait devoir tenir avec si peu. Aussi poursuivit-il son chemin jusqu'à la Seine, un plan de la ville en main. Les ponts, l'effervescence, et surtout ces filles qu'il croisait provoquaient au creux de sa poitrine ce petit pincement agréable qui lui donnait envie d'aimer la terre entière.

C'est quand même pas dégueu, Paris !

La promenade forcée de Valentin le mena rive droite, jusqu'aux Halles où il rêvait de traîner ses guêtres un jour. Comme il n'avait toujours pas eu de nouvelles de sa sœur, l'idée lui était venue de se rendre jusqu'aux locaux de Canal 9 où travaillait Lara.

« Tu verras, lui avait-elle raconté quelque temps plus tôt, mon producteur, c'est un malade. Il passe son temps à bosser. Mais il est vraiment chouette. Je suis sûre que tu vas l'adorer. »

Il allait être 22 h 30 quand Valentin entama la remontée de la rue de Hauteville.

Dans le hall chargé d'une décoration années 80 entièrement réalisée en métal doré, le jeune homme dut montrer patte blanche. Qui était-il, qui venait-il voir, avait-il rendez-vous ? Valentin fut pris de court. Il venait voir Arnault de Battz qui ne le connaissait pas et ne l'attendait pas, mais il était le frère d'une animatrice. Après quelques hésitations, le réceptionniste consentit à décrocher son téléphone pour exposer la requête de Valentin à son interlocuteur.

Deux minutes plus tard, les portes de l'ascenseur s'ouvrirent sur le producteur de Lara, lunettes de soleil rivées sur le nez, attaché-case chromé en main.

— Doux Jésus, s'exclama-t-il en découvrant Valentin, Lara m'avait parlé d'un petit frère. Mais qu'avons-nous là ! Apollon doit se faire du souci !

Le personnage que jouait Arnault de Battz amusa Valentin qui expliqua sa démarche, l'absence de Lara à la gare, son silence au téléphone, et ses cent euros en poche qui ne lui permettaient pas de voir très loin.

— Cosette perdue dans la grande ville, sourit Arnault. C'est trognon ! Mais là, vois-tu, mon grand garçon, je me rends à une soirée où je ne peux pas t'emmener, vu ton jeune âge ! Quant à te prendre à la maison… en tout bien tout honneur, bien sûr… impossible également. Donc…

Arnault de Battz souleva ses lunettes pour observer le visage de Valentin.

— Je sais, enchaîna-t-il en se tournant vers le réceptionniste, réservez-lui une chambre à l'hôtel machin-chose sur le compte de la société. Voilà, Valentin, vous êtes casé pour la nuit. Et pas de folie, hein ! Lara ne me le pardonnerait pas. Vous m'appelez demain. Si j'ai votre vilaine sœur en ligne, je la tiens au courant. On n'a pas idée d'oublier un beau garçon comme ça.

7

La forêt de Paimpont dans son dos, **Sookie Castel** se dirigeait vers Rennes au volant de la voiture d'Erwan. Sur la banquette, Guernica dormait d'un œil, les oreilles attentives aux bruits de la route.

Cette affaire de la Malhornière lui en rappelait une autre qui l'avait beaucoup marquée, celle de Coulogne où quatre membres de la même famille s'étaient pendus en 2007. Les parents, le frère et la sœur. À la fin de la lettre qu'ils avaient laissée, une phrase énigmatique : « On a trop déconné. » L'autopsie avait prouvé qu'ils s'étaient jetés dans le vide en même temps, et que les traces aux chevilles résultaient des convulsions avant la mort. Malgré ces preuves évidentes, Sookie n'avait jamais cru au suicide, même si elle ne disposait d'aucun argument pour étayer sa thèse.

Sitôt les cadavres découverts, elle avait appelé le substitut du procureur pour lui exposer la situation – délicat d'expliquer à un proc suspicieux qu'on a voulu rapporter un chien écrasé par un collègue gendarme à ses maîtres, et qu'on est tombée sur trois pendus parce qu'on est entrée dans une maison sans commission rogatoire.

Certaine qu'elle serait mise sur la touche dès l'arrivée de la PJ de Rennes – le proc lui avait ordonné de rester à l'extérieur de la propriété –, Sookie avait emprunté des gants, une charlotte et des chaussons en papier dans la sacoche d'Erwan, pendant qu'il commandait un taxi. Il valait mieux qu'il ne soit pas vu dans les parages. Elle le rejoindrait dès que possible.

Erwan parti, Sookie avait visité une maison agréable. De bons vins à la cave, l'habituel empilement de cartons au grenier, un frigo garni de victuailles, une ancienne chambre d'enfant, une suite parentale, deux dressings, un pour monsieur, un pour madame, des paires de chaussures par dizaines, un bureau, deux réserves, une salle aveugle équipée d'un home cinéma et de confortables fauteuils, un salon de cent mètres carrés.

Habituellement, elle se contentait d'enregistrer un plan des lieux, sans jamais prendre la moindre note, ce qui horripilait ses supérieurs. C'est pourtant grâce à ce procédé qu'elle avait découvert dans une maison de Vannes l'existence d'une pièce remplie de substances illicites en provenance de Hollande. La pièce en question n'était accessible que depuis un tunnel pratiqué dans un puits situé sur la propriété voisine. Ce stratagème avait borné ses collègues et les chiens, mais pas Sookie.

Cette fois, elle s'était attardée dans le grand bureau où étaient exposées des photos de Guernica et de la famille, et avait jeté un coup d'œil sur les derniers relevés de comptes bancaires et les listings téléphoniques empilés en attente d'être classés.

Olivier Raspail, le père, 59 ans, avait fait carrière dans l'armée, atteint le grade de colonel à la fin de son service actif et travaillé au ministère de l'Intérieur. Son visage de vivant quitta la boîte Nuremberg pour rejoindre celle de Jean Marais, où figuraient déjà – entre autres – Claude François, Pierre Angeletti, un collègue du père de Sookie, René Boscato, un cadre instructeur à l'école de police et Virgile, un ancien camarade de classe.

La femme de Raspail, Sabrina, avait 32 ans, et semblait ne jamais avoir travaillé. Mais d'après ses relevés bancaires, elle aimait les beaux objets, la grande cuisine et les livres anciens. Poitrine refaite, transformation du nez, fréquentation de coiffeurs hors de prix, rien n'était trop beau pour madame. Boîte Nena, la chanteuse allemande des années 80.

Quant au fils, Léopold, il squattait encore le giron familial à l'âge de 27 ans. Un front haut, une légère exophtalmie due à une hyperthyroïdie, bouche charnue, visage rond, il ne ressemblait ni à son père, ni à feu sa mère – dont Sookie découvrit une photo dans la chambre d'enfant à l'étage – et devait aux gènes d'échoir dans la boîte Saint-Exupéry.

Dans le parc, Sookie découvrit une piscine de belle taille qui cachait sous ses eaux une splendide mosaïque représentant une fresque antique. Un pool house jouxtait la piscine, hélas fermé à double tour, mais en jetant un rapide coup d'œil par l'une des baies vitrées, Sookie put constater que quelqu'un s'y était installé. Léopold Raspail?

Plusieurs détails troublants avaient conforté Sookie dans sa décision de fouiner sans autorisation : il n'y avait aucun ordinateur dans la maison, alors que trois cartons vides étaient stockés au grenier et que des factures prouvaient qu'il y avait un abonnement Internet en cours. En deux endroits, des prises électriques murales ne comportaient aucune trace de poussière, comme c'était le cas ailleurs. Par conséquent, un ou plusieurs appareils avaient été débranchés récemment.

Sookie en était là de ses réflexions quand la PJ de Rennes débarqua, avec trois types de l'IJ, le procureur et un légiste. Elle fut priée de répondre aux questions d'un inspecteur et de quitter la propriété, comme elle s'y attendait.

— On ne se suicide pas après avoir bu l'apéro sur la terrasse, ne put-elle s'empêcher de glisser à l'OPJ, un certain Martin Blanchard – boîte Christopher Walken en plus gras. Tu vois, dans le genre : Qu'est-ce que tu fais ce soir ? On prend l'apéro et on se suicide après !

— Vous n'aviez pas à faire le tour de la maison, brigadier Castel.

— Ce que je dis ne vous intéresse pas ?

Martin Blanchard refusait visiblement de parler de l'affaire. Il était même prié par son commissaire de la faire déguerpir au plus vite.

Alors Sookie garda pour elle ses conclusions. Ses nerfs la pressaient trop de voler dans les plumes de ce Blanchard, pour être un gentil chienchien à son commissaire, et dans celles du commissaire lui-même, pour avoir la bêtise de se passer d'une enquêtrice de son niveau.

Qu'ils le veuillent ou non, elle glisserait son talent dans cette affaire. Même si elle avait rangé les Raspail dans de nouvelles boîtes, celle de Nuremberg qui contenait l'image des pendus resterait ouverte tant qu'elle n'aurait pas compris où étaient passés ces fichus ordinateurs.

Elle se gara devant l'immeuble qui abritait le minuscule appartement d'Erwan, situé juste à côté de la caserne. Il l'avait loué pour y entreposer ses livres, quelques-unes de ses affaires personnelles, mais n'y passait que très peu de temps, préférant partager ses quartiers avec ses confrères, plutôt que de ruminer pendant que Sookie courait après les méchants.

Après s'être assurée que Guernica n'aurait pas trop chaud dans la voiture, elle profita du court chemin entre le parking et la porte de l'appartement, situé au cinquième étage, pour fermer toutes les boîtes concernant le travail. Erwan et elle méritaient de faire une petite pause.

Elle n'ignorait pas qu'il risquait de lui poser quelques questions sur sa journée, alors elle déboutonna son chemisier avant de frapper, libéra ses longs cheveux noirs qu'elle ajusta sur ses épaules, et brandit une bouteille de vin achetée dans le quartier, à l'épicier arabe.

Trois petits coups sur le vantail, la porte qui s'ouvre, le sourire d'Erwan, ses mains sur sa peau, sa langue dans sa bouche, et la porte qui claque derrière eux, entre deux rires.

Si ce dimanche n'avait pas été une bonne journée, ce serait une merveilleuse soirée.

8

La paresse allait si bien à **Valentin Mendès**. Un an déjà qu'il avait obtenu son bac S haut la main – avec deux ans d'avance – et qu'il fréquentait l'Institut polytechnique de Bordeaux où il avait brillamment achevé sa première année.

Le luxe lui convenait aussi.

Lit king-size, jacuzzi, écran plat géant, room service et réfrigérateur garni d'alcools et de sucreries dont il avait profité une bonne partie de la nuit. Ses velléités de draguer dans un bar du coin s'étaient envolées devant la taille de l'écran et le nombre de chaînes câblées disponibles gratuitement.

Pour apaiser l'inquiétude de sa grand-mère, il avait décidé de lui dire que Lara l'avait installé chez elle et qu'ensuite elle s'en était retournée auprès de son chéri.

Pour une fois que Carmela Mendès ne s'occupait pas de lui préparer un programme, pour une fois qu'il n'était pas contraint de se rendre soit à l'Institut, soit à son entraînement de rugby, soit à une autre activité obligatoire, il paressa jusqu'à 11 heures, se fit livrer un petit déjeuner continental, et s'apprêtait à zapper sur les chaînes musicales quand son téléphone vibra.

Il le chercha sous la couette et finit par mettre la main dessus.

— T'as intérêt à avoir une bonne raison, crevette ! dit-il sur un ton mi-moqueur mi-menaçant. On ne fait pas poireauter un beau gosse comme moi.

Son interlocuteur ne réagit qu'après une demi-seconde.

— C'est Bruno, Bruno Dessay.

Pour un premier contact, Valentin s'estima en dessous de tout. Il ne connaissait pas Bruno Dessay, pas encore. Il l'avait vu à la télé à plusieurs reprises, et jugeait très « cool » d'avoir un futur beau-frère journaliste d'investigation.

— Ah ! Salut, lâcha Valentin, vous pouvez dire à Lara que je l'attends depuis hier soir ?

Il y eut encore un blanc à l'autre bout de la ligne.

— Elle n'est pas avec vous, c'est ça ? Forcément, sinon c'est elle qui m'aurait appelé.

— J'ignore où se trouve Lara depuis samedi soir, eh oui, elle aurait dû venir te chercher à la gare.

Bruno Dessay semblait, en outre, bien ennuyé, car Lara avait emprunté sa voiture, et il en avait besoin.

— Vous avez les clés de son appart ? demanda Valentin sans trop y croire.

— Oui, il faut d'ailleurs que je récupère des affaires là-bas. On s'y retrouve vers 13 heures ?

Dans la vie, Bruno Dessay portait un jean et pas son costard de journaliste, il n'était pas rasé, et paraissait plus grand qu'à l'écran. En dehors de ces détails, il avait l'air agréable du type sympa au premier abord.

Bruno Dessay et Valentin montèrent jusqu'au sixième étage par l'ascenseur, puis grimpèrent au septième par l'escalier de service. La porte s'ouvrit sur un studio minuscule, en réalité deux chambres de bonne réunies en une pièce, et dont les fenêtres, avantage qui avait séduit Lara lors de sa visite, s'ouvraient sur la butte Montmartre et la basilique du Sacré-Cœur.

— Lara va bientôt sortir du bois, assura Bruno Dessay en aérant la pièce. Quand elle est sur une affaire importante, il lui arrive de ne pas appeler pendant des jours.

Valentin secoua la tête, visiblement contrarié. Sa sœur était une fille sur qui il savait pouvoir compter. Ce portrait d'elle ne correspondait pas à la réalité. En tout cas, pas à la sienne.

— Pourquoi vous n'avez pas passé le week-end ensemble ? Lara m'a dit que vous deviez la présenter à…

— J'ai dû annuler.

— J'arrive pas à croire qu'elle m'ait oublié alors qu'elle était libre toute la journée d'hier.

— Je vais appeler sa prod, proposa Bruno Dessay en fouinant dans les tiroirs d'un placard mural. En attendant, je récupère mes fringues, ça te fera de la place.

— Merci, c'est cool. Mais j'ai vu Arnault de Battz hier soir, c'est lui qui m'a offert l'hôtel, et il m'a jamais parlé d'un reportage ou un truc de ce genre.

— Il avait l'air inquiet ?

— Pas vraiment, c'est vrai.

— Alors c'est qu'il l'a envoyée sur un coup.

Bruno Dessay fourra dans un sac plusieurs caleçons, paires de chaussettes et deux ou trois chemises. Puis il fouilla la pièce du regard.

— Quand je pense que tu t'es fait offrir l'hôtel ! T'es carrément débrouillard !

Valentin manqua répondre qu'il avait l'impression d'entendre sa grand-mère.

— Ce type est une crème, ajouta le journaliste en s'asseyant derrière l'écran d'ordinateur de Lara. Tu peux compter sur lui.

Valentin le regarda farfouiller dans les tiroirs du bureau, prendre un disque dur amovible et le déposer dans son sac au milieu de ses vêtements.

— C'est le mien, dit Bruno Dessay quand il s'aperçut que le jeune homme l'observait. On s'échange souvent des sauvegardes et là, j'en ai besoin.

— C'est vos histoires.

Le journaliste traversa la pièce et attrapa un manteau suspendu derrière la porte. Dans un haut vase en faïence, il récupéra un parapluie noir à pointe dorée.

— Ça va, lança Valentin, j'aurai assez de place, pas la peine de tout enlever.

— T'inquiète, ça ne me pose pas de problème, répondit Bruno Dessay en lui lançant un sourire chaleureux.

— Y'a pas des copines de Lara qui sauraient où elle se trouve ? C'est quand même bizarre qu'elle ne donne pas de nouvelles. C'est pas son genre.

— Lara a beaucoup de taf en ce moment. Écoute, je me renseigne et je t'appelle, proposa Bruno Dessay en récupérant ses sacs. Là, il faut que je file. Mais on se tient au courant. Profite du coin en attendant, tu verras, c'est un quartier sympa.

9

Le type revint deux fois.

La première fois, **Lara Mendès** tenta de résister, elle
rua, hurla, mais rien ne semblait le décourager. Pire, il
perdait patience. Lara comptait sur le fait qu'il affirmait
ne pas vouloir l'abîmer, elle en fut pour ses frais.

L'homme balança si violemment son poing sur son
visage qu'elle vacilla. Un voile noir s'abattit sur ses
yeux. Lorsqu'elle reprit ses esprits, elle était écrasée
par le type, assis à califourchon sur elle. Il lui pinça le
nez, la forçant à ouvrir la bouche. Ses bras tordus dans
son dos la faisaient atrocement souffrir et sa paupière et
sa pommette enflées diminuaient son champ de vision.
À moitié sonnée et étouffée, Lara laissa le monstre se
satisfaire, imaginant de toutes ses forces qu'elle suçait
un bâton.

La seconde fois, il l'appela « mon petit chat »,
s'enquit de sa santé, et jugea de la plus haute importance le contenu du seau d'aisance.

— Tu es douée mon petit chat. Tu pourras nous rapporter 100 000 par an, au moins, si t'es une brave fille.

— Qu'est-ce que vous racontez ? hurla Lara. Je sais
ce que je fais ici. Et pourquoi vous m'avez enlevée ! Et
c'est pas pour faire la pute !

— Ah oui ?

— Qu'il sorte de sa tanière, ce salopard de mafieux russe. Et qu'il vienne me dire qu'il ne veut pas que je m'occupe de ses affaires ! Je n'ai pas peur de lui, ajouta-t-elle crânement.

Lara était si effrayée qu'elle claquait des dents.

— Tu ne sais même pas de quoi tu parles.

L'homme éclata de rire, baissa son short et la força à s'agenouiller devant lui.

— Viens là, chérie. Je connais une bonne façon de t'empêcher de dire des conneries.

Il attrapa Lara par les cheveux et fourra son sexe dans la bouche de la jeune femme.

— Allez ma belle, étrangle-toi avec ça ! dit-il en s'activant, d'abord lentement, puis de plus en plus vite.

Il tenait la tête de Lara à deux mains, et celle-ci ne bougeait pas, faible comme une poupée de chiffons, et secouée de spasmes de dégoût. Le calvaire dura plusieurs minutes. L'homme prenait un malin plaisir à retarder sa jouissance, visiblement excité par l'absence de réaction de Lara.

— Oh oui, t'es une bonne petite salope, ajouta-t-il dans un râle.

Il se retira à temps pour éjaculer sur son visage.

Tandis qu'il se rhabillait, Lara se laissa tomber sur le lit.

— Je veux plus d'eau, hoqueta-t-elle, du dentifrice et du savon.

— Va pour l'eau et le savon, répondit l'homme après une courte hésitation. Pour le dentifrice, on verra demain, si t'es gentille.

Entre samedi 16 juin et mardi 19 juin

Entre mercredi 20 juin et vendredi 22 juin

Entre samedi 23 juin et lundi 25 juin

Mardi 26 juin

Mercredi 27 juin

Entre jeudi 28 juin et samedi 30 juin

Entre dimanche 1er juillet et lundi 2 juillet

Entre mardi 3 juillet et jeudi 5 juillet

Vendredi 6 juillet

Entre samedi 7 juillet et dimanche 8 juillet

Lundi 9 juillet

Mardi 10 juillet

Mercredi 11 juillet

Jeudi 12 juillet

Vendredi 13 juillet

Entre samedi 14 juillet et lundi 23 juillet

10

Trois portes fermées, quatre ouvertes et deux entre-bâillées. Photocopieuse en panne, distributeur de boisson pris d'assaut par quatre fonctionnaires et un civil, Tommy Lee fait un signe dans ma direction, douche froide ou chaude ce matin ? Tiens, ma petite mamie est déjà là, bah oui, on est mercredi. Les inscriptions pour le séjour en Corse sont closes, ils ont déjà affiché la promo de septembre, où est-ce qu'on part en septembre ?... Palavas, village vacances, merci bien. Gonocoque-les-Flots, très peu pour moi. Merde, il va pas me lâcher !

Sookie Castel s'arrêta devant la porte de son bureau. Un gobelet en main, le lieutenant Cochin continuait de lui faire signe.

— Guernica, tu restes là, exigea Sookie. Pas bouger, compris !

Le doberman émit une courte plainte, puis se coucha sur le linoléum du couloir. C'est tout ce qu'elle avait réussi à obtenir de cet animal réputé intelligent : qu'il se couche.

Sookie lui lança un regard excédé et se dirigea vers son supérieur. Elle eut droit à l'accueil de ses collègues regroupés autour de la machine à café, les habituels

« Salut, Soka » auxquels elle répondit par le non moins rituel « Salut, les filles ». D'un geste, elle fit comprendre à sa « cliente » du mercredi qu'elle devrait encore attendre un peu, la dépassa et s'engouffra dans le bureau de Renaud Cochin.

— Comment allons-nous ce matin, Castel ? interrogea le lieutenant.

Une fois de plus, Sookie se navra du côté mal dégrossi de son supérieur.

Accouche, bordel ! pensa-t-elle. Agacement qu'elle traduisit par ces mots : « Elle va on ne peut mieux. Vous vouliez me voir ? »

Justement, oui, Renaud Cochin avait à lui parler. Les numéros de série des objets volés retrouvés le dimanche précédent avaient permis de boucler trois dossiers de vol avec effraction, dont un avec coups et blessures volontaires sur la personne d'un agent de sécurité. Il y avait des confrères heureux de se décharger de dossiers remontant pour certains à deux ans, de Rennes à Brest en passant par Quimper. Les Jezequel allaient séjourner quelque temps derrière les barreaux.

— Du bon boulot, répétait Renaud Cochin en hochant la tête, oui, du bon boulot de flic.

L'image du lieutenant s'étalant dans un massif d'hortensias en tentant de poursuivre les cambrioleurs s'imposa une nouvelle fois à Sookie. Elle ne l'avait pas vue de ses yeux, mais Mehdi Kharja l'avait si magnifiquement décrite qu'elle s'en était fait un quasi-souvenir. Un moment, elle conserva un visage impassible. Puis les hochements de tête de Renaud Cochin lui firent penser à ces chiens en plastique que certains installent sur la plage arrière des voitures. Et là, elle ne résista plus.

— J'ai dit quelque chose de drôle, Castel ? s'inquiéta Renaud Cochin, replaçant machinalement une boule de neige renfermant une tour Eiffel dorée sur son bureau.

— Non, mon lieutenant, s'empressa-t-elle de répondre, c'est la satisfaction du travail bien fait.

— Ne vous réjouissez pas trop vite dans ce cas, tempéra Renaud Cochin, parce que j'ai du moins satisfaisant à vous apprendre. Yanna Jezequel ne sera pas poursuivie. Le juge a estimé que la prévenue avait subi l'influence de ses frères aînés et n'avait pu s'y soustraire à la mort de leurs parents. Résultat : elle est libre sous contrôle judiciaire. Enfin, quand elle sera sortie de l'hôpital.

Sookie revit le visage déformé par la haine de la jeune femme dont la main prolongée d'un couteau avait jailli sans hésitation.

— On aurait retrouvé son arme, ça aurait peut-être changé la donne, osa Renaud Cochin. Et puis il y a cette suspicion de violence de votre part.

— Le juge est maître. Excusez-moi à présent, une personne m'attend pour une plainte.

— Vous avez vraiment de la chance qu'elle n'ait pas engagé de poursuites, ajouta Renaud Cochin tandis que Sookie sortait de son bureau. N'en parlons plus. Je vous rappelle que de nombreux autres dossiers, dont celui des « Antiquaires », attendent votre attention minutieuse.

Sookie acquiesça d'un « je suis sur le coup jour et nuit, patron », tout en se demandant comment dissimuler son absence de piste. Renaud Cochin était tout sauf stupide et elle ne pourrait le berner bien longtemps.

Ses contacts auprès des invisibles lui avaient permis de prendre les Jezequel en flagrant délit. Rien d'autre.

Alors qui ? Des gens du voyage ? Des descentes musclées avaient déjà été organisées dans les communautés de Roms. En vain. Une bande originaire d'un autre pays d'Europe ?

Une petite visite à Yanna Jezequel, la Jodie Foster tête de Piaf, s'imposait. Pour Sookie, il était inenvisageable que « les Antiquaires » n'aient aucun contact avec les malfrats locaux ou que ces derniers ne sachent rien. Peut-être partageaient-ils les mêmes receleurs, car après tout, il fallait bien écouler la marchandise, et seuls des pros pouvaient le faire rapidement et discrètement.

En retraversant le couloir, Sookie compta six portes fermées, deux ouvertes, dont celle de son propre bureau, et une entrebâillée, un fonctionnaire seulement à la machine à café, et la petite dame du mercredi assise sur un banc.

Tiens, Margaret a changé de lunettes.

La première fois que Sookie avait enregistré une plainte de Bettie Henriot, elle avait sincèrement cru cette gentille dame et n'avait compris qu'elle venait de se faire bizuter que le soir venu, quand elle avait retrouvé les farceurs au bistrot.

— Vous comprenez, j'ai un verger dans mon jardin et je suis certaine que les gens du camping volent mes fruits. Ils n'ont pas le droit tout de même. Comment je vais faire mes confitures ?

Qui n'aurait pas eu le cœur de venir en aide à une vieille dame en détresse ?

Nez droit et long, front haut, racines des cheveux apparentes qui fabriquaient comme un halo sur la partie supérieure du visage, yeux légèrement tombants, bouche étroite, lèvres charnues, boucles d'oreilles surannées et tailleurs à la mode des années 80, elle aurait vraiment pu être la jumelle de Thatcher.

Bettie Henriot était devenue veuve trois jours après le départ en retraite de son mari, capitaine au long cours. Elle qui avait échafaudé une nouvelle vie à deux s'était retrouvée seule, comme toujours. Alors, chacune de ses journées se remplissait d'obligations créées de toutes pièces. Le lundi était réservé à un refuge de la SPA, le mardi Bettie Henriot participait à la confection des chars du carnaval, le mercredi matin, le commissariat, et ainsi de suite.

Sauf que cette fois, Sookie n'était pas d'humeur.

La journée allait être pénible – elle avait encore des tas de rapports à écrire sur le flag du dimanche précédent, des coups de fil à passer aux autres commissariats concernés, dont celui de Brest où était concentrée la majorité des cambriolages réalisés par les Jezequel –, pénible et longue mais réalisable, sauf si elle perdait du temps à papoter avec Bettie Henriot.

Sookie s'approcha de la vieille dame et la salua poliment, en tentant de masquer son agacement.

— Ah! Brigadier, s'exclama Bettie Henriot en quittant son banc pour serrer la main de Sookie, je suis heureuse de vous voir.

— Qu'est-ce qui vous amène aujourd'hui, madame Henriot?

Ce mercredi, 9 h 30, celle-ci désirait porter plainte contre des voyous qui s'étaient baignés nus sous ses fenêtres. Sookie s'interrogea. Avait-elle réalisé des clichés de la scène? Connaissait-elle ces personnes, au moins de vue? Non, bien sûr. Aucun nudiste ne s'était baigné devant le domicile de Bettie Henriot. Sookie le savait. Et Bettie Henriot savait que Sookie savait. Les deux femmes s'étaient prises d'une affection réservée au mercredi, repoussée au jeudi parfois, quand Sookie manquait de temps.

— Je suis désolée, madame Henriot, expliqua Sookie avec une grimace en raccompagnant la vieille dame à la porte du commissariat. J'ai beaucoup de méchants à attraper cette semaine. Ça vous ennuie pas qu'on reporte ?

Comme elle semblait résignée, **Lara Mendès** obtint de son violeur qu'il lui lie les mains devant. À présent, recroquevillée sur son matelas, l'œil rivé sur la porte, elle attendait de recevoir enfin de l'eau et du savon.

Lara se détestait de céder, mais trouvait encore plus stupide de résister et de risquer sa vie.

Elle était tout, sauf résignée.

Depuis le début de son incarcération, elle observait les habitudes de son agresseur, à l'affût de la moindre occasion qui se présenterait pour lui fausser compagnie ou fabriquer une arme. Il n'était pas question pour Lara d'affronter ce type à mains nues.

La solution se révéla lorsque l'homme lui apporta du savon et le deuxième seau d'eau propre qu'elle lui avait réclamé des heures, voire des jours plus tôt. Celui-ci était fendu sur le tiers supérieur, livrant au regard une membrane coupante.

Lara dut, une fois encore, subir les assauts de son violeur qui ne se contentait plus de lui imposer une fellation, mais léchait ses seins et introduisait ses doigts dans son anus.

Dès qu'il fut sorti de la salle, Lara se lava et se savonna à grande eau, frotta ses cheveux collés par le sperme, et des heures durant, elle s'échina sur le seau.

Évite de penser, crevette, tu vas sortir de là.

Le déchirer d'abord, ce qui fut le plus compliqué. Ses poignets entravés ne lui permettaient que des mouvements restreints. Puis rouler la feuille de plastique obtenue jusqu'à ce qu'elle atteigne la taille d'un gros stylo. Comme son extrémité n'était pas assez pointue, Lara s'appliqua à la frotter contre le béton du mur. L'épaisse matière rugueuse fut parfaite pour effiler le plastique.

Lorsque ce fut terminé, elle se roula en boule sur le matelas, dos à la porte, le poinçon contre sa poitrine, et se glissa sous la couverture.

L'essentiel étant de surprendre son agresseur, elle envisagea d'abord de l'attaquer directement, en se cachant sur le côté de la porte, mais sa faible corpulence rendait cette solution dangereuse. Elle songea alors à l'appâter en s'exposant sur le matelas dans une position alanguie. Mais là encore, elle renonça. Il fallait qu'elle cache son poinçon et puis aguicher un pervers pouvait avoir l'effet inverse de celui escompté.

Un temps, elle parvint à réprimer les tremblements qui secouaient son corps, puis elle abandonna, incapable de se contenir davantage. Avec les tremblements vinrent les larmes et la fatigue emporta l'esprit de Lara vers un ailleurs plus clément.

Une lente exaspération monta dans la poitrine de **Sookie Castel** dès qu'elle s'engagea sur le parking bondé de l'hypermarché Leclerc de Vannes. Des familles entières encombraient les allées. Malgré les RTT, les horaires adaptables en entreprise, le taux de chômage, le nombre croissant de retraités, les gens continuaient à s'entasser.

Putain Guenarec, tu pouvais pas me filer rencard ailleurs que dans ce cirque ?

Sookie trouva enfin une place, s'y gara, laissa les vitres entrouvertes, et s'engouffra dans le hall climatisé en frissonnant. Devant la vitrine d'un fast food, elle ne put s'empêcher de faire les gros yeux à une fillette installée devant des frites et un hamburger. La gamine brandit son majeur et articula une insulte à l'adresse de Sookie qui la rangea aussitôt dans la boîte Sylvie Sivadier, du nom d'une ancienne camarade de classe, obèse et complexée.

Puis, incapable de se contenter de fixer le sol, Sookie entra dans l'hypermarché. Ouvrir et refermer les boîtes. Surtout refermer. C'était capital.

Boîte Saddam Hussein pour un petit monsieur affublé d'une moustache courte et épaisse, Vanessa Paradis pour une trentenaire au front haut, Gorbatchev pour un type à la tête de comptable, dégarni et porteur d'une tache de vin sur le crâne, et ainsi de suite, tout au long de la traversée de la galerie marchande.

Passé le rayon apéritifs et jus de fruits, Sookie entra dans l'aire des vins. Ses baskets couinaient sur le carrelage. Elle trouva Erwan Guenarec accroupi devant des caisses de graves, affairé dans l'examen minutieux des étiquettes.

— J'ai reconnu le bruit de tes pompes, dit-il en se relevant. Y'a pas à dire, pour une filature, tu repasseras.

— C'est la chanson de la belle à son nigaud, contra Sookie, et apparemment, ça marche !

Elle se colla contre le torse d'Erwan, qui l'enlaça.

— Tu m'as manqué, murmura-t-elle tout près de son oreille. Je voudrais bien tout plaquer et recommencer comme hier soir. On ne prend pas assez le temps.

Erwan Guenarec répondit par un sourire lumineux. Il prononçait rarement ces mots qui rassurent et s'en sortait la plupart du temps par une plaisanterie. À la longue – leur liaison remontait à près de deux ans – Sookie avait su lire dans ces silences une infinie pudeur, et non la velléité qu'elle redoutait.

— Et à cette heure-ci, tu sens trop l'après-rasage pour être honnête. Tu viens d'où ?

— Un carambolage sur la N24 après Ploërmel. Une petite sieste, une douche, quelques courses, et toi ! Que demande le peuple !

— Le peuple demande à ce qu'on taille la route. Les supermarchés, c'est pas vraiment mon truc. Donne-moi ta liste. Tu vas quand même pas manger que des chips, des molossols et des surgelés ?!

Sookie fit de la liste de courses une boulette qu'elle expédia au-dessus d'un rayonnage. Puis elle s'empara du Caddie garni de quatre caisses de vin. Comme Erwan hésitait encore devant une bouteille de bourgogne, Sookie revint sur ses pas et l'attrapa par la main pour l'entraîner en direction du rayon frais.

— Arrête de nous jouer le cliché du pompier alcoolo. Je connais d'autres façons de te faire du bien.

Sookie tenait sa vision de la consommation de son père qui refusait de vivre selon la volonté des publicitaires. Manger local, économiser l'énergie, ne pas laisser à d'autres le soin de penser à sa place.

Erwan Guenarec remplit un sac plastique de tomates. Puis il mit son visage au-dessus du sac et respira.

— Ça sent rien.

— Normal, tu prends les premiers prix. Comment veux-tu qu'elles aient du goût, elles n'ont jamais été aimées !

La perplexité dans le regard de son homme était si patente que Sookie éclata de rire.

— Quitte à manger de la merde, grogna-t-il, moi au moins, je me tape de la merde en boîte.

À deux pas du couple, une femme aux cheveux salement décolorés lui lança un regard noir. Yeux bleus, peau du visage distendue, coiffée avec un pétard, elle entra illico dans la boîte Cindy Lauper, ouverte en 1983 lorsque l'album *She's So Unusual* avait triomphé dans le monde.

Sookie se décida pour quatre melons de Charente-Maritime, sélectionnés au poids, selon l'enseignement de sa mère, après quoi, elle vida le sac de tomates qu'avait rempli Erwan et le poussa vers le rayon bio.

— Ils en sont où, avec tes pendus ? lança-t-il en hésitant entre de belles carottes encore terreuses et des courgettes aussi brillantes que du plastique. Tu n'as rien dit hier soir !

— Le légiste est convaincu qu'il s'agit d'un suicide, marmonna Sookie.

— Le fils avait une saleté genre cancer en phase terminale ? Ou le père, ou les deux…

— Même pas.

— Tu sais, ça arrive.

Sookie n'écoutait plus. Elle songeait à l'absence d'ordinateur, les cartons au grenier, les prises électriques, tout cela tourbillonnait dans son esprit, interdisant à sa logique les conclusions auxquelles semblait adhérer la PJ de Rennes.

La vision des trois pendus l'avait hantée tout l'après-midi, rendant son travail si pénible qu'elle s'était octroyé une pause café au soleil, sur le gazon grillé du commissariat, la tête posée sur le flanc de Guernica. En vain. Les visages grimaçants des Raspail avec leurs lèvres étirées sur un sourire atroce ne cessaient de retourner dans la boîte Nuremberg. Et ça, c'était nouveau.

Dans sa recherche d'équilibre, Sookie possédait un avantage non négligeable : elle connaissait ses obsessions, ses faiblesses. Elle savait que ces images dérangeantes risquaient de la rendre chèvre si elle ne trouvait pas la vérité.

— Sook, tu m'écoutes ?!

Machinalement, Sookie avait ouvert deux nouvelles boîtes – celle de Jean-Paul Zehnacker, le rôle principal de *La Poupée sanglante*, série des années 70 qui avait impressionné Sookie dans son enfance, et celle de Simone Veil – au passage d'un homme couvert de cicatrices et d'une femme d'un âge certain, au chignon impeccable et aux yeux rieurs et apaisants.

— Tu imagines un peu le tableau ? râla-t-elle. Il fait beau, c'est le mois de juin et pendant que le jeune se baigne, monsieur ressert un Ricard à madame qui bouquine du Tabachnik, et puis non, finalement, l'eau de la piscine est trop froide, le Ricard dégueulasse et le livre trop glauque, alors ils changent d'idée et vont se pendre dans le salon ? Ça ne tient pas la route. Si ces têtes de mules de Rennes ne veulent pas le faire, moi, je découvrirai la vérité.

Sookie pensa soudain à Guernica, qui devait avoir chaud dans la voiture. Qu'allait-elle faire de cette chienne ?

— Je sais que les évidences sont trompeuses, se défendit Erwan. Mais je peux te garantir que ce n'est pas la première fois que ça arrive ! Sookie, ajouta-t-il avec douceur, ne fous pas ta carrière en l'air en faisant n'importe quoi !

— C'est Nuremberg, je te dis !

— Qu'est-ce que tu racontes, Sook ?

Quelques instants, ils gardèrent le silence, chacun faisant semblant de s'intéresser aux légumes étalés devant eux. Puis Erwan Guenarec reprit la parole, avec l'intention de calmer le jeu :

— Ta journée, c'était comment ?

— La fille qui a manqué me taillader a été relâchée. Encore un juge qui s'est fait baiser par une gueule d'ange.

— C'est peut-être ce qu'il fallait faire.

— Tu te fous de moi? Demain, dans dix jours, dans un mois, cette nana fera de nouvelles victimes, alors qu'elle devrait se trouver en cabane à l'heure qu'il est!

— Fasciste! Tu ferais mieux de lui venir en aide.

— Je ne suis pas la petite sœur des pauvres.

— Tu t'es pas demandé si elle ne serait pas mieux dehors, à la recherche d'un travail?

— Putain, il y a vraiment des moments où j'aimerais être Léon!

— Qu'est-ce que ton père vient foutre là-dedans? soupira Erwan Guenarec.

— Il s'arrangerait pour que tout le monde sache que cette fille est une délinquante et qu'un juge a foiré son travail, voilà ce qu'il ferait. Maintenant, excuse-moi, Guernica doit avoir besoin d'air, et moi aussi.

Sans un mot pour la retenir, Erwan Guenarec regarda la silhouette de Sookie diminuer rapidement dans l'allée centrale, en se disant tout de même qu'il allait se sentir un peu seul ce soir, avec ses caisses de vin et ses fichus légumes bio.

13

Un bruit sourd réveilla **Lara Mendès**. En une fraction de seconde, tout lui revint en mémoire. Les bruits,
le poinçon en plastique, la gamelle où restait un demi-
centimètre de porridge auquel elle n'avait pas touché,
l'ampoule qui brûlait au plafond, les liens en plastique
à ses poignets. L'image de Bruno passa devant ses
yeux. Elle aurait tout donné pour être dans ses bras, à
cet instant précis.

Pourquoi ne m'ont-ils pas encore trouvée ?

La barre qui bloquait la porte de la cellule frotta
contre le métal. La jeune femme se raidit.

Calme-toi, crevette. Tu vas y arriver.

Pendant les quelques secondes qui séparèrent l'ouverture de la porte de l'apparition de son agresseur, l'esprit
de Lara passa par tous les stades de la supplique.

Elle eut l'impression de sentir son sexe rétrécir, imagina qu'il se refermait, que sa peau s'épaississait, ses
seins rentraient dans son thorax. Comme la peur la faisait haleter, Lara arrêta de respirer.

Ne montre rien, non, surtout ne montre rien.

Quand elle sentit le souffle de son agresseur sur sa
nuque, l'esprit de Lara se bloqua sur l'instinct de survie.

Le temps parut s'arrêter.

— Ton carnet de bal commence à se remplir, susurra l'homme en s'allongeant derrière elle. Bientôt, tu ne seras plus à moi. Alors, cette fois, je vais te bouffer la chatte. Après, je goûterai à ton cul.

Lara manqua suffoquer quand elle sentit le sexe du type durcir contre ses fesses. Tout chez cet individu la révulsait, son odeur, forte, aiguë ; ses mots, choisis pour anéantir ; son absence de morale, au point qu'il semblait jouir de sa terreur. Tout dans cet instant galvanisa le peu de forces qui lui restaient. Au moment où les doigts de l'homme fouinaient entre ses cuisses, Lara serra ses mains autour du poinçon et se retourna d'un coup de reins.

Puis elle frappa. Son arme se planta dans l'œil de l'homme qui versa sur le côté en hurlant tandis que Lara reculait sur les coudes vers le bord opposé du matelas. En voyant le visage du type couvert de sang et d'humeur, le poinçon fiché dans son orbite, Lara vomit un flot de bile.

L'homme se redressa, arracha le poinçon en hurlant. Son œil valide la fixait avec une haine farouche. Secouée, elle chancela quelques secondes et bondit hors de la cellule. Les mains tremblantes, elle tenta de verrouiller la porte, mais la clé n'était pas dans la serrure.

— OK, salope !

Lara se rua dans un couloir aveugle, courut jusqu'à une immense salle encombrée par un fatras de planches et de tiges en métal, haute comme un immeuble de deux étages, et tout aussi aveugle que le reste. Elle ramassa une tige et pivota sur elle-même, son arme de fortune brandie à hauteur de son visage.

Seuls quelques néons disposés de loin en loin diffusaient une lumière chiche.

Un cri déchira l'air.

Une femme appelait à l'aide depuis un couloir situé sur sa droite. Lara analysa rapidement la situation : dans son dos, son violeur se remettrait sur pied tôt ou tard. Elle n'avait fait que lui crever l'œil.

Une femme hurlait, et Lara doutait qu'elle fût seule.

Il ne lui restait qu'une direction à prendre : face à elle, un troisième couloir prenait naissance. Moins de dix mètres plus loin, un escalier en métal rouillé la conduisit vers l'étage supérieur où Lara traversa une enfilade de pièces. À ce niveau, le béton avait été peint en gris.

C'est sur cette peinture époxy qu'elle suivit les traces de pas qui convergeaient vers une porte en métal massive. Lara s'étonna de son apparente légèreté quand elle pivota sur ses gonds, révélant une épaisseur de blindage d'une trentaine de centimètres et un sas d'une dizaine de mètres carrés.

Derrière elle, le son très étouffé de cris abominables lui parvenait encore.

Une nouvelle porte, plus moderne et dotée d'un système d'ouverture à code électronique, l'arrêta. Celle-ci possédait en outre deux serrures de sécurité estampillées Fichet.

Lara poussa la première porte de l'épaule pour s'enfermer dans le sas. La gâche fit un léger déclic, signe qu'elle s'était verrouillée.

Gênée par ses mains entravées, Lara entra les codes qui lui passaient par la tête. Quatre chiffres plus une lettre, ça ne devait pas être si compliqué à deviner. Ses doigts allaient et venaient sur les touches et vérifiaient régulièrement la poignée.

Elle s'échina plusieurs minutes, jusqu'à ce que la lumière s'éteigne et que les ténèbres l'enveloppent. Totalement aveugle, Lara se plaqua contre le mur, la bouche ouverte, haletante.

Quelques secondes plus tard, elle entendit le déclic de la première porte.

— Je t'emmerde, sale porc ! hurla Lara en fouettant l'air avec sa tige en métal. Tu ne me toucheras plus jamais, c'est clair ?

— Oh mais si, mon petit chat. D'abord, je te baise-rai avec mon flingue, dit l'homme en tournant autour d'elle. Je te l'enfoncerai bien profond et j'appuierai sur la gâchette. Pan ! hurla-t-il pour finir, avant de frapper violemment Lara sur la pommette.

La jeune femme hurla de douleur et vacilla contre le mur. Puis ses jambes se dérobèrent subitement. La tige de métal qu'elle venait de lâcher rebondit sur le sol avec un bruit clair.

Lara entendit le bip des touches du boîtier à code, le cliquetis d'une serrure, le claquement d'une porte.

Et puis le silence, un silence comme elle n'en avait jamais connu.

14

Les mains fourrées dans les poches de son jean, **Valentin Mendès** avançait, les yeux rivés sur les talons d'Arnault de Battz qui claquaient sur l'asphalte. Cela faisait à présent trois jours et trois nuits que Lara avait disparu sans donner de nouvelles.

Le producteur et lui avaient passé deux heures au commissariat du 9e arrondissement. Ils avaient signalé la disparition de Lara, le flic avait rempli des tas de papiers, pris les noms de ses collègues et demandé à Valentin ceux des ses amis.

Le jeune homme avait lancé un regard désespéré à Arnault de Battz. Comment expliquer à ce flic qu'il ignorait tout des relations de sa sœur? Sept ans et près de huit cents kilomètres les avaient séparés durant des années. Valentin avait seulement appris sa liaison avec Bruno Dessay lorsqu'il avait été question de la rejoindre à Paris. Lara était secrète, exclusive et plutôt solitaire.

Ce qui n'était visiblement pas idéal pour faire avancer l'enquête.

En l'absence de témoins, de signes d'agression manifeste, d'effraction ou de crime, le champ d'action de la police se réduisait à une peau de chagrin. Accident, départ volontaire, suicide ou mauvaise rencontre, encore fallait-il savoir dans quelle direction chercher.

Putain, ça ne va pas recommencer. Pas encore ! Pas après papa et maman !

— Ils vont avoir besoin de temps, dit Arnault de Battz en posant une main sur l'épaule de Valentin, mais ne vous inquiétez pas, ils vont tout faire pour la retrouver.

— Connards d'abrutis !

— Ils ont appelé les hôpitaux entre Paris et Vendôme, vérifié les péages, l'appartement de Lara n'a pas été vandalisé, et aucun témoin ne s'est manifesté.

— Pourquoi voulez-vous que quelqu'un se manifeste ? Les gens sont des trouillards. Prenez Dessay, il n'a pas eu les couilles de me dire en face qu'il avait annulé leur rendez-vous par SMS. C'est pas classe, ça ?

— Je dois admettre que je n'en suis pas encore revenu, admit Arnault de Battz en levant les yeux au ciel.

Le producteur avait téléphoné à Bruno Dessay depuis le bureau de l'OPJ qui enregistrait leur signalement de disparition pour connaître l'immatriculation de sa voiture. L'officier, qui avait bien noté que Lara n'était pas du genre à disparaître sans laisser de nouvelles, avait interrogé Bruno Dessay, s'étonnant qu'il n'ait pas réagi plus tôt à la disparition de sa petite amie.

C'est ainsi qu'ils avaient appris que le compagnon de Lara lui avait envoyé un message le samedi soir pour lui dire qu'il était inutile qu'elle le rejoigne, le déjeuner avec ses parents était annulé. Bruno Dessay ne s'était pas inquiété, pensant que Lara avait besoin de prendre l'air pour accuser le coup. D'après lui, ce n'était pas la première fois qu'ils s'engueulaient à ce sujet et elle avait déjà passé plusieurs jours sans donner de nouvelles.

— Bruno est un connard ! lâcha Valentin. Et je n'ai qu'une envie, lui coller mon poing dans la gueule ! Quand on en a dans le froc, on ne règle pas ses comptes par SMS ! C'est des trucs de pédé, ça !

Valentin s'arrêta sur le trottoir et se tourna vers Arnault de Battz.

— Euh… désolé, j'ai dit ça sans y penser.

Le producteur eut un petit geste agacé.

— J'ai l'habitude.

— Non, mais vraiment, insista Valentin. Avec mes potes, on se traite de lopettes, de tantouses et de fiottes à tout bout de champ. C'est con, je sais, mais c'est comme ça sur un terrain de rugby. Du coup, je ne fais plus gaffe.

Arnault de Battz souleva ses lunettes de soleil pour observer le visage de Valentin.

Cet abruti n'avait pas besoin de dire aux flics que Lara était du genre à pas donner de nouvelles ! D'abord, c'est faux, et en plus, ça va pas les inciter à bouger ! Quelle merde, ajouta Valentin en réprimant un sanglot.

— T'es chou ! Je t'adopte, à la condition que tu fasses tes besoins dans ta caisse et que tu ne ronges pas mes bas de fauteuil !

Valentin sortit ses propres lunettes de soleil et les glissa sur son nez pour masquer ses larmes.

— Lara m'avait dit que vous étiez complètement ouf.

— C'est un compliment ?

— D'après vous ?

Arnault de Battz opéra un quart de tour sur lui-même. Puis il glissa son bras sous celui de Valentin et l'entraîna avec lui vers le parking.

— Pas question que vous dormiez chez Lara ce soir.

— Je peux savoir pourquoi ?

— Oui, il peut savoir, l'apollon. Parce que si quelqu'un s'en est pris à Lara, alors cette personne est en possession de ses papiers et de ses clés. Vous comprenez maintenant, ou producteur-pédé-parisien doit faire dessin à grand-dadais-du-sud-ouest ?

Valentin accepta la proposition du producteur de l'héberger jusqu'au lendemain, où il devait reprendre le train pour sa province. Pourtant, l'idée de casser la gueule à un cambrioleur muni des clés de Lara le tentait assez.

— Je vous préviens, ce soir, je reçois un visiteur important et il n'est pas question que le Tout-Paris me tombe dessus. C'est clair ?

— Ça veut dire que je ne l'ai jamais vu, jamais rencontré ? C'est qui, une star ?

— Ce qu'il est mignon ! Et n'oublie pas, précisa Arnault, je t'invite à dormir en tout bien tout honneur !

— Évidemment, acquiesça Valentin en souriant, incapable de ne pas imaginer comment son poing s'écraserait sur le visage du producteur dans le cas contraire.

15

Recroquevillée contre un mur, les bras passés autour de ses jambes repliées, Lara Mendès tremblait comme un animal acculé dans son terrier.

Béton froid, épais, brut, sans décoration, aucune rampe pour véhicule, une hauteur sous plafond démesurée à certains endroits. D'après ce qu'elle avait pu voir lors de sa fuite, avant que tout ne soit plongé dans les ténèbres, elle se trouvait dans un bunker.

Cette déduction ne la rassurait pas. Les militaires bâtissaient pour l'éternité. Et en général, ils enterraient leurs forteresses.

Son arrière-grand-père, Pierre Soulès, avait travaillé malgré lui à l'érection du mur de l'Atlantique. Résistant dès le printemps 41, arrêté par la Gestapo deux ans plus tard, déporté en Pologne après des semaines de torture, il avait été réquisitionné par les nazis, lui, son entreprise de travaux publics, ses employés et son matériel, et expédié en Normandie pour construire le même type de blockhaus que celui dans lequel elle était enfermée soixante-dix ans plus tard.

Incapable de bouger, Lara ferma les yeux et tenta de se souvenir des photos que contenait la boîte aux renforts métalliques soigneusement rangée dans l'armoire de sa grand-mère.

Un jeune homme aux cheveux très bruns, crantés comme on savait les coiffer à cette époque. Les années 30, un voyage sur un bateau, le *Lisboa*, passage le long des côtes africaines, pépé porte un chapeau colonial et un bermuda en toile écrue. (Lara se souvint qu'elle avait ri aux larmes. Le pépé ressemblait à Jonathan Higgins, le majordome dans la série *Magnum*.) Toujours pépé dans une tenue similaire, cette fois en compagnie de guerriers africains. Sur un autre cliché, le pépé pose à côté d'une princesse africaine, jeune, belle et presque nue, ce qui faisait courir dans la famille la rumeur que des rejetons de l'arrière-grand-père devaient peupler la savane. Puis des ponts, des dizaines de ponts ferroviaires que l'entreprise a érigés sur le tracé d'une ligne reliant Brazzaville à Pointe-Noire. Des photos par centaines, à toutes les époques, des années 1910 jusqu'à la naissance de Lara.

Tu vas disparaître corps et biens, comme tes parents.

Pour contrer les travers de son cerveau, Lara fouilla sa mémoire, sans succès. Aucune photographie ne représentait Pierre Soulès sur le site d'une fortification du mur de l'Atlantique. Lara se souvint que cette absence l'avait chagrinée. Son aïeul avait participé à une entreprise historique, certes forcée, mais qui valait bien une photo tout de même.

« Rares sont ceux qui cherchent à se glorifier de cette période. »

Lara n'avait pas compris l'explication de sa grand-mère Soulès. Pourquoi cacher des choses qu'on avait faites puisque les gens n'avaient pas eu le choix ? Ce n'était pas juste.

« Ce ne sont pas des histoires pour une petite fille. »

Lara n'avait eu droit qu'à cette réponse. Il existait des histoires pour les enfants, et d'autres, terribles, pour les adultes.

Le souvenir arracha un pauvre sourire à Lara. Elle ne s'était pas embarrassée des explications de sa grand-mère et avait conclu qu'il suffisait de ne pas devenir une adulte pour qu'il ne vous arrive jamais rien de terrible.

Lara n'était plus une petite fille.

Serrure, claquement de porte, silence, l'homme était parti. Mais il allait revenir.

16

Sookie Castel se força à desserrer les dents. Cela faisait près d'une demi-heure qu'elle était assise dans une des nombreuses salles d'attente de l'hôpital de Vannes face à deux gosses affalés à côté de leur mère qui l'observaient en grimaçant. Elle n'appréciait pas plus les enfants aujourd'hui que des années plus tôt, lorsqu'elle usait elle-même ses jeans sur les bancs de l'école. Querelleurs, railleurs, emmerdeurs en bande organisée, les enfants, dans leur façon d'être, résumaient la société en devenir.

Si elle se fiait aux statistiques de la délinquance des mineurs, Sookie n'avait pas envie de vivre dans ce monde-là, encore moins d'y exercer le métier de flic. Mais était-il raisonnable de s'en remettre à des chiffres manipulés à l'envi par le ministère, les syndicats de policiers, les partis d'opposition ou les associations de terrain ?

Seule l'expérience comptait et ces gosses assis en face d'elle se payaient sa trogne, en imitant son visage grave – sourcils froncés et lèvres pincées par la frustration.

Ce soir-là, Sookie portait une veste militaire par-dessus son tee-shirt. Elle se contenta d'en écarter un pan pour qu'apparaisse son arme logée dans son holster. L'effet fut immédiat. Les gosses rangés respectivement dans les boîtes *La Guerre des boutons* sousboîte Lebrac et *Les Disparus de Saint-Agil* sous-boîte Macroy se crispèrent dans la seconde.

Même pas honte, songea-t-elle en se levant pour retourner dans le service. *Ça vous apprendra à emmerder les dames.*

Yanna Jezequel occupait les toilettes depuis que Sookie était entrée dans sa chambre. Un fait exprès dont cette dernière ne s'était pas irritée, en profitant pour engloutir la pomme qui traînait sur la tablette de déjeuner.

Sookie, qui avait réfléchi aux paroles sages d'Erwan, avait décidé de tenter une BA, histoire de fermer la boîte Jodie Foster tête de Piaf une bonne fois pour toutes.

Bettie Henriot avait adoré l'idée d'aider une jeune âme en peine. « L'air de la mer et la piscine lui feront le plus grand bien. Et puis j'ai un tas de choses à lui faire faire, à cette jeunette ! M'est avis que vous me verrez moins, brigadier ! »

Sookie avait précisé à la vieille dame que rien n'était moins sûr, qu'elle tâterait le terrain le soir même à l'hôpital où se reposait la jeune femme, et la tiendrait au courant.

On y est. Je vais encore une fois leur prouver à tous que c'est peine perdue.

Quand Yanna Jezequel daigna quitter la salle d'eau, elle trouva Sookie assise dans l'unique fauteuil de la chambre, occupée à lire un numéro défraîchi de *Gala*. La jeune femme fulminait tant qu'elle ignorait quelle attitude adopter, si bien qu'elle se remit au lit sans un mot. Sur la table roulante à côté d'elle, Sookie avait déposé le trognon de pomme qui s'oxydait déjà.

— Ça t'intéresse vraiment ces conneries ? demanda Sookie sans relever les yeux du magazine. Si c'est à ça que tu passes ton temps, je comprends que t'aies le cerveau ramolli.

Les paupières de Yanna Jezequel se plissèrent.

— On recommence à zéro, proposa Sookie en jetant le magazine sur le lit. Salut.

Comme elle n'obtenait pas de réponse, elle enchaîna :

— Voilà comment je vois les choses : tes frangins vont goûter au zonzon quelque temps, alors tu vas devoir te dégoter un mec pour te protéger. En six mois, soit ton mec t'aura plumée, soit il t'aura appris à te piquer, soit il t'aura prostituée. Dans ces trois cas de figure, tu vas y laisser la santé. Alors voilà ce que je te propose : un toit chez une vieille bourge adorable qui te paiera comme dame de compagnie en attendant que tu fasses une formation et que tu te trouves un job. Et si quelqu'un t'emmerde, je suis ton ange gardien, sainte Sookie pour te servir. Qu'est-ce que t'en dis, Jodie ?

Le mot échappa malencontreusement à Sookie. Sur l'instant, Yanna Jezequel ressemblait terriblement à Jodie Foster, lorsqu'elle interprétait Nell. L'air buté, le front bas, la mâchoire inférieure prognathe.

— Qu'est-ce que tu veux en échange ?

— Le receleur de tes frères.

— Non.

— Alors donne-moi un tuyau sur le gang des Anti-quaires. Tu es bien trop maligne pour ignorer qui ils sont.

— Vas-y, flatte-moi, négresse !

— Tu ne crois pas que dans ta situation, un petit coup de pouce serait le bienvenu ?

— Alors tu te sens obligée de me faire chanter ?

— Je n'ai pas le choix, Pimprenelle. Mon chef, son chef, le chef de son chef et le ministre veulent des résultats.

— Rien à foutre de tes résultats ! Tu n'as qu'à…

Une forte voix d'homme monta depuis le couloir, coupant la parole à Yanna Jezequel.

Des cris fusèrent, des mots orduriers.

Les deux femmes se regardèrent.

— Ne bouge surtout pas, murmura Sookie. Je suis à toi dans un instant.

En sortant dans le couloir, Sookie tomba nez à nez avec Mehdi Kharja et deux autres gendarmes, un gros et grand, et un petit très sec, boîte Laurel et Hardy inversés. Ils escortaient un homme aux cheveux roux. Son torse et ses épaules nus maculés de sang séché étaient couverts d'une blouse en papier, et une partie de son visage dissimulée sous un épais pansement.

— Bande de saloperie de keufs ! J'suis blessé et vous ne trouvez rien de mieux que de m'envoyer en cabane ! Pourris ! Qu'est-ce que t'as à me reluquer comme ça, Blanche-Neige ? hurla-t-il à l'adresse de Sookie.

Boîte catcheur du soir sur la TNT.

Sur un signe de Mehdi Kharja, Laurel et Hardy emmenèrent le prévenu plus loin. Sookie le suivit des yeux avec une moue dubitative.

— C'est Ribaud, non ? murmura-t-elle en refermant une boîte salopard de pervers dans laquelle elle avait rangé le suspect tant qu'il était en cavale.

Sookie posait la question en pure forme. Elle était déjà certaine de la réponse. Un mandat d'amener courait sur la tête de cet individu depuis quelques mois déjà. Il était soupçonné de forcer des prostituées à tourner dans des films porno sordides. Une première perquisition à son domicile avait permis de découvrir des stocks impressionnants de DVD qu'il expédiait dans toute l'Europe. Ce mode opératoire permettait aux clients dont l'IP était surveillée de visionner des films en toute tranquillité, sans laisser de traces sur leur ordinateur.

Depuis l'intervention de la section de recherches à son domicile, Stephan Ribaud s'était évanoui dans la nature.

— C'est ça! Là, on va lui chercher des fringues propres et on le conduit chez le juge. M'est avis qu'il n'est pas près de ressortir.

— Comment vous l'avez serré?

— Une patrouille l'a ramassé. Il s'était foutu dans le fossé tout seul.

— Qu'est-ce qu'il a?

— Un œil crevé. Il nous a raconté qu'il s'était pris une branche, tu parles! T'aurais vu le carnage, quand on l'a récupéré, il était couvert de sang et de vomi!

— Tu ne sais pas ce qui s'est passé?

— Le toubib nous a juste confirmé qu'un truc pointu lui a crevé l'œil, rien de plus!

— Ouais… Où est-ce qu'il créchait tout ce temps?

— J'en sais rien. Tout ce que je peux te dire, c'est qu'il était contrarié de tomber sur nous. Et toi, qu'est-ce que tu fais dans le coin?

— Yanna Jezequel, répondit Sookie en levant les yeux au ciel. Toujours aussi gracieuse. Il faut que je te laisse, la terreur m'attend.

Lorsqu'elle retourna dans la chambre après être passée au distributeur pour avaler un café et une barre de Snickers, Sookie se trouva nez à nez avec Bettie Henriot.

Visiblement, Margaret Thatcher elle-même avait décidé de donner un coup de pouce au destin.

— Vous n'avez tout de même pas demandé à cette enfant de dénoncer ses frères, Sookie ! s'indigna la vieille dame.

Bettie Henriot était debout à côté du lit de Yanna Jezequel et ses mains tavelées entouraient celles de la jeune femme qui lança un regard triomphant à Sookie.

— Mais non, pas ses frères, protesta cette dernière. D'autres méchants qui courent encore !

— Yanna viendra chez moi, sans condition. C'est dit.

Les boîtes Jodie tête de Piaf et Thatcher fusionnèrent et se refermèrent dans l'esprit de Sookie.

Elle n'insista pas, heureuse de passer à autre chose.

17

Arnault de Battz possédait une villa à Neuilly, en bordure du bois de Boulogne, comprenant une habitation principale et une maison d'amis au fond du jardin. C'est là que Valentin s'installa, dans un nid douillet d'une cinquantaine de mètres carrés à la décoration surchargée.

À 20 heures, Arnault de Battz reçut enfin le mystérieux visiteur, dont il avait annoncé la venue. Il s'agissait d'Egon Zeller, monstre sacré du cinéma, acteur de premier rang, connu pour avoir été l'amant des plus belles femmes de la planète.

Merde, si je raconte à mémé que son idole est gay, elle me déshérite! songea Valentin en répondant aux présentations.

Ils s'installèrent sur la terrasse pour prendre l'apéritif et Arnault de Battz s'employa à rompre la glace en racontant leur visite éprouvante au commissariat.

— Tenez le coup, mon petit, ça risque d'être long.

Egon Zeller avait la même voix grave et veloutée qui fascinait Valentin quand il visionnait un de ses films avec sa grand-mère. Elle n'avait jamais raté aucune de ses interviews – l'homme cultivait le mystère et la rareté à l'écran – et collectionnait les photographies de son idole qu'elle découpait dans les journaux télé.

La voix d'Egon Zeller donnait envie de l'écouter longtemps en fermant les yeux. Mais Valentin, contrairement à mémé Carmela, ne parvenait pas à le trouver beau. Trop bronzé, des dents trop blanches, des rides trop parallèles, des yeux trop clairs, un sourire trop charmeur. C'était bizarre, mais à observer les traits harmonieux du comédien, Valentin en arrivait à lui souhaiter un défaut, juste pour le rendre plus humain.

— Merci, monsieur, susurra le jeune homme, mais tous ces flics qui ne bougent pas alors qu'ils ont des moyens, ça me soûle.

— Le problème, expliqua Amault de Battz en servant une bière à Valentin et du champagne pour Egon et lui, c'est qu'ils ne savent pas où chercher.

— Et parce que l'autre idiot s'est pris le bec avec Lara le soir de sa disparition, les enquêteurs se dirigeront d'abord vers la thèse de la fugue ou du suicide.

Valentin trouvait le raisonnement d'Egon Zeller limpide. Mais jamais sa sœur ne le laisserait sans nouvelles, de ça, il était certain.

Pas après ce qu'on a vécu.

— Je n'ai jamais supporté ce Bruno Dessay, ajouta le comédien en avalant avec une classe toute naturelle un petit-four au fromage, enrobé de pâte feuilletée. Trop mielleux, trop fourbe. Pourri jusqu'à la moelle. Lui et ses collègues ont campé devant chez moi pendant des semaines, après la mort de mon fils, juste pour me photographier en train de pleurer. Et pas un flic n'a accepté de les déloger.

Valentin adressa un timide sourire aux deux hommes assis face à lui et enfourna deux petits-fours à la saucisse. L'angoisse lui donnait faim.

111

— Vous le savez, vous, dit-il la bouche pleine, que Lara n'est pas du genre à rester sans passer un coup de fil. Et c'est pas parce qu'elle s'est fritée avec son mec qu'elle s'est suicidée, faut quand même pas déconner. Elle a très bien pu abandonner sa caisse quelque part, faire du stop, se faire agresser ou tomber dans un trou ! Quand est-ce qu'ils vont se décider à chercher vraiment ?

— Lara est perçue comme une femme libre et indépendante, exposa Arnault de Battz. On aura beau expliquer qu'elle n'est pas du genre à disparaître, celui qui s'occupe du dossier a visiblement une autre opinion.

— Mais c'est leur boulot, non ?

— C'est le responsable d'enquête qui décide s'il accélère la procédure en fonction du profil du disparu, précisa Egon Zeller. Et comme vous n'avez pas de flics dans votre famille, alors pas de traitement de faveur, pas de fonctionnaire qui va croiser les dossiers, fouiner, suivre chaque piste, sonder chaque étang ou chaque puits. Je suis bien placé pour le savoir. Quand mon fils a disparu, ils n'ont pas bougé parce qu'il était enfant de star, alcoolique et cocaïnomane. Je sais, ajouta-t-il avec une moue, ça fait beaucoup… Résultat, il est mort dans un fossé, à quelques mètres de chez moi.

En bon hôte, Arnault de Battz profita du silence qui succéda aux paroles d'Egon pour remplir les verres et chercher une nouvelle fournée de feuilletés. L'odeur du beurre chaud mit l'eau à la bouche de Valentin. Il en eut presque honte. Saliver devant des petits-fours alors qu'il ignorait où se trouvait Lara…

— Ça me fait bizarre de vous voir en vrai, dit subitement Valentin. Mémé me soûle tout le temps avec vous. Egon Zeller a fait ci, Egon Zeller a fait ça…

— Malheureusement, s'exclama le comédien, Egon Zeller n'a pas de super pouvoirs ! Pourtant, aujourd'hui, ça ne serait pas du luxe.

— Quand je lui dirai la vérité, elle va être drôlement déçue.

— Ne faites surtout pas ça, je détesterais décevoir une de mes admiratrices. Au fait, Battz, tu n'as pas un flic sympa dans ton « petit livre noir des contacts brûlants » ?

Visiblement gêné, Arnault de Battz s'adressa à Valentin.

— Dites donc, mon chou, vous n'avez toujours pas appelé votre grand-mère ?

Le jeune homme secoua la tête. Il redoutait ce moment et le repoussait depuis plusieurs heures.

— Faites-le. C'est difficile, mais nécessaire. Et puis, à votre âge, il ne faut pas supporter tout seul ce genre d'épreuve.

Valentin en convint. Depuis trois jours, il servait un mensonge à Carmela Mendès pour qu'elle ne s'inquiète pas de l'absence de Lara. Il ne pouvait plus continuer.

Il s'éloigna vers le jardin en composant un numéro.

18

Lara Mendès était à peine capable de se tenir debout, adossée au mur, les bras plaqués contre le béton froid. Elle était restée prostrée des heures devant la porte, à l'affût du moindre signe du retour de son agresseur. Ou de la présence d'un autre type dans le bunker. Après tout, elle avait entendu une femme hurler.

Faut que tu bouges, crevette, sinon tu vas crever de froid.

Après quelques pas en longeant le mur qui lui servait de guide, Lara reconnut des meubles, une table, des chaises et découvrit du bout des doigts un univers incroyablement vaste. Elle urina debout, incapable d'approcher son sexe du sol où son esprit tourmenté projetait des marées de créatures répugnantes, eut soif, terriblement soif. Avec le froid vint la fatigue. Lara était nue, autant physiquement que moralement.

Alors, pour ne pas mourir de solitude, elle appela, en vain, puis se parla, commenta chaque objet qu'elle trouvait, chaque palier qu'elle franchissait.

L'écho de sa voix rendit aux ténèbres un volume. Et cela l'apaisa.

Longtemps, Lara poursuivit ses investigations. Elle changea de mur-guide, élargit son champ de recherches, lentement, épiant le silence, les yeux écarquillés sur une nuit impénétrable.

Des heures durant, Lara explora son univers en aveugle, pas après pas, jusqu'à ce qu'enfin, ses mains entrent en contact avec une matière feutrée.

Ses doigts fébriles dénichèrent des boutons, une manche, des poches, pendant que son nez lui disait que le propriétaire de ce manteau fumait du tabac blond.

Dans la minute, la pulpe de son majeur, de son index et de son pouce reconnut les contours d'un briquet tempête.

La flamme du Zippo projeta une lueur aveuglante sur un couloir dont Lara ne devina pas la longueur. Il y avait là plusieurs manteaux accrochés au mur, deux parapluies, et une besace de chasseur.

Lara posa lentement le Zippo allumé sur le sol et passa ses liens au-dessus de la flamme jusqu'à ce qu'ils cèdent avec l'odeur désagréable du plastique brûlé.

Elle frotta ses poignets endoloris et enfila un des manteaux, un vieux loden râpé. Le contact de la doublure en soie fut glacial, mais la sensation passa très vite et la chaleur de l'épaisse toile la réconforta comme jamais.

Dans la lumière du briquet, elle mit la main sur de gros pots de peinture, des rouleaux et un bidon de white-spirit entassés dans un local.

Lara se saisit d'une écharpe suspendue aux patères du couloir, l'imbiba de white-spirit puis l'enroula sur la tige du rouleau de peinture.

La torche s'alluma au moment où la flamme du Zippo commençait à vaciller.

19

Après avoir raccroché, **Valentin Mendès** sécha ses larmes à l'ombre d'un bosquet. Il avait appelé Marie-Pierre Caffier, sa tante. Celle-ci lui avait vivement déconseillé de téléphoner à la mémé tant qu'elle était seule à la maison, et lui avait proposé de s'en charger. Valentin avait accepté, soulagé. Sa tante le tiendrait informé de l'état de Carmela et lui dirait quand il pourrait l'appeler. Qu'il reste à Paris le temps nécessaire, elle lui enverrait de l'argent rapidement.

Par les portes-fenêtres grandes ouvertes, Valentin entendait des bribes de conversation. Et d'après ce qu'il pouvait comprendre, le producteur regrettait de n'avoir pas informé la police que Lara travaillait sur une affaire délicate.

— Elle enquêtait sur quoi? demanda Valentin en faisant irruption dans le salon.

D'un geste, Arnault de Battz chassa une mouche imaginaire, puis contre-attaqua :

— Comment a réagi votre grand-mère?

Question con. Une grand-mère, ça réagit comme une mère, puissance 10.

— J'ai appelé ma tante. C'est elle qui va s'occuper de mémé.

— Bonne idée, apprécia Arnault de Battz. Et puis elle ne sera pas seule bien longtemps. Avez-vous réservé votre billet ?

— Je ne rentre plus, déclara Valentin. Ma tante m'envoie de l'argent et je serai plus utile ici que là-bas.

— Allons bon ! Plus utile pour quoi faire ?

— Alors, Lara, elle enquêtait sur quoi ?

— Rien de bien méchant : « les dérives sexuelles des Français ».

— Mais c'est une piste ! renchérit Egon Zeller, visiblement intrigué par cette idée. Lara a peut-être été menacée dans le cadre de cette enquête !

— Admettons, poursuivit Valentin, mais il faudrait savoir sur quoi elle bossait !

— Anyway ! Vous allez gentiment rentrer auprès de votre grand-mère et laisser faire la police. Je vais leur téléphoner demain.

— Non.

— Comment ça non ?!

— Va falloir rameuter tous vos potes si vous comptez m'amener au train de force !

Egon Zeller lança un regard amusé à Arnault de Battz qui s'était redressé sur le canapé, les mains jointes sur ses genoux.

— Lara fait des copies de tous ses fichiers sur un espace de stockage virtuel. Et je connais ses codes d'accès.

— Il vaudrait mieux communiquer ces informations aux enquêteurs !

— Tu as tort de décourager cet enfant, dit subitement Egon Zeller. Pourquoi veux-tu attendre qu'un flic demande à un juge l'autorisation de regarder dans les affaires de Lara ?

— Ah ! Tu ne vas pas t'y mettre ?

— Je trouve que le petit est courageux, et je ne vois pas pourquoi tu le dissuades de rester.

Arnault de Battz fronça les sourcils. Ses joues se couvrirent d'une vague de rougeur et ses traits se figèrent dans la contrariété.

— Tu sais très bien pourquoi.

— Voyons, insista Egon Zeller en se penchant vers lui, tu as l'habitude de diriger des gens, héberger le petit et le surveiller ne devrait pas te faire peur ! Et puis comment tu peux le renvoyer chez lui sans réponse ?

Arnault de Battz leva les yeux vers Valentin et fit la moue.

— Je vois que je n'ai pas le choix.

— Au pire, elle a mis le doigt sur un truc ultrasensible et elle se planque en attendant que ça se tasse ! avança Valentin. On peut vérifier ça tout de suite.

Il fila dans la maison d'amis pour récupérer son portable. Quelques minutes plus tard, il était connecté à l'espace de Lara. Il lui fallut moins de cinq secondes pour constater que le serveur avait été entièrement vidé de son contenu.

20

Sookie Castel avait eu beau se répéter : *Tu fais une connerie, ma vieille !* tout au long de la route, cela ne l'empêcha pas de stationner sa voiture à quelques mètres de la voie privée menant à la Malhornière, en prenant soin de la dissimuler sur un chemin de terre.

Une grosse connerie, même !

Cela ne l'empêcha pas non plus de récupérer sa mallette de bricolage dans le coffre, d'en sortir une paire de gants de chirurgien, une Maglight grand format, un appareil photo numérique, des sachets en plastique, et le nécessaire pour crocheter une serrure.

Les conclusions du légiste sur le suicide des Raspail étaient un affront à son intelligence, et il aurait fallu enfermer Sookie pour l'empêcher de revenir sur les lieux. Et puis, si elle ne bouclait pas l'affaire des Antiquaires, elle résoudrait celle-ci. Ça calmerait peut-être un peu Renaud Cochin. Même si ça risquait aussi de le mettre dans une fureur noire.

Quand t'auras des résultats, chef, tu te ficheras de savoir comment on les a obtenus !

Sookie se mentait à elle-même mais elle s'en moquait. Fermer la boîte Nuremberg était une priorité.

Il faisait un temps splendide et la forêt de Paimpont libérait une fraîcheur agréable en ce mercredi soir. Elle fit descendre Guernica de la voiture et l'encouragea à aller se balader, mais l'animal ne manifesta pas la moindre envie de la quitter.

— Comme tu voudras. Allez, en route !

Sookie remonta le chemin jusqu'au parking, négligea les scellés de la porte d'entrée et fit le tour de la demeure. Sur la terrasse, plus rien ne traînait.

Comme la porte arrière ne présentait pas de serrure extérieure, elle se mit en quête d'un autre accès. Crocheter la vieille serrure de la salle du moulin fut un jeu d'enfant, briser les scellés posés par ses collègues de la PJ aussi. Sookie entra, Guernica sur les talons, et referma derrière elle. En dehors de sa voiture stationnée à une centaine de mètres, plus rien ne manifestait sa présence.

— Mmmh, ça caille ici, murmura-t-elle. Viens, Guernica.

Le mécanisme qu'entraînait autrefois la roue à aubes n'existait plus. Il ne subsistait que la meule gisante, encombrée pour l'heure de tout un fatras d'outils de jardinage et de pots, cassés pour la plupart. Le reste de la pièce servait de réserve.

Sookie dirigea sa torche sur les rayonnages de bocaux, de conserves, d'ampoules, puis la lumière accrocha une volée de marches qui permettait d'accéder au niveau de la maison. Au bout d'un couloir de trois mètres, une nouvelle porte barrait le passage. Sookie la poussa et pénétra dans la cuisine.

Elle nota que l'odeur douceâtre n'avait pas totalement disparu. Guernica gronda. Sookie s'agenouilla près du doberman et tenta de le rassurer. Puis elle se redressa, traversa la cuisine et se retrouva dans le salon qui donnait sur la terrasse. Tout comme au cours de sa première visite, Sookie enregistra la disposition des lieux et des objets qui l'occupaient.

Des éléphants dans un magasin de porcelaine, rumina-t-elle en pensant à ses collègues de Rennes. *On a fourré ses pattes un peu partout à ce que je vois !*

Beaucoup de choses avaient été déplacées, notamment dans la bibliothèque, dont Sookie s'approcha.

Staline, Khrouchtchev, l'Okhrana, Béria, Poutine, un petit penchant pour les salopards russes...

La plupart des livres classés par thème tournaient autour de l'Histoire du monde, dans ce qu'elle avait eu de plus sombre, à l'Est comme à l'Ouest.

Plus loin, Sookie fit une découverte qui l'agaça. Toutes les prises électriques murales avaient été époussetées.

Qu'est-ce que ça veut dire ?

Dans le bureau, certains dossiers n'avaient pas été rangés à leur place, d'autres manquaient, et on avait retiré la carte mémoire de la caméra numérique. Sookie se maudit de n'avoir pas fouillé le bureau en détail. Comment pouvait-elle être la seule à penser que les Raspail ne s'étaient pas suicidés en famille, mais qu'on les avait assassinés ?

Quand Sookie entra dans la salle des pendus, instinctivement, son regard monta vers le plafond où les traces de frottements avaient marqué le bois de la poutre maîtresse.

La boîte Nuremberg se rouvrit, mêlée à celles de dizaines de documentaires. Place des Martyrs, Paris, 1944 ; Zahedan, en Iran, mai 2009 ; Radom,

Pologne, 1940 ; Somalie, 2007 ; Kosovo, Afghanistan, Tchétchénie.

Sookie laissa cette boîte de côté pour ouvrir celles de Jean Marais, de Nena et de Saint-Exupéry. Les pendus Raspail prirent corps autour d'elle, avec cette fois, le sourire figé qu'ils arboraient sur leurs photos de famille, puis se délitèrent pour rentrer dans la boîte Nuremberg.

— Je vais péter les plombs ! ragea Sookie en tournant les talons.

Dans la cuisine, elle repéra un placard à clés accroché sur le côté d'une armoire où une demi-douzaine de trousseaux pendus à des crochets occupait le petit espace. À l'exception d'un, constitué d'une longue clé au métal patiné et de deux clés Fichet pour serrure de haute sécurité, tous étaient étiquetés. Sookie nota que le numéro de série des clés avait été limé, ce qui l'encouragea à empocher ce trousseau anonyme.

Elle râla de ne pas trouver celui qui ouvrait le pool house, puis retourna dans la meunerie. La chaleur l'assaillit aussitôt qu'elle retrouva le ciel au-dessus de sa tête. Il était un peu plus de 21 h 30, et Erwan n'avait toujours pas appelé.

Guernica, qui ne la quittait pas d'une semelle, trottina en boitant jusqu'à l'enclos où se trouvait la piscine, puis s'installa sous un bosquet. Contre un des murs du pool house, un container dégageait une odeur pestilentielle. Les poubelles n'avaient pas été vidées et, à en croire l'état des sacs toujours noués, pas même inspectées.

Sookie dénicha dans la meunerie une grande bâche plastique qu'elle étala sur le sol à côté du container. Puis elle s'employa à fouiller les sacs-poubelle un à un.

Ainsi put-elle constater que les Raspail mangeaient essentiellement du poisson, de la volaille et des légumes frais. Pratiquement aucune boîte de conserve n'avait été exhumée au cours de sa fouille, même pas pour chien. Mme Raspail, qui devait cuisiner du bœuf bourguignon à son toutou, portait des protège-slips de marque Nana, toute la famille utilisait un dentifrice Émail Diamant, mangeait du pain Harris, sans bordure, n'hésitait pas à balancer des herbicides dans le jardin, des ampoules halogènes avaient été changées, précisément quatre – Sookie se fit la réflexion que nulle part elle n'avait croisé un tel type d'éclairage –, au moins un des membres de la famille fumait des Marlboro, accessoirement des cigarillos, marque La Paz et...

En soulevant le dernier sac, Sookie nota qu'il restait quelque chose au fond du container. Elle attrapa une tige de forsythia et s'en servit pour récupérer l'objet. Ce qu'elle avait pris pour une boule de couleur ocre se révéla être un pansement d'assez grande taille roulé sur lui-même. Ses doigts gantés déplièrent délicatement le tissu, offrant à la lumière une empreinte de sang séché de forme ovale. Sookie s'empressa de replier le pansement et le glissa dans un sachet en plastique qui disparut dans sa poche. Puis elle remit les sacs dans le container, secouée par une envie irrépressible d'appeler Erwan pour lui demander son avis.

Cette empreinte de sang ne ressemblait pas à une coupure, pas plus qu'à une morsure d'animal. Non, Sookie était convaincue qu'il s'agissait du résultat d'une morsure humaine. Comment savoir si l'autopsie des Raspail avait révélé une telle morsure, ou si l'empreinte correspondait à la dentition de l'un d'eux?

Elle maudit l'ensemble de ses collègues et l'absence de jugeote de Tommy Lee qui n'avait rien fait pour l'imposer sur cette affaire.

Sur ce coup, Sookie se sentait seule. Mais quitte à verser dans l'illégalité, autant visiter aussi le pool house, elle n'était plus à une irrégularité près.

Le terrain partant en pente vers le ruisseau, la piscine avait été surélevée et le pool house paraissait reposer au-dessus du vide au bout de cette butte. La construction était composée d'une terrasse couverte d'un auvent où un barbecue côtoyait une table et des chaises, et d'un bâti d'une trentaine de mètres carrés entièrement recouvert de bois. Là encore, des scellés avaient été posés. Sookie fouina sur la terrasse, puis s'inquiéta de la chienne.

— Guernica ! appela-t-elle sans élever la voix.

Comme l'animal n'apparaissait pas, Sookie alla à sa recherche. Elle quitta la terrasse et descendit la butte le long du pool house.

Qui donnerait un nom de tableau à un clebs ? À moins que ça ne soit en référence au bombardement de la ville... Soit un trou du cul, soit un nostalgique.

Les lambris du mur arrière descendaient jusqu'à un mètre du sol. En deçà, on distinguait, en partie caché par des herbes hautes, le bas de deux piliers en béton qui soutenaient la construction. Plus loin, tout était plongé dans l'obscurité.

— Guernica ? Tu es là ?

Des gémissements lui répondirent. Sookie s'accroupit et braqua sa lampe sous les lambris. Le doberman était couché sur un lit de terre sèche mêlée de coulures de béton.

— Elle est chouette, ta niche, l'encouragea Sookie, allez, ne reste pas là !

Guernica geignit de plus belle. En soupirant, Sookie s'accroupit et marcha sous la construction. Au bout d'un mètre à peine, elle put se redresser complètement.

Les fondations du pool house, grâce aux lambris qui descendaient pratiquement jusqu'au sol, formaient une sorte de pièce. Des empreintes de pas dans la terre disparaissaient sous le sol en béton.

Sookie hésita une dernière fois. La raison la poussait à appeler son supérieur, lui avouer sa perquisition illégale, ses conclusions, ses certitudes. Avec lui et les gars de la PJ, elle reviendrait visiter le vide sanitaire sous le pool house.

Mais elle en fut incapable.

Sookie braqua sa lampe devant elle. D'autres traces s'éloignaient vers le fond. Elle s'y engagea à quatre pattes et repéra une grille d'aération sur sa gauche.

Des frissons d'excitation chatouillèrent sa nuque. Elle adorait ça.

La grille sortit de son emplacement au premier coup de crochet. Derrière, il y avait une mallette, du type de celles qui renferment une perceuse professionnelle. Sookie l'attrapa, la tira jusqu'à elle et l'ouvrit.

Le faisceau de sa lampe révéla un amoncellement hétéroclite de bijoux féminins, la plupart en or.

Ce qui était curieux, c'est qu'ils étaient tous disposés par paires et reliés par une bague en plastique de couleur jaune, ou orange. Précisément les étiquettes dont les éleveurs se servent pour marquer les bovins.

21

Sa torche dans une main, la tige en métal dans l'autre, **Lara Mendès** suivit les gaines qui couraient au plafond et trouva le compteur électrique à l'étage infé-rieur. Elle bascula l'interrupteur général. Un peu par-tout, des néons clignotèrent, puis se stabilisèrent. La jeune femme put enfin éteindre sa torche, qui fumait abondamment en dispensant une odeur nauséabonde.

Lara consacra la demi-heure suivante à la confection d'une culotte et de chaussettes. Elle déchira de longs lambeaux de la doublure d'un des manteaux pour les enrouler autour de ses pieds et de ses chevilles et uti-lisa le même procédé pour couvrir sa nudité. Elle par-vint même à se fabriquer une sorte de tunique simple qu'elle passa au-dessus de sa tête et fixa autour de sa taille avec la ceinture d'un des manteaux.

Ainsi sommairement vêtue, elle s'attela à une visite rapide de l'endroit. Au troisième sous-sol, dans une partie peu éclairée, elle eut la confirmation qu'il s'agis-sait bien d'un bâtiment militaire.

Peints sur les murs en plusieurs endroits, de grands aigles du IIIe Reich tenaient entre leurs serres une couronne de laurier entourant une croix gammée. Où pouvait-elle être ? Lara avait été droguée sur ce parking mais elle ignorait combien de temps elle était restée inconsciente. Elle pouvait être enfermée dans un block-haus du mur de l'Atlantique comme à l'autre bout de l'Europe, en Allemagne ou ailleurs.

Cette hypothèse lui fit froid dans le dos. Elle s'imagina réchappant de cet endroit et ne trouvant dans la population extérieure que des gens hostiles, voire des communautés de cinglés.

Lara se fustigea. Elle devait empêcher son esprit de l'embarquer dans un mélange de scènes de films, de fantasmes et de faits divers, et préparer sa riposte.

La fortification s'étalait sur quatre niveaux d'environ cinq cents mètres carrés chacun et fourmillait de couloirs desservant de petites salles, comme celle où elle avait été séquestrée. Chacun possédait un vaste bloc sanitaire, dégradé par le temps et des années sans eau. Il avait dû y avoir un monte-charge dans le temps. Large de deux mètres et profond de trois, un conduit d'où partaient des rails reliait les quatre niveaux.

Étrangement, elle ne trouva aucune ouverture vers l'extérieur, or il lui semblait que dans ce type de construction, il y avait toujours une embrasure pour faire passer la gueule d'un canon.

Le premier niveau, de loin le plus aménagé, se composait d'un appartement, avec une réserve de nourriture, un réchaud et de la bière en pagaille, d'un bureau encombré de papiers et d'une cuisine désaffectée.

Envahie par une immense lassitude, la jeune femme décida de s'octroyer une pause. Son estomac criait famine et sa bouche desséchée appelait l'une de ces bières blondes dont le stock l'assurait de ne pas mourir de soif avant des jours.

Lara dénicha dans le placard une boîte de pâté de lièvre et quelques biscottes. Elle ouvrit une bouteille de bière, qu'elle vida à moitié. Sa tête se mit à tourner. C'était si bon.

— À ma santé, sale porc !

Elle souffla quelques minutes puis s'attaqua à un lourd panneau en bois plaqué contre le mur. Après l'avoir fait tomber grâce à la tige en métal, Lara découvrit qu'il masquait une autre porte, probablement aussi vieille que le blockhaus, moitié en acier moitié en bois patiné, dont la surface polie vibrait doucement.

Lara poussa le vantail, actionna le vieil interrupteur, et attendit que les néons cessent de clignoter avant d'entrer.

Le nuage de glace se dispersa, révélant des rayonnages vides.

Lara fit quelques pas.

Au bout de l'allée qui divisait l'espace en deux parties égales, une fille nue était agenouillée. Son visage légèrement tourné vers la porte reposait contre la paroi en acier et ses poignets ficelés par une cordelette étaient attachés à un mètre du sol dans la boucle d'un crochet de boucher, maintenant ses bras au-dessus de sa tête. Elle avait le visage de Brooke Shield et de longs cheveux bruns que la mort avait figés en désordre, une peau au grain fin, des lèvres ourlées, le corps parfait d'une jeune fille de 13 ou 14 ans.

22

Valentin Mendès n'en revenait toujours pas.

La Mini Roadster avait été retrouvée sur un parking de la N10, à une quinzaine de kilomètres au nord de Châteaudun. Bruno avait été prévenu et pas lui. À croire que dans ce fichu pays, on considérait davantage les bagnoles que les personnes.

Bruno Dessay avait récupéré sa voiture en milieu d'après-midi, et n'avait passé un coup de fil à Valentin qu'après. De ça non plus, ce dernier ne se remettait pas. Surtout depuis qu'il savait que Bruno avait porté plainte pour vol de véhicule le lundi matin. Il se demanda ce qui avait pris à Lara de s'enticher d'un con pareil.

Un autre constat accablait le jeune homme. C'est Bruno Dessay lui-même qui avait probablement volé le travail de Lara. Quelques manipulations simples avaient permis de tracer l'IP qui s'était connectée au serveur. Il s'agissait d'un ordinateur du magazine *Century*.

Remonté à bloc, le jeune homme avait voulu lui demander des comptes, mais Arnault de Battz l'en avait empêché, prétextant qu'on n'accuse pas les gens sans preuve. Ronger son frein, Valentin ne disposait d'aucune autre alternative, mais combien de temps serait-il capable de se contenir ?

À côté de lui, le producteur gardait le silence, son attention fixée sur la route. Ils venaient de quitter l'autoroute A10 et se dirigeaient vers Châteaudun. Dans quelques minutes, ils arriveraient sur l'aire de repos où Lara s'était arrêtée quatre jours plus tôt.

Arnault de Battz avait finalement ouvert son « petit livre noir des contacts brûlants » pour appeler un autre flic à la rescousse, un certain Lambert Lambert, des archives du ministère de l'Intérieur. D'ordinaire, Valentin se serait moqué d'une telle association patronymique, « monsieur et madame Lambert ont un fils, comment l'appellent-ils ? Lambert ». Mais toute envie de sourire l'avait quitté.

« Ce n'est pas un homme d'action, avait précisé Arnault de Battz, mais un fin limier qui œuvre dans la poussière des dossiers et se passionne pour les grands criminels. »

C'est grâce à cette marotte que le producteur avait rencontré Lambert quelques mois plus tôt, quand il avait produit un documentaire sur le parcours criminel du fameux psychopathe que la France connaissait sous le pseudonyme de Kurtz[1]. Lambert se vantait d'être l'une des rares personnes à avoir eu accès aux carnets secrets du monstre.

— Ça va nous servir à quoi de rencontrer un gratte-papier ? avait demandé Valentin, Lara n'est pas un dossier !

— Je t'ai dit que Lara était sur une vieille affaire, qu'elle axait son enquête sur la mort d'un avocat. Ça

------

1. Cf. la série *Les Voies de l'ombre* de Nathalie Hug et Jérôme Camut.

ne te dit rien à toi, l'affaire Moreau, tu pissais encore dans ta culotte quand c'est arrivé. Mais dans la tête de Lambert, ça a fait tilt !

Arnault de Battz avait alors expliqué à Valentin comment, en 2002, Éric Moreau et sa femme avaient été assassinés avec une sauvagerie rarement égalée, leurs deux fillettes kidnappées, et jamais retrouvées.

— Éric Moreau était connu pour être un habitué des cas médiatiques. Ce qui se savait moins, c'est que ce libertin fréquentait les cercles échangistes et certaines boîtes privées où on ne se contente pas de faire des cochonneries, on utilise un tas d'instruments pervers. Tu vois ce que je veux dire ?

— Ouais, marmonna Valentin. Enfin je crois. Depuis que les bonnes femmes lisent des bouquins porno à deux balles, tout le monde sait ce que sont les godes ou les boules de geisha.

— Oh, mon chou ! Ça, c'est de la rigolade pour ménagère ! Moi je te parle de sexe extrême. Ton cœur de beau gosse adorable ne peut pas imaginer à quel point certaines pratiques sont tordues. Anyway, au 36, quai des Orfèvres, il se raconte que juste avant de mourir, maître Moreau et sa femme auraient participé à une soirée qui a mal tourné, tu vois ? Une fille étranglée ou passée par la fenêtre… Certains des enquêteurs qui ont travaillé sur l'affaire sont persuadés que ce soir-là, ils ont vu quelque chose qu'ils n'auraient jamais dû voir. Des filles qui meurent lors de ces soirées, il paraît que c'est classique, et tout le monde s'en fout. Ce qui l'est moins, ajouta Arnault, c'est la manière dont les Moreau ont été assassinés.

— Quoi, on leur a arraché la langue ?

— Mieux. On a égorgé madame Moreau et pendu son mari sur la façade de leur immeuble, les tripes à l'air.

— Quel rapport avec Lara ?

— En dehors du fait qu'elle s'y intéressait, aucun ! L'enquête n'a jamais rien donné. Dossiers, témoins, tout disparaissait au fur et à mesure. À la presse, on a balancé une vague histoire de fou criminel. Bref, j'ai dit à Lara qu'elle avait plutôt intérêt à faire gaffe à ses miches si elle voulait mettre son nez là-dedans. Alors tu vois, le commandant Lambert n'est peut-être pas un foudre de guerre, mais il a quinze ans d'archives derrière lui. Il en sait beaucoup plus que sa dégaine ne le laisse présager.

Une station-service se profila à l'horizon. Valentin se raidit sur son siège, songeant qu'il serait judicieux de s'y arrêter. Lara avait peut-être fait la même chose. Mais il déchanta très vite. Les pompes étaient automatisées à partir de 22 heures. Lara avait quitté Paris après minuit.

— On arrive, annonça Arnault de Battz, rompant un long silence. Quand on sera avec le commandant, tu gardes pour toi tout le bien que tu penses de la police nationale.

— OK, concéda Valentin, mais on aurait pu venir avec lui, non ?

Arnault de Battz décéléra et quitta la nationale pour s'engager sur l'aire de repos.

— Non ! Parce que monsieur Lambert ne supporte pas d'être passager et que je ne pose pas mon petit cul sensible dans une bétaillère comme celle-là !

132

Une seule voiture était stationnée sur le parking : une authentique Diane couleur crème qu'on aurait pu imaginer sortie fraîchement d'usine tant elle rutilait, si les chaînes de production de ce modèle ne s'étaient pas arrêtées trente ans plus tôt. Arnault de Battz dépassa la Diane, rangea son Audi à côté, et coupa le moteur.

Le commandant Lambert Lambert s'extirpa de sa relique en même temps qu'Arnault de Battz et Valentin sortaient de la berline. Il jeta un papier d'emballage de Kinder au pied du siège passager, et tira sur le bas de sa veste froissée.

— Si c'est pas le bout du cul du monde, nous n'en sommes pas loin, déclara Lambert après avoir salué les nouveaux arrivants. Je me suis fait faxer le rapport de la patrouille qui a constaté l'abandon du véhicule, la Mini se trouvait là, juste sous les arbres.

Sa main désignait une zone proche d'un bosquet d'épineux. Sur le macadam, six places de stationnement étaient délimitées par des traits de peinture récente. Certaines ne portaient aucune empreinte de pneus.

— C'est le service voirie de la commune de…

Lambert chercha le nom, ne le trouva pas. Il fouilla ses poches, retourna à sa voiture et en revint avec une sortie de fax.

— Bonneval, c'est ça, la commune de Bonneval. La voirie vide les poubelles du parking. Ils ont repéré le véhicule abandonné et transmis au commissariat.

Valentin regarda autour de lui. L'aire de repos était entourée d'un grillage. Au-delà, hormis des champs de céréales qui s'étalaient à perte de vue, les pales d'une dizaine d'éoliennes géantes tournaient dans le vent.

Pendant qu'Arnault de Battz et le commandant Lambert discutaient, Valentin arpenta le parking, les yeux rivés au sol et les oreilles aux aguets. Il ne savait pas ce qu'il cherchait, mais dans l'hypothèse où Lara aurait été agressée ici, il existait une chance qu'elle ou son agresseur aient laissé tomber quelque chose. Il ne trouva rien. Quand il revint vers Arnault de Battz et Lambert, les deux hommes échangeaient leur point de vue sur l'affaire Moreau.

— On sait dans quel état se trouvait la voiture? demanda Valentin, un brin agressif.

— Oui, jeune homme, répondit Lambert, la clé était sur le contact, les serrures déverrouillées. Pas de sac, pas de téléphone, rien.

— Je t'avais dis que tu serais déçu, glissa Arnault de Battz.

— Lara n'a pas disparu comme ça, s'agaça Valentin en claquant des doigts. À moins que tu croies aux extra-terrestres!

— Ça ne devrait pas arriver, ajouta Lambert, et pourtant, croyez-moi, je suis bien placé pour savoir que des gens disparaissent par milliers chaque année. La plupart réapparaissent très vite, d'autres sont retrouvés des années plus tard. Et certains, jamais.

— Mais... vous allez enquêter au moins? demanda Valentin. Pas comme ces abrutis!

— La moyenne des imbéciles bas de plafond est à peu près la même dans la police que dans le reste de la population. Ce qui nous sauve, ce sont les procédures. Or, chaque signalement de disparition fait l'objet d'une procédure de routine. On suit l'argent, les mouvements bancaires. S'il n'est plus très compliqué de s'acheter

134

une nouvelle identité, les gens sont bien obligés de retirer de l'argent. Ça laisse des traces.

— Et sinon vous faites quoi ? Vous localisez les mobiles, vous demandez des écoutes ?

Le commandant Lambert prit une expression contrite.

— Non, bien sûr que non. Obtenir des écoutes n'est possible que dans un cadre strict, et dans certains types d'affaires seulement.

— J'hallucine, marmonna Valentin en secouant la tête, d'un air dépité. Parce que ma sœur s'est engueulée avec son mec le soir de sa disparition, on s'en fout. Parce que le parking n'est pas plein de taches de sang, on s'en fout. Parce qu'elle est libre et majeure, on s'en fout. J'hallucine.

— Je suis désolé, Valentin. J'ai fouiné comme vous et s'il y avait eu quelque chose de neuf, ici, nous l'aurions découvert.

Valentin en convint. Venir sur cette aire de repos était une impasse. Mais comment aurait-il pu ne pas vouloir s'y engouffrer ?

— Et pour l'affaire Moreau ?

Lambert lui précisa qu'après une décennie d'enquête infructueuse, il ne restait plus rien du dossier qui s'était « égaré » et qu'il n'avait pas d'autres informations que celles qu'il avait déjà communiquées à Arnault de Battz et qui s'apparentaient plus à des bruits de couloir qu'à des faits avérés. Sans traces du travail de Lara, il serait fort compliqué de savoir dans quelle direction fouiller.

Le moral de Valentin chuta d'un cran supplémentaire.

— Où sont passées les informations que votre sœur avait collectées sur cette affaire ?

Le jeune homme expliqua au policier comment Bruno Dessay avait vidé son espace de stockage virtuel.

— Ce sont des accusations graves et difficiles à prouver, s'entendit-il répondre, n'allez pas raconter ça à n'importe quel flic. Monsieur Dessay est une personnalité appréciée du grand public, un journaliste reconnu pour son intégrité, et un homme qui a beaucoup d'amis. Ça pourrait se retourner contre vous.

— Vous savez quoi? rétorqua le jeune homme. Toute cette merde me donne envie de dégueuler.

Dans un état second, **Lara Mendès** s'approcha lentement du cadavre de la jeune fille et s'accroupit auprès
d'elle.

Le corps de la malheureuse s'était superficiellement
décongelé pendant la coupure de courant et des gouttelettes d'eau perlaient à la pointe de ses mèches et sur
son menton, lui rendant un semblant de vie.

Lara l'observa un moment, luttant contre l'envie de
dégager son front, de lisser ses cheveux et de la prendre
dans ses bras.

— C'est une enfant, c'est une enfant! s'écria-t-elle.

Lara retint un sanglot, se releva et quitta précipitamment la chambre froide. Elle remonta les couloirs
jusqu'à la lourde porte de sortie sur laquelle elle tambourina de ses deux poings en hurlant.

— Des gosses! Tu tues des gosses, sale porc! Viens
ici te mesurer à une femme! Viens ici que je te bute!
Salaud!

Armée de sa tige en métal, Lara se précipita hors
du sas.

— T'es où, enfoiré?

Au niveau − 2, la pièce centrale était encombrée du
même type de feuilles de décors qu'il y avait dans les

studios de l'émission « Un samedi pas comme les autres ». Il y avait aussi des meubles, un lit, une cage qui aurait pu contenir un tigre et tout un tas d'objets insolites.

Rien de ce qu'elle découvrait ne la rassurait. Pas plus cette cage que ces anneaux scellés dans les murs, ou ces deux pieds de caméra qu'elle venait d'apercevoir, en partie cachés par une table d'autopsie.

— Qu'est-ce que tu lui as fait ? hurla-t-elle. Viens ici, sale porc !

Les jambes tremblantes, Lara s'engagea dans le couloir jusqu'à une porte close dont elle actionna le loquet sans succès.

— Y'a quelqu'un ?

Elle frappa plusieurs fois contre le panneau.

Pas de réponse. Pourtant, elle avait bien entendu quelqu'un crier. Se pouvait-il qu'il y ait une autre femme, enfermée derrière cette porte ?

Le troisième sous-sol était désert. Il n'y traînait que de vieux objets abîmés, des fûts d'huile, des feuilles de décors brisées, des outils obsolètes, des tas de ferraille dépareillée.

Quant au quatrième, Lara n'osa s'y aventurer. Non seulement il n'avait pas été électrifié, mais il se dégageait de ses profondeurs une odeur malsaine qui lui fit tourner les talons comme si le diable avait été à ses trousses.

En tout et pour tout, deux portes refusaient de s'ouvrir. Une au premier, entre le sas et la cuisine, et celle du deuxième sous-sol.

Lara récupéra une barre à mine au troisième niveau, bien plus solide que sa tige en métal, et défonça la porte en bois côté cuisine. Dans la minuscule pièce qu'elle découvrit, Lara s'attaqua de la même façon à une armoire grillagée et mit la main sur un fusil de chasse, ainsi qu'une boîte entamée de cent cartouches.

Elle chargea l'arme et se précipita vers la dernière porte récalcitrante. Celle-ci était composée de plaques de métal rivetées, épaisses et rugueuses, qui remontaient probablement à la construction du blockhaus. Le tour de porte était fait du même métal, maintes fois repeint, et scellé dans le béton armé.

— Y'a quelqu'un?

Galvanisée par la crainte de laisser une autre femme mourir seule derrière cette porte, elle s'acharna.

La barre à mine rebondit contre le métal, laissant durablement des vibrations dans ses biceps. Elle s'éreinta un moment, démoralisée par la robustesse du savoir-faire allemand. Quand elle cessa, ses coudes et ses poignets lançaient des signaux douloureux.

— Putain, c'est pas vrai! Au secours! Au secours! Il y a quelqu'un?

Lara cria jusqu'à casser sa voix et se laisser glisser le long du mur en pleurant. Elle eut une pensée pour la famille de cette pauvre jeune fille, morte dans la chambre froide, puis pour sa grand-mère, et pour Valentin. Elle songea aussi à Bruno, qu'elle n'avait pas rejoint à Vendôme, elle visualisa la Mini abandonnée sur l'aire de repos.

Mais qu'est-ce que ses parents vont penser de moi?

Pour se donner du courage, Lara imagina alors les titres de la presse. En cas de malheur, les journalistes se serreraient les coudes. On parlerait de sa disparition aussi longtemps que nécessaire.

Les gens vont se battre pour toi, crevette, ne perds pas espoir.

24

Erwan Guenarec n'avait ni décroché son téléphone la veille au soir ni rappelé de la journée et **Sookie Castel** songea en croquant dans une tablette de chocolat que faire la gueule n'était pas digne de Kevin Costner, mais que tout héros avait droit à ses travers.

À la première heure, jeudi, jour de récup, elle avait déposé le pansement trouvé dans la poubelle des Raspail au laboratoire d'analyse de son quartier dont le médecin-chef était un ami. Puis elle était passée au Monoprix où elle avait acheté du pain et du chocolat, et fait cracher l'imprimante photo, transformant ainsi son appartement en annexe du commissariat.

Sur le mur, à côté du trousseau de clés trouvé chez les Raspail, s'étalaient les clichés des bijoux cachés sous les fondations du pool house : une alliance, neuf paires de boucles d'oreilles, trois piercings, deux chaînes de cheville, six bracelets et deux chaînes de cou auxquelles étaient passées deux médailles de baptême. Sur les gros plans, Sookie avait isolé les inscriptions gravées sur le métal précieux. Il y avait des dates, des prénoms, des initiales, autant d'inscriptions qui échappaient pour le moment à son entendement.

Pour le moment…

La machine Sookie s'était mise en route et quiconque la connaissait savait qu'il serait impossible de l'arrêter. Adossée au canapé face au mur couvert de photos, Sookie laissait son regard errer à la surface des clichés. Son esprit hypothéquait, analysait, triait et fouillait le champ des possibles, à partir de données sans aucun lien.

Pourquoi se suicide-t-on en famille?

Pourquoi un suicidé planque-t-il des bijoux dans les fondations de sa maison? Pourquoi les Raspail n'avaient-ils pas tué Guernica avant de se donner la mort?

Curieusement, c'était cette dernière interrogation qui taraudait le plus Sookie. Elle soupçonnait, grâce aux photos qui trônaient sur le bureau de la Malhornière, ainsi qu'aux écuelles réalisées sur commande, que Guernica avait été un animal choyé, aimé.

Sookie était formelle. On ne se pend pas en famille, encore moins en oubliant l'un des membres — en l'occurrence le chien. Alors qui avait assassiné les Raspail?

Ce pouvait être l'un d'eux, Olivier, le père, ou Léopold, le fils. Sookie n'imaginait pas Sabrina Raspail capable de forcer deux hommes à se pendre. Cette femme avait été menue, très jolie même… et ce détail faisait rougeoyer tous les systèmes d'alarme de Sookie.

Sabrina vivait avec son mari de trente ans son aîné, et le fils de celui-ci, à peine plus jeune qu'elle. Configuration explosive. Le fils et la belle-mère avaient fricoté, et le père avait découvert le pot aux roses?

Ou alors était-ce Léopold, le fils? Oui, mais dans ce cas, pourquoi?

Sookie décida de se concentrer sur ses découvertes.

Neuf paires de boucles d'oreilles, des piercings, des chaînes de cheville et de cou, et une alliance, tous étiquetés à l'aide de ces bagues en plastique portant des inscriptions réalisées à l'aide d'un marqueur fin indélébile.

Dans la journée, Sookie s'était documentée sur ces étiquettes de traçabilité. Pour le bétail, elles portaient quatre lignes d'informations : le pays d'origine, selon la nomenclature internationale, une série de six chiffres, dont les deux premiers représentaient le département, un code-barres – là encore concernant le pays d'origine – et enfin quatre chiffres correspondant au numéro de travail de l'animal.

Les étiquettes qui marquaient les bijoux portaient elles aussi des informations. Mais seule la nomenclature du pays semblait respectée. Parmi les vingt-trois étiquettes jaunes ou orange, sept portaient les lettres FR, six la lettre E, quatre la lettre D, cinq les lettres GB et une les lettres AUS.

Si Sookie se risquait à les interpréter, cela signifiait 7 France, 6 Espagne, 4 Allemagne, 5 Angleterre, et 1 Australie. Léopold Raspail, ou son père, avaient-ils conservé des souvenirs ayant appartenu à des conquêtes ?

Sookie l'envisageait sans trop y croire même si en ce qui concerne les vices humains, il ne fallait rien s'interdire, au risque de passer à côté d'évidences.

Des bijoux triés par origine ? Pourquoi pas ? Mais dans ce cas, que signifiaient les séries de chiffres qui accompagnaient la nationalité ?

Ces chiffres allant par paires (265 – 311 ; 21 – 112 ; 362 – 17, etc.) évoquèrent immédiatement une nouvelle hypothèse dans l'esprit de Sookie : aucun de ces chiffres ne dépassait 365, il devait donc s'agir du numéro du jour de l'année où…

Où quoi ?

Un long frisson d'excitation secoua Sookie.

Pour lui permettre d'avancer, il restait les inscriptions gravées sur les bijoux. Dans deux cas, il s'agissait de la marque du joaillier, dans un autre, des lettres en capitale dont le sens lui échappait, et enfin, au dos d'une médaille de baptême où figuraient une vierge et son enfant, des initiales et une date de naissance.

CB

17.06.96

FR 188-213.

Si elle se fiait à ces indications, et au numéro sur la bague en plastique, alors il était question de retrouver une personne née un 17 juin 1996 dont les initiales formaient le couple CB et le classement faisait référence à la date du 7 juillet et à celle du 1er août.

CB enlevé(e) le 7 juillet et assassine(e) le 1er août.

Facile. Trop facile ?

— Où étais-tu pendant ces trois semaines ? Qu'ont-ils fait de toi ?

Sookie se planta devant la reproduction de la lettre rédigée par l'un des pendus, qu'elle avait punaisée sur un pan de mur, et attrapa le trousseau de clés Fichet pour l'examiner attentivement.

Son regard allait et venait entre les clés et la lettre des pendus.

« Nul ne pourra nous juger.

Dieu seul saura la raison de notre geste, et c'est mieux ainsi.

Adieu à tous. »

Avant de partir au commissariat, Sookie passa sur la terrasse pour cajoler Guernica.

— Tu gardes la maison, mémère. Tommy Lee ne t'aime pas beaucoup, tu sais.

La chienne gémit et remua mollement la queue quand le bruit de la porte la fit bondir sur ses pattes et se précipiter dans le salon où elle accueillit Erwan Guenarec à grands coups de langue.

En le voyant, Sookie fut aussitôt partagée entre la joie de le revoir et l'idée désagréable des mille questions qu'il allait lui poser sur les photos accrochées sur ses murs. Mille questions pour mille mensonges. Le plus simple serait de lui avouer la vérité, tout de suite. Mais Sookie ne se rangeait pas à cette idée. Et puis merde, il s'agissait de son affaire ! Même si elle était la seule à la nommer ainsi.

Elle allait donc mentir pour les photos.

Non, tu n'y es pas, c'est l'enquête sur laquelle je bosse. Tu sais, la bande des Antiquaires. Oui, je ramène du taf à la maison, ça m'occupe quand tu me fais la gueule.

Sookie manierait la mauvaise foi la plus parfaite, elle y était habituée, Erwan en rirait et ils feraient l'amour.

C'était sans compter cette feuille A3 sur laquelle elle avait recopié les mots d'adieu des Raspail. Là-dessus, pas question de baratiner Erwan Guenarec.

— Tu te débarrasses de ton chien puant sur la terrasse ? demanda-t-il.

— Elle adore regarder passer les gens, dit Sookie en entraînant Erwan vers la porte. Tu m'invites au resto ? Je meurs d'envie d'une bonne grillade. Pour commencer.

— Sook, tout ce que tu veux, mais ne me prends pas pour un con.

Sookie détestait se sentir acculée.

— Je t'ai déjà expliqué qu'ils se plantent en beauté avec la thèse du triple suicide, pourquoi tu ne m'écoutes pas ?

— La question n'est pas là…

— Si justement ! Ces connards n'ont pas été fichus de trouver en perquisitionnant à quinze ce que j'ai découvert en moins d'une heure !

— Putain, Sook, renchérit Erwan en montant le ton. Tu n'avais rien à faire dans cette baraque et tu le sais ! Est-ce qu'il est possible de t'empêcher de faire des conneries, ou est-ce atavique chez toi ?

— Pense ce que tu voudras. Mais jusqu'à preuve du contraire, c'est moi le flic !

Sookie tourna les talons et sortit de son appartement. Il montait de la cage d'escalier de fortes odeurs de cuisine qui se mélangeaient, sans succès pour l'odorat. À presque 20 heures, la France entière s'apprêtait à passer à table devant les infos télévisées.

Dans la minute, elle récupéra sa voiture et fila vers le commissariat dans l'intention d'éplucher le fichier des personnes disparues.

On ne se pend pas en famille, c'est tout.

Cette certitude suffisait à son bonheur.

Arnault de Battz fit passer Valentin Mendès devant lui. Ils s'assirent côte à côte sans un mot, face à l'officier de police judiciaire qu'ils avaient rencontré deux jours plus tôt. Une vague odeur de tabac froid flottait dans l'air.

— Je suis à vous, déclara le policier en fouillant parmi les papiers étalés sur son bureau. Voilà. La carte Visa de mademoiselle Lara Mendès a été utilisée plusieurs fois depuis sa disparition.

À ces mots, Valentin retint son souffle. Il sonda le visage de son interlocuteur, qu'il jugea impavide et remarqua pour la première fois que son nom était mentionné sur un carton posé sur son bureau.

Brigadier Bertrand Masson.

— Alors, marmonna le policier, elle a effectué des retraits à Perpignan lundi 18 juin, et plusieurs en Espagne, à Barcelone. Train, hôtel… Le dernier remonte à hier soir.

— Laissez-nous comprendre, le coupa Arnault de Battz, la banque a fait état de mouvements sur le compte de mademoiselle Mendès. Rien ne prouve que ce soit elle qui les a faits.

— Les retraits nécessitent le code de la carte, se défendit le policier.

— Qu'on peut parfaitement obtenir d'une personne sous la contrainte.

— Et les photos ? demanda Valentin. Il y a toujours des caméras sur les distributeurs.

L'OPJ reposa la feuille qu'il tenait et retira ses lunettes.

— Nous les avons reçues ce matin.

Bertrand Masson fit glisser quelques clichés sur la table devant lui, tous datés. On pouvait y distinguer une silhouette de la corpulence de Lara, la tête dissimulée sous un casque de moto.

Il était impossible d'affirmer qu'il s'agissait d'elle. Comme de l'infirmer.

— Il y en a une à Perpignan, lundi 18, 2 h 04, 300 euros. Puis à Barcelone, mardi 19, 23 h 36, 150 euros, encore Barcelone, jeudi 21, 1 h 00, 150 euros et une autre hier soir.

— C'est pas Lara, murmura Valentin. J'en suis sûr.

— Mademoiselle Mendès a-t-elle un permis moto ?

Valentin opina, bien malgré lui.

Oui, mais elle ne se déplace qu'en scooter. Et pourquoi elle aurait gardé son casque ? D'où elle vient, la moto ?

— Ces sommes n'ont pas été retirées sous la contrainte. Il n'y a qu'une seule personne devant le DAB. Et la fréquence des retraits, c'est typique de quelqu'un qui veut s'acheter un billet de train ou se payer un hôtel sans laisser de trace. Croyez-moi, mademoiselle Mendès est partie se mettre au vert...

— Vous n'êtes même pas certain de l'identifier !

— Écoutez, nous avons écarté le suicide et l'accident, examiné les alentours du parking où elle a abandonné la voiture, et trouvé aucun témoin, aucune trace d'une quelconque agression sur le trajet qu'elle devait emprunter.

— Mais… et la bagnole, s'énerva Valentin, d'après vous, qu'est-ce qu'elle a fait ma sœur, après avoir laissé cette foutue bagnole sur un parking moisi, hein ?! Elle est descendue en Espagne à pied ?

— Il y a mille et une explications possibles…

— Je vous ai déjà communiqué les coordonnées de ses collègues de travail, s'interposa Arnault de Battz. Mademoiselle Mendès était très accaparée par sa chronique et son job de journaliste. Elle avait peu d'amis, à ma connaissance…

— Et nous les avons contactés sans succès. Vous voyez, encore une chose qui va dans le sens de la fugue. Une personne solitaire, peu d'amis, un choc émotionnel, et on prend la tangente.

Valentin serra les poings et se retint pour ne pas exploser.

— Ne vous inquiétez pas, ajouta le flic avec un air faussement bienveillant. Elle vous contactera bientôt. C'est le cas dans la plupart des affaires de disparitions. Laissez-lui le temps de se remettre de ses émotions.

— Bien sûr…

— Je devine sans mal votre frustration, monsieur Mendès, tenta le policier. Mais je ne peux vraiment rien faire de plus.

Valentin manqua s'étrangler.

— Si ! Tracez son portable, émettez un avis de recherche en France et en Espagne !

— Il y a deux écoles, monsieur, dit le brigadier Masson avec un air sinistre. La mienne, qui porte à

148

croire que votre sœur est partie se ressourcer. Et la vôtre, comme la plupart des familles de disparus.

— Lara est une jeune femme honnête et consciencieuse. Elle a une chronique dans une émission, des papiers à rendre, un frère à héberger. Ce que vous décrivez ne lui ressemble pas du tout. N'avez-vous jamais songé que sa disparition pouvait être liée à son travail ?

— A-t-elle reçu des menaces ?

— Non, mais…

— Vous n'imaginez pas les histoires que j'ai entendues, rétorqua le policier. Si on devait enquêter sur chaque journaliste ou écrivain qui remue la merde, il faudrait tripler les effectifs. On pense connaître ses proches et un jour, ils agissent *a contrario* de ce qu'ils ont toujours été. Ou prétendu être.

Comme Valentin montrait des signes d'énervement manifeste, Arnault de Battz tapota sa cuisse.

— Et maintenant ?

L'OPJ eut l'air surpris. La réponse, à l'évidence, coulait de source.

— Rien. Dès ce soir, je transmets le dossier au procureur qui classera sans suite, j'en suis convaincu.

26

1, 2, 3.

Ne pas se précipiter.

« Ton adversaire s'attendra toujours à ce que tu portes ton arme devant tes yeux. Surprends-le. Surtout quand on a le gabarit d'une crevette comme toi. »

Les mots de l'instructeur résonnaient dans le crâne de **Lara Mendès**. À 20 ans, elle avait fait une préparation militaire. Elle ne comptait pas faire carrière, juste s'offrir un délire d'un mois avec ses copines avant que toutes ne soient séparées par les études ou la vie professionnelle. Peu importait l'armée au final.

Tu vois, crevette, rien n'est jamais inutile.

Attendre derrière chaque angle, être prête à faire feu, se dissoudre dans l'environnement, ne pas laisser de traces, voir sans être vu, ne pas faire de bruit. Lara respecta ces principes de base à la lettre. À commencer par le premier : prépare ton repli, piège ton bivouac.

Attachée à la poignée de l'unique porte de sortie, une ficelle remontait jusqu'au plafond, prenait appui sur un support de câbles avant de redescendre et de s'enrouler autour d'une pique à charbon que Lara avait suspendue au-dessus d'un tas de boîtes de conserve disposées comme dans les jeux de massacre.

Sa réalisation remontait à plusieurs heures.

Depuis, son fusil passé en bandoulière, Lara s'était appliquée à rassembler toute la nourriture dont elle disposait au deuxième sous-sol, dans une cellule suffisamment éloignée de la chambre froide, et du quatrième, où Lara jetait le contenu de son seau d'aisance.

Ce stock – trente bouteilles de bière de 25 centilitres, deux paquets de biscottes, huit briques de lait, deux kilos de flocons d'avoine, trois boîtes de pâté, un lot de six boîtes de sardines à l'huile périmées depuis huit mois – lui permettrait de tenir deux semaines environ.

S'armer, piéger la porte, effectuer des rondes, se déplacer à la façon des commandos, ne pas craquer, rien de tout ça ne serait prévu par son ravisseur. Là encore, Lara exécutait les ordres de cet instructeur militaire dont elle avait oublié le nom. « Surprends, crevette, ne sois pas prévisible et tu vivras. Les hommes sous estiment les femmes, presque toujours. »

Lara jaillit de l'angle où elle se cachait. La porte à code restait close. Son système d'alarme n'avait pas bougé. Elle replaça son fusil en bandoulière et marcha jusqu'à la cuisine. Il faudrait qu'elle réfléchisse à ce qu'elle allait faire de cette pauvre enfant dont elle avait recouvert le corps d'un manteau.

Deux autres points lui posaient problème. Le premier était épineux. Quand son violeur allait revenir, Lara ne devrait pas le tuer – la porte électronique se refermait automatiquement et nulle part, elle n'avait trouvé de clé correspondant aux serrures Fichet –, mais le blesser et lui soutirer le code d'ouverture.

Le second point se trouvait au deuxième sous-sol, derrière cette porte métallique qu'elle n'arrivait pas à fracturer, malgré ses efforts répétés.

Lara redescendit en évitant soigneusement de marcher sur les éclats d'ampoules qu'elle avait disposés sur le sol. Ce truc, elle ne le devait pas à son instructeur, mais l'avait vu dans un film, peut-être une série, elle ne se souvenait plus.

À présent, si quelque chose giclait dans ce tombeau de béton, ce serait le canon de son fusil.

27

Il s'en fallut de peu que **Valentin Mendès** n'écope d'un outrage à agent de police. Arnault de Battz parvint *in extremis* à calmer le jeune homme, et à le pousser vers la sortie du bâtiment, puis à le faire monter dans un taxi.

Bien sûr qu'ils n'allaient pas en rester là. Si la police se contentait de mouvements bancaires pour classer l'affaire, eux ne le feraient pas. Ils connaissaient trop bien Lara pour savoir qu'elle aurait au moins laissé un message, sous quelque forme que ce soit. L'ombre d'une affaire sensible à laquelle elle n'aurait jamais dû s'intéresser commençait à grandir dans leur esprit. Et si Lara était morte ?

Le taxi les déposa au pied du bâtiment de Canal 9. Arnault de Battz avait du travail. Dans vingt-quatre heures serait diffusé l'avant-dernier numéro de la saison de « Un samedi pas comme les autres » et il avait accumulé du retard dans sa liste d'urgences quotidiennes, comme trouver une remplaçante à la chronique de Lara.

Valentin redoutait de se retrouver seul dans la maison de Neuilly, aussi demanda-t-il la permission de s'installer dans le bureau de Lara, une pièce exiguë, suffisamment en foutoir pour prouver que sa sœur y passait du temps.

Il resta longtemps à ruminer sur ce « pays de merde » où il vivait, puis il farfouilla dans l'ordinateur. Comme la plupart des gens, Lara utilisait le même mot de passe pour tous ses appareils. Sur son adresse lara@canal9, Valentin trouva une ribambelle de messages professionnels qu'il survola, s'attarda sur ceux de Bruno Dessay avec la certitude que Lara était la plus amoureuse des deux, ce qui lui fit de la peine.

Sur Hotmail, d'anciens mails du temps où Lara était montée à Paris lui pincèrent le cœur, car ils le renvoyaient à cette époque insouciante où il n'avait eu à gérer que l'éternelle angoisse de mémé Carmela.

Quand il eut fait le tour de ses mails, et constaté qu'il arrivait à Lara de jouer au poker en ligne et à Angry Birds, il regarda quelques-unes de ses excentricités du samedi soir. Presque toutes les chroniques de Lara étaient enregistrées et mises en ligne sur YouTube par un admirateur qui se faisait appeler Larafan.

Quelques vérifications permirent à Valentin d'identifier l'IP, d'autres, grâce à ce pseudo, lui firent conclure qu'il s'agissait d'un adolescent de son âge, accro à Facebook et à Twitter. Il vit avec fierté que sa sœur avait près de 10 000 « like » sur la page Facebook qui lui était dédiée, et tout autant de « followers ».

Après avoir ratissé l'ordinateur – visiblement, Lara était prudente et ne laissait pas d'informations sensibles sur son poste professionnel –, Valentin se consacra à une fouille méthodique de la pièce. Ainsi, il dénicha dans le tiroir du bureau l'enregistreur numérique qu'il lui avait offert à son précédent anniversaire, et qui lui avait coûté la bagatelle de cent dix euros.

Il brancha ses écouteurs et positionna l'appareil en mode lecture. La voix de Lara lui fit monter les larmes aux yeux.

Valentin écouta l'enregistrement jusqu'au bout, le réécouta à deux reprises, puis il fila vers le bureau d'Arnault de Battz.

Entre samedi 16 juin et mardi 19 juin

Entre mercredi 20 juin et vendredi 22 juin

Entre samedi 23 juin et lundi 25 juin

Mardi 26 juin

Mercredi 27 juin

Entre jeudi 28 juin et samedi 30 juin

Entre dimanche 1er juillet et lundi 2 juillet

Entre mardi 3 juillet et jeudi 5 juillet

Vendredi 6 juillet

Entre samedi 7 juillet et dimanche 8 juillet

Lundi 9 juillet

Mardi 10 juillet

Mercredi 11 juillet

Jeudi 12 juillet

Vendredi 13 juillet

Entre samedi 14 juillet et lundi 23 juillet

28

Assise à une table pour deux, **Sookie Castel** observait la foule se prélasser au soleil, sur les terrasses de la place du vieux marché de Rouen. D'après une plaque commémorative, Jehanne d'Arc avait été brûlée vive à l'endroit où s'élevait une église moderne qui ressemblait plus à une tour allongée qu'à un lieu de culte.

Sookie tenta de se représenter le bûcher, les Anglais, l'évêque Cauchon et les Rouennais de l'époque, Jehanne au regard clair... puis elle renonça. Trop de bruit autour d'elle, de boîtes à ouvrir et à refermer sur la foule.

Tandis qu'elle observait les passants, les boîtes Jean Marais, Nena et Saint-Exupéry défilèrent devant ses yeux avant d'être une nouvelle fois englouties par celle de Nuremberg.

Sookie se demanda qui des trois était le psychopathe, hypothéqua qu'ils pouvaient agir ensemble, puisqu'elle était persuadée qu'ils avaient été exécutés, et s'agaça d'une question : qui a mordu qui ?

23 bijoux, 23 étiquettes, 23 personnes, 23 familles en deuil.

CB.17.06.1996. FR 188-213.

Bien sûr, une étiquette sur un bijou ne faisait pas un tueur. Mais une voix intérieure lui hurlait qu'elle avait raison. Et Sookie écoutait toujours sa voix intérieure. Cette manie l'avait maintes fois conduite à de fâcheux déboires dans sa carrière, sa vie sentimentale ou ses relations. Mais cette voix était impérieuse, et si elle l'avait trompée parfois, elle l'avait sauvée, souvent.

Dans la nuit de jeudi à vendredi, en recoupant scrupuleusement les fichiers d'état civil, les PV, les infos, les fichiers des personnes disparues, et les dates trouvées sur les bijoux, Sookie avait obtenu plusieurs noms. Une Australienne, Anita Bergson, 18 ans, dont l'annonce de la disparition correspondait à deux semaines près aux dates d'une chaîne de cheville, et une Allemande de 13 ans aux longs cheveux bruns, Petra Seipel, qu'elle relia à une gourmette et classa dans la boîte Brooke Shield. Ce dossier l'intéressait particulièrement, d'autant que la jeune fille avait été enlevée le 15 mai dernier et que les chiffres de l'étiquette correspondaient à deux dates : le 17 mai et surtout le 14 juin, date probable de la mort des Raspail. Le problème, c'est que Sookie ne voyait pas comment contacter la famille de la victime et la police allemande sans l'appui d'un magistrat.

Elle mit le dossier de côté et s'intéressa plus particulièrement à une certaine Charlène Bonnet, née le 13 août 1996, disparue le 7 juillet 2011. Le signalement avait été établi par Mathilde Bonnet, sa mère, résidant à Nantes. D'après le PV, Charlène avait quitté le domicile familial pour se rendre en compagnie d'une amie à une rave party située dans le Finistère dont elle n'était jamais revenue.

160

Le signalement de la disparition datait pour sa part du 8 juillet.

Sookie n'envisageait pas de contacter directement Mathilde Bonnet. Si Charlène avait reparu – et il était possible que le dossier ne soit pas à jour – le magistrat en charge de l'affaire le lui dirait. Dans le cas contraire, il envisagerait les photos des bijoux avec un intérêt que Sookie espérait à la hauteur du sien.

C'est le juge Gaétan Thiefen, un magistrat à la réputation sans tache, qui avait géré le dossier. Sur le Net, plusieurs clichés permirent à Sookie de l'intégrer à la boîte Jean-Pierre Foucault, créée alors qu'elle apprenait à parler français devant « L'Académie des neuf ». Une brillante idée de sa mère adoptive, Valie, qui en fourmillait.

Celui-ci avait accepté de la rencontrer lors d'un rendez-vous informel à Rouen où il se trouvait pour une affaire privée.

Du regard, Sookie chercha la silhouette du juge mais elle ne put le repérer. Elle sortit alors les photos des bijoux. Les trier lui permettrait de ne pas se concentrer sur les passants.

La foule stressait Sookie. Ses boîtes s'ouvraient par dizaines, il fallait archiver, comparer, traquer les comportements insolites. À un moment, entre deux clichés de bagues d'identification de bétail, elle s'aperçut du manège d'une bande de marmots roumains qui s'activaient comme une nuée d'oiseaux autour de touristes allemands.

L'envie d'intervenir la titilla jusqu'au moment où un binôme d'îlotiers apparut. Sookie reporta son attention sur les photos avec la ferme intention de ne plus digresser jusqu'à ce qu'elle ait terminé.

La journée de la veille avait mis sa patience à rude épreuve.

Un peu avant midi, elle était passée chez Bettie Henriot. La vieille femme s'apprêtait à recevoir Yanna Jezequel le soir même et voulait montrer à Sookie combien la jeune délinquante serait agréablement reçue.

Sookie inspecta avec sérieux la future chambre de Yanna, et se laissa inviter à déjeuner, soulagée que son hôte l'installe sous la pergola, et non dans la salle à manger où trônait un portrait en pied de M. Henriot, le capitaine au long cours qui avait fait long feu. La boîte Charles Vanel s'était ouverte le temps d'un clignement d'œil.

Quarante ans de cotisation et trois jours de retraite ! Si tous les contribuables pouvaient avoir ce sens civique, les problèmes de dette disparaîtraient en six mois !

Honteuse de cette réflexion, Sookie avait accumulé les superlatifs concernant le repas. Un gaspacho maison sur le pouce, délicieux, suivi d'une salade de fruits. Bettie Henriot ne consommait que des produits de son potager et de son verger.

Les deux femmes avaient papoté un peu moins d'une heure, une parenthèse bien agréable dans la journée de Sookie. Parenthèse qui s'était achevée par un appel de Renaud Cochin, curieux de savoir où était passé son plus fin limier.

Deux caves inondées risquaient de mettre en danger la salle des coffres d'une succursale de la Société

162

Générale, une junkie avait fait une overdose, six bacheliers s'étaient mis en tête de se baigner nus dans le port – avec des taux d'alcoolémie largement supérieurs au seuil autorisé –, la caisse du Super U avait été braquée par deux adolescents en scooter et une voiture avait cramé du côté des cités.

Sorties, intervention, PV, Sookie avait été sur tous les fronts. Elle avait même trouvé le temps de relancer Milan Canda, le médecin du laboratoire, pour lui rappeler d'examiner le pansement au plus vite. Il fallait avoir une solution à proposer pour tout, ou faire semblant d'en avoir une.

Une ombre masqua le soleil. Sookie releva la tête et ne reconnut pas son visiteur. Elle retira ses lunettes et fit mine de se lever.

— Restez assise, mademoiselle Castel, la pria l'homme. Je suis horriblement en retard et aucunement celui que vous attendez. Même s'il y a un lien entre ma venue et lui, évidemment.

L'homme tendit une main. Son visage affichait un sourire de gosse espiègle qui creusait les rides profondes de son visage. Et dans ses yeux perdurait la satisfaction d'avoir surpris son auditoire.

Boîte Ernest Borgnine où Sookie, en dehors du vieux Roger, le garde champêtre de son village vosgien, le toubib qui avait réparé son bras cassé quand elle avait 11 ans, Lucien, le concierge de l'ancienne fac de médecine où elle avait pris des cours d'anatomie, avait rangé peu de monde. Mais un Borgnine au menton très fort et porté vers l'avant, à la limite d'un Kirk Douglas au crâne arrondi. Boîte Ernest Borgnine tout de même.

— Rodolphe Craven, dit-il en s'asseyant d'autorité. Je suis également juge d'instruction, ce qui pourrait vous inquiéter, mais le vieux Thiefen et moi sommes amis depuis des lustres, et ça, c'est une bonne nouvelle.

La réplique convenue qu'émit Sookie l'horripila. Mais devant un juge, elle se montrait invariablement fade et méfiante. Il faut dire que certains lui avaient bousillé ses enquêtes à plusieurs reprises.

Si t'es con, t'es con. Mais si t'en as sous le pied, le montre pas trop vite, y'en a que ça crispe!

Encore un adage façon Léon Castel que Sookie avait expérimenté plus d'une fois.

— Vous me suivez sur un Américano? proposa Rodolphe Craven. J'ai quatre heures de voiture dans les pattes.

Il a l'air plutôt sympa, Borgnine, songea Sookie en acquiesçant d'un signe de tête. *Ténor ou baryton?*

Rodolphe Craven possédait une cage thoracique hors du commun, sans doute la raison de sa grosse voix. Sookie entrouvrit la boîte Pavarotti, puis décida de le laisser chez Borgnine.

— Vous devez vous demander pourquoi vous avez affaire à ma pomme. La réponse est d'une simplicité enfantine : mon collègue Thiefen est dans une position délicate ces temps-ci. Voyez-vous, il n'est pas un farouche défenseur des lois votées par la nouvelle majorité. C'est un comble pour un juge d'être sur le plateau d'une balance en déséquilibre, vous en conviendrez.

— Si je comprends bien, vous, si, contra Sookie.

— Je suis en déséquilibre perpétuel, et pour tout vous dire, en congé maladie. Disons que je me repose du surmenage. Ce qui me laisse le temps d'aider mes amis. Et me voilà.

Sookie s'accorda une seconde de réflexion. Déballer son sac à un inconnu représentait un risque non négligeable.

— Vous n'appartenez pas au service chargé de l'affaire Raspail, lâcha Rodolphe Craven, ça ne m'empêche pas d'être assis en face de vous.

Sookie admit que la situation était plus équitable, puisque aucun des protagonistes n'avait de légitimité à occuper sa place.

L'arrivée des apéritifs commandés acheva de briser la glace.

Ils ne burent pas un, mais trois Américanos au cours des deux heures que dura leur conversation.

Rodolphe Craven écouta Sookie lui détailler l'affaire Raspail, ses arguments en faveur d'un homicide, puis il lui confirma que le triple suicide avancé par le légiste ayant été retenu par son collègue de Rennes ainsi que par le procureur, l'enquête était close.

— L'autopsie a-t-elle révélé des traces de morsures sur l'un des corps ?

— Pas que je sache. Pourquoi ?

— J'ai fouillé les poubelles de la Malhornière. Il y avait un pansement ensanglanté.

— Que vous avez emporté, j'imagine.

— Avec la chaleur qu'il fait, je ne voulais pas qu'il se dégrade, concéda Sookie. J'attends les résultats du labo.

— Encore un élément qu'on ne pourra pas utiliser.

— Au point où on en est… mais puisque le rapport d'autopsie ne mentionne aucune morsure, alors ce n'est pas grave.

— Le colonel Olivier Raspail… relança Rodolphe Craven, ça n'était pas un petit poisson. Mais de là à l'étiqueter tueur en série…

— J'ai trois pendus qui ne se sont pas pendus tout seuls, j'en suis certaine. Au pire, j'imagine qu'Olivier Raspail aurait préféré partir avec honneur, une balle dans la tête.

— Vous avez rangé votre objectivité au placard ?

Sookie lança un sourire lumineux à Rodolphe Craven qui la trouva belle. Curieusement, il ne l'avait pas remarqué aussitôt. Pourtant, la jeune femme avait une peau d'un grain si fin qu'on aurait dit du velours, ses traits étaient réguliers et ses dents d'une blancheur irréelle.

— Quoi ? dit Sookie abruptement. Pourquoi vous me matez comme ça ?

Belle et franche avec ça…

— Vous êtes sacrément jolie, pour un flic.

— Vous êtes sacrément lourd, pour un juge.

Sookie et Rodolphe Craven se fixèrent un instant avant d'éclater de rire.

— Je n'ai pas rangé mon objectivité au placard comme vous dites. Mais j'écoute mon instinct. Et il me dit que les Raspail étaient de gros salopards et que c'est pour ça qu'on les a tués. Regardez.

Sookie étala les photos des bijoux étiquetés avec des bagues d'identification pour le bétail devant le juge.

— Ces clichés laissent entrevoir de sordides possibilités, en effet. Et je peux affirmer que Charlène Bonnet portait effectivement une médaille de baptême lors de sa disparition.

— Vous voyez ?

— Je vois, murmura le juge. Vous pouvez me les confier ?

Sookie, qui avait tout conservé sur la carte SD de son appareil numérique, accepta de lui remettre les photos. En échange, le magistrat glissa à Sookie une copie du dossier Charlène Bonnet où figuraient tous les PV de l'enquête, commissions rogatoires et auditions des témoins.

— Voilà un peu de lecture, mais vous verrez, il n'y a rien qui relie les Bonnet aux Raspail, en dehors du fait que la rave party où se rendait Charlène avait lieu en Bretagne.

Sookie ouvrit le dossier et rangea aussitôt Charlène Bonnet dans la boîte Jennifer Beals, l'actrice vedette de *Flashdance*. Sa gorge se noua subitement sans qu'elle puisse l'expliquer lorsqu'elle referma la chemise en carton.

— Ça peut vous paraître complètement fou, mais je suis certaine qu'en identifiant les victimes, on tombera sur ceux qui ont exécuté les Raspail.

— Exécutés ! Vous allez un peu vite en besogne !

— Monsieur le juge, murmura Sookie, je suis incapable de vous expliquer pourquoi, mais j'en suis sûre…

Comment vous expliquer la boîte Nuremberg sans que vous me preniez pour une dingue échappée de l'asile ?

— Je n'ai jamais été confrontée à un tueur de ce genre, c'est vrai, ajouta Sookie, Mais il y a ces bijoux, ces… trophées. Étiquetés. L'un d'entre eux nous amène à Charlène Bonnet. Il y en a vingt-deux autres… vingt-deux victimes potentielles. Je suis quasiment certaine

167

d'avoir identifié d'autres jeunes filles, même si les dates sur les bijoux ne correspondent pas exactement aux dates de disparition. Le problème, c'est que l'une d'elles est australienne et la seconde, allemande. Rodolphe, ajouta Sookie après un instant, si j'ai raison, cette gamine, Petra, a 13 ans.

Sookie griffonna le nom de la jeune fille sur le dossier en le soulignant plusieurs fois.

— Elle aurait disparu le 15 mai dernier et la deuxième date correspond au 14 juin, moins d'une semaine avant que je trouve les bijoux !

— Concentrons-nous sur l'affaire Bonnet pour l'instant. Quand nous aurons avancé, il sera temps de prévenir nos collègues allemands et australiens.

— C'est insupportable, cette attente ! Certaines ont été probablement séquestrées pendant des jours, des semaines. J'ai retrouvé des clés correspondant à des serrures de haute sécurité, mais il n'y a pas ce genre de serrure à la Malhornière. Ils gardaient leurs victimes ailleurs. Imaginez que cette gamine soit enfermée quelque part, en train de mourir parce qu'on ne se bouge pas ! ajouta Sookie d'une voix vibrante. Merde, je ne peux pas rester le cul sur ma chaise parce que des empaffés de la crim' de Rennes ne veulent pas s'emmerder avec cette enquête !

— Vous m'avez dit que pour chaque bijou il y a deux séries de chiffres. Ce qui signifie donc, si je me fie à votre théorie, que c'est malheureusement trop tard pour cette petite.

— Ce n'est qu'une supposition de ma part ! Rien n'indique qu'ils triaient les bijoux une fois la victime morte !

— Écoutez, Sookie, dit Rodolphe Craven en vidant son verre. Je sais que ces disparitions sont inexpliquées et que ces bijoux existent, vous le savez aussi, mais ça s'arrête là. Pour relancer l'enquête, il faut une nouvelle perquise.

— La crim' de Rennes ne bougera pas, c'est sûr.

— Pourquoi voulez-vous qu'ils se désavouent ? Non, il faut motiver une commission rogatoire pour fouiller la propriété Raspail dans le cadre de l'affaire Charlène Bonnet.

Sookie espéra que le juge assis en face d'elle trouverait la solution pour que ce coffre métallique caché sous les fondations du pool house existe officiellement. Il serait alors temps de lancer des recherches pour savoir à qui appartenaient ces bijoux, pour comprendre ce qu'ouvraient les clés Fichet et pourquoi pas, fusionner les dossiers de personnes disparues entrant dans le profil, ou même désigner un juge chargé de superviser toutes ces enquêtes, décision politique qui reviendrait probablement au Parquet de Paris. Il y avait en outre des dossiers qui pourraient intéresser l'Espagne, l'Allemagne, l'Angleterre et l'Australie.

— Vous ai-je dit que mon très honorable ami Gaétan Thiefen recevra demain matin une information anonyme des plus importantes et qui pourrait bien faire avancer l'enquête sur la disparition de Charlène Bonnet ? lâcha soudain Rodolphe Craven.

— Vous allez oser, vraiment ?

— Vraiment, Sookie. Je vous offre un petit dernier pour la route ?

29

Privée de repères temporels, **Lara Mendès** mangeait très peu, paniquée à l'idée de manquer. La faim tiraillait son ventre en permanence, l'obligeant parfois à s'asseoir pour ne pas s'écrouler d'épuisement. Ses rondes s'en trouvèrent écourtées, sa vigilance s'éroda. Et son incapacité à se situer dans le temps augmenta en conséquence.

La prise de conscience se fit à un moment qui n'eut rien de particulier. Lara avait sauté quelques tours de ronde et traîné un matelas dans le couloir menant au sas de sortie. Assise là, son fusil entre les mains, elle pouvait somnoler tout son soûl. Si le salopard revenait, elle saurait le recevoir.

Tu vas crever comme une bête qu'on mène à l'abattoir.

Cette promesse la choqua au point de l'étourdir. Lara, qui n'avait pas reconnu sa propre voix, s'imagina que son arrière-grand-père s'adressait à elle par-delà les frontières de la mort.

— C'est toi, Pierre ?

Les mots rebondirent sur les murs avant de disparaître.

Les abattoirs sont comme cet endroit, on n'en ressort pas.

Devant ces mots d'une effroyable lucidité, Lara fut tentée d'abandonner pour retourner à cet état léthargique qu'elle quittait à peine. Sauf qu'il y avait la voix, et que la voix n'allait pas la lâcher de sitôt.

Vas-y, crevette, bouge ton cul et tu as peut-être une chance !

Jamais son arrière-grand-père n'aurait parlé comme ça, Lara en était certaine. Puis elle en douta.

— Ça parle comment, un arrière-grand-père ? s'écria-t-elle.

Seul l'écho lui répondit.

Elle décida de manger un peu puis tenta quelques exercices. Tandis qu'elle faisait travailler ses abdominaux, Lara ouvrit mentalement l'armoire dans la chambre de mémé Carmela et saisit la boîte qui contenait les albums photos.

Ne pas penser à maman, non, surtout ne pas penser à ça !

L'enfance, Lara sur la balançoire, Lara dans le jardin avec son petit panier, à la recherche des œufs de Pâques, à Noël, devant les cadeaux au pied du sapin, Rose et René, ses parents, coupe de champagne à la main, sa mère cheveux courts et bruns et son père, si blond, souriants, heureux ensemble, les vacances à Lisbonne, la naissance de Valentin, son frère adoré, ce petit bout de chou minuscule, calé entre les bras de sa grande sœur si fière, ses grosses joues devant sa première bougie… juste avant *la disparition*.

Ne pas penser à Valentin, c'est encore pire que maman, il faut…

— Tu as construit ce blockhaus, Pierre ? formula Lara pour couper court à la vague de panique qui l'oppressait.

On s'en fout, non ?

— C'est pas une réponse ça ! Et non, on ne s'en fout pas. Si c'est toi qui as construit ce blockhaus, alors je ne suis pas censée y mourir.

Lara se mit en position pour faire quelques pompes mais craqua à moins de dix et retourna s'asseoir sur le matelas, au bout du couloir. Des gouttes de sueur glissaient le long de sa colonne vertébrale.

« Ton carnet de bal commence à se remplir. »

La phrase du salopard jaillit pour tourner dans sa tête et ce n'était vraiment pas le moment. Lara savait que cette histoire de carnet de bal signifiait que cet homme reviendrait avec des amis pour une partie fine à ses dépens, ou qu'il avait décidé de la vendre aux plus offrants. Bientôt, elle finirait aux côtés de l'enfant congelée.

Qu'ont-ils bien pu te faire ?

Lara bondit sur ses pieds et se précipita devant la chambre froide. Ça faisait un bail qu'elle n'y était pas allée. Le ronronnement du moteur et les vibrations sur la porte lui fichèrent la nausée.

Elle posa sa main sur le vantail et l'ouvrit. La lumière clignota, puis éclaira crûment la forme que faisait le cadavre replié sous le manteau.

Lara refoula des sanglots et s'approcha du corps.

Elle brisa la chaîne des menottes en frappant dessus avec la crosse de son fusil. Le corps de la jeune fille tomba sur le côté. Ses poignets restèrent au-dessus de sa tête, figés par le froid, et Lara comprit alors qu'elle ne pourrait rien de plus. Elle aurait voulu allonger le corps, les mains croisées sur la poitrine, mais c'était impossible.

Ou elle le laissait dans cette position, au fond de la chambre froide, ou elle l'entreposait ailleurs en attendant qu'il décongèle, dans l'espoir de pouvoir l'allonger proprement.

Tu ne peux pas laisser cette pauvre fille tranquille ?

— Quoi ? Qu'est-ce que tu as à redire ? Tu crois vraiment que sa mère aimerait la voir comme ça ?

Demande-toi plutôt qui ça dérange vraiment.

Avec un cri de frustration, Lara se laissa glisser à côté du corps de la jeune fille, le front posé sur la crosse du fusil.

Cet objet de bois et de métal était son unique remède à la panique. Le prédateur ne s'attendait probablement pas à être reçu à coups de plombs.

— C'est de ta faute, tout ça ! Je vais te trouer le cul, espèce de salopard !

Depuis qu'elle était enfermée, Lara avait fantasmé bien des tueries. Celle qu'elle préférait consistait à enfoncer le canon de son fusil dans la bouche de son violeur, avant de tirer.

— Putain, Valentin, Bruno ! hurla-t-elle dans un sanglot. Mais vous êtes où ?

30

« Ilya Kalinine. Ça sonne comme Anna Karénine ! »

C'est ce qu'avait dit **Arnault de Battz** quand Valentin lui avait fait écouter la bande-son enregistrée par Lara.

— En tout cas, jamais entendu parler !

— Et cet Herman Stalker ? C'est pas un type un peu bizarre ?

— Carrément, mon chou ! Mais 3 000 personnes pourront jurer qu'elles ont passé une soirée inoubliable en sa compagnie, et ce jusqu'à l'aube. Et puis Lara ne s'intéressait pas à lui, mais à l'affaire Moreau !

Arnault de Battz avait décroché son téléphone et contacté le commandant Lambert. Si quelqu'un pouvait farfouiller dans les archives à la recherche de cet homme, c'était bien ce vieux flic.

Dès son réveil, Valentin sentit que ce samedi entamait une nouvelle semaine sombre. Il y avait eu le dimanche matin, six jours plus tôt, où l'absence de Lara avait été étonnante, inhabituelle, angoissante. Puis une journée éprouvante pour un adolescent qui envisageait sa sœur comme une mère. Et les jours et les nuits avaient filé, enfilés comme des perles glissées sur un fil d'amertume. Lara avait disparu et vraisemblablement croisé l'indicible.

Même Arnault commençait à manifester des signes d'angoisse. Il taisait ses doutes, mais Valentin sentait qu'il envisageait de plus en plus la mort de Lara.

« Va où tu veux, meurs où tu dois ! », c'est ce que mémé Carmela laissait entendre à l'envi. Jamais Valentin n'avait prêté une oreille attentive aux proverbes paysans de son aïeule. Pourtant, ce matin, cette phrase revenait sans cesse. Va où tu veux, la belle affaire, ces mots étaient aussi vides de sens qu'un slogan publicitaire. Meurs où tu dois : avait-on le choix ? Lara avait-elle eu ce choix ? Où était Lara ? À quoi allait ressembler un monde sans elle ?

Les mains enfoncées dans les poches de son jean, Valentin descendit les Champs-Élysées, l'esprit embrumé par de si vilaines pensées qu'elles bâtissaient un mur entre la foule et lui, une foule épaisse, bigarrée, pleine d'envies, d'audace, d'exotisme. Valentin n'en avait rien à foutre.

Deux heures plus tôt, il avait appelé Bruno Dessay pour récupérer l'ordinateur portable de Lara et ses affaires. Pour chercher encore, s'accrocher à d'hypothétiques chimères qui lui permettraient de ne pas lâcher prise sur le réel.

Et puis il y avait Ilya Kalinine.

Ilya Kalinine, juste un nom, pas grand-chose en réalité, Valentin n'avait rien trouvé sur le Net, à part quelques homonymes, des citoyens lambda inscrits dans les pages jaunes, mais il s'y accrochait comme une broussaille à un rocher par grand vent.

Il ne cessait de se le répéter tandis qu'il cheminait vers l'appartement de Bruno Dessay. Neuilly-sur-Seine, raser le bois de Boulogne, avancer vers Paris par l'avenue de la Grande-Armée, traverser la porte Maillot, voir grandir l'arc de Triomphe, la place de l'Étoile, descendre les Champs-Élysées. Sur le plan, le parcours ressemblait à une balade de santé pour ce sportif émérite habitué aux terrains de rugby. Trois avenues, puis la tour Montparnasse comme balise pour ne pas se perdre, quelques méandres dans le 14ᵉ arrondissement et l'affaire serait faite. Mais dans la réalité, les trottoirs de Paris étaient durs, incroyablement longs, peuplés, surpeuplés, hostiles.

Ilya Kalinine. Il ne restait que ce nom pour comprendre à quelle sauce Lara avait été dévorée. Car après une semaine, malgré des lignes de retrait d'argent sur des comptes bancaires, il ne restait à Valentin guère de solution pour expliquer son silence.

Alors Valentin avançait.

Place de la Concorde, il vira à gauche, franchit la Seine et accéléra sa cadence de pas sur le boulevard Saint-Germain. Là, il y avait moins de monde, plus de circulation. En une dizaine de minutes, il gagna la rue de Rennes. Marcher revenait à expurger. Cette transpiration lui faisait du bien. Valentin connaissait son corps. Il avait besoin de le malmener, pour ses coéquipiers, pour le score, pour le fun aussi. Maintenant, chaque pas comptait pour Lara. S'il ne faiblissait pas, alors il restait une chance.

Parvenu au pied de la tour Montparnasse, Valentin fit une halte. Des travaux asphyxiaient la circulation en provenance du boulevard. Le bruit des marteaux-piqueurs était terrible, pire qu'un décollage de 747. Il resta là, à quelques mètres des hommes de la voirie, finalement heureux, ou simplement moins malheureux, de se sentir isolé pour la première fois depuis des jours.

Un regard sur sa montre le relança dans la cohue. Il avait rendez-vous dans moins d'un quart d'heure. Bruno Dessay avait été pointilleux sur l'horaire. Il disposait de peu de temps, une demi-heure au plus. Lara avait disparu, certes, mais la ronde du monde se poursuivait. Et les grands reporters avaient un message urgent à délivrer aux peuples avides de vérités.

Valentin laissa la tour sur sa droite et remonta le boulevard jusqu'au numéro que Bruno Dessay lui avait indiqué.

Tu te calmes, tu fais le vide, tu récupères les affaires de Lara et tu ne lui en colles pas une !

Tout était envisageable, discutable, excepté le dernier point. Bruno Dessay avait annulé son rendez-vous par SMS, il avait porté plainte pour le vol de sa voiture, alors qu'il savait pertinemment que Lara l'utilisait, puis il avait pillé ses fichiers. Pour quoi faire sinon les exploiter ?

A2745. Le fichu code de la fichue porte était bon. La serrure électrique claqua, le poing de Valentin poussa le battant, qui révéla une sombre cour intérieure occupée par une grosse berline.

Tu te calmes !

Ces maîtres mots expédièrent Valentin au troisième étage de l'escalier B. Sur le palier, il y avait deux appartements. À gauche, une plaque en cuivre qui sentait encore le Mirror indiquait : Fiduciaire du Poitou. À droite, une étiquette collée des années plus tôt affichait les initiales B.D.

Valentin enfonça son index sur le bouton de la sonnette.

Il s'attendait à tout, sauf à la magnifique créature qui lui ouvrit la porte. Valentin balbutia, la gravure de mode se retourna et disparut en annonçant le visiteur. Ce dernier fit un pas dans l'appartement, déstabilisé, prêt à s'enfuir. Mais Bruno Dessay apparut en jean et tee-shirt, les joues rasées de près.

— Salut Valentin. C'est une drôle d'histoire, expédia-t-il, je t'ai préparé un carton. Où je l'ai mis ? Oui, là.

Manifestement, le journaliste ne comptait pas faire causette avec le frère de sa copine.

— Tu m'excuses, je suis à la bourre ! dit-il en disparaissant dans une pièce voisine. Tu veux boire quelque chose ? Sers-toi, c'est dans la cuisine.

Valentin déclina la proposition. Il était partagé entre deux envies, rejoindre le mufle pour lui ratatiner sa gueule d'enfoiré ou prendre le carton et se tirer de là.

Calmos !

Valentin jeta un œil dans le carton posé à côté de la porte d'entrée. En dehors de l'ordinateur de Lara, il y avait quelques romans, une dizaine de revues people, et un sac-poubelle rempli de vêtements.

— Désolé pour le sac, dit Bruno Dessay en revenant dans la pièce, je n'avais rien d'autre sous la main.

— Ça résume assez bien la situation, regretta Valentin.

La réflexion lui valut un regard étonné.

— Pourquoi vous avez déclaré la Mini volée ? C'est quand même pas très cool pour Lara.

— Oh ! Je comprends…

Bruno Dessay s'approcha de Valentin et posa ses mains sur ses épaules. Le jeune homme recula pour échapper à l'étreinte.

— Tu sais, je connais l'immobilisme des flics quand il s'agit d'une disparition d'adulte. Pour moi, c'était tout simplement le meilleur moyen de les faire agir rapidement. Et ça n'a pas loupé.

— Ouaip, murmura Valentin, penaud. Vu comme ça… Et le serveur ? Pourquoi effacer tous ses fichiers ?

La gravure de mode revint dans la pièce chargée d'un sac de voyage.

— C'est moi qui ai sauvegardé ses fichiers, dit-elle à Valentin. Lara écrivait un papier pour le journal et je ne voulais pas que son travail tombe entre de mauvaises mains.

— Pardon, je manque à tous mes devoirs, s'exclama Bruno Dessay. Valentin, je te présente Pascale Faulx. C'est la rédactrice en chef du magazine *Century.* Pascale, Valentin est le frère de Lara.

Ils échangèrent un signe de tête poli.

— Votre sœur a travaillé des mois pour collecter des informations sensibles. Tant qu'elle ne sera pas rentrée, je les garderai en lieu sûr.

— Je ne peux pas les récupérer ?

— Les résultats de cette enquête sont la propriété de *Century.* De toute façon, que voulez-vous en faire ?

— On cherche des infos sur un certain Kalinine. Vous n'avez rien là-dessus ?

— Franchement, lâcha Pascale Faulx avec une légère grimace, je n'en ai jamais entendu parler. Quel rapport avec la disparition de Lara ?

179

Valentin haussa les épaules, l'air désemparé.

— Ne t'inquiète pas, murmura Bruno Dessay. Le travail de Lara sera respecté et si on a des infos, on les communiquera à la police. On est tous les trois sur ce coup, ajouta-t-il. Écoute Valentin, je suis désolé, mais on doit partir pour Roissy. Je t'appelle à mon retour. On prendra le temps de parler de tout ça, d'accord ?

Valentin consacra l'après-midi à ausculter l'ordinateur portable de Lara. Là encore, des dizaines de fichiers avaient été effacés. Il tenta de les récupérer, mais le résultat fut peu probant. Tout au plus obtint-il des bribes d'interviews, des images volées en caméra cachée, rien qui soit véritablement exploitable ou particulièrement intéressant.

Sur un conseil d'Arnault, il contacta Marie-Pierre, sa tante, pour lui demander de s'approcher d'un avocat. Comme la police considérait la disparition de Lara réglée, il allait être nécessaire de se constituer partie civile et de déposer une plainte pour enlèvement et séquestration. Il n'était pas question pour la famille d'envisager le meurtre.

Marie-Pierre n'avait toujours pas parlé à Carmela. Celle-ci était si faiblarde ces derniers temps que la moindre émotion pouvait la tuer. Elle encouragea Valentin à lui téléphoner tout de même, car son silence inquiétait la vieille femme qui ne comprenait pas pourquoi il ne s'était pas fendu d'un coup de fil depuis son arrivée à Paris.

— Si je comprends bien tu veux que j'appelle mémé comme si de rien n'était ?

— C'est ça, avait répondu Marie-Pierre. Ce ne sera pas la première fois que tu lui raconteras des bobards.

À 19 heures, Arnault de Battz rejoignit Valentin, un sandwich dans une main et un DVD dans l'autre.

— Faut que ça se nourrisse un grand garçon comme ça ! Je vais avoir la DDASS sur le dos si tu tournes de l'œil.

— J'ai pas trop faim, mentit Valentin.

— La vérité, c'est que tu crèves la dalle, mais que tu as honte de te faire du bien pendant que Lara est on ne sait où à faire on ne sait quoi.

Valentin ne dit rien, mais ses yeux se remplirent de larmes. Il détourna la tête.

— Je sais qu'on va la retrouver, dit Arnault de Battz tout attendri. Fais-moi confiance.

— Vous parlez comme dans *Les Feux de l'amour*.

— Mange et écoute.

Valentin mordit dans le sandwich à pleines dents.

— C'est vrai que Lara bossait pour la nana de *Century* ?

— Quelle nana ?

— Une grande, maigre, très chic.

— Ah oui ! Le dragon ! C'est vrai. Lara rêvait de bosser pour ce journal et la mère Faulx lui avait promis une rubrique si elle lui pondait un papier du tonnerre.

— Je l'ai vue chez Bruno. Elle non plus n'a jamais entendu parler de Kalinine. Peut-être qu'on se plante. C'est à Stalker qu'il faudrait demander.

— Encore faudrait-il pouvoir l'approcher… Anyway, tu devrais arrêter de balancer le nom de Kalinine à droite et à gauche tant qu'on n'en sait pas plus. OK ?

— Désolé… Pascale Faulx a essayé de me faire gober qu'elle *aurait* récupéré les dossiers de Lara pour les protéger. Vous y croyez?

Arnault de Battz passa une main tendre sur la tête du jeune homme.

— Cette vieille peau ambitieuse ne supporterait pas de se faire voler un scoop. Alors oui, c'est possible, même si déontologiquement, je dirais que le papier de Lara appartient à Lara, tant qu'elle ne l'a pas vendu à *Century*. Anyway, je suis une écervelée, se dénigra Arnault de Battz en glissant le DVD dans le lecteur du portable de Lara, figure-toi que le service matériel de la chaîne m'a donné ces images. Elles proviennent de la micro-caméra que j'avais prêtée à Lara samedi dernier. J'aurais pu y penser tout seul, ça doit être la vieillerie! Lara portait une caméra bouton pendant et après l'émission avec Herman Stalker. On va sûrement trouver des choses intéressantes là-dessus.

Arnault de Battz lança la lecture du DVD. Il accéléra l'image jusqu'à ce que le plan-séquence pénètre dans un bâtiment, puis il fit défiler la vidéo en vitesse normale.

— On ne voit pas tout à cause du manque de lumière, expliqua-t-il, il faudra traiter l'image, mais ils font ça très bien, nos petits intermittents du troisième. Je te préviens, c'est interdit aux moins de 18 ans. Ça baise dans tous les coins dans les soirées Stalker! Mais il y a du monde, toutes les personnes qui ont croisé Lara avant sa disparition. Alors tu vas descendre au troisième… Mange, je te dis! Et tu vas demander à ce qu'on fasse des sorties papier de chacun des invités de Stalker.

Comme Valentin, les yeux rivés sur l'écran, délaissait son sandwich, Arnault de Battz lui pinça le nez.

— Tu manges, oui !

Un sourire triste éclaira le visage du jeune homme qui ouvrit la bouche et enfourna le reste du pain de mie en le pliant. Il regarda Arnault, les joues pleines comme celles d'un hamster.

— Il faut qu'on bouge, mon chou. Qu'on vive, tu comprends ?

Valentin hocha la tête en mastiquant.

— Rester sur place, ajouta Arnault de Battz, c'est crever sur place. Lundi, j'enverrai un coursier pour porter ces photos au commandant Lambert. Je sais que tu le prends pour un flic d'opérette, mais je peux te garantir qu'il n'en est rien. Alors tu me termines d'avaler ton sandwich et tu descends au troisième. Après, fais-moi plaisir et va draguer une fille ou deux, puisque monsieur beau gosse a l'air de raffoler du camp ennemi. Et surtout, tu ne te laisses pas abattre !

31

Son ordinateur portable glissé dans une sacoche Adidas, **Valentin Mendès** quitta les locaux de Canal 9 aux alentours de 20 h 15 et retrouva le trottoir parisien sans idée particulière. Il descendit la rue de Hauteville vers les Grands-Boulevards, attiré par la foule qu'il apercevait de loin. Le dimanche précédent, alors qu'il pensait que Lara l'avait simplement oublié, il avait traîné du côté de la porte Saint-Martin. Cette fois, il partit en direction de l'Opéra par le boulevard Bonne-Nouvelle. Il hésita devant le Max Linder, Lara lui avait vanté ce cinéma.

« Il faut arriver dans les premiers, parce que tout le monde se dispute les places au balcon. Mais quand tu y es, tu te retrouves au milieu de l'écran, et là, c'est le kif total. T'as l'impression de voler ! »

Voler, se sentir léger, Valentin paierait cher pour éprouver cette sensation. Au lieu de ça, il ruminait. Bruno Dessay était un salopard fini, les flics des abrutis, la marche du monde insensée, on ne s'y occupait que de futilités, et Valentin se demandait ce qu'il allait pouvoir faire dans une société pareille.

« Rester sur place, c'est crever sur place. »

C'est ce qu'avait déclaré Arnault. Ce soir, il resterait à son bureau jusqu'à la fin de l'émission. Lara n'y serait pas. Et ça s'arrêterait là. Faute de reportage et de journaliste disponible, l'émission se passerait de sa chronique et peu de gens s'en plaindraient.

« On pense connaître les gens, et un jour ils agissent *a contrario* de ce qu'ils ont toujours été. »

La phrase du flic tourna dans l'esprit de Valentin. Lara n'était pas « les gens ». Oh, non ! Lara était une belle personne sur qui on pouvait compter. Mais apparemment, cette qualité n'était pas payée de retour. Le flic avait refermé un dossier à peine entamé pour passer au client suivant. Ça devait être bon pour ses statistiques.

— Branleur ! maugréa Valentin.

Il s'éloigna du Max Linder. On y passait une rétrospective Fassbinder. Il n'avait jamais entendu ce nom et ne se sentait pas d'humeur curieuse. Comme la foule l'oppressait, Valentin bifurqua dans un passage couvert. Il longea le musée Grévin et flâna devant les vitrines d'un magasin de jouets. Qu'est-ce qu'il fichait là ? D'ordinaire, à cette heure, il aurait été en compagnie de ses potes du rugby. Apéro chez les parents de l'un ou l'autre, vu le temps, ils se seraient ensuite enfilé quelques grillades, puis ils auraient attendu 23 heures avant de partir pour le Sphinx, la boîte où ils finissaient invariablement leurs soirées.

Au lieu de ça, ce soir, Valentin Mendès glandait devant des jouets.

L'idée qui lui vint alors lui fit se poser des questions sur la rapidité de ses facultés intellectuelles. Comment n'y avait-il pas pensé plus tôt ?! D'un bon pas, il sortit du passage et s'enquit d'un bar peu fréquenté.

Quand il l'eut déniché, il s'installa, commanda une pression et connecta son ordinateur au réseau wifi. Sur Facebook, il adressa un message privé à Larafan. Un samedi soir avant l'émission, il y avait de grandes chances que l'adolescent soit devant son ordinateur.

« Salut, je m'appelle Valentin Mendès, je suis le frère de Lara et j'ai besoin d'aide. »

Valentin patienta une dizaine de minutes, juste le temps d'achever sa bière et d'en commander une deuxième.

« Yep ! »

La réponse était lapidaire. Valentin supposa que son correspondant se méfiait.

« Lara ne sera pas dans l'émission de ce soir. »

« Snif, pourquoi ? »

« Je t'envoie mon numéro de portable. C'est un peu long à expliquer. »

Cette fois, la réponse tarda. Larafan devait avoir des consignes de ses parents et hésitait à les transgresser.

« OK. »

Valentin communiqua son numéro. Son portable sonna dans la minute.

— Salut, t'es qui ?

— Valentin Mendès, je te l'ai dit. Et toi ?

— Comment je peux être sûr que t'es pas un taré de pédophile ?

— Comment je peux être sûr que t'es pas un taré de fan ?

Un silence sépara les deux garçons.

— OK, ajouta Valentin, c'est pas évident pour toi.

Il donna quelques précisions à Larafan comme la date et le lieu de naissance de Lara, le nom des établissements scolaires qu'elle avait fréquentés, la date de sa première chronique.

— Moi, c'est Rabah Malek. J'ai 16 ans et j'habite à Bondy. Qu'est-ce que tu veux ?

Valentin passa sous silence qu'il possédait déjà ces renseignements et exposa rapidement la situation à Rabah, en insistant sur l'attitude de la police. Son monologue fut ponctué de plusieurs exclamations du genre « j'y crois pas ! », « c'est ouf ! », etc.

— Je ne sais pas ce que va dire Morgan pour expliquer l'absence de Lara, ajouta-t-il pour conclure, mais ce ne sera sûrement pas la vérité.

— C'est ouf ce truc, répéta Rabah, ils sont complètement cons !

Valentin partageait cet avis.

— Comment je peux aider ?

— L'idéal serait que tu préviennes ses fans sur ta page Facebook et sur Twitter. Un message du genre « attention, grande révélation sur Lara Mendès ce soir », tu vois ?

Rabah envisageait très bien la teneur de ce qu'il allait écrire. Prévenir les dix mille contacts du profil « les fans de Lara Mendès » et ses « followers » rameuterait du monde devant les postes de télévision.

Alerter la communauté par un simple message équivalait à un mouvement dans l'immobilisme ambiant. Si rester sur place revenait à crever sur place, alors bouger, c'était vivre.

Pendant l'heure et demie qui le séparait du début de l'émission, Valentin scruta les premières réactions sur Facebook, et découvrit avec émotion à quel point sa sœur était appréciée. Il dévora une andouillette accompagnée de frites qui ruisselaient d'huile. Le sandwich d'Arnault de Battz l'avait mis en appétit et cette fois, il ne se sentit pas coupable de manger.

À 22 heures, il demanda au patron du café s'il était possible de commuter l'écran fixé au mur sur Canal 9, après la fin du match de foot en cours, ça allait de soi. Valentin manqua les dix premières minutes de « Un samedi pas comme les autres ».

Aux tweets qui défilaient en bas de l'image, il comprit que Morgan avait annoncé l'absence de Lara en prétextant des vacances bien méritées. Il s'empara de son téléphone, rappela Rabah, et entama la deuxième partie de son plan.

— Voilà : tu vas leur demander de balancer ce texte dès qu'ils l'auront reçu, partout, sur tous les réseaux sociaux, par mail, texto, je m'en tape, OK ?

— Je t'écoute.

— « Ils mentent. Lara a disparu dans la nuit du samedi au dimanche 17 juin dernier, juste après avoir interviewé Herman Stalker. D'ailleurs, si celui-ci pouvait nous contacter. La police n'a pas de piste. Aidez-nous à la retrouver. Valentin Mendès, son frère. » Tu ajoutes le numéro de téléphone de Canal 9 et leur adresse mail. C'est bon, t'as noté ?

— Ça part dans deux minutes.

— Merci. À plus.

Les deux adolescents raccrochèrent, navrés qu'il leur soit impossible de se rencontrer. Rabah avait achevé les épreuves du bac français et se trouvait déjà dans le Midi pour l'été.

Le stratagème de Valentin entraîna des conséquences qui dépassèrent ses espérances. Les messages se bousculèrent, le profil de Larafan fut engorgé, si bien que Morgan interrompit l'interview d'une star éphémère de la téléréalité pour réagir face au déferlement de commentaires sur Twitter.

L'animateur comprit aussitôt le bénéfice qu'il pouvait tirer de cette annonce et se transforma en collègue affligé, prêt à tout pour sa chroniqueuse préférée.

Il fit un appel aux téléspectateurs, s'adressa également à Lara pour lui demander de se manifester si elle était en situation de le faire, puis au lieu de recoller au conducteur de l'émission, Morgan demanda à la régie de rediffuser sa dernière chronique avec Herman Stalker.

Bientôt, l'image de Lara souriante envahit l'écran de télévision.

Au bord de la nausée, Valentin se leva précipitamment, régla sa note et sortit de la brasserie.

32

La matinée de ce lundi 25 juin fut particulièrement calme.

Sookie Castel avait emmené Guernica au commissariat, outrepassant les avertissements de Renaud Cochin, qui considérait qu'un doberman dans un poste de police, ça faisait penser à un berger allemand dans une Kommandantur, et que ce rapprochement malheureux nuirait à l'image de la police nationale.

Elle prit le temps de regarder les actualités, la une de quasiment tous les sites d'informations était consacrée à la disparition d'une chroniqueuse télé : « L'appel de Valentin Mendès », c'est ainsi que le *JDD* avait titré un article exposant la mystérieuse disparition de Lara Mendès, chroniqueuse de « Un samedi pas comme les autres ». Pour *Le Parisien*, en page 2, il était question du « vibrant appel au secours d'un frère », et dans *Libération*, de « flagrance d'incompétence policière ». D'autres journaux régionaux suivaient : « Mais où est passée Lara Mendès ? », « Le frère inquiet lâche une bombe sur Twitter », « Disparition d'une reine de la chronique télé », etc.

Sookie classa aussitôt Lara Mendès dans la boîte Twiggy où elle rangeait toutes les femmes minces et de petite taille, sous-boîte Natalie Portman, et s'agaça de voir les journalistes attaquer encore une fois le travail de la police.

Puis elle entreprit de trier des PV, en faisant défiler les scans du dossier de Charlène Bonnet qu'elle avait épluché durant le week-end : famille de Charlène, amis, fréquentations de la mère, activité professionnelle (celle-ci était traiteur), voisins, témoins.

La jeune femme avait repris le travail ce lundi matin, persuadée qu'elle était passée à côté d'un détail crucial. Et son insuccès l'angoissait terriblement.

Devant le juge Craven, elle avait prétendu qu'il pouvait y avoir une victime encore vivante, enfermée quelque part. Sur le coup, ce n'était qu'un argument destiné à secouer le magistrat. Mais peu à peu, cette idée s'était insinuée en elle comme une évidence.

À midi, un SMS en provenance du portable de Rodolphe Craven annonça ce texte lapidaire : « Ouverture de la grande pyramide en cours. »

La gorge nouée, elle avala avec difficulté une salade au bistrot où elle avait ses habitudes, puis laissa un message à Erwan, qui n'avait toujours pas téléphoné depuis qu'elle l'avait planté dans son appartement.

Il était 15 heures quand le poste du bureau de Sookie sonna. Elle décrocha dans la seconde.

— Ramenez immédiatement votre cul dans mon bureau, brigadier Castel !

Son supérieur avait une voix blanche que Sookie ne lui avait jamais connue.

— J'arrive, lieutenant.

Elle se leva, et son portable vibra au fond de sa poche au même moment.

Rodolphe Craven.

Sookie referma la porte de son bureau et répondit en chuchotant.

— Thiefen vient de me passer un savon, expliqua le juge. Il n'y avait rien sous le pool house. Qu'est-ce que ça veut dire ?!

Sookie en resta muette de saisissement.

— Il y a un complice en vie, murmura-t-elle après un silence, ou alors l'assassin des Raspail est revenu sur les lieux. J'étais seule sur place le jour où j'ai fait les photos. Et je suis certaine que personne ne m'a vue.

Sookie se sentait terriblement mal. Mais contraire-ment à ce qu'elle imaginait, Rodolphe Craven ne la chargea pas. Il émit à son tour des hypothèses, puis ajouta qu'il ne comptait pas en rester là. Il lancerait dès que possible des recherches sur les bijoux à l'aide des photos. D'autres affaires s'y trouveraient tôt ou tard mêlées, et alors il serait temps de se tourner de nouveau vers la Malhornière.

Et puis les bijoux n'étaient qu'un lien vers d'éven-tuelles victimes. Où se trouvaient les corps, si, comme le pensaient Sookie et le juge, ils avaient affaire à un assassin multirécidiviste ? Où les victimes étaient-elles retenues ?

Lors de sa fouille de la Malhornière, Sookie n'avait vu aucun document prouvant que la famille possédait une autre propriété quelque part. Et sans commis-sion rogatoire, impossible de vérifier par le biais des impôts.

— Thiefen va être dessaisi du dossier Charlène Bon-net, dit Rodolphe Craven en guise de conclusion.

— Pourquoi ?

— J'ignore si c'est une simple coïncidence de calendrier, ou si c'est lié à la perquisition de ce matin. Le hasard ou la politique, ça ferait un bon titre pour la biographie que j'écrirai à ma retraite.

— Je suis désolée.

— Ne le soyez pas, tempéra le juge Rodolphe Craven, ce n'est ni la première ni la dernière fois qu'un dossier échappe à un bon magistrat. Gaétan Thiefen était dans le collimateur de la garde des Sceaux depuis sa prise de position concernant la gestion des sans-papiers. Ce qui est navrant, c'est le délai que l'enquête va encaisser de ce simple fait.

— J'aimerais montrer les photos de la médaille à la mère de Charlène Bonnet. Qu'en pensez-vous ?

— Je vous le déconseille, en tout cas pas tout de suite. Attendez de connaître le nom du magistrat instructeur qui va remplacer Thiefen. Si vous vous mêlez officiellement de cette affaire, ça risque de vous péter à la gueule.

Sookie raccrocha, entendant encore la voix de Rodolphe Craven lui dire qu'ils pourraient s'entraider à l'avenir. C'était réconfortant de le savoir.

Elle sortit de son bureau au moment où la sonnerie de son poste fixe retentissait avec insistance, traversa le bâtiment et se retrouva devant la collection de boules à neige de Renaud Cochin.

Voix blanche, visage rubicond, tics de nervosité – qui manquèrent faire passer Tommy Lee Jones dans la boîte Jeff Goldblum, dans son interprétation du rôle de la mouche dans le film de Cronenberg –, Renaud Cochin était dans tous ses états.

— Comment avez-vous osé, Castel! Tous les services se foutent de notre gueule! Vous négligez les affaires en cours, vous brisez des scellés d'une scène de crime, vous vous débrouillez pour déranger un juge et toute une équipe. Mais vous avez pensé à quoi, bon sang?

Sookie attendit que l'orage passe, persuadée que sa bonne étoile allait arranger le merdier qu'elle avait provoqué.

— Vous voyez, vous-même vous parlez de scène de crime! C'est pas un suicide, je vous dis!

— Fermez-la, Castel et rendez-moi votre plaque et votre arme. Et que ça saute!

— Mais… lieutenant?

— Il n'y a pas de mais! Vous disposez de quinze jours sans solde, pour réfléchir aux conséquences de vos actes! Allez vous mettre au vert! Je ne veux voir ni votre tronche, ni la truffe de votre sale clébard sur mon secteur. C'est clair?

33

Sous la pression des médias, le ministère de l'Intérieur n'avait pu faire autrement que de nommer un responsable chargé de constituer une cellule d'enquête. Un inspecteur avait contacté **Valentin Mendès** le lundi matin pour le convoquer au quai des Orfèvres.

Depuis samedi soir, le téléphone du jeune homme recevait des appels de journalistes avides de confidences, la page Facebook de Lara, administrée par Rabah Malek, comptabilisait des milliers de nouveaux contacts, et Morgan, l'animateur, ainsi qu'Arnault de Battz avaient été convoqués par la direction de Canal 9 pour tirer cette affaire au clair. Mais également le meilleur profit possible.

« Dans le monde réel, on n'annonce pas des catastrophes sans essuyer des éclaboussures. Et crois-moi, en général, c'est pas de l'eau bénite qu'on t'envoie à la gueule !

— J'en ai marre d'attendre que votre flic poussiéreux émerge de ses dossiers avec une info intéressante ! avait répondu Valentin.

— Anyway, que tu le veuilles ou non, tu nous fous dans la merde ! »

Tandis qu'il sortait du métro Cadet pour rejoindre Bruno Dessay, Valentin se remémorait les mots d'Arnault, lancés après l'émission, alors que les standards de la société de production et de la chaîne étaient submergés d'appels en tout genre.

« Non, il n'est pas doux d'avoir 17 ans quand on vit dans un monde de cinglés où l'on peut crier au loup à s'en irriter la gorge sans que quiconque en tienne compte ! »

C'est ce qu'Egon Zeller avait opposé au producteur, le dimanche, quand il s'était agi de justifier le bien-fondé de l'action de Valentin sur les réseaux sociaux.

« Le gamin a parfaitement joué, vieille grincheuse ! Il est jeune, il se sert des armes de son époque, et il ne dispose que de celles-là.

— Tu sais ce qu'elle te répond, la vieille grincheuse ? C'est pas toi qu'Herman Stalker a pourri au téléphone en menaçant de porter plainte pour diffamation ! »

Arnault de Battz avait tourné le dos pour descendre à la cave où il entendait aiguiser ses cisailles pour tailler les rosiers, si son cœur survivait à la gravissime blessure d'orgueil infligée par deux générations d'apollon.

Valentin remonta la rue La Fayette sur trois cents mètres avant d'apercevoir les stores du Général La Fayette, le pub où Bruno Dessay l'attendait. Il était installé en terrasse. C'était bruyant et bondé, l'endroit idéal pour que Valentin conserve son calme.

— Je suis désolé, c'est toujours toi qui te déplaces, s'excusa Bruno Dessay, j'ai un boulot fou ces temps-ci et toi…

— Je suis en vacances.

— Assieds-toi, tu prends une bière ?

Valentin acquiesça tout en s'installant.

— Je vais peut-être t'apprendre quelque chose, enchaîna Bruno Dessay après avoir passé commande, mais Lara et moi, on a connu des hauts et des bas. Ce que je veux dire, c'est qu'elle m'a déjà fait le coup du silence radio. Le plus long, ça a été dix jours consécutifs.

— Qu'est-ce qui est le plus dur à avaler ? persifla Valentin. Dix jours de silence ou l'annulation d'un rencard par SMS ? D'après toi ?!

L'arrivée du serveur les interrompit, ce qui permit à Bruno Dessay d'encaisser l'attaque.

— Je me sens minable, dit-il en allumant une cigarette d'une main tremblante. Tu vois, ça fait dix ans que j'ai arrêté cette saloperie, ajouta-t-il en désignant le paquet de Marlboro, mais là, je les enfile les unes après les autres.

— C'est con. Mais ça n'explique pas pourquoi le SMS.

— Valentin, tu ne connais pas Lara comme je la connais. Elle t'a toujours protégé. Bref, je ne me sens pas obligé de me justifier, je voulais juste t'expliquer.

— Ça ne sert pas à grand-chose.

— Justement, mais je ne voulais pas te voir pour ça.

Bruno Dessay ouvrit son cœur à Valentin. Oui, il regrettait son message. C'était idiot, une décision prise sur un coup de tête. Mais il aimait Lara, ensemble ils avaient parlé de rencontrer leurs familles respectives, de fiançailles, et il avait eu la trouille. À 40 ans passés, ça le faisait flipper de présenter sa compagne à ses parents et ça, Lara avait du mal à le comprendre. Valentin comprendrait peut-être, mais plus tard, quand les années auraient émoussé la dureté de son jugement.

— Nous allons nous unir pour la retrouver. J'ai quelques contacts. Je vais les utiliser pour accélérer les choses.

L'intransigeance de Valentin vis-à-vis de Bruno Dessay vacilla. Cet homme avait un air sincère. À un moment, sa voix avait chevroté quand il parlait de Lara. Par-dessus tout, Valentin avait besoin de soutiens.

— En attendant, il y a quelque chose que je peux faire ?

Valentin mentit alors avec un aplomb dont il ne se serait jamais cru capable.

— Oui, j'ai besoin d'une copie des dossiers et de toutes les images que Lara a faites pour son documentaire. Les flics de la cellule d'enquête m'ont demandé de leur apporter tout ce sur quoi elle travaillait. Ils commencent à envisager la possibilité qu'elle s'intéressait à un truc pas clair et qu'elle pourrait avoir fait une mauvaise rencontre.

Ce que Bruno Dessay ignorait, c'est que le commandant Lambert avait exigé d'Arnault et de Valentin qu'ils ne parlent de l'affaire Moreau sous aucun prétexte. « Si vous voulez que j'avance, ne me mettez personne dans les pattes. Ce dossier a la fâcheuse habitude de porter la poisse à quiconque s'y intéresse et je ne voudrais pas que ce qui en reste se volatilise comme par enchantement. Laissez-moi trouver des infos sur ce Kalinine, faites-moi des copies des documents de Lara. On leur donnera un os à ronger si nécessaire. »

Bruno Dessay avala le mensonge sans difficulté.

— Ils t'ont déjà contacté ?

— Ouaip, j'ai rendez-vous cet aprèm. Faudra tout filer au commandant Lambert. OK ?

— C'est bien, ça bouge. Par contre, ton commandant aura les fichiers demain. Pascale est en déplacement. Je lui demanderai de les faire porter par coursier, tu me diras où. Ça se passe comment pour toi à Paris ? Tu t'es fait aux 24 mètres carrés du studio de Lara ? Ta vie à la campagne, tes copains de rugby, tout ça ne te manque pas ? Lara m'a dit que tu étais hyper doué !

La conversation dériva vers une causerie moins grave et cela rasséréna Valentin. Quand il se leva pour partir, Bruno Dessay fit de même. Ils demeurèrent un instant face à face, puis Bruno l'enlaça.

— Tiens bon, mon vieux. Je suis sûr qu'on en rira avec Lara, quand on l'aura retrouvée.

Le jeune homme se prêta à l'échange affectueux, puis il fila vers le métro. À son goût, ses yeux larmoyaient un peu trop souvent ces temps derniers.

Pendant trois heures, Valentin répondit aux questions du capitaine Pierre Budzinski, un policier d'une quarantaine d'années qui chapeautait la cellule d'enquête. Ensemble, ils décortiquèrent la vie de Lara, ses relations, ses goûts, son emploi du temps dans les vingt-quatre heures qui avaient précédé sa disparition, leurs derniers mails, échanges téléphoniques, et Valentin s'en tint au plan initialement conçu. Il n'avait aucune idée des enquêtes menées par sa sœur.

Bien sûr, les mêmes questions seraient posées très rapidement à ses collègues de travail de Canal 9, à son employeur, Arnault de Battz, et enfin à Bruno Dessay et à Pascale Faulx, la rédactrice en chef de *Century*.

Comme première piste, la cellule avait reçu de la part de la chaîne les enregistrements de la soirée Stalker. Les Happy Night étant connues pour être fréquentées par ce qu'il y avait de pire dans la société, tous ceux qui avaient un casier, et ils étaient nombreux, seraient convoqués comme témoins, Herman Stalker compris. Cela représentait plus d'une centaine de personnes, autant dire que ces interrogatoires prendraient des semaines.

L'autre nouvelle était que le capitaine Budzinski avait contacté un homologue de la police espagnole et qu'un avis de recherche avait été lancé.

Quand Valentin rentra à Neuilly vers 18 heures, Arnault de Battz s'affairait dans le jardin où les rosiers passaient un sale quart d'heure.

— Je crois que je me suis trompé sur Bruno.

— Ne va pas trop vite en besogne, Apollon, tempéra Arnault, ni dans un sens, ni dans l'autre.

— Anyway, imita Valentin qui se sentait d'humeur moqueuse, il m'a payé une bière et fait son mea culpa. Ce grand garçon a peur de papa et maman… Et il est si flippé qu'il fume comme un pompier. De votre côté, des nouvelles ? Les flics m'ont dit qu'ils allaient prendre contact.

— C'est fait, trésor. Sûrement pendant que tu courais la gueuse, j'ai reçu la visite d'un gentleman policier. Gros revolver, belle carrure, un moment agréable. J'ai aussi reçu un coup de fil intéressant cet après-midi. Des zozos qui partaient en boîte le samedi maudit ont croisé Lara à un poste d'essence, à quelques kilomètres du parking.

Le cœur de Valentin manqua un battement.

— Elle faisait le plein et ils ont papoté deux minutes.

— Qu'en disent les flics ?

— Rien, mon chou. Les zozos ne veulent pas témoigner. Ce sont des fans, ils adorent Lara mais ce soir-là, ils n'étaient pas censés être là où ils l'ont rencontrée, tu piges ?

— Rien à foutre, il faut prévenir les flics.

— Tut tut ! Impossible ! Ils ont appelé d'une cabine.

— Qu'est-ce qu'ils ont dit exactement ?

— Qu'ils pissaient sur les pompes à essence quand elle est arrivée, alors ils lui ont fait galamment le plein, lui ont proposé de faire la fête avec eux, elle a décliné car elle allait rejoindre son chéri, et elle est partie. *That's all !*

— C'est bien la preuve qui manquait, s'exclama Valentin, on ne fait pas le plein de sa voiture quand on a décidé de l'abandonner pour faire chier son mec !

34

Lara Mendès avait repris ses rondes et se forçait à une activité physique régulière. Jogging, abdos et pompes. Ces séances lui donnaient faim, mais la jeune femme acceptait le tourment, autant par nécessité que pour rester vigilante. Ne plus craquer, ne plus se laisser aller, et elle survivrait à cet enfer.

Lassée de parler dans le vide, Lara avait cherché à « incarner » Pierre Soulès, son aïeul bâtisseur de blockhaus.

Devant le maigre choix dont elle disposait, Lara jeta son dévolu sur un balai serpillière auquel elle adjoignit un visage dessiné sur une feuille. Deux ronds pour les yeux, un V pour le nez, une ligne pour la bouche et une moustache. Pierre ne pouvait pas ne pas porter de moustache.

Le balai fut posé sur son manche dans la cuisine, lieu de passage régulier de Lara, aussi bien au moment de ses rondes que des repas.

La deuxième boîte de pâté était vide. Lara n'en était pas très fière, ses provisions s'amenuisaient aussi rapidement que ses chances de survie. Elle avait craqué et s'amnistiait en prétextant qu'elle partageait avec Pierre.

— Tant mieux si j'ai des cousins en Afrique, dit-elle en levant sa bière vers le balai. Le problème, c'est que je ne saurai pas où les trouver quand je sortirai d'ici.

Le balai était placé entre la table où Lara prenait ses repas et la porte de la chambre froide. Pierre agissait comme un talisman et Lara se sentait mieux. Elle vida sa bière et décida d'en décapsuler une autre.

Sur la table, il y avait un paquet de feuilles vierges trouvées dans la cuisine, avec un stylo bille posé dessus. Lara avala une nouvelle gorgée de bière, puis regarda le stylo comme si elle n'en avait jamais vu.

Tu es une journaliste, crevette, alors pense en journaliste et écris ce que tu sais. Au cas où tu ne serais plus là pour le dire ! Il faut que les salauds payent.

Commencer n'était pas simple. Surtout que cet écrit n'avait d'autre but que de pallier son absence, si…

Quand elle aurait achevé ce témoignage, Lara le cacherait dans le bunker. Tôt ou tard, quelqu'un le trouverait. Il restait à espérer que ce quelqu'un serait bien intentionné.

— Voyons voir, par où commencer ?

Comment une fille aussi simple et généreuse que toi en est arrivée là, dans ce bunker sordide ?

— C'est ça ! apprécia Lara en lançant vers Pierre un regard reconnaissant. Je n'aurais pas mieux dit.

Lara s'empara du stylo et écrivit en grosses lettres le titre de son article, UN MONDE DE PORCS, PAR LARA MENDÈS, et se redressa pour prendre un peu de recul.

— Chouette idée, Pierre, lança-t-elle vers le balai.
Mais j'ignore si c'est vendeur !

Une nouvelle feuille glissa par-dessus la première.
Avant de commencer, Lara but une gorgée de bière,
leva les yeux au plafond à la recherche de la phrase
d'accroche, puis soupira et se lança.

« Ilya Kalinine, c'est une espèce d'arlésienne avec un flingue dans chaque main. Et je peux vous garantir qu'il n'y a rien de comique là-dedans. »

Immobilisé entre la porte de Champerret et celle des Ternes, **Arnault de Battz** se repassait les paroles du commandant Lambert.

« Ilya Kalinine est probablement un chef mafieux, tout comme ce peut aussi être le nom d'une association de malfaiteurs. Personne ne l'a jamais rencontré, tout au moins personne n'en a témoigné, et tout le monde le craint. Vous savez, il n'y a pas de système mafieux acceptable, mais les réseaux de l'Est sont les plus durs de tous, avec les cartels mexicains. On prête à Ilya Kalinine un peu moins de trois cents morts sur les dix dernières années. Et quand je dis "on prête", c'est faute d'avoir trouvé des documents accusatoires qui ne souffriraient pas l'ombre d'un doute. D'après ce que j'ai pu trouver, il semble que Kalinine, ou le groupe Kalinine, sèmerait le trouble dans l'ordre des mafias de l'Est. Bulgare, polonaise, lituanienne, ukrainienne, moldave et russe, principalement. »

Les panneaux d'affichage promettaient la porte Maillot à trente-cinq minutes. L'asphalte du boulevard périphérique se déformait dans l'évaporation qui montait du sol. La clim' tournait à fond pour contrer la canicule de la fin du mois de juin.

Perdu dans ses pensées, Arnault de Battz laissait errer son regard sur les camping-cars qui encombraient les voies. On aurait cru que toute l'Europe du Nord s'était donné rendez-vous dans les parages.

« Évidemment, ces troubles rejaillissent sur l'ensemble du crime organisé en Europe et au-delà. Mais c'est une autre histoire, je pense. Quoi qu'il en soit, on ne sait pas précisément ce qu'est Ilya Kalinine, mais au final, ça ressemble à une organisation mafieuse comme les autres. Drogue, armes, prostitution, les trois piliers fondateurs, plus extorsion et blanchiment d'argent. Si Lara Mendès est tombée entre leurs mains, elle est perdue. Mais encore faudrait-il définir pourquoi elle aurait intéressé Ilya Kalinine. J'ai du mal à imaginer que c'est à cause de l'affaire Moreau. Ou alors, elle a vraiment déterré un truc pas propre. »

Ce sont ces derniers mots qui éveillaient une peur quasi religieuse dans l'esprit d'Arnault de Battz.

Valentin et lui cherchaient Lara, le commandant Lambert cherchait Lara, depuis peu une cellule policière s'y était mise aussi. Mais peut-être, comme le prédisait Lambert, n'y avait-il plus rien à chercher.

Lara emportée par la terreur armée d'une mafia. Qu'allait-il raconter à Valentin ? Car il allait falloir répondre.

C'est cette question qui préoccupait Arnault de Battz tandis que la circulation se remettait en branle et qu'il redoutait de rentrer chez lui.

Entre samedi 16 juin et mardi 19 juin

Entre mercredi 20 juin et vendredi 22 juin

Entre samedi 23 juin et lundi 25 juin

Mardi 26 juin

Mercredi 27 juin

Entre jeudi 28 juin et samedi 30 juin

Entre dimanche 1er juillet et lundi 2 juillet

Entre mardi 3 juillet et jeudi 5 juillet

Vendredi 6 juillet

Entre samedi 7 juillet et dimanche 8 juillet

Lundi 9 juillet

Mardi 10 juillet

Mercredi 11 juillet

Jeudi 12 juillet

Vendredi 13 juillet

Entre samedi 14 juillet et lundi 23 juillet

36

Le bateau qui filait à quarante nœuds sur une mer d'huile avait été baptisé le *Luba-Véra*, un double prénom féminin pour un équipage d'hommes. Son port d'attache était Salinitiovosk, dans l'oblast de Kaliningrad. En quittant la bannière de l'Armée rouge pour passer sous pavillon privé, cet ancien torpilleur avait perdu sa couleur grise pour un bleu marine uniforme.

Les tubes lance-torpilles avaient été démilitarisés et les quatre mitrailleuses de pont étaient restées dans l'arsenal militaire. Pour le reste, le *Luba-Véra* demeurait la copie fidèle d'un torpilleur fabriqué à huit cents exemplaires au cours des années Brejnev. Seule sa motorisation, jugée trop gourmande, avait été revisitée par des techniciens Rolls Royce. Le pavillon russe flottait à l'arrière du bâtiment, secondé d'un autre plus petit qui représentait les armes de l'oblast.

Dans le poste de commande se tenaient trois hommes. **Volodia Pavelevitch**, au centre, possédait ce bateau, ainsi qu'une flottille de quinze bâtiments quasi identiques avec lesquels il commerçait avec la Lituanie, la Pologne, et au-delà, la Suède, la Norvège, l'Allemagne.

Sur ses côtés se tenaient deux de ses lieutenants, Filii et Youri. Ces trois-là se connaissaient depuis l'enfance.

Ensemble ils avaient affronté la réalité soviétique, celle qui abandonne ses orphelins, délaisse ce qu'elle a bâti pour se consacrer à sa seule gloire : sa force de frappe. Tout jeune adulte, Volodia Pavelevitch avait entraîné ses amis dans les réseaux de passeurs d'armes. Vider les stocks de l'Armée rouge était devenu leur obsession, leur revanche, leur enrichissement. En quelques années, les caisses de munitions, d'armes de poing, de fusils d'assaut avaient franchi les frontières pour alimenter les guerres qui ravageaient de nouveau les Balkans, et plus loin, les rivalités africaines ou les groupements terroristes.

Avec l'acquisition des premiers navires, Volodia Pavelevitch et ses amis avaient franchi un cap. Terminé le temps des armes planquées dans des coffres de voitures, des soutes de bus ou des doubles fonds de cabine de camions. Les ponts réaménagés des torpilleurs contenaient jusqu'à quinze containers et les soutes des centaines de caisses. À partir de cette date, du matériel plus lourd avait quitté les arsenaux de l'oblast pour gagner les ports suédois situés à une journée de navigation. L'enrichissement avait suivi une courbe arithmétique, une pure logique capitaliste à laquelle Volodia et ses hommes aspiraient depuis l'enfance. Car à partir des ports occidentaux, c'est le monde qui s'ouvrait à eux.

Pour l'heure, l'ancien torpilleur naviguait à vide.

Les lumières de Salinitiovosk disparaissaient dans la nuit. De l'autre côté de la mer Baltique, par-delà les côtes suédoises, le disque du soleil s'ovalisait sur l'horizon et les flots se teintaient de mercure mêlé de rouge sombre.

Sur l'écran radar, un porte-containers clignotait à vingt-cinq milles nautiques plein ouest. Volodia Pavelevitch entra une commande d'accélération sur le tableau de bord flambant neuf. En quelques secondes, le torpilleur gagna les cinquante-cinq nœuds. À cette vitesse, ils auraient rattrapé leur cible dans moins d'une heure.

— Remplace-moi, indiqua Volodia à Youri.

Il gagna la passerelle et la longea jusqu'à se retrouver devant le poste de commande. Là, dans un angle mort du pare-brise se tenait un homme entièrement revêtu de noir qui observait l'horizon au travers de jumelles.

— Tes hommes sont prêts ? demanda-t-il sans bouger.

— Oui, Kalinine, ils sont prêts.

Dès que le *Luba-Véra* eut pénétré les eaux internationales, deux mitrailleuses de pont furent hissées au palan électrique depuis les cales, et réinstallées sur leurs pieds qui, eux, n'avaient jamais quitté leur emplacement originel. La proue orientée vers la Suède s'enfonçait à présent dans des ténèbres vaguement teintées de gris. Les feux arrière du tanker apparurent alors sur l'horizon. Le navire de 30 000 tonnes filait les vingt nœuds.

Aux premières injonctions de stopper les machines, le tanker opposa un insondable silence radio. Le *Luba-Véra* cala alors sa marche sur celle de sa cible et se tint à une trentaine de mètres en diagonale de sa proue, hors d'atteinte de son sillage.

Les fusils à grappins crachèrent des crochets d'acier et quelques minutes plus tard, un groupe de cinq hommes dirigés par Ilya Kalinine se hissa à bord du bâtiment commercial et se posta à l'avant du navire, derrière un empilement de containers.

L'un d'eux se positionna face au château, son fusil de précision installé sur son trépied, quatre chargeurs de vingt cartouches à portée de main. Pendant ce temps, Ilya Kalinine et les quatre hommes restants longèrent le bastingage en direction du poste de pilotage.

À mi-parcours, ils essuyèrent les premiers tirs. Dans la nuit, des éclairs signalèrent la position des tireurs : sur le château et à son pied. D'autres détonations retentirent, qui éteignirent les premières. Le sniper officiait magistralement. Il fallut quatre minutes à Ilya Kalinine et aux hommes de Volodia Pavelevitch pour gagner le poste de commande où un homme seul tenait le quart.

— Où est le pacha ?

— Dans sa cabine, répondit l'officier sans hésiter.

— Tu sonnes le rassemblement sur le pont, ordonna Ilya Kalinine en activant le système d'éclairage extérieur. Quiconque portera une arme sera exécuté.

Suivi de trois hommes, il s'engouffra dans le château tandis qu'une alarme retentissait dans les haut-parleurs. C'est dans la tenue d'Adam qu'il trouva le commandant de bord. Un désordre sans nom régnait dans la cabine.

L'homme, âgé d'une quarantaine d'années, se tenait près de son lit, un drap maculé de sang devant son entrejambe, et cherchait à dissimuler un cadavre.

Ilya Kalinine l'attrapa par la gorge et l'obligea à se décaler. Le corps était celui d'une fillette à peine pubère, dont le visage déformé par les coups ne saignait plus.

— Où sont les autres ? aboya Ilya Kalinine en arrachant le drap avec lequel se protégeait le commandant.

Le type commença par gémir, puis après avoir pris un coup de poing en pleine face, cracha le numéro d'un container.

L'information fut transmise par talkie, en même temps que l'ordre de le sortir de la zone d'entrepôt. C'est à ce moment qu'un mouvement agita la porte entrouverte d'un placard. Les petits doigts qui s'agrippaient au panneau disparurent très vite.

Ilya Kalinine désigna le placard à l'un des hommes qui en extirpa une fillette d'une douzaine d'années, hurlant, et griffant tout ce qui se trouvait à sa portée. Son visage maquillé outrageusement montrait qu'elle aussi avait reçu des coups. Elle ressemblait traits pour traits à la fillette assassinée.

Ilya Kalinine la confia à l'un des commandos, puis attendit d'être seul avec le commandant pour sortir un automatique de son holster.

— Qui te paye ? demanda-t-il en braquant son arme sur l'homme dénudé.

— Un des hommes de Mordrevitch, s'empressa de répondre le commandant. Zolar Iskiédine. Je ne dirai rien. J'ai une femme et deux petites filles qui m'attendent en Ukraine, ajouta-t-il en geignant.

— Ah oui ?

Le doigt de Kalinine enfonça la gâchette. L'arme aboya une seule fois.

— Eh bien pas moi, lâcha-t-il en crachant sur le cadavre du commandant affaissé sur sa couchette.

Une odeur âcre de ménagerie se répandit sur le pont quand la porte du container s'ouvrit. Blotties les unes contre les autres dans le fond de la structure métallique, une trentaine de filles âgées de 12 à 16 ans au plus crevaient de trouille et de faim sur des matelas crasseux. Une demi-douzaine de grands seaux leur servaient de latrines. En tout et pour tout, elles disposaient d'une bouteille d'eau par personne pour tenir jusqu'en Suède où un camion récupérerait le container au plus tôt le lendemain soir. La plupart portaient déjà les stigmates de violences, l'équipage s'étant servi au passage.

Ilya Kalinine ordonna qu'on enferme les hommes du tanker dans le container à la place des filles, et qu'on installe ces dernières dans les chaloupes pour les embarquer sur le *Luba-Véra*.

Après avoir saboté le poste de pilotage, le commando regagna son navire et Ilya Kalinine exigea que les filles demeurent sur le pont jusqu'à la fin de l'opération.

Quatre plongeurs émergèrent des eaux noires à l'arrière de l'ancien torpilleur de l'Armée rouge. Quand ils furent remontés à bord, le *Luba-Véra* s'éloigna d'une centaine de mètres du tanker, et le contourna.

Volodia Pavelevitch rejoignit Ilya Kalinine et lui tendit une télécommande.

— À toi l'honneur.

— Tu resteras toujours ce gosse qui a grandi dans un zoo, rétorqua Kalinine en ignorant l'appareil.

Il se tourna vers le groupe de filles et scruta la pénombre.

— Viens ici, dit-il à la fillette qu'il avait sortie du placard. Quel est ton nom ?

— Tissia.

Celle-ci avança prudemment jusqu'à Ilya Kalinine, et le boîtier électronique passa de main en main pour finir entre ses petits doigts.

— Et ta sœur ?

— Kira.

Le prénom fit jaillir un souvenir dans l'esprit de Kalinine. Il avait connu une Kira au destin aussi funeste que celle d'aujourd'hui.

— Appuie sur ce bouton. Pour Kira.

La fillette s'exécuta sans trembler. Dans la seconde, une formidable explosion retentit dans la nuit, accompagnée par des gerbes d'écume bouillonnante. L'onde de choc gagna le *Luba-Véra*, et très vite, le tanker et son équipage s'enfoncèrent dans les eaux froides de la Baltique.

— Faites descendre les filles dans les cales, ordonna Ilya Kalinine.

Puis il désigna Tissia.

— Celle-là, je la garde pour moi.

37

Mise à pied en fin d'après-midi, **Sookie Castel** avait tenté une réconciliation avec Erwan. Ne l'ayant pas trouvé à la caserne, elle s'était fendue d'un message où elle reconnaissait son tempérament difficile, avait fait un crochet par son appartement, et s'était mise en route, sac de voyage dans le coffre et Guernica sur la banquette arrière, destination les Vosges.

À 23 heures, Sookie frôlait Paris et à 1 heure, elle prenait un hôtel à Reims. Réveillée à 5 heures, elle ralliait Épinal environ quatre heures plus tard. C'est en s'enfonçant dans le massif vosgien que Sookie s'était détournée de son itinéraire. Elle n'avait pas rendu visite au chemin des crêtes depuis longtemps et ses muscles raidis par des heures de conduite l'appelaient de toutes leurs fibres. Et puis elle devait se débarrasser de cette fichue angoisse qui lui soufflait qu'en quittant la Bretagne, elle condamnait quelqu'un.

Arrête Sook, si le complice a eu le temps de piquer les bijoux avant de filer, il se sera aussi débarrassé d'une éventuelle victime. Sur ce coup, tu n'y peux pas grand-chose de plus.

La température avoisinait les 15 degrés quand Sookie gara sa voiture sur le parking du col de la Schlucht pour s'élancer sur un chemin caillouteux, Guernica sur ses talons.

— Tu ne me rapportes pas de lapin, compris ?

La chienne jappa en bondissant aux côtés de Sookie.

— Tu ne te sauves pas non plus, parce que je ne t'attendrai pas !

À plus de 1 100 mètres d'altitude, le sentier longeait le parc des ballons des Vosges, de l'autre côté de la vallée. Ici, l'air était aussi pur que dans le golfe du Morbihan, les senteurs des herbes de montagne remplaçaient la fragrance musquée du goémon et de l'iode.

Le sentier lézardait entre des bosquets, si bien que Sookie accéléra pour retrouver la caresse du soleil. Sa respiration s'adapta à ce nouveau rythme, puis elle ralentit le pas une fois passé les arbres.

Elle suivait cette course fractionnée à chaque fois qu'elle venait ici, appréciant cette cadence imposée par la nature. Pour Sookie, courir était un acte essentiel. Son corps appréciait la douleur engendrée par l'effort et le plaisir de se dépasser, et son esprit classificateur s'y trouvait apaisé.

Mais pas aujourd'hui.

Pour la première fois, Sookie redoutait son retour. Depuis la mort de sa mère, Valie, elle n'avait pas remis les pieds à Saint-Junien. Elle n'avait pas pu. Et Léon n'était pas du genre à éviter les sujets fâcheux. « Crève l'abcès et tu pueras moins de la gueule ! » avait-il l'habitude de dire.

Quand elle aurait traversé le village, Sookie arriverait devant la maison des Castel, une masure du XVIIIe siècle située au pied de Saint-Junien le haut, où serait garé le combi VW bariolé de Léon, à moins qu'il ne soit parti emmerder le monde quelque part en Lorraine ou ailleurs.

« Non, je ne veux pas que tu me parles de ton prochain coup fourré, avait exigé Sookie de Léon lors de son dernier séjour. Je suis flic, rappelle-toi ! Le délit d'intention de se foutre de la gueule du monde n'existe pas encore, mais méfie-toi ! Avec des rigolos dans ton genre, les autorités y viendront peut-être. »

Valie avait éclaté de rire. Au final, pas tant de la phrase de Sookie que de la tête de son père. Il était rare de clouer le bec à Léon Castel.

Le déjeuner avait été délicieux, un faisan de plein air comme on n'en trouvait plus qu'à la campagne, cuit à la perfection, peau craquante, ail en chemise fondant et choux braisés dans de la graisse d'oie.

Encore un goût de l'enfance.

Sookie était partie depuis vingt minutes déjà. Il fallait faire demi-tour. Elle s'arrêta pour admirer le grand ballon d'Alsace, caressa la tête de Guernica qui haletait à ses côtés puis repartit à longues enjambées.

Les boîtes Jean Marais, Nena et Saint-Exupéry en profitèrent pour se répandre dans son esprit, les Raspail pendus au bout de leur corde la fixaient depuis le plafond. La vision de leurs yeux inexpressifs et de leurs lèvres étirées sur leurs dents était à la limite du supportable.

Boîte Nuremberg. Nuremberg.

Sookie serra les poings. Ce n'était pas ce genre de choses qu'elle était venue chercher sur le chemin des crêtes, au contraire. Les pendus, Charlène Bonnet, les bijoux étiquetés, leur disparition, le juge Rodolphe

Craven, ce crétin de Renaud Cochin, tout ça, elle était censée l'avoir laissé en Bretagne.

Or, la boîte Nuremberg demeurait entrouverte en attente de la vérité. Une boîte ne pouvait rester entrouverte.

Cette idée relevait du sacrilège.

Sookie ralentit sa course en arrivant en vue du parking où elle avait laissé sa voiture. Elle vida la moitié de sa gourde et fit boire Guernica, accomplit des étirements et consulta ses messages en se glissant derrière le volant. Il n'y en avait qu'un, émis par le portable d'Erwan, du fond de sa poche.

Déçue, Sookie démarra et prit le chemin de la vallée.

38

« Un monde ~~de porcs~~ d'assassins, par **Lara Mendès**, partie 1 »

Enquêter sur la mort mystérieuse d'un avocat libertin tout en préparant un papier sur les dérives sexuelles associées aux nouvelles pornographies, ça tient de la gageure surtout quand on est une provinciale vaguement complexée, et connue du grand public pour être chroniqueuse dans une émission de divertissement.

J'ai toujours voulu consacrer ma vie à un métier que j'aime, quand tant d'autres traînent les pieds jour après jour pour aller au boulot. Je ne tuerai pas pour un scoop, ni ne marcherai sur la tête de collègues aussi méritants que moi. Je me contenterai de prendre ce qui me sera dû. Qualité, mérite, travail, si je possède quelques onces de ces trois piliers, j'y arriverai.

Mon objectif était d'écrire un papier mémorable. De ceux qui allaient mettre la grande Pascale Faulx à genoux et m'ouvrir les portes de *Century*. M'offrir enfin la possibilité d'exercer ce noble métier de journaliste dont je rêvais déjà toute gamine.

Les dérives sexuelles associées aux nouvelles pornographies

Comment en suis-je arrivée à choisir ce sujet ? Il y a toujours des raisons sous-jacentes. Pour ce qui me concerne, il en existe deux.

La première s'appelait Nadine.

Elle fréquentait le lycée public de ma ville, et comme j'étais moi-même dans le privé, nous ne risquions pas de nous côtoyer.

Nadine a été violée par un type que nous connaissions tous, un fils de bonne famille de ma classe que j'évitais soigneusement. Et je n'étais pas la seule. Quand il a été interpellé, nous étions toutes soulagées.

Doté d'un bon avocat, ce gamin n'a pas fait de préventive, il affirmait que Nadine était consentante – la pauvre avait eu le malheur de tomber amoureuse de lui – et il s'est volatilisé dans la nature. Certains affirment que son père a financé sa cavale, mais personne n'a jamais pu le prouver. L'affaire s'est vite éteinte dans la presse, et le dossier, oublié.

La seconde s'appelait Solange Durieux.

Solange était une amie. C'est difficile à expliquer, mais je n'étais pas la sienne. Pour elle, j'étais juste une fille de la bande, bien plus jeune et infiniment moins délurée. Pour moi, Solange représentait le modèle absolu de l'anticonformisme aux valeurs bourgeoises qu'on tentait (avec succès, je dois l'admettre) de fourrer dans mon crâne depuis ma naissance.

Solange était désinvolte, libérée sexuellement, volage, insolente, rebelle à toute forme d'autorité et maîtresse d'elle-même (c'est ce qu'elle criait haut et fort). Solange affirmait qu'elle ne laisserait jamais les autres penser à sa place et qu'elle était prête à tout pour se sortir de cette vie où elle étouffait. (Comme elle ne fichait rien au lycée, elle allait devoir trouver une solution de remplacement d'urgence.)

Un jour, Solange a rencontré un type qui produisait des films X, du porno de qualité nous a-t-on dit, pas de ces films où les jeunes femmes semblent au supplice pendant que ces messieurs ~~se branlent avec~~ (je sais, c'est vulgaire, mais comment voulez-vous le dire autrement) les « entreprennent ».

Le jour de ses 18 ans, Solange s'est envolée pour Los Angeles. Ses parents ont morflé, on ne rêve pas pour sa fille d'une carrière de hardeuse. Solange prétendait qu'elle se respecterait et imposerait aux autres qu'ils la respectent.

Solange est devenue Serena. Elle et son producteur ont inventé un concept où Serena et son partenaire (toujours le même, comme Clara Morgane avant elle) ~~faisaient l'amour~~ baisaient dans des lieux incongrus, proches du public. Des clips d'une dizaine de minutes réalisés avec les moyens d'une caméra cachée où ils se faisaient surprendre. C'est justement cette pointe de piquant qui attirait les amateurs. Ces clips ont fait le tour du web et Serena est devenue célèbre.

Le lien entre ces deux événements et le thème de mon papier est limpide. Deux jeunes femmes, deux parcours opposés, l'une maîtresse d'elle-même (c'est ce qu'elle disait et je n'en suis plus si sûre), l'autre martyrisée deux fois, par son violeur d'abord et par le système ensuite, le regard des gens sur ces femmes (l'une considérée comme une pute que les hommes auraient aimé s'envoyer, l'autre une quasi-pute dont plus personne ne voulait).

J'ai étudié ce qui avait été fait sur le sujet, et j'ai compris qu'il faudrait frapper très fort pour espérer que des mots, perdus dans le flot quotidien des informations dont on nous abreuve, attirent l'attention du public. Et pourtant, l'industrie pornographique, l'attitude de beaucoup d'hommes à l'égard des femmes ~~(de DSK aux Égyptiens en passant par les islamistes intégristes)~~, tout ça est suffocant.

C'est le mot, suffocant.

Et pour appuyer les mots, il me fallait des images.

Arnault de Battz, le producteur de l'émission « Un samedi pas comme les autres », a écouté mon idée avec intérêt.

« Honey, m'a-t-il dit, c'est pas une idée ça, c'est une thématique. Faire un doc sur le cul et les Français, c'est vague. Fouine un peu, t'es une fille, tu sais faire. Tu trouves un truc qu'on n'a pas encore vu et t'es la reine du bal. »

Après cette conversation avec mon producteur, l'idée s'est affinée : je ne devais pas réaliser une enquête sur la sexualité des Français, mais plutôt comprendre la relation entre les pratiques déviantes de certains d'entre eux, la criminalité sexuelle, et les politiques menées pour y faire face. Savoir comment ~~ces pervers~~ (si, ces pervers) s'y prenaient pour assouvir leurs fantasmes tout en passant entre les mailles du filet.

Arnault a réfléchi, le temps d'un week-end qui m'a semblé terriblement long, puis il a donné son verdict.

« Je te suis, Honey. Je t'équipe en caméra cachée, tu fais appel à des potes si ça te chante, et tu pourras monter ici, mais pour moi, tu es seule sur le coup. Avance prudemment et viens me voir quand tu as quelque chose. Si on ne trouve pas une chaîne française, je te fiche mon billet que les Belges ou les Luxembourgeois diront oui. Ou les Anglais, tiens. Nos amis rosbif adorent parler de nous quand il s'agit de nous tailler un costard. »

39

Arnault de Battz gara son Audi en face de sa maison, côté bois de Boulogne. Il coupa le moteur et demeura pensif quelques instants, les mains posées sur le volant gainé de cuir et les yeux fixés sur la dizaine de journalistes qui campaient devant chez lui.

La veille, Valentin avait salement encaissé les informations livrées par Lambert, et il avait fallu le menacer de le renvoyer à La Réole pour l'empêcher de frapper les gars de BFM TV.

Toute cette histoire le dépassait. Que pouvait-il opposer à ces chiens galeux prêts à décortiquer sa vie en petits bouts, et à ceux qui retenaient sa sœur, si toutefois Lara était encore en vie ?

— Merde ! J'ai passé l'âge de jouer la nounou, maugréa Arnault.

Il attrapa les journaux sur le siège passager et sortit de sa voiture, franchissant le barrage des reporters, les dents serrées et la tête baissée.

— *Is there anybody ?* héla-t-il depuis l'entrée.

— Dans le jardin !

Arnault de Battz soupira d'aise, certain qu'avec Egon, la pilule passerait mieux pour Valentin. Il gagna l'arrière de la maison.

Allongé sur une chaise longue, Egon Zeller prenait le soleil, un scénario en main. Depuis que la presse avait repéré Valentin Mendès chez Arnault, et stationnait sur le trottoir nuit et jour, il ne sortait plus, peu désireux d'être découvert.

— Que se passe-t-il? Tu n'avais pas des rendez-vous toute la journée?

— J'ai annulé ceux de ce matin.

— Oh, oh! Il y a de l'orage dans l'air, lança Egon Zeller quand il eut quitté le scénario des yeux et découvert la mine austère de son amant. Un problème? En plus de la meute qui aboie devant la porte?

— Oui, ça!

Arnault de Battz lui tendit un magazine. En couverture se trouvait une photographie de Bruno et Valentin, figés dans une embrassade fraternelle. La photo était barrée d'un titre éloquent : « Bruno Dessay / un homme blessé touché en plein bonheur ». Egon Zeller feuilleta le magazine et s'arrêta sur la double page qui étalait quelques tenants de la disparition de Lara. Mais il y était surtout question de Bruno Dessay qui remontait le moral de Valentin Mendès, le frère de la disparue, malgré son immense chagrin. D'autres photos accompagnaient l'article. On pouvait y voir Lara et Bruno côte à côte lors d'une soirée organisée par Canal 9. La jeune femme était rayonnante.

— Valentin est là?

— Oui, mais il bulle encore.

— C'est du boulot, l'adolescence. Remarque, j'ai prié pour te voir en premier. Je vais le réveiller?

— Attends, tu vas lui dire quoi? Que Bruno exploite la disparition de Lara pour se faire mousser?

— Rien ne nous permet de l'affirmer. Dessay est un journaliste en vue.

— C'est un putain d'opportuniste, oui !

— C'est ce que je dis, mon cœur. Et ne sois pas grossier, veux-tu.

— Figure-toi que je retiens mes propos, contra Egon Zeller. Si je lâchais les chiens, ils lui boufferaient la gueule.

— Je ne sais pas ce que diraient tes millions d'admiratrices si elles savaient que tu parles comme un charretier !

— Elles en redemanderaient, mon tout beau, et ça te rend dingue, avoue-le ! Tu vois ce scénario-là, on me propose un rôle de flic. Ma partenaire aura 26 ans. À mon âge !

— Arrête la gonflette et tu joueras du Shakespeare.

Egon Zeller leva les yeux au ciel. Il referma le magazine et quitta sa chaise longue.

— Si j'arrête de m'entretenir, tu retourneras dans les culs de basse fosse où je t'ai trouvé.

— Tu me connais si bien. Je n'en veux qu'à ton cul.

— Moins fort, le petit va nous entendre.

— Le petit, comme tu dis, doit collectionner les gueuses depuis la fin du primaire. À l'heure où les jeunes filles font des pipes pour une cigarette, ce serait bien le diable s'il était encore puceau !

— Lara m'avait dit que les gays étaient des obsédés, dit la voix de Valentin depuis la maison d'amis, mais je ne la croyais pas.

La baie vitrée entrouverte coulissa complètement sur le jeune homme. Il portait un tee-shirt sombre qui épousait sa musculature saillante et un bermuda sable façon bataillon colonial. Ses cheveux mouillés bouclaient à leurs extrémités.

— En réalité, je ne pensais pas qu'on pouvait être plus obsédé que moi.

Il avança vers eux, un franc sourire sur le visage. Egon et Arnault se firent la même réflexion : il tente de donner le change. Instinctivement, le comédien fit un pas sur le côté pour masquer le magazine abandonné sur la chaise longue.

— Ne va pas te balader dans le Marais habillé comme ça, lança Arnault de Battz, tu créerais une émeute.

— Aucun risque, dit Valentin en s'arrêtant à un mètre des deux hommes. Egon, c'est gentil de vouloir me ménager, mais je suis au courant.

— Au courant de quoi ?

— Pour les photos et le torche-cul, expliqua Valentin. Rabah Malek me les a envoyées sur mon iPhone. Rabah, vous savez, le modérateur de Larafan.

Le téléphone d'Arnault de Battz sonna. Il s'excusa en prononçant le mot « bureau » et s'éloigna sur la pelouse.

— Sauvé par le gong. Tu veux voir le torche-cul, comme tu dis ?

— Non merci, déclina Valentin. Mais je suis d'accord avec vous deux.

— C'est-à-dire ?

— C'est peut-être Bruno qui a organisé ces photos et dans ce cas je lui ratatinerai la tronche, ou alors il s'est fait piéger comme moi, et la presse est peuplée d'enculés.

— Laisse couler pour les photos, conseilla Egon Zeller, tu ne peux rien faire contre ça. Ils se déchaîneraient si tu tentais quelque chose.

— OK.

En quelques heures, le comédien avait pris une place incroyable dans le cœur de Valentin. Jamais il n'avait éprouvé un sentiment pareil pour un homme. Egon Zeller était fiable. Voilà, il avait trouvé le mot juste. Comme un père devait l'être pour un fils sans doute, quelque chose dans ce goût.

Depuis la disparition de Lara, Valentin avait senti un vide se creuser en lui, vide qu'Egon Zeller comblait. À présent, il envisageait les jours et les semaines à venir de manière moins suffocante. Malgré le temps qui passait, malgré la tragédie qui s'annonçait.

Arnault de Battz revint vers eux. Son visage, soucieux quelques instants plus tôt, paraissait plus détendu.

— J'étais avec une amie de Lara, expliqua-t-il, tu la connais peut-être Valentin, elle s'appelle Solange Durieux. Elle a grandi dans votre bled.

La moue dubitative de Valentin le renseigna sur son ignorance.

— Anyway. Ton fourbi sur le Net et les gros titres l'ont inquiétée. Lara a rencontré Solange il y a quelques mois pour son doc. Elle a des infos à nous communiquer.

Une fille de La Réole qui aurait des infos sur la pornographie, ça doit être une erreur.

— L'erreur, c'est toi qui la commets. Solange Durieux est plus connue sous le pseudo de Serena, la star du porno.

— La star du porno? répéta bêtement Valentin. *La* Serena?

— Elle-même. On la voit demain. En chair et en os. Enfin, pour toi, gloussa Arnault de Battz, ce sera plutôt en chair.

40

« Un monde ~~de porcs~~ de porcs et d'assassins, par Lara Mendès, partie 2 »

Ma chronique hebdomadaire me prenait pas mal de temps. Parce que pendant que je travaillais pour la gloire, j'assurais ma pitance au quotidien. Tous les samedis, je devais avoir dégoté un sujet sympa, original (un minimum), un brin sexy ou amusant, comme une nuit dans une rave, un jour dans un camp de nudistes libertins ou (celui-là était vraiment sympa) une soi-rée de dingue en compagnie des Angèle's, une bande de motardes qui chassent ensemble et comparent leur prise de la nuit au petit matin, s'attribuent des notes et élisent la « viandarde » du mois.

Au cours de mon enquête, j'ai côtoyé des femmes maîtresses de leur destinée, ou capables de s'en persua-der. Ainsi en est-il d'Anita, l'une des Angèle's. Anita appartient à cette variété de nanas qu'on appelle une « couguar ». 44 ans, ne sort qu'avec de mauvais gar-çons et se fait respecter pour ça.

— Quelque part, t'es une oie blanche, Lara, me dit-elle un soir où nous parlions fantasmes masculins. Crois-moi, ton mec, tu le rendras heureux le jour où tu lui proposeras ton cul, accompagné de ta plus jolie copine. Remarque, il y a de fortes chances qu'il se la soit déjà tapée. Il voudra toujours quelque chose de nouveau, deux filles, trois filles en même temps. Un de ces quatre, il exigera que tu te fasses baiser par un autre.

— Bah ! Voilà pourquoi je n'ai pas de mec depuis un bail !

— Tu rigoles, mais il y a quelques années, y'avait cette mode des pucelles, tu te souviens ?

Non, je ne pouvais pas me souvenir. J'ai 25 ans et j'ai grandi dans le Lot-et-Garonne. Mais Anita se fit un plaisir de m'informer. Dans les années 2000, partout en France, on pouvait se payer une vierge dont la provenance dépendait de la commande. On les disait consentantes, Anita était persuadée du contraire.

— Les hommes sont ainsi faits, chérie. Pour tout ce qu'ils touchent, il faut qu'ils soient les premiers. Un joli désert de dunes et les voilà dans leurs 4×4, une pucelle en goguette et hop ! tu les chopes la bite à la main ! Il faut qu'ils contraignent, il faut qu'ils souillent. En tout cas, à mon avis, tu ne peux pas enquêter sur les dérives de la pornographie sans t'intéresser à la prostitution des mineures.

Solange Durieux se trouvait à Cannes le temps de la promo de sa dernière production. Et elle était curieuse de me retrouver.

J'avais le souvenir d'une jolie jeune fille, elle était belle à tomber par terre, d'une assurance de vieille noblesse anglaise, Solange, devenue Serena quand elle pratiquait son art. (Et je souhaite bon courage à toute femme entre 15 et 55 ans qui accepte de se promener en sa compagnie ailleurs que sur une plage déserte.) Solange attire tous les regards, elle est sublime, et cet état est finalement si rare que personne n'accepte d'en perdre une miette.

— Je me souviens d'une fille un peu timorée, m'a-t-elle dit. Tu as changé, Lara. Ce n'est pas gagné d'avance quand on vient de La Réole.

Je lui expliquai mon parcours, l'école de journalisme, Paris, les premiers jobs pour des chaînes d'infos, et puis la proposition d'Arnault de Battz de rejoindre les chroniqueurs de « Un samedi pas comme les autres ».

— Il n'y a pas de mal à tirer son épingle du jeu, m'assura Solange. Regarde-moi, j'ai bien fait carrière avec mon cul. ~~(Oui, mais pas n'importe quel cul! Je me gardai d'en rien dire. Jalouse? Un peu. Mais sous le charme de cette terrible ensorceleuse.)~~ Le sexe gouverne le monde, et ce monde est un monde d'hommes. Tu n'as pas idée du nombre de filles qui se font rincer en quelques mois. Le porno est devenu une usine à viande, tu vois ce que je veux dire? Aujourd'hui, tout le monde peut faire du porno. Il suffit de posséder un smartphone et tu filmes ta copine en train de te sucer. Tu bazardes le résultat sur la Toile et c'est parti. Pour quel bénéfice? Aucune idée, mais la pratique est courante. Le problème, c'est que ces vidéos resteront accessibles pour des décennies. Tu vois la taille des problèmes à venir pour ceux qui auront des carrières professionnelles un peu ambitieuses?

D'après Solange, le goût pour la pornographie extrême atteignait tous les milieux.

— Comme tu l'imagines, ce n'est pas facile de trouver des filles acceptant d'être battues ou violées. Alors, si certaines sont rémunérées très cher, la plupart sont enlevées et exportées comme des bestiaux.

— Comment trouver des clients pour remonter les réseaux ?

— Tu ne peux pas, me répondit Solange, ces types sont des pervers. Quant au système qui organise la traite, inutile de tenter quoi que ce soit.

On ne contacte pas le réseau. C'est ce que me dit à mi-mots Solange. C'est le réseau qui vous contacte. Ces relations commerciales ne concernent pas le commun des mortels. Tout le monde ne peut pas se payer les services d'une escort girl à dix mille euros la nuit. Moins de gens encore sont capables de s'offrir une esclave sexuelle dont on peut user, abuser, qu'on peut maltraiter, parfois détruire.

— As-tu entendu parler de la mode des vierges, il y a une dizaine d'années ? Que devenaient ces filles ?

Serena l'ignorait. Tout ce qu'elle savait, c'est qu'à l'époque, on pouvait conserver sa virginité pour la vendre au plus offrant, à un homme seul ou à un groupe. Pour une soirée, un week-end. Le bruit courait qu'un paquet de jeunes Françaises avaient payé leurs études de cette façon. Il n'y avait donc pas uniquement des étrangères contraintes, mais aussi des « filles comme il faut ».

La mode s'était évanouie après la mort du couple Moreau. La violence de leur assassinat avait découragé les amateurs de vierges qui s'étaient tournés vers d'autres pratiques, peu désireux de finir comme eux.

— Tu veux dire que Moreau et sa femme ont été tués parce qu'il consommait des gamines ?

— C'est ce qu'on a raconté dans le milieu.

— Tu m'embarques dans une direction qui m'intéresse. Mais tu sais où elle va ?

Solange l'ignorait, mais elle avait entendu dire que certaines de ces innocentes étaient vendues « sans consignes ni retour ».

Je décidai donc de m'intéresser de plus près à Éric Moreau.

J'ai lu tout ce qui s'est écrit sur lui ces dix dernières années. Son exécution était si horrible que la presse en a parlé pendant des mois. Dans tous les articles que j'ai compulsés, il n'y avait que du vent, des suppositions. Tous revenaient sans cesse sur les mœurs du couple, leur goût pour le libertinage, mais aucun ne faisait allusion à un quelconque appétit pour les jeunes filles vierges. Alors, mythe ou réalité ?

Certains écrivaient qu'Éric Moreau et sa femme avaient été assassinés par un pervers rencontré lors d'une de ces soirées, d'autres qu'il tricotait avec le milieu, d'autres encore qu'il s'agissait d'un règlement de comptes sur fond de trafic de drogue. En fait, j'ai lu tout et son contraire. Même l'hypothèse que l'assassin était un client mécontent.

Éric Moreau était un avocat très en vue qui protégeait les intérêts de personnalités du showbiz aussi bien que ceux d'industriels ou de sans-papiers. Tout ce qui comptait pour ce quadra aux dents longues, c'était que ses clients fassent parler d'eux, et par ricochet de lui.

Par une indiscrétion de l'époque, les noms de certains des clients de Moreau ont été rendus publics après le meurtre. Ainsi, tout le monde a su qu'une dizaine d'artistes impliqués dans un réseau de trafic de cocaïne en faisaient partie.

Dans le lot de ses clients, Herman Stalker m'intéressait particulièrement : dix ans plus tôt, la carrière de ce DJ en pleine ascension, aussi prometteur qu'un David Guetta, avait été stoppée par la garde à vue dont il avait fait l'objet. La police n'avait pu prouver qu'Herman Stalker était impliqué dans la mort de Moreau, mais il était question d'échange de grosses sommes d'argent entre les deux hommes. Blanchiment ? Honoraires ? Qui payait qui et quelle prestation ? Personne n'a jamais eu le fin mot de l'histoire.

Quoi qu'il en soit, Herman Stalker a su rebondir. Il est devenu organisateur d'événements très courus. Je devais donc l'interviewer. Mais il n'est pas simple de rencontrer ce type, perpétuellement entouré de mystère et de gardes du corps et qui refusait invariablement de me recevoir.

Il me faudrait donc l'approcher d'une manière détournée.

41

Sookie Castel aborda le village de son enfance par le haut. Un supermarché était sorti de terre au milieu des champs, juste à côté du château d'eau, avec station de lavage et pompes à essence. Elle engagea sa voiture sur la route sinueuse qui dévalait la colline, frein moteur enclenché. Sur la banquette arrière, Guernica qui sentait approcher la fin du voyage, s'était redressée et regardait par la fenêtre.

Saint-Junien-le-Haut n'existait pas plus que Saint-Junien-le-Bas. D'un côté, le vieux village dont l'église remontait à 1671, avec ses maisons amassées comme des moutons luttant contre un vent glacial, entrecoupées de ruelles humides, la petite école, le lavoir, et de l'autre, des constructions récentes, les logements sociaux dont le nombre dépassait amplement les quotas imposés, la société nouvelle d'économie mixte, le gymnase, le terrain d'athlétisme et la gendarmerie.

Sookie ralentit pour laisser passer deux gamins d'une dizaine d'années qui traversèrent sans se presser, leurs yeux insolents à la recherche de ceux de la conductrice. Une boîte trous-du-cul s'ouvrit dans l'esprit de Sookie puis disparut au profit de celle des Goonies, où elle rangeait nombre de visages d'enfants.

Quand Sookie dépassa les freluquets, elle leur décocha un regard de flic.

Combien de fois avait-elle traversé à cet endroit et gravi cette pente ? C'est par le haut du village qu'elle fuyait l'autorité parentale, la présence des autres, l'école obligatoire, le béton, le macadam, voire parfois les lumières artificielles. Les rues du sommet n'ouvraient que sur les collines, les cols, des milliers d'hectares de forêt, tandis que celles de la vallée livraient l'accès aux routes départementales, au bruit, au danger, à l'odeur du monde mécanique et à la concentration humaine, insupportable pour Sookie.

Passé la MJC, elle rétrograda et s'arrêta. Un panneau stop avait remplacé le « céder le passage » préexistant. Il n'aurait plus manqué qu'elle soit verbalisée par les cow-boys de la gendarmerie.

Sookie ne put s'empêcher de jeter un regard vers la maison qui formait l'angle de l'avenue du Progrès et de la rue Gustave-Eiffel. C'est là qu'elle avait perdu sa virginité, entre les bras de Jean-Paul Dardelin, surnommé JP, l'enfant prodige du pays, celui qui avait rapporté à son village un titre de champion de France du 200 mètres 4 nages et une troisième place aux championnats d'Europe.

JP, boîte Pierce Brosnan, cheveux très bruns, mèche arrogante, mâchoire saillante, front large, yeux grands et clairs. Une boîte qui comptait peu d'impétrants.

JP était arrogant, JP était horripilant, mais JP pouvait se montrer doux et gentil aussi. Ils se voyaient pendant les vacances – JP étudiait en sport-étude à Épinal –, usaient la piste d'athlétisme ensemble et se croisaient sur les chemins de VTT. Sookie se sentait terriblement amoureuse, et désespérait du manque d'intérêt du jeune homme. Puis le comportement de JP changea, Sookie fit mine de résister, et tomba dans ses bras deux jours plus tard.

Après vingt minutes de galipettes où il avait été le seul à prendre du plaisir, JP avait prié Sookie de rentrer chez elle : il y avait longtemps qu'il voulait baiser une négresse, pour voir. Et il avait vu.

Tout ce qu'elle savait de JP aujourd'hui, c'est qu'il dirigeait l'école de natation du centre sportif des « 3 vallées ». L'homme avait réussi, grâce à ses médailles, à l'amitié de son père pour Ange Lebœuf, le maire et président de la communauté de communes, et à sa belle gueule qui présentait si bien sur les plaquettes de promotion.

Sookie dépassa la maison aux humiliants souvenirs et activa son clignotant. La demeure familiale se profilait, avec le combi VW de Léon garé devant. Si la vie en avait décidé autrement, Sookie aurait prévenu de son arrivée. Si elle pouvait refaire le passé, Léon et Valie seraient sur le perron pour l'accueillir.

À bord de son antique 4L break, Dédé, le patron du dernier bistrot de Saint-Junien – qui en avait compté jusqu'à huit entre les deux guerres –, klaxonna en la croisant et s'arrêta à sa hauteur. D'ici deux heures, tout le canton saurait que la négresse était de retour au pays.

— Ben dis donc, y'en a un qui va être heureux de te voir !

Sookie grimaça un sourire et se contenta d'un geste vaguement amical avant de se garer derrière le combi de son père. Elle attendit que Dédé disparaisse au carrefour et descendit de sa voiture.

Modèle de 1974, bichonné à l'excès par Léon, le combi VW aurait pu être considéré comme une œuvre d'art. Largement inspirée de la couverture de l'album des Beatles *Sgt. Pepper's Lonely Hearts Club Band*, la décoration de la carrosserie figurait des visages de personnalités, la plupart décédées, parfois depuis belle lurette. Et tout ce petit monde encadrait une photo de Léon en pied, revêtu du même costume jaune à bandes rouges que John Lennon sur la pochette, petites lunettes rondes sur le nez et cornet à piston glissé sous le bras droit. À certains endroits, Léon s'était gardé la possibilité de changer certains visages, au gré de ses envies ou de ses colères.

Dans l'esprit de Sookie, il existait une boîte combi-Léon. Aussi repéra-t-elle aussitôt les nouveautés. Au total, il y en avait deux : à l'avant, là où Léon positionnait le cancre du moment, celui qui recevait les moucherons et les éclaboussures de la circulation, il y avait un portrait de François Hollande, comme il y avait eu au même endroit Nicolas Sarkozy et Jacques Chirac avant ça. À l'arrière, bonnet d'âne rivé sur la tête, là où se trouvait d'ordinaire le visage du secrétaire général des Nations unies, trônait à présent Ange Lebœuf, le maire de Saint-Junien, avec qui Léon avait eu maintes fois maille à partir.

Sookie s'attarda sur le visage de Léon. Pour cette photo, il s'était laissé pousser les favoris, pour cadrer avec l'esprit « seventies » de l'album des Beatles. Sookie s'en souvenait parfaitement. C'est elle qui tenait l'appareil. Elle avait réalisé une vingtaine de clichés, s'amusant de faire entrer l'image de son père dans une boîte autre que la sienne, endroit où elle l'avait classé quand il était venu la chercher à Haïti.

Léon avait inauguré les boîtes des Blancs. Pour elle, les Blancs étaient des monstres, qu'il fallait absolument éviter, fuir à tout prix si par malheur elle en avait croisé un. Ne jamais être seule avec un Blanc, ne jamais monter dans la voiture d'un Blanc, ne jamais rien accepter de ces gens-là.

Tout ça remontait à l'année 1980. Sookie allait avoir 7 ans. Et elle ne se souvenait plus pourquoi on lui avait glissé toutes ces idées dans la tête. Elle, la femme à la mémoire si vaste, avait perdu le fil des premières années de sa vie.

Au cours des neuf mois qui suivirent son adoption, Sookie ne prononça pas une parole. L'éveil se fit un dimanche de décembre quand Valie réveilla Sookie pour lui montrer un paysage tout blanc.

— La neige !

Ce furent ses premières paroles, qu'elle répéta à foison tout en faisant des cabrioles dans le jardin. Des mots qui lui collèrent à la peau. Car le sobriquet de « Blanche-Neige », Sookie allait y avoir droit tout au long de son adolescence.

C'est pour cette raison que Léon lui montra le film *Little Big Man.* Elle avait alors une douzaine d'années, et passait son temps libre à courir les bois. Léon voulait lui montrer que la bêtise des gens ne connaissait guère de limites et qu'il n'était pas suffisant d'être noir pour expérimenter le racisme. La démonstration n'avait pas été efficace. Sookie avait beaucoup aimé le film d'Arthur Penn.

— Tout de même, Léon, il vaut mieux être blanc que noir, crois-moi.

Ce jour-là, Dustin Hoffman avait rejoint Léon dans sa boîte.

Sookie tira la chaînette. À l'intérieur dans le couloir, une clochette tinta. Des pas résonnèrent au bout de quelques secondes, puis la porte s'ouvrit.

— Police nationale ! dit Sookie.

L'homme qui apparut entra dans la boîte gentils, où Sookie fourrait tous les idiots du village.

— Salut, ajouta Sookie, Léon est là ?

— Léon ! beugla l'homme en se retournant vers le couloir, y'a quelqu'un qu'a sonné ! C'est une Africaine !

Puis il lui claqua la porte au nez.

— Au moins, comme ça c'est clair, commenta Sookie en riant.

La jeune femme entendit le bruit des pas diminuer, puis d'autres frapper le carrelage. La porte s'ouvrit de nouveau.

— Hervé, c'est ma fille, Sookie ! s'exclama Léon. Mais qu'il est con celui-là !

Plus petit d'une tête, Léon monta sur la pointe de ses pieds pour poser un baiser sur le front de Sookie.

— Entre, poursuivit-il en même temps, il fait une chaleur à crever. M'étonnerait pas que ça pète d'ici ce soir. Fais vite, j'ai un barbecue en route et je ne peux pas laisser Hervé sans surveillance, je t'expliquerai.

Sookie manqua répondre qu'elle était ravie d'avoir rencontré un parfait gentleman, que la météo prédisait une soirée aux étoiles et qu'elle avait décidé la veille de traverser la France pour embrasser son vieux père, mais elle se contenta de dire :

— Salut Léon, il ne te resterait pas une gamelle pour chien ?

Léon, qui avait déjà fait demi-tour et s'éloignait dans le couloir, s'immobilisa.

— Pourquoi, tu es venue avec Erwan ?

Quand il se retourna, Sookie vit que son père rosissait de plaisir.

— Tu sais bien que je ne peux pas m'en empêcher, admit-il en laissant ses mains tomber sur ses cuisses en signe de fatalité.

— Non, Erwan n'est pas là. En revanche, Guernica attend dans la voiture. Tu vas l'adorer aussi.

42

Hervé Marin parlait avec la cruauté d'un gosse et proférait des incongruités qui firent rire Sookie. À tel point qu'elle apprécia l'instant alors qu'elle l'avait en partie redouté.

Entre le moment où il lui avait ouvert la porte et celui où tous étaient passés à table, à l'ombre d'un tilleul, Hervé – l'ébouriffé – s'était métamorphosé. Il avait mouillé les longues mèches de ses cheveux gras pour les plaquer sur son crâne. Quel âge pouvait-il avoir ? Difficile à dire. Hervé Marin était de ces gens qui brouillent les pistes malgré eux. Pas une ride, mais le front dégarni, une belle moustache, le cou épais d'une bête de somme, des mains puissantes, les doigts aux extrémités carrées, et une dent sur deux. Il n'était ni beau ni laid et mangeait avec une gourmandise rarement égalée chez un adulte.

Sookie cessa de l'observer à la dérobée pour écouter ce qu'il racontait. Depuis quelques minutes, Hervé parlait de ses deux voitures sans permis dont la courte vie s'était achevée dans les bris et les pleurs.

— Comment ça ? le questionna Léon, t'as pas reçu de formation avant de poser ton cul derrière le volant ?

Les yeux d'Hervé s'éclairèrent d'un sourire radieux tandis que ses lèvres dévoilaient ses chicots.

— Dis pas des gros mots, on a de la visite.

— À t'écouter on fait un joli petit couple ! Sookie, encore un peu de salade de pommes de terre ?

— Merci, déclina Sookie. Faut que je me réacclimate au régime vosgien. Hervé, qu'est-ce qui est arrivé à vos voitures ?

Le visage d'Hervé se ferma.

— Raconte, fais pas la sourde oreille quand ça t'arrange, l'encouragea Léon. C'est pas parce que Sookie est flic qu'elle va te torturer pour connaître la vérité.

— J'aime pas les flics, maugréa-t-il. Ils puent.

Sookie éclata de rire, ce qui encouragea Hervé. Il remua sur sa chaise, prit l'air important et raconta comment, moins d'une semaine après avoir perçu son premier véhicule, excédé par la lenteur du trafic, il avait tenté de pousser la voiture qui le précédait.

— Tu te rends compte ? Il s'arrêtait pour laisser passer les gens. J'avais pas le temps d'attendre, moi !

La calandre de sa Ligier n'avait pas résisté au choc avec un gros modèle équipé d'une boule de remorquage, pas plus que certaines parties essentielles du moteur.

— Tu as voulu pousser un 4×4 avec ta charrette ! s'étrangla Sookie.

— Ben oui. Il avançait pas, je te dis.

La seconde fois, alors qu'Hervé Marin venait d'entrer en possession de sa voiture dont les housses en plastique n'avaient pas encore été retirées, il avait grillé le premier stop croisé. Sa voiture avait rebondi sur le pare-chocs d'un camion pour s'encastrer dans le mur de la maison de Léon, emportant du même coup sa boîte aux lettres. C'est ainsi que les deux hommes avaient fait connaissance.

— J'étais tout blanc, murmura Hervé. Tout blanc, répéta-t-il en regardant Sookie avant de dissimuler un sourire satisfait derrière ses mains.

— Et l'assurance n'a rien remboursé, martela Léon. Tu te rends compte! Même pas la boîte aux lettres! Fichus voleurs!

— C'est peut-être mieux comme ça, risqua Sookie. Ça aurait pu être dramatique.

— Non, le problème, c'est que le tuteur d'Hervé ne s'est occupé de rien! C'est lui qui aurait dû s'assurer qu'il reçoive une formation à la conduite, lui qui aurait dû batailler avec l'assurance!

— Tu vois des combats partout! se moqua Sookie.

— Mais parfaitement! s'emporta Léon, son tuteur est un jean-foutre. Tu sais qu'Hervé a hérité de ses parents? Il n'est pas riche, mais il a du blé. Eh bien, son tuteur, le père Verdier, lui loue généreusement une piaule à Saint-Junien et lui alloue quatre-vingts euros d'argent de poche par semaine. C'est pas beau ça? Mais je vais y fourrer le nez. On va bien voir si monsieur le tuteur ne s'en mettrait pas un peu dans les fouilles au passage.

Tout au long de la tirade de Léon, Hervé avait hoché la tête. Ses traits, où couvaient souvent le doute ou la crainte, affichaient à présent une farouche détermination. Il s'essuya la bouche du revers de sa manche, vida son verre d'eau et dit :

— Parfaitement! On verra bien!

Après quoi il se leva et s'engouffra dans la maison. Sookie observa qu'il avait une démarche de canard et qu'il avançait la tête rentrée dans les épaules comme si tous les plafonds avaient été trop bas.

— Faut qu'il se repose, il part en vacances, gloussa Léon. Le taxi jusqu'à Nancy, le bus jusqu'à Évian, quinze jours en résidence, tout ça payé par la CAF, rubis sur l'ongle. D'ailleurs, ça me fait penser que je n'ai pas encore confirmé le taxi. Elle n'est pas belle la vie ?! Une prune ?

Tout en sirotant son schnaps, Léon Castel exposa à Sookie l'affaire qui le tiendrait éloigné de Saint-Junien pour quelques heures, deux jours au plus.

Depuis une quinzaine d'années, Léon aidait des victimes de la justice à obtenir gain de cause. Il était membre d'associations diverses, dont la Guilde des emmerdeurs, possédait un blog – « Chez Léon, l'empêcheur de penser en rond » – où il crachait régulièrement son venin, et se lançait dans des actions destinées à mettre en lumière les dysfonctionnements de la justice.

Cette fois, il s'occupait du cas de Quentin X dont la mère avait été assassinée par son second mari. Lorsque le jeune homme avait tenté de récupérer son héritage, la maison de ses parents, il s'était heurté au refus de son beau-père, détenteur de l'usufruit. Pire, alors incarcéré pour le meurtre, l'homme avait refusé à Quentin le droit de récupérer des souvenirs de sa mère. Cette première partie de l'affaire était déjà intolérable, mais il y avait mieux : le beau-père de Quentin touchait la pension de réversion de la femme qu'il avait assassinée.

— Le législateur qui a permis des saloperies pareilles devrait être pendu par les couilles en place publique! vitupéra Léon après avoir ajouté que le droit se trouvait du côté des assassins, et que les dizaines de courriers expédiés à la chancellerie, au président de la République, au juge et aux journaux n'avaient servi à rien.

— Il a purgé sa peine, opposa Sookie. Pour moi, la suite est réglo.

Ces quelques mots provoquèrent l'équivalent d'un électrochoc dans l'esprit de Léon.

— Mais enfin, pas toi, Sookie! La maison poulaga t'a ravagé la cervelle ou quoi! Non, tout n'est pas réglo!

Léon ajouta que depuis le début de sa retraite, il était enfin devenu utile. Et Sookie, pensait-elle que son travail rendait un réel service à la société? N'étaient-ils pas légion, ces délinquants multirécidivistes attrapés par ses soins et libérés dans l'heure faute de place dans les prisons, grâce au talent d'un avocat, au défaut de cadre légal ou au laxisme d'un juge?

— Nous, on est des milliers de petites mains, Sookie. Un jour, tu verras, ça comptera. Les politiques ne pourront pas ignorer indéfiniment les regroupements d'internautes, les propositions de loi apportées par les associations. Il faut que ce monde bouge, sans quoi, il basculera.

— Tu as terminé? demanda Sookie.

Léon fronça les sourcils.

— Tu veux que je te parle de mes nouveaux projets?

Sookie sentit qu'il allait repartir vers des sommets, aussi lui coupa-t-elle la parole.

— Tu sais ce qui va se passer à force de t'énerver comme ça ? Tu donneras des idées à des déséquilibrés. Et ce jour-là, tu auras gagné le pompon.

Au cours du deuxième verre d'alcool de prune, Léon admonesta gentiment Sookie pour son absence prolongée.

— Si je pouvais, moi aussi j'irais vivre ailleurs. Mais c'est ici que ta mère et moi nous avons partagé toutes ces belles années.

Sookie ne fit aucun commentaire, incapable d'évoquer sa mère sans fondre en larmes. Aussi, pour éviter le sujet, elle raconta sa mise à pied et les raisons qui l'avaient provoquée : les pendus, la mallette remplie de bijoux, les conclusions du légiste, tout y passa ou peu s'en faut.

— Tu n'es pas venue pour saluer ton vieux père ou faire marrer Hervé, se navra Léon. Mais pour me demander un service.

Sookie ne s'en cacha pas. Elle parla de Mathilde Bonnet, la mère de Charlène, une jeune fille disparue dont les initiales ainsi que la date de disparition figuraient parmi les pièces trouvées dans la propriété Raspail.

— Si la demande vient de toi, ajouta-t-elle, on a une chance que la mère coopère. Tu sais comment réagissent les familles de victimes après des mois ou des années d'enquête infructueuse…

— Ce « on », c'est qui ? la coupa Léon.

— J'ai besoin de toi, papa. Je passe à côté de quelque chose, j'en suis sûre. La rencontrer fera avancer le dossier. Tu vois, je me suis dit qu'on pourrait lui demander la liste de ses clients ? Elle livre à domicile. Peut-être a-t-elle rencontré les Raspail comme ça ?

— Toi et moi, on enquête à présent ?

— Je sais, confessa Sookie, j'aurais dû appeler plus souvent. Mais j'ai un sale pressentiment. Quelqu'un pourrait être encore enfermé quelque part par ces malades ! Ils enlèvent des gosses !

— Tu m'as dit toi-même que si ces types avaient été capables de faire disparaître les bijoux, ils n'auraient pas pris le risque de garder un otage. Alors quoi ?

— Mais…

— Tu es encore en train de me mener en bateau ! Merde Sookie ! dit Léon en se levant. Pour le moment, j'ai une vraie victime à aider. Pas un hypothétique fantasme ! Et tes problèmes de hiérarchie me laissent de marbre, si tu veux savoir. Qu'il y ait des abrutis chez les flics, ça n'est pas vraiment une nouvelle qui ébranlera le monde ! Et puis…

Léon semblait hésiter, comme s'il ne voulait pas regretter un mot de trop.

— Et puis, reprit-il, tu fais chier, Sookie. Oui, j'aurais aimé que tu viennes pour rien, pour moi, comme ça, sans arrière-pensée. Alors tu vas réfléchir pendant que je vais aider des étrangers à ma famille ! Et tu seras gentille d'appeler le taxi pour Hervé et de l'aider à monter dedans avec ses affaires qui se trouvent dans l'entrée. Le numéro est sur le secrétaire de ta mère. Comme ça, tu ne seras pas venue pour rien.

Valentin Mendès n'avait pas connu Solange Durieux à La Réole. Il était trop petit quand elle avait quitté sa campagne pour Los Angeles. En revanche, il connaissait Serena. Il en avait dégusté la plastique maintes et maintes fois sur Internet, au gré de ses masturbations adolescentes, dans sa chambre le soir quand la mémé ne risquait plus de monter. Serena était un fantasme pour bien des hommes, et dans quelques minutes il allait la rencontrer.

Tu la regardes dans les yeux! Même pas le corsage. Les yeux!

La sonnette résonna dans la maison et des éclats de voix provenant de la rue retentirent. Les journalistes présents sur place ne devaient pas en revenir.

Valentin quitta la table installée près de la piscine et fila vers la maison d'amis. Dans la minute qui suivit, il entendit la voix d'Arnault de Battz et celle d'une femme. Il prit son courage à deux mains et ressortit. Le sort de Lara dépendait peut-être de ce qu'il allait apprendre de Solange Durieux. Il fallait oublier Serena.

— Ah! Le voilà, s'exclama Arnault, qui surjouait un peu au goût de Valentin.

Le jeune homme avança vers les trois personnes qui s'attablaient auprès de la piscine. Un homme de taille moyenne mais à la carrure d'haltérophile accompagnait Solange.

— Valentin, reprit Arnault de Battz, je te présente Solange Durieux et Kipling…

— Mon garde du corps, acheva Solange.

— Bonjour madame, bredouilla Valentin.

Il essaya de fixer le visage de Solange, mais ne vit que Serena. Elle était grande, 1,75 mètre au minimum, sans compter ses talons qui s'enfonçaient dans le gazon humide. Elle portait un pantalon gris et une chemise blanche avec quelques fantaisies brodées sur les manches. Sa tenue était sobre, mais les courbes qu'elle cachait transpiraient par-dessus le tissu.

— Je ne vais sûrement pas te mettre à l'aise, mais je trouve trognon que tu m'appelles madame.

— Ah! J'ai tout faux alors.

— Pas loin, nous venons du même coin perdu, alors ce sera Solange et Valentin, si tu veux bien.

Les mots de Solange décomplexèrent Valentin, qui empoigna la main que lui tendait la jeune femme, puis laissa Kipling broyer la sienne.

Quand il se fut assis, Valentin souffla. C'était mieux ainsi. Il ne voyait que le buste de Serena. Elle n'allait pas se déshabiller, il n'y aurait pas une musique à la con et cette réunion autour de la piscine ne s'achèverait pas en gang bang. Ce n'est qu'au bout de quelques secondes que Valentin se rendit compte que c'est à lui essentiellement que s'adressait Solange.

— Lara devait me recontacter, mais elle ne l'a pas fait, disait-elle. Je ne me suis pas inquiétée. Mon emploi du temps ne me le permet pas. J'ai compris qu'il se passait quelque chose de grave quand j'ai découvert ces photos dans ce magazine de merde.

— Un torche-cul, précisa Valentin.

— Précisément, apprécia Solange. J'y ai eu droit plus souvent que je ne l'aurais voulu, alors je sais par quoi tu passes.

— Quand est-ce que vous avez vu Lara? demanda Valentin.

— Tu !

— Pardon ?

— Arrête de me vouvoyer, on dirait que tu t'adresses à une mamie.

Valentin accepta l'idée. Il réussit même à sourire.

— Quand j'étais à Cannes, ajouta Solange Durieux en se tournant vers Arnault, Lara m'a demandé de l'aide pour un documentaire qu'elle réalisait. La pornographie et la prostitution ne sont absolument pas la même chose, mais il y a des gens qui grouillent dans les deux mondes à la fois.

Solange Durieux précisa qu'elle avait obtenu un entretien téléphonique avec un des gardes du corps d'Érik Moreau, présent le soir où l'avocat avait été tué avec sa famille.

— Elle recherchait des infos qu'on n'avait pas entendues ou vues des centaines de fois. Alors je l'ai tuyautée là-dessus. Ce type m'avait confié il y a des années qu'il connaissait le nom de l'assassin. J'ai pensé que Lara saurait lever ce lièvre.

— Elle l'a rencontré? demanda Arnault de Battz.

— Non, il se sont juste parlé au téléphone mais… Jamais je n'aurais imaginé que… Je suis désolée, Valentin.

44

« Un monde de porcs et d'assassins, par **Lara Mendès**, partie 3 »

L'ancien garde du corps de Moreau avec lequel Solange m'avait obtenu un rencard téléphonique se faisait appeler M. Laval.

— C'est bien parce que je dois un service à Serena. Faites vite.

J'ai activé mon enregistreur – je ne me rappelle plus exactement de cette conversation, mais son intégralité est sur la clé USB que je portais le jour de mon enlèvement – et je lui ai demandé de me préciser comment les choses s'étaient passées chez Éric Moreau le soir de sa mort.

Il y avait eu une fête, mais aucun convive n'avait pu se planquer dans l'hôtel particulier, bien pourvu de systèmes d'alarme, de caméras et de micros en tout genre. Sur ce point, Laval était formel. Il a ajouté que les assassins étaient venus par les toits, ce que l'enquête avait confirmé. Tout indiquait que les trois hommes appartenaient à la mafia, sans doute russe ou ukrainienne. Laval et son collègue s'étaient fait prendre par surprise, comme des bleus.

En tout, la conversation a duré un quart d'heure. Peut-être vingt minutes. Et j'ai vite compris qu'elle ne m'apprendrait rien. Ce type avait envie de se payer la tête d'une journaliste et en profiter pour faire plaisir à Solange. Au cas où…

J'eus le droit de poser seulement deux autres questions.

À la première : « Pourquoi a-t-on éliminé Éric Moreau ? », il m'a répondu qu'à son sens, l'avocat défendait trop de types tordus et qu'il avait dû faire une mauvaise rencontre.

À la seconde : « Pourquoi Herman Stalker avait-il été placé en garde à vue à l'époque du double crime ? », je suis sûre que Laval a souri.

« Il y en a qui s'adaptent à toutes les situations, mademoiselle, et pour qui rien ne change vraiment. »

À la fin, je lâchai une dernière phrase, certaine qu'avec un oiseau de cet acabit, il fallait tenter le tout pour le tout : « Je ne comprends pas pourquoi Serena m'a parlé de vous comme d'un témoin capital. En fait, vous ne savez rien de plus que les autres. »

Au silence qui a suivi, j'ai compris que j'avais fait mouche.

« Je sais qui est l'assassin de Moreau, je l'ai vu les yeux dans les yeux, a rétorqué Laval. Depuis, je ferme ma gueule, et vous seriez bien avisée d'en faire autant ! »

45

Encordé à sept mètres au-dessus de la rue, **Léon Castel** n'était pas entièrement satisfait. Vues de sa position, on aurait dit que les deux dernières lettres de son « Liberté chérie » saignaient.

— Bonjour les comparaisons à deux balles, ricanat-il pour lui-même. Je vois d'ici ce que les journaleux vont tartiner !

La foule de curieux qui se pressait à ses pieds comptait au bas mot deux cents personnes, sans parler des policiers, des gendarmes et des pompiers, tous accourus après qu'un riverain avait prévenu le commissariat qu'un individu pratiquait l'escalade sur la façade du palais de justice. La circulation était stoppée sur la place Edmond-Henry et la foule grossissait chaque minute.

Adossés contre le mur de l'église se trouvaient Annick et Romain Walter, les voisins de Léon, les rares avec qui il avait sympathisé. Romain tenait une caméra et ne ratait rien du « one-Léon-show ». Il avait pris l'habitude de filmer Léon quand il s'illustrait dans la région.

Ce dernier empoigna son bloqueur et remonta pour se placer en dessous de la corniche.

— Putain de granit vosgien ! grogna-t-il en effaçant les coulures. Aussi imperméable que des Bretons !

— Léon ! dit une voix sur sa gauche. Arrête tes conneries et descends de là !

La voix appartenait au brigadier Lemoine, choisi par sa hiérarchie pour la sympathie que lui témoignait Léon Castel. Depuis une trentaine de minutes, penché à la fenêtre du premier étage, il multipliait les arguments pour que cesse le manège.

— Tu sais que je n'en ai pas après toi, Simon, opposa Léon en levant les yeux vers la corniche, mais on n'est pas au PMU en train de gratter un de tes cartons bonheur. Y'en a un qui bosse ici, et c'est pas toi !

Le brigadier Lemoine fit une nouvelle tentative, arguant qu'il n'était pas raisonnable, par un bel après-midi de juin, de taguer la façade d'un bâtiment administratif avec des mots imbéciles. *A fortiori* quand on fêterait sous peu ses 58 ans.

— Je commémorerai la délivrance de ma défunte mère, rectifia Léon. Je n'ai pas comme vous autres le narcissisme pour seul remède à mes névroses. Non, monsieur le policier. Moi, quand j'angoisse, je peinturlure des palais de justice. Et je t'emmerde !

— Qu'est-ce que ça veut dire : « Liberté chérie, égalité mon poussin, fraternité mon minet » ?

— Eh bien, par exemple, déclara Léon en se calant au-dessus du drapeau tricolore qui flottait au premier étage, ça peut vouloir dire que la devise nationale n'a plus de sens en regard de ce qu'on fait des notions de justice, d'équité et de probité. Y ajouter quelques âneries ne gâte rien. Surtout si elles m'ont été inspirées par le regretté Desproges.

Le visage du brigadier exprima le doute.

— Hiroshima, mon amour, Nagasaki, mon kiki…
Ça ne te parle pas ? regretta Léon. Simon, tu devrais
balancer ta téloche et m'emprunter des bouquins,
t'aurais l'air moins con.

L'infortuné Lemoine grogna contre les arguments de
Léon, qui n'en apprécia que mieux la situation.

Encore quelques minutes et la coupe serait pleine.
Celle des gens d'en bas, pas la sienne. S'il en avait eu
les moyens, Léon aurait tagué entièrement la façade
du palais de justice d'Épinal. Et pourquoi pas celle des
autres, de tous les autres.

À Épinal, les élucubrations de Léon Castel étaient
réputées. Défenseur de la veuve et de l'orphelin, pour-
fendeur d'injustices en tout genre, spécialisé dans
l'aide aux victimes lâchées par le système, le trublion
n'en était pas à son coup d'essai.

— C'est curieux cette idée de donner à cette place
le nom d'un type qui avait du cœur ! gueula Léon en se
tournant vers la foule. Parce que la justice, elle, elle l'a
perdu !

Le moment qu'il attendait arrivait enfin.

Décision probablement adoubée par le capitaine de
gendarmerie et l'officier de police de permanence, le chef
des pompiers envoya un de ses hommes rejoindre Léon
sur la façade au moment où une camionnette de France 3
Lorraine se garait contre l'église. Le jeune pompier descendit sur sa propre corde et vint se placer à côté de
Léon. Il se stabilisa et adressa un sourire au contrevenant,
comme s'il s'apprêtait à une sorte de causerie amicale.

— J'en ai pour une minute et ensuite, je suis à toi,
prévint Léon en extirpant une liasse de photocopies de
son sac à dos.

Léon attendit que les journalistes de France 3 aient sorti leur caméra pour jeter les feuillets vers la foule.

— Régalez-vous, mes chers compatriotes ! dit-il en forçant sa voix. En ma qualité d'empêcheur de penser en rond, je vous enjoins à lire ma prose. Et faites-la passer, c'est pas un tract politique, ça ne salit pas les doigts ! C'est l'histoire édifiante de Quentin X, vosgien de souche comme vous, dont la mère a été assassinée par son beau-père, et qui se bat aujourd'hui pour que son héritage ne soit pas spolié par ce même beau-père.

Lorsqu'il n'eut plus entre les mains qu'une dizaine de feuillets, Léon se tourna vers le pompier.

— Tu es jeune, toi. Tu sais encore lire. Tiens, tu donneras ça à tes potes. Dis-leur que ça peut arriver à n'importe qui.

Le pompier accepta, à la condition que Léon descende ensuite avec lui. Ce qu'il fit.

Lorsque Léon Castel eut posé les pieds sur le trottoir, deux paires de mains prolongées de menottes l'agrippèrent. Il se débattit, histoire de faire réagir les flics qui, sans surprise, le molestèrent pour le conduire *manu militari* vers un fourgon où on le jeta comme le pire des délinquants devant l'objectif de la caméra, une forêt de micros et deux cents paires d'yeux.

Pendant tout ce temps, Léon ne cessa de brailler qu'il n'arrêterait pas de grimper aux façades des tribunaux tant que la justice marcherait sur la tête.

Embarquer Léon Castel devant les caméras de France 3 Lorraine revenait à braquer un projecteur sur les incohérences du système judiciaire français. Et c'est exactement ce que ce délinquant inoffensif espérait.

46

Quand **Lara Mendès** reposa la boîte de sardines, il n'en restait plus une miette. Même l'huile habituellement collée aux parois avait disparu, à grands coups de langue. Ses doigts s'appliquèrent alors à ramasser les miettes de biscotte égarées en cours de mastication, puis elle se lécha le bout des doigts.

— Je lisais souvent les contes des *Mille et Une Nuits* chez mémé Carmela. J'aimais bien ce bouquin, mais dedans il y avait une histoire qui m'agaçait et que je commence juste à comprendre. Tu veux que je te la raconte ?

Dans le silence du balai renversé, Lara lut un acquiescement.

— C'est l'histoire du pauvre pêcheur et du génie. Tu la connais ? Non. Tu vas voir, elle est courte. Un pêcheur très pauvre ramène dans son filet une vieille lampe à huile. En la frottant pour la nettoyer, il fait apparaître un génie qui demande au pêcheur comment il veut mourir. Le pauvre vieux gémit, se plaint de n'avoir jamais eu de chance dans la vie, etc. Mais le génie insiste. Il est resté coincé dans cette lampe pendant des centaines d'années. Au début, explique-t-il, il s'est promis de couvrir d'or celui qui le libérerait. Le temps a passé, le génie s'est lassé d'attendre. Il s'est alors dit qu'il remercierait son sauveur et qu'il s'en irait. Comme il n'y avait toujours personne à l'horizon, le génie a fini par décider qu'il tuerait son sauveur, en lui accordant toutefois le choix sur la manière. Le pêcheur se jette à terre, supplie, rien n'y fait. Le génie insiste. Comment veux-tu mourir ? C'est là que le pêcheur a l'idée de sa vie : il dit au génie qu'il ignore comment il préférerait mourir, mais qu'en revanche, avant de mourir, il aimerait savoir une chose : comment un génie aussi grand peut-il rentrer dans une lampe aussi petite. Tu vois où je veux en venir, Pierre ?

Lara observa une courte pause, puis poursuivit :

— Le génie étant un orgueilleux, il se presse de montrer au pêcheur ce que son pauvre esprit ne peut comprendre et se ratatine jusqu'à rentrer dans sa lampe. Et là, évidemment, le pêcheur rebouche la lampe et la rejette à la mer. Dans cette histoire, tout m'agaçait. Le génie qui veut tuer son sauveur, ça ne tenait pas la route, le pêcheur plus malin que le génie non plus, un génie, ça doit être génial, non ?

Tu n'attendras pas des années dans ta lampe, toi. Pas des mois non plus, même pas des semaines. Tu manges comme un cochon à l'engrais. Tu tiendras quelques jours encore. Après, tu te ratatineras comme ton génie. La peau sur les os et les yeux secs. C'est ça la morale de ton histoire ?

Le commentaire glaça Lara.

— Je voudrais bien t'y voir à ma place ! cria-t-elle au balai. Tu ne manges pas, toi, t'es un bout de bois avec un dessin collé dessus. Tu n'es rien, rien du tout !

Les gens n'existent que parce que d'autres gens savent qu'ils existent. Bientôt, tu disparaîtras.

— Tu sais ce que j'en fais de ta philosophie de balai ! éructa Lara. Arrière-grand-père ou pas, je t'emmerde.

Tu pourriras comme tes parents, et personne ne le saura.

Lara se leva d'un bond de sa chaise, contourna la table et attrapa le balai, qu'elle frappa contre le mur de toutes ses forces.

— Ça sert à rien de dire au condamné à mort que le paradis n'existe pas. C'est de la méchanceté pure ! Les méchants sont tous des cons et les cons doivent disparaître !

Lara ouvrit la porte de la chambre froide et expédia le balai déglingué aux pieds de la fille congelée. Puis elle récupéra son fusil et dévala l'escalier vers les étages inférieurs. La rage qui grondait en elle fut difficile à apaiser.

Longtemps, Lara fit les cent pas dans la grande salle du deuxième sous-sol, les poings serrés, effectuant parfois d'inutiles moulinets des bras. D'extrême justesse, elle se retint de fracasser la crosse de son fusil contre un mur.

Quand elle fut calmée, elle contrôla la réserve. Il restait huit bières, un demi-paquet de biscottes, trois briques de lait et un paquet de flocons d'avoine.

L'inventaire atterra la jeune femme.

À raison d'une ration quotidienne de trente centilitres environ, Lara tiendrait douze jours au maximum. La nourriture posait moins de problème. Lara n'avait jamais eu un gros appétit, même si depuis qu'elle était enfermée, manger se transformait en obsession, mais qu'importe. Elle saurait repousser ce démon. C'était possible. Il fallait que ça le soit.

Ne plus penser à ça! Quelqu'un va venir, ils te cherchent tous, forcément.

Mais les mots manquaient de sens et elle le savait. Son kidnappeur se vengeait en l'enterrant vivante.

Écœurée, Lara finit par remonter dans la chambre froide. Elle s'avança vers le corps de la jeune fille aux pieds de laquelle se trouvait le balai. Elle le ramassa puis s'assit à côté du cadavre.

— Je suis désolée, dit-elle. Je n'aurais pas dû crier comme ça, encore moins te jeter Pierre à la figure. Au fait, ajouta-t-elle en serrant le manche du balai contre elle, je te présente Pierre Soulès, mon arrière-grand-père. Il est chiant, mais c'est normal. Souvent, les vieux sont chiants.

Lara essuya les larmes qui roulaient sur ses joues.

— Putain, ça caille ici. Je ne vais pas rester long-temps. Je voulais juste savoir, tu la connais toi, l'his-toire du génie et du pêcheur ?

47

Jusqu'à ce qu'elle entende le moteur du combi s'éloigner dans la rue, **Sookie Castel** avait espéré le retour de son père. Mais elle dut se rendre à l'évidence, Léon l'avait bel et bien plantée pour courir vers d'autres aventures.

— Mufle égocentrique, grogna Sookie en cherchant Guernica du regard. Rien ne change sous le soleil.

La pauvre bête avait trouvé refuge au pied du mur nord de la maison. Elle demeurait couchée, le museau posé sur ses pattes, mais dès qu'elle vit Sookie, sa tête se redressa, sa gueule s'ouvrit et une langue huileuse en jaillit.

— Quinze jours, Guernica. On ne va pas rester quinze jours ici, hein ! Qu'est-ce qu'on va faire, toi et moi ?

Le moignon de queue du doberman commença à s'agiter.

— Ceux qui t'ont fait ça sont morts. Te voilà au moins vengée de la connerie humaine.

Les trois verres de prune avaient engourdi Sookie qui s'étira avant de gagner le séjour où Hervé Marin, allongé sur le canapé, s'était endormi devant un épisode de *Bob l'éponge*.

Sookie marcha sur la pointe des pieds tandis qu'elle s'approchait de la table basse pour prendre un cigare. Elle en trouva différentes sortes dont deux Have-a-Tampa, les seuls que fumait Valie. Sookie en choisit un, encore emballé dans un étui en carton, chipa une boîte d'allumettes publicitaire sur la cheminée et retourna dehors.

Elle se resservit un verre de prune et déballa le cigare. Ce produit américain, parfumé à la vanille, possédait un embout en bois. La feuille externe était de papier coloré et la brisure de tabac aussi concentrée d'agents de saveur que toute cigarette digne de ce nom.

— Une belle merde en somme, apprécia Sookie en inspirant la première bouffée.

Sookie avait été une vraie fumeuse, et elle pensait qu'elle le serait à vie. Elle allongea ses jambes sur la chaise qui lui faisait face et fuma en sirotant son verre d'alcool.

Tout ici lui rappelait Valie.

L'apparition d'Hervé sur la terrasse interrompit ses pensées. Les cheveux en bataille, une main glissée sous son tee-shirt, il se grattait le ventre, qu'il avait joliment rebondi.

— Il est où Léon? demanda-t-il après avoir copieusement bâillé.

— Merde, le taxi!

Sookie se leva d'un bond et fila vers la maison.

— T'inquiète, je gère, affirma-t-elle en passant devant Hervé. Il devait te prendre à quelle heure?

— J'sais pas, il m'a pas dit.

Sookie garda pour elle ce qu'elle pensait de la réponse d'Hervé et gagna le bureau de Léon. Le mot capharnaüm peinait à définir le chaos de dossiers, de papiers, de matériels divers, qui s'entassaient dans cette pièce d'une vingtaine de mètres carrés. Un coin était réservé au courrier de l'association, des centaines de lettres de familles de victimes, ou d'insultes et de menaces, ou encore des dossiers ne demandant qu'à être étudiés par l'œil exercé de Léon.

— T'as du retard dans ton courrier, mon petit père ! murmura Sookie avec un mince sourire.

Une double porte vitrée donnait sur le salon, mais il n'en restait que deux ou trois carreaux visibles. Le reste disparaissait sous des articles de journaux scotchés, des notes et des mémos. Exception faite de l'écran et du clavier, même l'ordinateur posé sur une table servait de support à des post-it, des publicités annotées et d'autres documents dont l'importance ne sautait pas aux yeux du profane.

Devant une ancienne affiche de l'APEV – une des associations d'aide aux familles avec laquelle Léon avait travaillé avant de claquer la porte pour des raisons que Sookie ignorait – elle ne put s'empêcher de ranger le portrait de chaque enfant disparu dans une boîte. Marion, boîte Drew Barrymore dans *E.T.* en plus brune, Kevin, boîte Peter Parker, Céline, enlevée par son père d'origine brésilienne, boîte Pocahontas, retrouvée quelques semaines après sa disparition, Clémence et Juliette Moreau, disparues le 21 juillet 2011, furent quant à elles rangées dans la boîte Brigitte Fossey.

Sookie rangea l'ensemble de ces nouvelles boîtes dans celle plus grande des enfants disparus, classa celle de Pocahontas dans les affaires réglées et s'arrêta devant un secrétaire réalisé dans un bois précieux, seul meuble à ne pas être couvert de paperasse. Un papier déchiré était coincé sous un éléphant en cuivre, l'un des innombrables pachydermes amassés par Valie en vingt ans de vide-greniers.

La clé du secrétaire tourna dans la serrure. L'abattant se retrouva en position plateau, ce qui tendit les ferrures de maintien. Deux colonnes composées de trois tiroirs encadraient un renfoncement dont on pouvait extraire un miroir rétractable. Sookie s'observa un instant, cherchant en vain les traits de Valie dans les siens.

— T'es pas drôle, maman, dit-elle la gorge serrée. On aurait pu se passer de champignons.

Sookie manqua refermer le meuble, mais sa main glissa par réflexe sous la traverse supérieure du secrétaire. Un panneau coulissa, libérant un mince tiroir secret que Valie et Sookie utilisaient pour s'échanger des messages entre filles.

Le tiroir révéla une enveloppe en papier kraft. Sookie la saisit en retenant sa respiration. Puis elle l'ouvrit et fit glisser son contenu sur l'abattant.

48

— Et pas de folies, Apollon ! lança **Arnault de Battz** en se garant devant le Novotel de la porte d'Asnières. Dès que c'est fini, tu me retrouves à Canal 9.

Valentin Mendès ouvrit la portière, mais la main d'Arnault le retint.

— Je suis sérieux mon grand, ne va pas te mettre dans les ennuis.

— Je ne vais rien faire du tout, soupira Valentin, c'est Solange qui a rendez-vous. Moi, je vais juste écouter.

— Alors tout est parfait, file maintenant, je suis à la bourre !

La voiture d'Arnault démarra sitôt Valentin sorti et effectua un demi-tour pour se diriger vers le centre de Paris.

En traversant le hall de l'hôtel où Solange et Kipling étaient descendus, ignorant des usages, le jeune homme se demanda s'il devait se présenter à la réception, objecta qu'il aurait l'air d'un abruti si la démarche se révélait inutile, et fila vers les ascenseurs avec un air coupable. Les portes se refermèrent. Il appuya sur le bouton du sixième étage et commença à transpirer. Certes, il faisait chaud dans cette cabine, mais il n'y avait pas que ça. Dans un instant, Valentin allait retrouver Solange Durieux dans une chambre d'hôtel et cette idée engendrait dans sa poitrine et son bas-ventre des signaux autant agréables que déplacés.

Au sixième, Valentin emprunta un couloir recouvert d'une moquette épaisse. Il régnait un calme idéal dans cet hôtel. Seules les trappes de ventilation laissaient filtrer un doux ronronnement.

Devant la porte de la chambre 618, Valentin sentit son cœur exploser. Il pensa à Lara, se fustigea de ses émois de grand adolescent et frappa. Solange apparut dans la seconde, enveloppée dans un peignoir. Ses cheveux mouillés étaient plaqués en arrière, et son visage sans maquillage.

— Entre, je n'en ai plus pour très longtemps.

— T'es sûre ?

— Dis pas de bêtises…

Décontenancé par le naturel de Solange, Valentin la suivit dans la vaste chambre.

— Prends un truc à boire dans le frigo, proposa-t-elle avant de disparaître dans la salle de bains. Il y a du Coca, du Schweppes ou de la bière. Ne touche pas au cognac, ajouta-t-elle en riant, tu n'as pas l'âge.

Valentin opta pour une Heineken, la décapsula et en vida la moitié d'une goulée. Pendant que Solange enclenchait le séchoir, il tourna quelques instants dans la pièce, et s'assit sur le bord du lit défait, les yeux rivés sur ses chaussures, peinant à chasser de son esprit un fantasme où il aurait rejoint Solange dans la salle de bains, pour la prendre sur le lavabo.

— Je suis prête ! annonça-t-elle en revenant dans la chambre quelques minutes plus tard, et Valentin s'étonna de la rapidité avec laquelle elle se métamorphosait.

Il avait en tête un tas de clichés où la femme passait des heures devant le miroir, coiffure, maquillage, tous ces artifices prenaient un temps fou. Pas pour Solange.

Elle portait un ensemble noir ample, et avait remonté ses cheveux séchés à la hâte. La courbe de ses lèvres était juste rehaussée d'un rose foncé, et ses cils allongés d'un rapide coup de mascara. Elle n'était pas sexy, c'était pire que ça.

Cache ta bite, connard ! Tu vas passer pour le plouc que tu es.

Visiblement indifférente au trouble qu'elle provoquait chez le jeune homme, Solange le rejoignit en deux longues enjambées et le prit par le bras.

— Ta sœur, tu sais, c'est une dure à cuire. Je ne sais pas ce qui lui est arrivé, mais je suis certaine d'une chose, c'est qu'elle doit leur en faire baver.

Valentin se raidit à son contact, incapable de gérer ses émotions.

— Toi, tu dois morfler en ce moment, et moi, je débarque comme ça, avec ma solution à deux balles et mes airs de pétasse sortie d'une production Marc Dorsel. Mais je suis avec toi Valentin, et avec Lara. Tu dois lui faire confiance, elle va se battre.

Solange fixait Valentin droit dans les yeux. Il y avait de la sincérité dans ce regard, et une simplicité, une fermeté qui éjecta toute image pornographique de l'esprit du jeune homme, pour le laisser démuni. Ses yeux s'embuèrent. Il chercha à repousser loin au fond de ses tripes la boule d'angoisse qui l'étouffait ces derniers jours. Dire quelque chose, se comporter comme un homme, cacher ses sentiments, voilà ce qu'il voulut faire. Mais la boule d'angoisse explosa et un torrent de larmes roula sur ses joues.

Les bras de Solange enlacèrent spontanément le grand buste de Valentin, qui abaissa sa tête vers l'épaule amie et se laissa aller sans plus aucune gêne.

— Je sais ce que j'inspire aux hommes, murmura Solange. Et je ne peux pas les blâmer, j'ai tout fait pour qu'ils en aient envie. Crois-moi, Valentin, tu t'en tires très bien.

Installé à l'arrière du 4×4, Valentin observait la nuque de Kipling. Solange Durieux avait quitté l'habitacle depuis cinq minutes. Elle était entrée chez cet homme qui avait accordé une brève interview à Lara des semaines plus tôt et qu'elle appelait M. Laval. Depuis, via le téléphone de Solange, lui et Kipling suivaient la conversation qui se déroulait dans les étages d'un immeuble cossu du 16ᵉ arrondissement de Paris.

Assis derrière le volant, Kipling ressemblait à un bouddha de muscles, impassible, inquiétant.

D'après ce qu'ils pouvaient comprendre, M. Laval était déçu de la tournure que prenait la visite de Solange, qu'il s'entêtait à nommer Serena. Mais Solange Durieux restait Solange et enfilait les questions concernant Lara. La conversation offrait peu d'intérêt. M. Laval bottait en touche, Solange Durieux insistait.

— Vous n'appréciez pas qu'elle soit hors de votre portée, hein ? demanda Valentin à Kipling pour rompre leur mutisme commun.

— Elle n'est jamais hors de ma portée, répondit le garde du corps.

Putain, il parle !

— Elle ne sortira rien de ce type, dit-il. Ça m'a tout l'air d'un vrai connard. Vous le connaissez ?

— Reste tranquille, gamin, ou je te réexpédie chez tonton.

Kipling décrocha son téléphone et composa le numéro de Solange. Dans les enceintes de la voiture, la conversation fut interrompue par des coups de corne de brume.

— Oui, Kipling, un problème ?

— On passe au plan B. Excuse-toi et sors de là.

Un rire cristallin satura les enceintes.

— Une dame ne s'excuse jamais, rétorqua Solange Durieux.

Elle raccrocha. Une dernière fois, Valentin l'entendit plaider la cause de Lara, mais M. Laval, en parfait gentleman, lui proposa la botte avant d'en venir aux confidences. Il les préférait apparemment sur l'oreiller.

— Vous aviez prévu qu'on en arriverait là ? s'étonna Valentin.

— Bouge pas de là, gamin, lâcha Kipling en sortant de la voiture. Pigé ?

Valentin serra les poings et hocha la tête, agacé. Il suivit des yeux le garde du corps tandis qu'il engageait un passe de facteur dans la serrure du digicode.

Au troisième étage, Kipling se colla contre le mur, du côté gauche de la porte. Derrière, le parquet craquait, des voix s'approchaient.

La clé joua dans la serrure. La silhouette de Solange Durieux apparut sur le palier. Elle avança d'un pas, et se retourna vers Laval.

— Je regrette que tu ne me fasses pas confiance, dit-elle avec une moue qui en d'autres occasions aurait déclenché une émeute.

— Les grands mots! La vie, c'est du business. Tu repasses quand tu veux, ma beauté, on ne sait jamais, si tu changes d'avis, je suis toujours prêt à te rendre service.

La main droite de Kipling jaillit, raide et droite. Elle atteignit M. Laval au cou. Le contact produisit un son mat, suivi d'un bruit de chute. Emporté par son élan, Kipling se rua sur le corps inconscient et le tira dans l'appartement.

— Le sac, ordonna-t-il.

Alors que Solange Durieux attrapait le sac et refermait la porte derrière elle, le corps de Laval se trouva entravé aux chevilles et aux poignets, et sa bouche recouverte par une bande de scotch épais. Puis il fut hissé jusqu'au sofa, et assis, la tête retombant mollement sur sa poitrine.

— Ne l'abîme pas trop! murmura Solange avant de se glisser dans le hall. Je vais retrouver Valentin.

— Pas la peine, dit la voix de ce dernier depuis le palier. J'avais pas l'intention de moisir dans ta caisse.

— Qu'est-ce que tu fabriques ici? Redescends!

— Si y'a besoin, je peux hacker son ordi.

— Laisse-le faire, demanda Solange en lançant un coup d'œil complice à Valentin, tu ne trouves pas normal qu'il veuille être là?

Kipling marmonna un « fait chier » entre ses dents et haussa les épaules.

— Sois sage, glissa Solange Durieux en embrassant Valentin sur la joue. Et ne fais rien que tu pourrais regretter.

49

L'après-midi tirait à sa fin. La demie de 17 heures venait de sonner au clocher de l'église voisine, et **Léon Castel** se félicitait que des Vosgiens du XVIIe siècle aient suffisamment aimé Dieu pour lui consacrer un autel.

La cellule de dégrisement où les policiers l'avaient enfermé sentait la vieille pisse. On lui avait retiré ses lacets, son sac à dos, sa montre et son téléphone portable. Pour la forme. Et peut-être aussi parce que ses exploits avaient obligé le sous-préfet à modifier ses plans du jour.

Depuis deux heures, Léon tolérait les égarements vocaux d'un chauffard contrôlé avec un taux de 2,4 grammes d'alcool dans le sang.

Malgré l'inconfort de sa cellule et ce compagnon déplaisant, Léon était fier de lui. Avec l'arrivée des types de France 3, on allait enfin parler de l'affaire Quentin X. L'action en justice de ce jeune homme, qui se battait pour que son héritage ne soit pas dilapidé par l'assassin de sa mère, méritait qu'on s'y arrête un instant. L'info occuperait deux ou trois minutes au 19/20. Et avec un peu de chance, les images de son arrestation devant le palais de justice circuleraient sur le web.

Le temps que Léon allait passer au commissariat importait peu. S'il pouvait moucher ce juge spinalien à la sourde oreille, il n'était pas question de se gêner. C'était tellement grisant, à 58 ans, de se comporter comme un adolescent. Dans cette société abreuvée de « politiquement correct », l'unique façon de se faire entendre c'était d'endosser l'habit du bouffon. La façade du palais de justice en attesterait pour quelques heures encore, le temps que les services municipaux effacent la peinture bio utilisée.

Ça marchait, à la condition de défendre une cause noble.

Et pour noble, sa cause l'était. Quentin X n'était qu'un exemple parmi tant d'autres de ces citoyens innocents broyés par une justice entêtée dans ses errements.

— Quand tu te colles la gueule dans le mur, tu fais plus attention la fois suivante, dit tout haut Léon. En principe.

Des phrases à l'emporte-pièce dans ce genre, Léon en possédait des centaines en stock. Des principes en revanche, il en avait peu. Issu d'une famille communiste, dont les membres, trotskistes jusqu'au bout des ongles, avaient bouffé du Thorez, avant de se consacrer à Duclos, puis à Marchais, il n'avait jamais réussi à envisager qu'un politicien puisse être une personne responsable. Pas plus dans ses propos que dans ses actes. Communiste à 20 ans, comme ses parents, socialiste à 30, déçu par Mitterrand au cours de la même décennie, Léon Castel avait ensuite embrassé les thèses de l'altermondialisme à 40 ans et en était resté là, parfois furieux de devoir admettre que ses idées politiques étaient inapplicables dans un monde où régnait le capital, et dans l'incapacité de renoncer au rêve d'une société plus juste.

De déception en déception, Léon était devenu un électron libre. Pendant vingt-huit ans, il avait été un homme comblé par sa femme, un père satisfait, même si sa fille était devenue flic. Léon avait suivi une honorable carrière d'informaticien, jusqu'au plan de restructuration qui l'avait éjecté vers la retraite anticipée.

Il s'était mis à bouquiner, et c'est ainsi qu'il avait pris connaissance du témoignage écrit par Jean-Marie et Christine Villemin, les parents du petit Grégory assassiné le 16 octobre 1984.

La lecture avait été un choc.

Pour Léon, peu importait où se situait précisément la vérité. L'essentiel résidait dans le drame imposé à des parents blessés dans leur chair par une justice incompétente, et des journalistes plus désireux de servir leur carrière que la vérité.

Dès lors, Léon se mit à s'intéresser au droit et à ses travers puis ouvrit un blog où il invitait tout déçu à s'exprimer.

Aider les autres le rendait heureux.

Mais Léon n'avait pas prévu que Valie tomberait dans un gouffre en allant à la cueillette des champignons. Un horrible accident. L'autopsie avait révélé que la malheureuse avait survécu une vingtaine d'heures à ses blessures. Son larynx écrasé l'avait empêchée d'appeler à l'aide alors que la battue avait mobilisé une centaine de personnes – gendarmes, gens du village, brigade cynophile – et que certains étaient passés à quelques mètres d'elle seulement.

L'idée qu'avec un peu plus de chance (ou un peu moins de déveine) Valie aurait pu vivre, avait failli terrasser Léon. Son blog, le temps de présence sur les sites d'aide aux familles de victimes, répondre aux mails, conseiller les nouveaux arrivants, hélas si nombreux, les nuits au standard d'une association d'aide aux déshérités, la préparation de quelques opérations médiatiques comme celle du matin même, tout avait été bon pour noyer sa peine.

— J'ai envie de dégueuler, dit une voix empâtée en provenance du bout du couloir.

— Moi aussi, mais pas pour les mêmes raisons, rétorqua Léon. Tu t'es fait plaisir au moins ? Je te demande ça, parce que maintenant, c'est l'heure de l'addition. Dégueule à foison, c'est le contribuable qui nettoie.

Léon négligea la flopée d'insultes et se leva pour chasser une sensation de fourmillement qui engourdissait ses jambes, juste avant que la porte d'accès à l'étage se déverrouille et qu'apparaisse la silhouette bedonnante du brigadier Lemoine.

— Je suis prêt pour une petite balade, grinça Léon, surtout loin du gentleman avec qui tu m'as collé.

— Tu nous emmerdes, Léon. T'es pas dans une centrale.

— Je vais avoir droit à la rengaine habituelle ? Tu vas me dire que je dois dorénavant me tenir à carreau, et je te rétorquerai que je comprends que tu dois nourrir tes gosses, même s'il existe des façons plus amusantes d'y parvenir.

— J'ai pas de gosse.

— T'es un heureux homme, alors ! Adopte un chien, trouve-toi un hobby, mais reste ainsi. Tu ne me remercieras jamais assez de t'avoir donné ce conseil.

— Le juge te verra demain matin.

— Les salauds ! s'enthousiasma Léon. Bon, tu me l'ouvres cette porte ? C'est irrespirable ici et j'ai besoin de me dégourdir les cannes.

Le brigadier Lemoine fit jouer ses clés un instant dans sa main tout en fixant Léon avec un air narquois. Puis, vexé par l'absence de réaction de son prisonnier, il abdiqua et ouvrit la porte.

— Pas trop tôt. Tu as fouillé mon sac ? Non, sans doute que non, tu es un type bien. Si tu l'avais fait, tu y aurais trouvé deux saucissons corses et une bouteille de prune fabriquée par bibi en toute illégalité. Je te dis ça parce que c'est bientôt l'heure de l'apéro.

50

Debout dans l'entrée, **Valentin Mendès** détaillait M. Laval encore assommé. La cinquantaine, musclé, vêtu avec des fringues de marque, ce type était en âge d'être son père.

Du sac de sport, Kipling sortit une paire de gants et un appareil électronique qu'il mit en marche et passa le long des murs. Valentin s'assit sur la table basse en face de Laval, songeant que Kipling avait l'air de connaître son affaire. L'appareil qu'il promenait sur les murs émit une série de sons sous un cadre représentant l'Invincible Armada. Le garde du corps glissa sa main dessous et en retira un câble. Il continua la manœuvre, déchirant le papier peint jusqu'au sol. Valentin l'entendit malmener la décoration, puis ouvrir une porte.

Devant lui, Laval reprenait ses esprits. Quand il ouvrit les yeux, Valentin bloqua ses jambes en appuyant fortement dessus avec sa chaussure.

— Tu bouges pas, connard !

Kipling les rejoignit aussitôt. Laval se contorsionnait et soufflait fort.

— Va faire ce qu'il y a à faire dans le bureau, ordonna-t-il à Valentin. Et ne mets pas un pied ici, c'est clair ?

Valentin saisit les gants que lui tendait le garde du corps et s'installa derrière le clavier, dans la pièce voisine. En cinq minutes, il fut certain d'une chose : Laval était un obsédé sexuel. L'espace de stockage occupé par des images pornographiques représentait 500 giga-octets. Il y avait de tout, des films de Solange Durieux, d'autres tournés par des amateurs, récupérés sur Internet et une troisième catégorie, réalisée à partir de caméras camouflées dans chaque pièce de l'appartement. Valentin effaça les données des dernières heures puis continua de fouiller.

Régulièrement, il entendait des bruits de meubles déplacés et des éclats de voix :

— Je ne vais pas me répéter, disait Kipling, on peut être parti dans les dix minutes si tu te montres coopératif, ou alors tu fais ta tête de mule et on peut rester toute la nuit. Mais je te préviens que tu t'en souviendras jusqu'à la fin de tes jours. Tu décides quoi ?

Laval grommela une série de sons incompréhensibles.

— Je vais retirer le scotch, mais je te préviens, si tu gueules, je te transforme en viande hachée.

Valentin buvait du petit-lait et souriait devant l'écran. La formulation « viande hachée » était formidable.

— Vous êtes qui, putain ! C'est cette pute de Serena, hein ?! Qu'est-ce que vous me voulez ?

— Savoir ce que tu as dit à Lara Mendès.

— Allez vous faire mettre ! C'est pas mon problème si elle s'est fait zigouiller, cette conne !

Valentin serra les dents mais ne bougea pas de sa place, même s'il brûlait de démonter la gueule de Laval,

283

et poursuivit sa fouille de l'ordinateur, effaçant méthodiquement tout ce qui se rapportait à Solange.

Le sac en plastique fut infiniment plus efficace que les coups. À chaque fois que Kipling le retirait, le visage de Laval était plus rubicond, ses veines saillaient davantage sur ses tempes et ses yeux rougissaient sous l'éclatement des capillaires.

— Ça peut continuer comme ça pendant des heures, dit le garde du corps sur un ton où pointait un regret. Tu nous dis ce qu'on veut savoir et chacun rentre chez soi. Ça ne te plairait pas de retrouver vite fait ta vie de plouc?

Les narines de Laval se dilataient et se rétractaient au gré de ses inspirations. Il réussit à hocher la tête.

— Tu sais quoi sur la disparition de Lara? demanda Kipling en arrachant le scotch des joues du supplicié.

Les lèvres tuméfiées par les coups, Laval eut du mal à s'exprimer. Un filet de salive teintée de rouge s'échappa de sa bouche. Le pauvre type avait perdu de sa superbe.

— Elle voulait savoir pour Moreau, lâcha-t-il dans un souffle.

— Elle voulait savoir quoi?

— Serena… cette salope… elle lui a raconté que je connaissais le nom de l'assassin.

— Alors, c'est qui?

La cage thoracique de Laval semblait soulevée par des spasmes. Il riait.

— Quand j'ai dit à cette petite pute de journaliste que j'étais le seul à savoir qui avait tué Moreau, ça l'a excitée comme la rouquine carmélite.

Kipling leva le sac en plastique devant les yeux de Laval.

— On y retourne ?

— Je lui ai rien dit à cette salope. Parce que je ne sais rien.

— Tu te fous de qui ?

— Fais-lui cracher le morceau, intervint Valentin depuis l'autre pièce. Lara cherchait le meurtrier de Moreau. Il le connaît. Il faut qu'on le connaisse !

— Qu'est-ce qu'il a ce petit enculé ? s'exclama Laval. Il se l'enfilait cette journaliste ?!

Kipling repassa le sac sur la tête de Laval dont le corps était secoué de soubresauts. L'oxygène lui manquait et des râles s'échappaient de sa bouche ouverte.

De là où il était, Valentin ne regardait pas la scène mais il l'imaginait aisément. Il se vit revêtu d'un uniforme vert-de-gris avec un double S brodé sur le col. Puis sa réalité reprit sa place. Un homme allait mourir s'il ne faisait pas un geste. Un enfant aurait pu agir à sa place. Ce n'était pas tant la vie de cet homme qui comptait.

Les paroles de son professeur de philosophie lui revinrent en mémoire : « Allez droit au but, toujours, sans quoi vous ressemblerez aux autres. » Valentin n'avait pas envie de ressembler aux autres. Cette idée avait été un maître mot dans sa vie, depuis son enfance, depuis ce jour si précieux où Lara avait endossé le rôle de ses parents parce que...

Sans que Kipling fasse un geste pour l'empêcher, Valentin se précipita dans le salon et retira le sac pour laisser respirer Laval. Le spectacle était répugnant. Il éructait des éclaboussures de salive colorée.

— Je m'appelle Valentin Mendès, dit-il en essayant de contenir sa colère, je suis le frère de Lara. Je ne cherche pas à te faire chier, je veux la retrouver, tu comprends ? Si tu ne lui avais pas parlé, on ne se serait jamais rencontrés, toi et moi. Lara serait venue me chercher à la gare et tout le monde serait peinard.

Laval avait l'air au bout du rouleau. Ses yeux rivés dans ceux de Valentin, il semblait jauger son adversaire.

— J'ai rien dit à ta sœur, finit-il par lâcher.

— Non, non, tu ne vas pas t'en tirer comme ça.

— Rien d'important, je le jure, je suis pas complètement taré !

— Comment tu sais qui a tué Moreau ? demanda Kipling.

— J'en sais rien, j'ai menti. Je voulais juste me faire mousser.

— T'en as pas pris assez dans la gueule, c'est ça ?

— C'est vrai, je ne sais rien, murmura Laval.

Ses paupières gonflaient salement, ce qui lui donnait un air de néandertalien.

— Amène-toi.

Kipling entraîna Valentin dans le couloir, puis dans le bureau.

— Ce type ne parlera jamais, et c'est pour ça qu'il est toujours en vie. Continue de fouiller.

Après quelques minutes de recherche sur le disque dur, Valentin s'attela à éplucher les connexions, et repéra plusieurs liens vers un site de stockage en ligne. Il cliqua sur l'onglet « paramètres avancés » du navigateur et sur la ligne « gérer mots de passe enregistrés » en se félicitant que Laval n'ait pas eu la précaution de refuser l'enregistrement automatique des codes par Google Chrome.

T'es trop feignasse pour taper tes codes, pauvre débile.

Le jeune homme afficha et nota ainsi les pseudos et codes d'accès vers Facebook, Megabox, Rapidshare, les boîtes Hotmail, Gmail et Free, mais aussi le compte en banque de Laval où il apprit sa véritable identité : Frédéric Jensen.

Connecté à Rapidshare sous le pseudo de M. Laval, Valentin retrouva de nouvelles vidéos de ses performances sexuelles, une foule de documents divers, et un dossier de plusieurs giga baptisé Nirvana, rempli d'une centaine de sous-dossiers. Valentin en ouvrit un. Il s'agissait de fichiers sonores. Ça parlait argent, produits, affaires en cours, livraison, etc.

— Bingo ! se félicita Valentin.

Il retraversa l'entrée et découvrit que Kipling avait mis la main sur un coffre-fort planqué derrière un radiateur factice monté sur une charnière parfaitement dissimulée dans le mur. Le coffre contenait de l'argent en euros, en dollars et en livres sterling, une arme de poing et un épais carnet en cuir.

— Waouh ! Je n'en ai jamais vu autant ! s'exclama Valentin en effeuillant une des liasses.

— T'as trouvé quelque chose ?

— Alors, monsieur Jensen, c'est quoi tous ces enregistrements ? Pas la peine de nier, j'ai tout récupéré.

— Putain… lâcha Laval, visiblement secoué.

— T'inquiète, intervint Kipling, on se fout de savoir comment tu t'appelles ou si ta queue vire à droite quand tu baises, ce qu'on veut, c'est des réponses. Alors, ces enregistrements, c'est quoi ?

— La résidence était sur écoute, confia Laval d'une voix étranglée. Le soir de la mort de Moreau, j'ai tout récupéré.

— Pourquoi ?

— Le meurtre a été enregistré… Mais aussi la voix de tous ceux qui entraient chez lui.

— Quel est le rapport avec Lara ?

— Y'en a aucun, je vous dis !

— Tu mens !

D'un geste, Kipling força Valentin à se taire.

— Qui est au courant pour ces enregistrements ?

— Personne, je vous dis, les flics ont conclu que l'assassin les avait récupérés, que c'était un motif plausible des meurtres.

— Alors considère que rien n'a changé, grinça Kipling. Sauf que maintenant, ils sont à nous. Allez, ajouta-t-il à l'adresse de Valentin. On finit le boulot et on dégage.

51

Accroupi, **Hervé Marin** caressait Guernica dont le museau pointu lui rappelait celui de son colley, dénommé Mouchou par ses propres soins. Pourquoi Mouchou? Personne ne l'avait jamais su, pas même Hervé.

— C'est un bon toutou ça! disait-il au chien couché sur le flanc, une patte avant relevée pour libérer l'accès à son poitrail. Un bon toutou, ça oui!

Quand il jugea sa position incommode, Hervé se releva, fouilla le jardin du regard, puis rentra dans la maison.

— Elle est où Sookie? grommela-t-il.

Planté au milieu du salon, Hervé écouta les bruits de la maison. Il n'entendit rien, mais il aperçut la silhouette de Sookie dans le bureau de Léon à travers les rares carreaux non encombrés par les papiers. Hervé Marin s'approcha de la paroi vitrée jusqu'à coller son visage contre la porte. Sookie tenait plusieurs feuilles entre les mains. Elle lisait. Ses mains tremblaient de nervosité.

— Ça va pas, ça, murmura Hervé. Ah, mais non!

Dans l'esprit d'Hervé, un flic n'était pas censé trembler. Puisque Sookie y parvenait, cela signifiait qu'il y avait un problème. Un énorme problème.

Il n'eut pas le temps de réagir. Sookie venait de laisser tomber les papiers sur l'abattant du secrétaire. Elle tituba, se retint au mur, contre lequel elle appuya le front quelques instants. Puis elle sortit de la pièce comme une furie, le bouscula sans le voir, s'engouffra dans le hall et s'élança dans la rue.

Hervé dansa d'un pied sur l'autre une dizaine de secondes.

Partagé entre l'envie de suivre Sookie et tracassé à l'idée de laisser la maison ouverte, il trancha raisonnablement. Il y avait ce chien qui roupillait contre le mur. Les chiens, ça garde les maisons, donc il n'y avait plus de problème.

À l'extérieur, la chaleur le happa. On aurait dit que quelqu'un avait ouvert la porte d'un four. Hervé Marin plissa les yeux. La silhouette de Sookie remontait l'avenue du Progrès, puis elle emprunta une ruelle perpendiculaire et disparut à sa vue. Hervé se hâta. Ça faisait longtemps qu'on ne l'avait pas vu courir ! Il ne put retenir un petit rire satisfait et fut déçu dans la seconde. Avec cette chaleur, il n'y avait personne dans la rue, personne pour le voir s'élancer à la rescousse de la belle Africaine.

De ruelle en ruelle, Hervé sortit de Saint-Junien, dépassa le bois de la combe et se cacha derrière un arbre.

Sookie s'était arrêtée devant la nouvelle maison de Jean-Paul Dardelin, le héros local qu'Hervé détestait entre tous.

Il la vit cogner contre la porte, puis lorsque le vantail s'ouvrit sur JP, elle lui lança un uppercut si violent que celui-ci s'écroula.

La porte se referma sur eux.

Paniqué, Hervé abandonna alors son poste d'observation avec un gémissement, et regagna rapidement la maison de Léon, en évitant les rues principales.

52

S'acharner, écrabouiller cette tête insupportable, **Sookie Castel** ne pensait qu'à ça. Après l'uppercut qui lui avait permis d'entrer, Sookie avait vu s'entrebâiller la boîte Léon-Dustin Hoffman, et Little Big Man avait déclaré solennellement : « C'est un beau jour pour mourir. »

— T'as compris, connard ! hurla-t-elle tandis qu'elle empoignait la chevelure de JP à pleines mains pour le tirer jusqu'au milieu du salon. C'est un beau jour pour mourir !

Accroupie sur le dos de sa victime, les doigts pleins de sa chevelure longue et soyeuse, Sookie avait l'impression qu'un métronome claquait dans le vide de son crâne.

Et plus le temps passait, plus elle libérait la force de ses biceps.

JP vingt ans plus tard, boîte Pierce Brosnan-Jésus de Nazareth.

Des boîtes s'ouvrirent, beaucoup.

Sookie adolescente, elfe des montagnes, animal solitaire ; le visage de Pierce Brosnan entre ses cuisses, les lèvres mouillées, un air satisfait, des mots qui donnent envie d'aller plus loin ; l'expression coupable sur les traits de Valie, un dimanche soir où Sookie repartait pour Paris après un week-end en famille ; tout se mélangea.

La cohérence de son esprit échappa à Sookie. D'autres boîtes se répandirent, Kevin Costner, Nena, Jodie Foster tête de Piaf, Nuremberg, etc., mélangeant des centaines de visages, de parfums, de situations et de sons.

Détruire, détruire, détruire, il n'y eut plus que ça.

Des os s'étaient brisés, et à présent, les chairs frappaient un mélange de sang, de dents cassées et de salive qui imbibaient les fibres centenaires d'un tapis berbère.

La colère de Sookie ne s'apaisa pas.

L'éclair d'un instant, elle eut la vague conscience des conséquences de son acte sur sa vie, celles de Léon et d'Erwan, mais aussi celle de JP, de ses parents et de ses amis, des habitants de la vallée, de ceux qui l'avaient parquée dans l'enclos des nègres, fermé la porte et jeté la clé. Il y avait aussi Yanna Jezequel à qui elle avait promis protection, Mathilde Bonnet, la mère de Charlène à qui elle devait la vérité, Margaret Thatcher, Tommy Lee, Guernica…

Un instant seulement, il y eut une trouée dans l'entremêlement de ses boîtes désagencées, ouvertes pour certaines, sur le point de céder pour d'autres.

Alors elle lâcha les cheveux de JP et se leva. Ses pensées tournaient si vite. Les objets autour d'elle aussi. Sookie brailla « sale fils de pute ! » et enjamba le corps inerte de JP pour attraper un pied d'halogène.

Le pied tournoya au-dessus de sa tête quelques instants, puis s'abattit sur le mobilier, encore et encore.

Il ne faisait aucun doute que la résidence de Jean-Paul Dardelin avait fait l'objet d'un soin particulier. La décoration avait été pensée par un architecte en même temps que la structure, le mobilier ramené des quatre coins du monde, les couleurs mariées avec une belle intelligence esthétique.

Tout ça était terminé.

De ces signes intérieurs de réussite sociale, Sookie n'en épargna aucun. Les masques festifs de Polynésie volèrent contre d'authentiques services à thé pakistanais réhabilités en table basse et en repose-pied. L'aquarium céda sous l'assaut du troisième pot de fleurs. Poissons exotiques et délicates orchidées entremêlèrent leurs couleurs dans le tableau terreux d'une mort prématurée. La collection d'ombrelles anciennes ne résista pas aux grands mouvements que Sookie réalisait avec le pied d'halogène et les trois cents volumes de la Pléiade finirent au fond de la piscine à débordement.

La furie de Sookie ne s'arrêta que lorsqu'il n'y eut plus rien à détruire. L'homme, sa personnalité, son sang répandu, ses dents brisées, sa maison, son âme, son orgueil, Sookie voulait tout prendre.

Et elle avait tout pris.

Un moment, elle erra dans la maison, hagarde, les mains barbouillées de sang, puis elle traîna JP vers la cuisine, inondée de soleil, et se laissa tomber à côté de lui, tout près du frigo.

Ses yeux ouverts restèrent fixés sur des images mentales, les visages exhibés de la boîte Pierce Brosnan répandus devant elle. Sookie ne parvenait plus à les distinguer, ni à comprendre quand elle les avait rencontrés, ni pour quelle raison.

Elle ne comprenait pas non plus pourquoi ces Pierce Brosnan pendaient au bout de cordes fixées au plafond. Elle se contentait de les regarder, incapable de réaliser que derrière les pantins désarticulés, une marée de boîtes déferlait sur elle.

53

Hervé Marin alla directement dans le bureau de Léon et se figea au milieu de la pièce.

Qu'était-il venu y faire ? Il n'en avait plus la moindre idée.

Il gardait encore en mémoire que ça avait à voir avec Léon, quelque chose qu'il devait faire, mais quoi ? Hervé s'apprêtait à tourner les talons pour rallumer la télé – dans une dizaine de minutes, « Des chiffres et des lettres » commencerait et il n'en manquait jamais un numéro – quand son regard se posa sur l'abattant du secrétaire de Valie où gisaient des lettres et des photocopies de photos, l'enveloppe, le mince tiroir.

Hervé s'agita. Ce meuble ne devait pas rester ouvert, c'était pour ça que Sookie avait fait de mauvaises choses. Il était toujours fermé, Léon ne serait sûrement pas content s'il le découvrait ainsi en rentrant.

Alors Hervé fit un tas grossier des feuilles et de l'enveloppe et il bourra le tout dans le tiroir qu'il repoussa dans son logement. Le mécanisme, coincé par un morceau de papier, ne se referma pas correctement, mais il s'en moquait.

Hervé négligea le post-it où se trouvait le numéro de téléphone du taxi censé venir le chercher pour le conduire à la gare, et alluma le téléviseur au tout début du générique de son émission favorite.

Avec des claquements de langue, il accompagna les notes de la musique, comme s'il avait eu un tambour en sa possession. Et c'est ainsi qu'Hervé Marin retourna dans son bonheur simple, l'esprit accaparé par les séries de chiffres et de lettres qui s'affichaient à l'image.

Entre samedi 16 juin et mardi 19 juin

Entre mercredi 20 juin et vendredi 22 juin

Entre samedi 23 juin et lundi 25 juin

Mardi 26 juin

Mercredi 27 juin

Entre jeudi 28 juin et samedi 30 juin

Entre dimanche 1er juillet et lundi 2 juillet

Entre mardi 3 juillet et jeudi 5 juillet

Vendredi 6 juillet

Entre samedi 7 juillet et dimanche 8 juillet

Lundi 9 juillet

Mardi 10 juillet

Mercredi 11 juillet

Jeudi 12 juillet

Vendredi 13 juillet

Entre samedi 14 juillet et lundi 23 juillet

54

— Y'a quelqu'un ? Hou hou !

Le coin en métal s'enfonça d'un demi-centimètre entre la porte et l'encadrement. **Lara Mendès** grogna de satisfaction. Cela faisait un quart d'heure qu'elle tentait l'opération, et le coin glissait immanquablement au moment où elle le lâchait pour frapper.

Forcer la porte close du deuxième sous-sol était devenu une obsession.

Longtemps, fusil à la main, Lara avait arpenté son univers, fouillant méticuleusement chaque recoin. L'examen du premier et du deuxième niveau n'avait rien donné. Au troisième, elle avait trouvé plusieurs châssis de lit, d'innombrables ressorts de matelas, de vieux seaux en bois, des planches vermoulues, une balance en fonte, des moyeux de charrue, des sacs de ciment solidifié par l'humidité, deux barres en métal et quelques tonnes de graviers qu'elle entreprit de fouiller. C'est là que ses doigts rencontrèrent un morceau de métal aux angles patinés, qui se logerait parfaitement entre la porte et le cadre.

Lara était remontée comme une folle, sa trouvaille dans une main et une barre à mine dans l'autre. Si avec ça elle ne parvenait pas à forcer cette maudite porte !

Les coups se multiplièrent. L'acier cogna l'acier. Le coin s'enfonça d'un peu plus d'un centimètre, puis vola à travers la pièce. Lara recommença. Elle glissa le coin à différents endroits, là où ses coups permettaient de soulever légèrement la porte. Elle gagna en confiance, frappa de plus en plus fort, négligea les terribles vibrations qui endolorissaient ses poignets, ses coudes et ses clavicules. Finalement, après de longs efforts, elle réussit à soulever la porte de deux centimètres.

Surexcitée, Lara se plaqua au sol. Il y avait de la lumière de l'autre côté. Elle distingua des câbles électriques, les pieds d'une table et… elle n'était pas certaine, mais oui, cette masse blanche contre le mur, ce devait être un frigo.

Un sanglot s'échappa de sa gorge. Existait-il une invention plus admirable que le réfrigérateur? Non, cela ne se pouvait. Mais il allait falloir évacuer le problème posé par ce mur de béton armé et cette porte qui se soulevait à peine.

Soudain, elle crut voir passer une ombre furtive et son cœur bondit.

Un rat? Un chat? Ou…

— Hé! Y'a quelqu'un? Répondez! Ohé! Putain, mais c'est pas vrai! Ho!

Lara se releva et prit la position du golfeur sur le point de putter. Elle éleva la barre à mine au-dessus de sa tête, profita de son poids pour lui donner de l'élan. Le coin disparut dans la pièce. En rebondissant, la barre heurta son tibia avec violence. Folle de rage, Lara se jeta sur la porte.

Ses cinquante kilos ne firent même pas trembler le lourd panneau. Sa chair en revanche s'en trouva meurtrie.

Il semblait qu'aucune partie de son corps n'ait échappé au jeu de massacre.

Vouloir, c'est juste vouloir.

La barre à mine gisait à portée de main, intacte. Lara la regarda un instant, luttant contre l'envie d'abandonner.

— Vas-y, crevette, bouge ton cul, s'encouragea-t-elle.

Mais l'instant bascula en faveur des larmes.

55

À 17 ans, **Valentin Mendès** encaissait plutôt bien la nuit blanche qu'il passait à écouter les enregistrements de Laval en mangeant des pizzas dans les bureaux vides de Canal 9. Le problème, c'est qu'il y avait des centaines d'heures d'audition en perspective, fastidieuses et ennuyeuses, pour qui ne connaissait rien au milieu des affaires.

Valentin avait rejoint Arnault comme convenu, et excités par la découverte, ils avaient décidé de profiter du matériel de la chaîne pour écouter les fichiers. Très vite, ils avaient identifié les voix d'Éric Moreau et de sa femme, qui prenait une part active dans les affaires de son mari. Les autres restaient des dizaines de voix anonymes qui parlaient d'honoraires, de procédure, d'audiences, de paperasses administratives. Il était aussi question d'échanges commerciaux et de paiement cash.

Casque sur les oreilles, chacun devant un ordinateur, Arnault et Valentin commencèrent par les enregistrements remontant à un peu moins de cinq ans avant la mort des Moreau. Il était convenu qu'ils écouteraient le début des conversations afin de les répertorier dans un premier temps.

Au fil des écoutes, ils les trièrent selon un classement simple : d'abord, « présents dans le bureau » ou « interlocuteurs téléphoniques ». Puis « clients » ou « autres » ou « perso ». Dans cette dernière catégorie rentraient les nombreuses parties de jambes en l'air du couple Moreau qui semblait apprécier le bureau de monsieur. Enfin, les discussions tournant autour du droit, « non significatif », les autres plus nébuleuses, « à écouter plus tard si nécessaire », et enfin tout ce qui pouvait sembler suspect dans la case « significatif ».

D'abord excité par cette tâche digne d'un film d'espionnage, Valentin déchanta vite. Toute la journée, Éric Moreau discutait points de droit avec ses clients, contournement de la loi sans verser dans l'illégalité, et quand il ne traitait pas de détails administratifs, il parlait affaires.

Apparemment, l'avocat jouait en bourse. Pétrole, bois, riz, céréales, poisson, viande, métaux précieux, matières premières, tout ce qui pouvait se revendre à un cours supérieur à celui de l'achat dans un bref délai intéressait l'avocat.

Ce type devait être riche comme Crésus. Lui et ses correspondants achetaient du maïs même pas planté, spéculaient sur des canicules à l'autre bout du monde, affamaient des populations, bouleversaient l'ordre établi d'un coup de fil ou d'un clic de souris.

— Il me fait gerber ce Moreau ! dit Valentin à Arnault de Battz un peu avant 4 heures du matin.

— Tu parles de quoi, mon chou ? Son addiction au sexe ou ses cultures industrielles de roses en Afrique subsaharienne ?

— Je ne sais pas lequel des deux est le plus obsédé !

Ils se remirent au travail. Régulièrement, l'un des deux relevait la tête pour signifier à l'autre que « Moreau sautait sur madame ou inversement ».

Dans l'heure qui suivit, Valentin écouta une conversation entre l'avocat et un certain Mordrevitch qui parlait anglais avec un terrible accent. Apparemment, les deux hommes fêtaient une prévision de croissance à deux chiffres sur l'année à venir. Après une hésitation, Valentin nota la conversation dans la case : « significatif ».

Pour lui, Mordrevitch était russe, cela suffisait à le rendre suspect.

Le jeune homme nota qu'après cette rencontre les échanges commerciaux de Moreau, ordinairement axés sur les pays d'Afrique et d'Asie, trouvèrent de nouveaux débouchés en Europe de l'Est. Il ne fut plus question de marchandises, mais de containers et d'unités.

De nouvelles voix récurrentes qui, Valentin le comprit très vite, agissaient pour le compte de Moreau en qualité d'agents, firent leur apparition sur les bandes. Et la rubrique « significatif » grossit.

À 6 heures du matin, Arnault de Battz et Valentin firent une pause. Ils délaissèrent les restes de pizza froide pour un café-croissant dans un bistrot du quartier.

Après huit heures d'audition, ils parvenaient l'un comme l'autre à la conclusion qu'Éric Moreau était un avocat talentueux doublé d'un homme d'affaires dénué de scrupules qui brassait des sommes colossales tout en ne déclarant qu'une part infime de ses bénéfices au fisc français. Tout le luxe dont il jouissait, hôtel particulier dans le 8e arrondissement de Paris, voitures de sport, villa sur la Côte d'Azur, domaine aux Bermudes, yacht, appartenait à une holding basée dans un paradis fiscal.

— On peut se faire assassiner pour moins que ça, émit Arnault de Batz, mais Moreau a été tué de telle sorte qu'on s'en souvient encore. Ce n'est pas le crime d'un voleur.

— De toute façon, affirma Valentin, je n'arrêterai pas avant d'avoir tout écouté.

— Moi, je vais faire une pause avant l'arrivée des troupes, abdiqua le producteur en jetant un billet de dix euros sur le comptoir. Je n'ai plus tes 17 ans et je suis claqué.

Ils remontèrent. Arnault de Batz s'allongea sur le canapé de son bureau, masque sur les yeux et casque sur les oreilles, tandis que Valentin reprenait le fil des enregistrements.

À 8 h 30, Valentin réveilla Arnault de Batz.

— Je l'ai, cet enculé !

Le producteur eut du mal à sortir de l'état cotonneux où un peu moins de deux heures de repos l'avaient plongé.

— Plutôt que de tout me taper dans l'ordre, expliqua Valentin, j'y suis allé à rebrousse-poil, du dernier enregistrement juste après la mort des Moreau jusqu'à… Écoutez !

Arnault de Batz se traîna jusqu'à la table. Valentin lui posa les écouteurs sur les oreilles et lança l'enregistrement.

« … une erreur d'aiguillage ?! Vous maniez l'euphémisme avec virtuosité. Cette unité de production aurait dû arriver dans le réseau et au lieu de ça, elle est allée à la grande distribution.

— On a un problème sur le dos.

307

— Ça n'est pas si grave, ça se remplace.

— Non, monsieur Moreau, c'est autre chose… quelqu'un la recherche.

— Où ça, ici ?

— Pas seulement, il semble qu'ils soient au moins deux. À Paris et à Londres.

— Eh bien occupez-vous-en ! »

L'enregistrement s'arrêtait sur ces mots.

— OK, dit Arnault de Battz avec un air dubitatif. Mais je ne vois pas le scoop…

— Attendez, expliqua le jeune homme. Cet enregistrement date de neuf jours avant la mort du couple. Celui-ci… une semaine tout pile.

Valentin sélectionna un nouveau fichier, qu'il lança en lecture.

« C'est qui au juste ? Son frère, son petit ami, son père ?

— On l'ignore. Ce type est une anguille.

— Alors c'est simple, vous me dégagez l'unité de là. Je ne veux pas savoir où vous l'envoyez, vous vous démerdez ! »

— Ça tourne dans ton cerveau de vieux ? demanda Valentin à Arnault de Battz. Les unités de production, les containers, tout ça, ils parlent de filles ! Si tu ne me crois pas, écoute un peu la suite, tu vas voir !

« Non, monsieur Moreau, c'est impossible. Elle a été interpellée et placée à Bichat.

— Elle finira par en ressortir. Vous avez appelé ses vieux ?

— Introuvables.

— Comment ça, introuvables ?

— Ils ont quitté leur maison et personne ne sait où ils sont allés.

— Merde.

— Monsieur Moreau, on y va ?

— Allez-y. »

— Et maintenant, le must, annonça Valentin :

« … cette petite pute s'est jetée par la fenêtre de l'hosto.

— Alors c'est la fin du problème. Tu as l'air soucieux.

— Je n'aime pas ça. Mordrevitch a mis de nouveaux hommes de main dans la rue. Ils ne sont pas aussi fiables qu'avant.

— Tu fais toute une histoire pour pas grand-chose, mon amour. Le réseau, ce n'est pas toi, tu n'as rien à voir là-dedans.

— Sauf quand ils envoient la marchandise au mauvais endroit. Là, ça devient mon problème !

— Décontracte-toi, je vais m'occuper de toi… »

— Ils ne vont pas remettre ça ? soupira Arnault de Battz.

— Si, ils baisent pour fêter ça. Regardez ce que j'ai trouvé sur le Net.

Valentin ouvrit une fenêtre sur l'ordinateur. Un entrefilet retrouvé dans la presse de l'époque évoquait en quatre lignes le suicide d'une prostituée par défenestration. Celle-ci « travaillait » pour les réseaux d'Europe de l'Est. Apparemment, aucune enquête de police n'avait été ouverte.

Sous ce nouvel éclairage, les « containers jamais ouverts » se traduisirent par des vierges, les « produits non consignés » des prostituées dont la mort avait été achetée, les « primeurs » des fillettes, etc.

La liste était édifiante.

Moreau ne se contentait pas de consommer des vierges, comme la presse en avait fait état une décennie plus tôt, il en fournissait à ses clients, et Arnault de Battz et Valentin en possédaient la preuve.

— J'en écouterai pas un de plus, murmura Valentin en fermant le clapet de l'ordinateur. Je suis dégoûté. J'arrête pas de me dire que toutes ces filles avaient mon âge.

— Je vais te dire mieux, Valentin. Non seulement tu n'en écouteras plus, mais toi et moi, on ne les a jamais écoutés, c'est clair ?

56

Une mine radieuse illuminait le visage d'**Hervé Marin** depuis son réveil. Non seulement il jouissait de la maison de Léon pour lui tout seul, mais en plus, il avait partagé le canapé avec Guernica et ne se souvenait pas avoir passé une si bonne nuit depuis son enfance.

— C'est bon chaud, ça, avait-il déclaré au réveil en frottant le museau de l'animal. Mais tu pues dans ta bouche.

Il s'était étiré à renfort de braillements délectables, et avait décrété qu'il était temps de se mettre à table. Oranges pressées, pain de campagne, confitures et beurre à gogo, tranches de bacon et œuf à la coque. Rien n'était trop beau pour entamer la journée. Agrémentées de lait et de sucre, les croquettes de Guernica furent réparties dans une écuelle et transitèrent dans le four à micro-ondes. Le récipient en fer émaillé avait crépité et lancé des étincelles qu'Hervé avait admirées jusqu'à ce que la sonnerie de fin de cuisson retentisse.

— Bon, on fait quoi ? lança-t-il à Guernica en abandonnant la table couverte de victuailles. On joue à la baballe ?

Ce dernier mot, aux intonations enthousiastes d'Hervé, déchaîna chez Guernica une allégresse toute canine.

Hervé Marin fouina dans les placards, la réserve, et finit par dénicher dans un coffret à bijoux Nina Ricci une antique balle de tennis griffonnée.

Elle passa aussitôt de sa main vers le sol, rebondit contre le mur du salon avant de finir dans la gueule de Guernica. Après une demi-heure de ce jeu de massacre où la table basse en verre manqua exploser, Hervé abdiqua. La clochette de l'entrée carillonna au moment où il se laissait choir dans le canapé.

— C'est qui encore ?

Hervé se dirigea vers la porte, souleva la trappe du judas et glissa son œil derrière. Il aimait beaucoup regarder à travers la lentille. Les gens s'y trouvaient déformés, une grosse tête fichée sur un corps ridiculement allongé, ça lui procurait un plaisir fou.

Mais pas cette fois. La silhouette qu'il découvrit était flanquée d'un képi, et les traits austères de Rémy Lagrange grimaçaient sous le couvre-chef.

— Pas bon, ça, murmura Hervé en dansant d'un pied sur l'autre.

— Ouvre, Hervé ! ordonna le gendarme, je sais que tu es là.

« Léon, il est parti faire l'andouille », manqua répondre Hervé, mais son instinct l'en empêcha. Le visage du gendarme qui se tenait derrière la porte lui rappela l'image de Sookie frappant JP. Rémy Lagrange et JP faisaient une fine équipe depuis leur adolescence, et Hervé avait plus d'une fois essuyé les outrages de leur humour imbécile. La présence de Rémy Lagrange sur le perron de Léon, le lendemain de la raclée de JP, voilà qui n'augurait rien de bon.

— Hervé, sors d'ici ! On t'a vu traîner du côté de chez JP hier soir ! Tu m'entends, le débile ? Ouvre cette porte ! Il faut qu'on cause tous les deux !

Hervé Marin recula dans le couloir, puis se retourna vers Guernica, déjà prête à attraper la balle. Il posa un doigt sur ses lèvres et se mit à quatre pattes.

— On va jouer aux Sioux, dit-il dans l'oreille du doberman. Tu sais, les Sioux, ça se cache et après, ça punit les méchants.

Joignant l'acte à la parole, Hervé se glissa sous les vêtements suspendus au perroquet du vestibule et attira Guernica jusqu'à lui.

— Léon, il saura quoi faire, mais nous, on bouge pas.

La chienne posa ses pattes avant sur les cuisses d'Hervé, qui se lova contre l'angle du mur tandis que des poings rageurs tambourinaient contre la porte.

57

— S'il m'est permis de dire un mot, monsieur le juge Courtois.

Le cliquetis des doigts de la greffière sur les touches du clavier agaça aussitôt **Léon Castel**.

Léon connaissait les limites. Devant un magistrat, elles commençaient avec le langage. Il fallait être poli, et calme. Plus question de jouer le fanfaron dans ce bureau donnant sur le parking situé sur l'arrière des bâtiments.

En venant du commissariat, où il avait passé la nuit, Léon avait constaté que la pierre du palais de justice gardait l'empreinte de son tag. On pourrait encore, et pour longtemps sans doute, lire la philosophie républicaine de Léon Castel.

J'aurais dû signer, songea-t-il en offrant au magistrat un visage affable.

— Nous ne nous sommes jamais rencontrés, monsieur Castel, commença le juge Courtois, mais j'ai entendu parler de vous et, d'après ce que je peux lire (il tenait entre les mains l'un des tracts de Léon), vous de moi.

— Je suppose que c'est un bon début, glissa Léon, aussitôt stoppé dans son élan par la mine sombre du magistrat.

Le juge fit son travail de juge, la greffière le sien et Léon joua le rôle de Léon.

À la question : « Pourquoi diable avez-vous tagué le palais de justice ? », Léon répondit : « Pour me trouver assis dans ce bureau en face de vous. »

— Il existe des moyens plus simples pour me rencontrer.

L'homme de loi prononça ces mots avec une telle emphase que Léon manqua sourire. C'était difficile, pour ce presque sexagénaire, de prendre au sérieux ce gamin qui boutonnait ses liquettes jusqu'en haut, devait habiter chez maman, et portait une tête bien trop grosse pour ses épaules étroites.

— J'avais besoin de vous forcer la main.

— Mais encore ?

Le magistrat demanda à la greffière de ne pas noter l'échange. Celle-ci haussa les yeux.

Léon expliqua. Avec quelques bons amis disséminés à travers le pays, il collaborait à la vie d'un site d'aide aux victimes de la justice. C'est à travers ce site qu'il avait fait la connaissance de Quentin X, un Vosgien résidant à moins de cinquante kilomètres du domicile de Léon.

Quentin X, fils de Barbara X, assassinée par Edmond Gerber, son second mari. Prétendu irresponsable au moment des faits dans un premier temps, Edmond Gerber avait finalement été condamné à cinq ans d'emprisonnement, dont trois avec sursis, assorti d'une ordonnance d'éloignement.

Le juge Courtois savait parfaitement tout ça, il avait lui-même instruit l'affaire.

— Que voulez-vous ?

— C'est assez simple, répondit Léon. Monsieur Gerber a été condamné, et pourtant, ce monsieur reste l'héritier de la femme qu'il a assassinée, et il perçoit une pension de réversion de sa victime.

— C'est édifiant, je sais tout ça, mais je n'y peux rien. La loi est respectée, et je ne suis pas en charge des lois.

— Quentin ne peut même pas se rendre chez ses parents pour y prendre des souvenirs d'enfance.

— Monsieur Gerber conserve l'usufruit de cette maison, vous l'avez dit.

— Mais il n'y vit pas.

— Il respecte l'ordonnance d'éloignement.

— C'est ubuesque !

— Non, monsieur Castel, c'est la loi.

La vérité prend aussi des airs de connerie sans nom, si la dire te fout dans la merde, songea Léon. *Donc je ne dirai pas à ce salopard ce que je pense de lui.*

— En vous y mettant à plusieurs juges, il doit bien y avoir moyen de toucher un ou deux législateurs sur ce point.

Léon ne pensait pas ce qu'il disait. Toucher le législateur ne se faisait plus que dans l'urgence de l'info, il le savait. C'est même pour cette raison qu'il faisait le singe dès qu'il le pouvait.

— Je vais être franc avec vous, monsieur Castel.

Chiche ! affichèrent les yeux de Léon. L'intention n'échappa pas au juge Courtois, qui marqua une pause avant de reprendre, faisant signe à la greffière de poursuivre la prise de notes :

— La mairie est très remontée. Heureusement pour vous, je ne suis pas aux ordres de la mairie. Je considère que les faits ne sont pas si graves et l'intention est meilleure que l'acte.

Oui, et la mairie est de gauche et toi, t'es un client de l'école libre et tu votes UMP, rectifia mentalement Léon. *Voilà pourquoi tu ne veux pas m'enchtiber.*

— Je vous condamne à prendre à votre charge les frais de nettoyage plus l'euro symbolique pour la dégradation d'un bâtiment administratif et nous en restons là, si vous vous engagez à cesser vos… comment dire cela ?

— Mes singeries ? proposa Léon.

— Vos singeries, le mot est assez juste.

Léon faillit marchander sa bonne tenue en échange de l'engagement du juge à venir en aide à Quentin. Mais il n'en fit rien.

Il le remercia pour sa clémence et sa grande lucidité. Après quoi, on lui relut le procès verbal, Léon pinailla sur quelques détails, histoire d'irriter un peu plus le magistrat, et il fut libre de partir après qu'on lui eut fait un rappel à la loi. Ce n'est que sur le pas de la porte, alors que le juge s'était déjà plongé dans un autre dossier, qu'il reprit la parole.

— Nous allons entrer dans cette maison. Et nous récupérerons les souvenirs de Quentin, avec ou sans votre accord. Évidemment, nous ne laisserons aucune empreinte ni rien qui puisse laisser à la police la possibilité de nous identifier. Je vous suggère d'être magnanime au cas où vous seriez en charge de l'instruction.

— Pardon ?

— Vous m'avez très bien compris, monsieur le juge. N'écrivez pas ça, ajouta Léon avec malice en direction de la greffière.

— Faites-le et je vous colle en taule.

— Notez que le juge me menace, madame !

— Sortez de mon bureau, monsieur Castel.

— Vous êtes jeune et inexpérimenté et vous avez merdé ces derniers temps, ragea Léon, j'ai mes sources. Ne vous étonnez pas si je rends vos gaffes publiques !

Le juge l'observait, incrédule.

— Pourquoi le législateur ne donne-t-il pas à la justice la possibilité de coincer les salopards ? ajouta Léon en s'adoucissant. Vous savez quelque chose à ce sujet ? Parce que j'y travaille depuis des années et, très honnêtement, je n'ai encore rien compris.

— Fermez la porte derrière vous, monsieur Castel, finit par dire le juge en soupirant. Vous en avez assez fait pour aujourd'hui.

— Crétin bariolé ! lâcha Léon entre ses dents en refermant la porte.

Il dévala les escaliers, traversa le hall et gagna la place Edmond-Henry. Le temps était radieux. Sur le pare-brise de son combi, il ramassa trois PV, espacés d'une heure chacun.

— Fascistes !

Il les fourra dans la boîte à gants, où patientaient d'autres amendes, et prit la direction de Saint-Junien, tout à sa joie de partager quelques jours avec Sookie et son sale clébard.

58

Une chanson de Mika diffusée dans le hall tournait en boucle dans l'esprit de Sookie Castel. Là où toute autre personne se serait agacée, Sookie utilisa ces quelques notes pour ne pas sombrer dans la folie, et créa un espace où elle put se réfugier.

C'est la mère de JP, Gisèle Dardelin, qui avait donné l'alerte le mercredi matin, en la découvrant affalée dans la cuisine, aux côtés du corps ensanglanté de son fils.

Sookie n'avait pas réagi aux hurlements de la femme, ni aux coups de pied qu'elle n'avait pu s'empêcher de lui donner. Mais il avait fallu l'intervention de quatre militaires pour la maîtriser tandis qu'un médecin lui administrait un puissant calmant. À la vue des gendarmes, la colère de Sookie avait rejailli. Elle s'était battue comme si sa vie en dépendait.

À présent, elle était sanglée sur un lit du service d'urgence en attendant que des experts mandatés par le procureur décident de son transfert à l'hôpital Ravenel de Mirecourt. Sookie ne pourrait être entendue par la justice tant qu'elle n'avait pas recouvré ses esprits.

Les yeux rivés au plafond, elle rangeait patiemment ses boîtes, empilées dans un fatras indescriptible. Elle parvint à dénicher celle des Pierce Brosnan qu'elle ferma avec soin, puis elle jeta la clé. Plus jamais personne n'entrerait dans cette boîte.

Mais cela ne lui procura aucun soulagement. Derrière l'amoncellement des boîtes était tapie une ombre. Une ombre qui la ramena à ses terreurs d'enfant.

Un gouffre immense tentait de l'aspirer pour la faire disparaître.

Lentement, Sookie respira, luttant contre la torpeur qui l'envahissait, cette lourdeur dans ses muscles, ce coton qui entourait peu à peu son esprit, ralentissant ses pensées.

Putain de saloperies de neuroleptiques.

Sookie se focalisa sur cette ombre, contrôla son diaphragme, puis affronta cette chose inconnue qui la terrorisait.

Elle vit d'abord Jean Marais, Nena et Antoine de Saint-Exupéry, le visage ricanant, les yeux exorbités et la carnation carmin, rire et gesticuler au bout de leur corde.

Sookie mit un temps fou à comprendre qu'il s'agissait de marionnettes et qu'un homme très habile se cachait derrière leurs mouvements saccadés.

Qui était-il ? Que lui voulait-il ?

Incapable de reconnaître une ombre parmi les ombres, Sookie se focalisa sur ce qu'il y avait derrière où quelque chose d'autre se terrait, une ultime boîte, la mère des boîtes.

Celle par laquelle tout avait commencé.

Sookie sut aussitôt qu'elle ne devait pas la laisser s'ouvrir, que son équilibre mental n'y survivrait pas. Elle sut aussi que, livrée aux neuroleptiques, elle ne tiendrait pas longtemps.

Alors Sookie se focalisa sur les notes de la musique de Mika.

Elle ferma les yeux, oublia le plafonnier, JP, les lettres laissées à son intention par Valie, sa vie, Erwan Guenarec, Léon, Guernica et tout le reste, et ne fut plus qu'une oreille.

Mais très vite, une nouvelle boîte vint la tourmenter.

Une boîte vide, avec une simple note à l'intérieur : « *Dehors, il y a quelqu'un, dehors, dedans, derrière les serrures Fichet, il y a quelqu'un qui a besoin de toi.* »

59

La présence de la voiture de Sookie tranquillisa **Léon Castel**. Il connaissait la nature orgueilleuse de sa fille et avait craint qu'elle soit repartie après leurs mots de la veille. Aussi attrapa-t-il son sac le cœur léger et sauta du combi pour s'avancer vers la porte.

La poignée était bloquée et la clé ne tourna pas dans la serrure.

— Sookie ? Mais tu fais quoi, une retraite spirituelle ?

Léon grommela. Combien de fois s'était-il retrouvé à la porte parce que sa fille chérie avait laissé sa clé à l'intérieur ? Il actionna la clochette et attendit. Comme personne ne se manifestait, il contourna la maison par la ruelle et pénétra dans son jardin au moyen d'une brèche dans le mur, souvenir d'une nuit d'orage où le vieux châtaignier s'était couché. L'événement remontait à quatre ans et il n'avait toujours pas commandé les travaux, négligence qui lui valait une action en justice de la part de la municipalité.

— Sook, Sook, Sook ! C'est le retour du père prodige !

Guernica jaillit en grognant d'un bosquet de bambous, s'immobilisa devant Léon les babines retroussées sur d'impressionnantes canines.

— Ah ! Je t'avais oubliée, la terreur ! Remballe ton arsenal, ou c'est moi qui mords.

Guernica s'adoucit au son de la voix de Léon. Elle flaira sa main et déguerpit comme un diable.

— Ça ne sent pas bon, un taulard ! tonitrua Léon en passant sa main sur ses joues rugueuses. Ça gratte aussi, bon Dieu de merde !

Sur la terrasse, il trouva les reliefs du repas de la veille. Une quinzaine de guêpes bataillaient un morceau d'entrecôte à une colonie de fourmis rousses. Léon s'attarda devant le spectacle, atterré.

— Foutrement organisées ces bestioles, commenta-t-il en posant son sac sur une chaise. Ça ne m'étonnerait pas qu'elles nous survivent.

Il entra par la porte-fenêtre de la cuisine et se heurta à la même scène. Trois pots de confiture offraient une mine à ciel ouvert à d'autres fourmis, le beurrier dégoulinait sur la table, du Nutella solidarisait un couteau à une assiette et une quantité invraisemblable de croquettes traînait à côté d'un bol.

— Mais putain, qu'est-ce qui se passe dans cette turne ? Sookie ?

Léon passa dans le salon, puis dans son bureau tout en appelant sa fille. Bredouille, il grimpa à l'étage, ouvrit chaque porte, constata qu'il n'y avait personne et redescendit lentement l'escalier, perplexe.

C'est alors qu'il vit une paire de jambes dépasser des vêtements d'hiver suspendus dans l'entrée. Il reconnut les baskets crasseuses et se précipita.

— C'est pas moi, j'ai rien fait ! se défendit Hervé en protégeant son visage de son bras.

— Sacré foutre Dieu d'abruti congénital ! beugla Léon. Qu'est-ce que tu fous sous ce tas de fringues ?

Hervé sortit de sa cachette et se releva en lissant les plis de son pantalon.

— Tu vas me répondre ? s'énerva Léon.

— Je jouais avec le chien.

— Il jouait avec le chien, répéta Léon en singeant la mimique d'Hervé. Et Sookie, elle est où ?

— Partie, répondit Hervé en s'éloignant, tête basse et bras ballants, vers le salon.

Léon l'obligea à se retourner.

— Écoute bien, tête de pioche, ne pense même pas t'en tirer comme ça. Tu vas m'expliquer où est Sookie et pourquoi t'es toujours là !

Le visage d'Hervé se décomposa. Sa bouche s'arrondit sur un « oh ! » contrit tandis que sa main droite tentait de la couvrir.

— Tu as oublié que tu partais en vacances ! Mais bordel, tu me casses les pieds avec ce voyage depuis des semaines et le jour du départ, tu oublies ! Qu'est-ce que tu as dans le crâne, Hervé ? De la marmelade, où alors c'est le cul de ma fille qui t'a fait perdre les pédales ?

La bouche d'Hervé se referma et une légère coloration apparut sur son visage.

— Elle est partie où Sookie ?

— Chez JP, se hâta de dire Hervé. Et j'ai pas de marmelade dans le crâne. Pourquoi tu dis ça ?

— Oublie, coupa Léon. Depuis quand t'es tout seul ?

— Hier soir.

La réponse d'Hervé jeta le trouble dans l'esprit de Léon.

— Hier ? Mais qu'est-ce qu'elle fabrique là-bas depuis hier ?

Devant la mine contrite d'Hervé, Léon abandonna son interrogatoire et appliqua l'un de ses principes de vie en société : devant un incompétent non motivé, sois directif.

— Primo, tu vas me ranger ce bordel, parce que si j'ai bien compris, c'est toi le responsable. Deuzio, tu téléphones à ton assistante sociale pour voir si on ne peut pas te coller dans un train. Tertio… pas de tertio, ça t'emberlificoterait les neurones. Action !

Léon regarda Hervé quitter le vestibule en trottinant, les pensées tournées vers Sookie et le beau gosse du coin.

— Qu'est-ce que c'est que cette histoire ? grommela-t il. Et Erwan dans tout ça ?

Il secoua la tête de plus belle.

— Pas mes affaires, conclut-il tout haut.

Puis il ramassa les manteaux et regagna le salon.

— Ah ! Le foutriquet ! hurla Léon quand ses yeux tombèrent sur la balle de tennis que Guernica avait sérieusement endommagée. Mais… !

Il la ramassa, encore mouillée de bave, et la détailla. On devinait à peine la signature marquée par les crocs de Guernica. John McEnroe, le seul joueur de tennis qui ait jamais eu grâce aux yeux de Léon – davantage pour ses crises de nerfs sur les courts que pour la qualité de son jeu – avait touché cette balle insignifiante, ce qui la transformait en un joyau inestimable. Léon traversa le salon, obnubilé par l'envie de tuer quelqu'un, de préférence un idiot du village à la mémoire de poisson rouge, mais il fut stoppé en découvrant Hervé occupé à délimiter avec des miettes un chemin de sortie pour les fourmis.

— Les bras m'en tombent, capitula Léon en tournant les talons vers son bureau.

Il ferma la porte derrière lui et s'affala dans son fauteuil. Le temps que l'ordinateur démarre, il jeta un rapide coup d'œil sur les monceaux de lettres qu'il n'avait pas encore ouvertes, ce serait pour plus tard, et préféra laisser errer son regard sur les murs couverts de photos, d'articles de presse, de notes. Léon ressentait le besoin de voir les visages des victimes qu'il tentait d'aider. Certaines personnes affichées étaient mortes, d'autres avaient disparu, d'autres encore cherchaient à se faire entendre.

Dans une grande armoire métallique récupérée avant la démolition d'une caserne, Léon avait stocké son matériel de terrain. Sacs de couchage, réchaud – il fallait parfois tenir plusieurs jours dans des conditions de vie spartiates –, boîtes de conserve, casque, cordages, sac à dos, fumigènes, porte-voix, banderoles et beaucoup d'autres choses. C'était son trésor de guerre. Léon aimait penser qu'en cas d'urgence, il serait capable de se préparer en dix minutes, comme un soldat aguerri. Cette idée l'amusait beaucoup. À 20 ans, il s'était entraîné pour se faire réformer aussi sérieusement que s'il s'était agi d'un examen.

Léon se consacra à la lecture des informations sur le Net avec le sentiment que les hommes rivalisaient d'ingéniosité pour que le monde de demain paraisse plus dégueulasse que celui de la veille.

« Un type qui clamait son innocence dans le couloir de la mort d'un pénitencier californien a été exécuté à

6 h 30, heure française. » L'article précisait que l'arrêt du cœur par injection létale semblait la façon la moins cruelle de donner la mort.

— Putain de journaliste, éructa Léon, j'aimerais t'y voir à sa place. Et quel serait ton niveau de connerie à ce moment-là !

« Des pluies diluviennes ont entraîné des coulées de boue au Venezuela. Bilan : 115 morts, 700 disparus. »

— Toujours des cossards pour se faire porter pâle !

« En politique intérieure, les candidats engagés dans la course à la présidence d'un parti y allaient tous de leur petite phrase pour critiquer l'adversaire. »

— Et ça continue ! Coluche, tu nous manques !

« Un retraité vosgien vandalise le palais de justice d'Épinal. »

Léon était aux anges. Il y avait même une vidéo sur YouTube le montrant encordé sur la façade, puis une autre de son arrestation. Le cameraman de France Télévisions l'avait suivi jusqu'à ce qu'il entre dans le fourgon où il s'était écrié « *Hasta la muerte !* ».

— Ah ! Le con, s'esclaffa-t-il, manifestement réjoui par ses propres excès. J'aurais dû ajouter « *Viva el comandante !* ».

Il chercha alors un article concernant la raison de son acte, quelque chose qui dépasse le simple amusement, la mention de Quentin X, l'injustice qu'il combattait, et s'énerva de ne rien trouver. Une fois encore, Léon constata que la presse ne parlait pas de ce qui fâche. Tant pis, il recommencerait, de ça il était certain, jusqu'à ce qu'enfin les gens prennent conscience qu'on marchait sur la tête au pays des Droits de l'homme, et que l'injustice pouvait arriver à n'importe qui.

Il referma les fenêtres YouTube et poursuivit sa revue de presse.

« Une carte postale parvient à son destinataire après avoir été égarée pendant quarante ans. »

— Et l'accusé de réception a été adressé au mieux dans une maison de retraite…

Son manège fut interrompu par l'arrivée d'une flopée d'e-mails en provenance de son blog. Léon entra son mot de passe et passa en revue les réactions des internautes après l'annonce de son dernier coup d'éclat à Épinal.

Le soutien restait largement majoritaire. Il y avait bien sûr des contradicteurs, voire des gens hostiles à ses actions.

« On ne peut pas plaire à tout le monde », faisait partie de ses maximes favorites. C'était d'ailleurs la philosophie de son blog, « Chez Léon, l'empêcheur de penser en rond ».

Léon répondit rapidement aux commentaires des internautes tout en réfléchissant à son prochain coup, qu'il espérait proche. Il griffonna quelques idées sur un bloc-notes et composa le numéro de portable de sa fille. Absente. Il laissa un message, s'apprêtait à éteindre son ordinateur, quand il vit qu'un nouvel e-mail était arrivé sur son blog. Cette fois, il s'agissait de Cerbère, un fidèle parmi les fidèles qui le soutenait depuis ses débuts.

« Chapeau l'artiste ! Encore une fois, je m'incline bien bas. Mais dis-moi, comment t'as fait pour accéder aux toits ? »

C'est vrai, songea Léon, *personne n'en a parlé. Il est même légitime que tout le monde s'en foute, sauf toi.*

« Me suis faufilé comme qui dirait en loucedé, au nez et à la barbe des plantons. Puis passage par un vasistas du grenier. Ce palais de justice, c'est un vrai gruyère. »

Quelques secondes plus tard tombait ce commentaire.

« La presse n'en a évidemment pas parlé. Tous des gauchos ! »

Léon cherchait comment répondre quand un supplément apparut sur son écran :

« L'assassin dans l'affaire Quentin X mérite qu'on lui coupe les couilles et au lieu de ça, il touche la retraite de sa victime ! La France est livrée aux bolcheviques et au FLN. »

Léon ne supportait plus ces dérapages. Il rédigea une réponse polie où il exposa qu'il appréciait l'assiduité de Cerbère, mais que les méthodes expéditives dont il parlait n'avaient jamais rien résolu dans l'histoire du monde, exemples à la clé.

Après quoi il entra ses codes d'administrateur pour noter l'adresse IP. Une fois n'était pas coutume, il allait demander un petit service à Sookie.

La clochette tinta au moment où il vérifiait l'état de la cuisine. La silhouette de Romain Walter, le voisin qui l'avait filmé devant le palais de justice, s'encadra dans la porte d'entrée.

— Je m'étonne que tu n'aies toujours pas mis ta vidéo en ligne, râla Léon. T'as vu, la presse ne dit pas un mot sur l'affaire Quentin X.

— Ah, t'es enfin là, émit Romain Walter le visage empreint d'une gêne manifeste.

— Dis donc, mon vieux, t'as fumé la moquette à ce que je vois !

Les traits de Romain Walter se renfrognèrent un peu plus.

— Bah, quoi? demanda Léon. Merde, ça a l'air sérieux.

— Les salauds de gendarmes. Ils ne t'ont pas mis au courant?

— Au courant de quoi?

— Sookie a fracassé la gueule à JP.

60

Valentin Mendès et Arnault de Battz fendirent la meute de journalistes tête basse et poings serrés, et il s'ensuivit une belle bousculade. Mais quand ils parvinrent dans le salon de la propriété de Neuilly, Valentin comprit qu'une autre nasse se refermait sur eux. Il y avait là Egon Zeller, le commandant Lambert, Kipling, qu'ils avaient laissé la veille quand Arnault était venu récupérer Valentin, et Solange Durieux.

Les rideaux étaient tirés sur une atmosphère plombée alors qu'il faisait beau. On aurait dit un conseil de discipline, une réunion de famille, le genre de moment pas cool où on vous apprend le pire.

— Ce n'est pas ce que tu crois, s'empressa de dire Egon. Nous n'avons toujours aucune nouvelle de Lara. Nous ne sommes pas là pour cette raison.

Solange Durieux vint à sa rencontre.

— On a merdé, lui dit-elle en s'installant à ses côtés, Kipling et moi. Et surtout moi.

— Il se passe que vous avez tabassé un homme pour le dépouiller ! asséna le commandant Lambert. Et que dans un état de droit, on ne fait pas ce genre de choses.

— Quoi ?

Arnault de Battz rejoignit Egon Zeller en deux enjambées. Les deux hommes échangèrent quelques mots à voix basse. Adossé à un mur un peu à l'écart, Kipling arborait une expression de gosse pris en faute, et Solange un air contrit. Pendant que Valentin hésitait sur l'identité du responsable, le commandant Lambert poursuivit :

— Le principal problème, mon jeune ami, c'est que l'affaire Moreau stagne depuis dix ans faute d'éléments. Les enregistrements que vous avez volés à monsieur Laval constituent la première piste sérieuse pour retrouver son ou ses meurtriers. Piste qui ne pourra servir à personne.

— Là, je ne la pige pas, votre logique ! lança Valentin, excédé par le ton du commandant de police.

— La justice ne peut utiliser des preuves que si elles ont été légalement récupérées ! Vous ne voyez toujours pas le lien ?

— Je me fous complètement de votre justice ! Ils sont morts vos Moreau. Moi, c'est Lara que je veux sauver. Vous le voyez, le lien ?

Arnault de Battz ouvrit la bouche, mais Lambert l'arrêta d'un geste.

— D'abord, précisa-t-il, sachez que les deux enfants sont toujours manquantes à l'appel. À l'heure actuelle, elles doivent avoir dans les 16, 17 ans. Elles sont peut-être mortes, ou dans un harem au Moyen-Orient ou encore dans un bordel en Afrique subsaharienne, personne ne le sait.

Valentin pensa qu'il n'en avait rien à foutre, puis il eut honte.

— Quand je vous dis que depuis dix ans l'affaire Moreau stagne faute de preuves, c'est vrai, poursuivit Lambert plus calmement. Oh ! Des pièces à conviction, il y en a eu ! La perquisition de l'hôtel particulier des Moreau a donné des résultats. Seulement, certains scellés ont disparu, d'autres ont été jugés inexploitables. Des enregistrements ont été effacés, même les caméras de surveillance de la ville sont restées aveugles ce soir-là dans tout le quartier Monceau.

— Anyway ! Nous avons tous fait une grosse connerie. Mais je suggère que nous cessions de nous engueuler. Il sera temps de voir quand on saura ce qu'il y a sur ces fichiers.

— Vous allez me faire croire que vous n'y avez pas touché ? grommela Lambert en jetant un coup d'œil noir vers Valentin et Arnault de Battz. Vraiment ?

— La responsabilité me revient entièrement, le coupa Kipling.

— Certainement, éluda le producteur avec un geste de la main. On pourra débattre des responsabilités des uns et des autres plus tard.

— Notre responsabilité présente, précisa Egon, c'est de te protéger toi.

Le visage de Valentin afficha une expression de sincère incompréhension.

— Vous voulez me protéger de qui, de quoi ?

— De toi, répondit Arnault de Battz. Tu t'es bien gardé de me dire comment vous aviez eu les enregistrements ! Et ce qui s'est passé hier aurait pu mal tourner. Nous allons remettre ces preuves au commandant, et je t'interdis d'en garder la moindre trace.

— OK, j'ai compris l'idée, rétorqua Valentin dont les sourcils se cabraient. Mais qu'est-ce que vous avez *exactement* derrière la tête ?

— Rien de bien méchant, avança Egon Zeller, mais tu n'aimeras pas, c'est certain.

— Vous me renvoyez à La Réole… C'est ça, hein ?

— Oui. Il est temps de laisser travailler la police sans tout compromettre en agissant stupidement. Valentin, tu es pénalement responsable de tes actes. Tu seras mieux à La Réole chez ta grand-mère. Le temps que les choses se calment, précisa-t-il.

— Et Lara dans tout ça ? Vous n'avez plus le temps de la chercher, et le petit frère devient gênant !

— Ne sois pas idiot, mon chou.

— Arrêtez de m'appeler mon chou ! mordit Valentin. C'est tout ce dont vous êtes capable. Des mots, des trucs à la con et des gestes de gonzesse. Ras-le-cul des fiottes !

Valentin se leva et fonça vers la terrasse, jetant au passage un regard chargé de reproches à Egon Zeller. En un temps record, le jeune homme découvrait les modalités de la relation au père. La quête, la rencontre, la trahison.

La porte de la maison d'amis s'ouvrit sur le comédien quelques minutes plus tard.

— Je peux ? demanda-t-il tout bas.

Valentin, qui était assis sur son lit, la tête entre les mains, releva le visage, acquiesça sans un mot.

— Je suis désolé, confia Egon Zeller en s'approchant du jeune homme. Ça n'aurait pas dû se passer comme ça.

Il s'installa à côté de Valentin et lui prit les mains.

— Je suis certain qu'on va retrouver Lara. Beaucoup de gens sont mobilisés, tu sais. Je peux te dire que lorsque Aymon, mon fils, a disparu, ils étaient plutôt occupés à le démolir.

— Ouais, mais je me sens complètement inutile à La Réole, alors qu'ici, j'avais l'impression de participer aux recherches. Pourquoi vous ne me gardez pas avec vous ?

— Valentin, ce n'est pas si simple. Il faut vraiment que tu rentres.

— Pourquoi ?

— Ta tante nous a téléphoné pour nous demander de te convaincre.

— Mais c'est quoi, ce délire ?

— Carmela a fait une attaque cérébrale. Je te rassure, elle va bien. Mais elle est hospitalisée depuis ce matin.

— Putain, fait chier.

Egon Zeller soupira et serra plus fort les mains de Valentin.

— Elle est fatiguée, mais elle tient le coup. Ses jours ne sont pas en danger.

— Comment ça se fait ? Mémé est solide comme un roc !

— Les médecins pensent qu'elle a fait un coup de sang, tu vois, une violente augmentation de la pression artérielle qui a envoyé un caillot dans le cerveau.

— Qu'est-ce qui s'est passé ?

— Ce n'est pas facile à dire, murmura Egon Zeller, mais il se trouve qu'un reporter a forcé sa porte pour l'interroger sur Lara.

— Putain de journaliste de merde ! C'est pas vrai !

Valentin bondit sur ses pieds.

— Calme-toi, t'énerver après la presse n'arrangera rien, crois-moi. Dis-moi plutôt pourquoi tu lui as caché ce qui se passe avec Lara ?

— C'est ma tante, elle voulait la ménager. Pour le coup, c'est complètement raté.

— Mais… ta grand-mère ne lit pas les journaux ? Elle ne regarde pas la télé ?

— Si, mais juste « Questions pour un champion », Julien Lepers, des conneries comme ça.

Valentin réussit à sourire, puis à rire.

— Elle dit toujours Antenne 2 ! Mémé Carmela, c'est pas une geek. Y'a même un Minitel dans sa cuisine. Et puis elle aurait vu ça dans un torchon genre *Closer* ou *France Dimanche,* elle n'y aurait même pas cru.

Le rire de Valentin libéra des larmes. Le jeune homme s'effondra dans les bras d'Egon Zeller qui l'accueillit avec une tendresse toute paternelle.

61

« Un monde de porcs et d'assassins, par **Lara Mendès**, partie 4 »

L'affaire Moreau, c'était mon eldorado mais aussi mon petit secret. Résoudre une énigme pareille, c'était s'offrir mieux que le Pulitzer.

Pourtant, je décidai de suspendre les recherches après un rendez-vous avec Pascale Faulx – après tout, je n'avais rien dégoté de vraiment intéressant et surtout, le staff d'Herman Stalker opposait une fin de non-recevoir à chacune de mes demandes de rendez-vous.

La rédac chef de *Century* s'est fait un plaisir de me rappeler que je devais revenir à des objectifs plus accessibles en termes de moyens et de temps.

— Lara, tu as avancé sur ton docu sexe et société ?

Je ne sais pas pourquoi elle l'intitulait comme ça. Anyway ! (comme aurait dit mon producteur préféré !) Pascale avait une proposition à me faire. Et j'attendais depuis si longtemps.

— La donne va changer avec la nouvelle majorité. On parle de dépénaliser les drogues douces, on parle de pénaliser les clients pour protéger les prostituées. Bref, la direction veut qu'on soit prêts à imprimer un sujet. Ce sera au premier qui tirera.

Je lui racontai beaucoup, pas tout.

Seulement ce qui pouvait mettre mon travail en valeur. Je disposais de dizaines d'heures d'enregistrement, d'interviews en caméra cachée, des images sales, parfois glauques – comme ces nuits passées en compagnie de deux OPJ qui fréquentaient par nécessité la prostitution des boulevards extérieurs, sexualité sordide-toxicomanie-misère-argent facile-mort au bout du voyage, et les confidences d'un flic de la BRP (la brigade de répression du proxénétisme). Lui aussi m'avait embarquée dans sa voiture, à croire que ces gens-là ne vivent que dans leurs bagnoles, en me racontant sa version de la prostitution.

« Les réseaux sont en train de changer. Aujourd'hui, les filles savent ce qui se passe en Europe occidentale. Plus possible de leur faire croire qu'un vrai boulot les attend à Paris. Non, elles savent qu'elles vont tapiner. Mais elles croient que ce sera cool, qu'elles feront les poules de luxe. Elles ne sont pas préparées aux cadences qui les attendent ici. L'esclavage humain, ça concerne surtout les Africaines et les Asiatiques, plus tellement les filles de l'Est. Mais en gros, oui, il y a des butins prélevés sur la population. Et puis il existe aussi des endroits où les petites filles sont déflorées très jeunes et destinées à la prostitution. C'est comme ça, c'est culturel. Qu'est-ce que tu veux faire contre des mentalités pareilles ? Est-ce que tu te sens le droit de leur dire qu'ils agissent mal ? De quel droit tu le ferais ? Soit elles tapineront, soit elles crèveront de faim. Tu ferais quoi, toi, à leur place ? »

Ce flic était intelligent et terriblement désabusé. J'en ai pris pour mon grade d'Occidentale. Ça fait du bien, même quand ça fait mal.

C'est ce que j'ai dit à Pascale Faulx. Et je n'ai pu m'empêcher de lui lâcher que j'avais glané quelques infos intéressantes sur Herman Stalker et la mort de Moreau. Après tout, j'avais le droit d'en être fière.

— Stalker? L'affaire Moreau? Ah non, Lara. Ne va pas par là! Et puis tes reportages sur la prostitution des mineurs, c'est bien trop glauque, et ce n'est pas ce qui était convenu au départ! Tu te recentres sur ce qui intéresse les gens, le cul. Échangisme, pornographie, tendances SM, tu me fais un portrait d'une de ces agences qui facilitent les relations adultères. Et tu me trouves un couple prêt à témoigner. Ils pourront porter un masque. Mais en cuir, le masque!

Dieu avait parlé. ~~Il n'était pas question de produire un vrai travail de journalisme. On parlerait de ce que les gens attendaient, on parlerait de ce dont on avait déjà parlé des centaines de fois.~~

— Débrouille-toi pour que ce soit un peu sexy aussi. Les gens veulent du glamour!

Comme si la pornographie pouvait être glamour.

J'ai compris que si je voulais bosser pour *Century*, je ne décrocherais pas le Pulitzer. Mais ce reportage édulcoré façon Pascale Faulx me permettrait de me mettre en selle, il créerait un précédent, et surtout, il serait bien payé.

Toutefois, il me restait Arnault. S'il me prêtait du matériel de prise de vues miniaturisé, ce n'était pas uniquement pour mes beaux yeux. Il me faisait confiance et nous avions passé un deal.

Je décidai donc que je livrerais à *Century* un article convenu et légèrement croustillant, et que dans le même temps, je continuerais à tourner de quoi monter mon documentaire. (Je ne perdais pas complètement de vue mon objectif, trouver un moyen de rencontrer Herman Stalker.)

— Laisse la censure aux autres, Honey ! Si l'auteur se censure lui-même, alors où sera le plaisir du diffuseur ?

Arnault donnait le ton, un ton qui n'avait pas grand-chose en commun avec celui de Pascale Faulx :

— Pense aussi province. La France ne se résume pas à Paris, même si dans les faits, tout se passe ici. Il y a 55 millions de provinciaux qui ont envie de savoir ce qu'ils peuvent faire d'excitant dans leur coin.

D'un article sur les dérives sexuelles des Français, la demande déviait vers une source d'informations pratiques pour les consommateurs.

Ferme ta gueule, fais ce qu'on te dit, tu l'ouvriras quand tu auras fait tes preuves.

Ça, c'était mon commentaire personnel.

Pour le moment, le public de « Un samedi pas comme les autres » m'aimait bien. Mais ça ne faisait pas de moi une journaliste.

— Au fait, a ajouté Pascale Faulx, j'ai parlé de tes projets à Bruno Dessay, tu connais ? Et ça l'intéresse, figure-toi. (Le grand Bruno Dessay voulait travailler avec la scribouillarde, quel honneur !) Il sera ta caution, vu que c'est ton premier vrai article ! Et attention, je ne te parle pas d'une colonne, mais d'un quatre ou six pages en cahier central. Joue le jeu, et tu rentres dans la cour des grands.

62

— Les hyènes sont toujours là, maugréa **Arnault de Battz** en éteignant le moniteur du vidéophone. Et les chiens avec.

— Quand on attend son nonos, on ne va pas se promener, commenta Kipling, qui se tenait au plus près de la porte d'entrée.

Valentin aussi était là, ainsi que Solange Durieux. Seul Egon Zeller restait dans le salon, tentant de demeurer à l'écart des fenêtres et des téléobjectifs. Ça faisait deux jours qu'il n'avait pas mis le nez dehors.

— L'apollon a son sac ?

— Et sa couche est propre, soupira Valentin.

— Bon, on y va ?

La question d'Arnault de Battz n'en était pas une. Il fallait y aller, accompagner Valentin à la gare Montparnasse et permettre par la même occasion à Egon Zeller de rentrer chez lui. Kipling vérifierait qu'aucun journaliste ne restait devant la maison, et au besoin trouverait un remède au problème. Arnault de Battz et Kipling sortirent sur le perron tandis que Valentin s'arrêtait devant Solange.

— J'aurais aimé te connaître un peu plus, émit-il, une boule dans la gorge. C'était trop court.

Solange Durieux enlaça Valentin tout en repoussant la porte pour ne pas s'exposer.

— Tu parles comme un homme qui va mourir.

— Pourquoi tu pars?

— Je dois retourner aux States pour quelque temps.

Involontairement, Valentin se raidit et s'écarta de Solange.

— Tu vas tourner?

— Non, je me lance dans la production. Tu sais Valentin, j'ai bientôt 30 ans, il est temps que je pense à une nouvelle carrière.

— Sans doute, alors à bientôt? C'est sûr?

— Oui, c'est sûr, affirma Solange en enlaçant de nouveau Valentin. File maintenant, ne fais pas attendre Arnault.

Elle embrassa tendrement le jeune homme sur la joue.

— Merci, murmura-t-il à son oreille tout en respirant l'odeur de ses cheveux.

— On va retrouver Lara, répondit-elle, je te le promets.

Valentin s'écarta de Solange et ramassa son sac, désireux de cacher son trouble. Alors qu'il était sur le point d'ouvrir la porte, il franchit le mètre qui le séparait de Solange et lui vola un baiser.

Le contact des lèvres chaudes et douces de la jeune femme qui ne résista pas, lui provoqua aussitôt un début d'érection. Déstabilisé, Valentin fit volte-face et se précipita dehors où Arnault de Battz l'attendait.

— Eh bien! Tu fais attendre tata de Battz, mon chou? Tu n'as pas honte? Tout ça pour les beaux yeux d'une femme… Tout se perd!

Valentin se planta devant le producteur, l'air penaud.

— Je suis désolé, bafouilla-t-il. Vous me soutenez depuis le début et moi… je me suis comporté comme un vrai connard !

— Tu veux que je te dise, dans la vie, les meilleurs, ce ne sont pas ceux qui ont bon du premier coup, non. Non ! Toi, tu as un corps de brute et un cœur pur. Mais tu as grandi au milieu des rustres. Tu t'es mis à niveau en quelque sorte.

— Ça ne fait pas de moi un juste quand même ! Faut pas déconner !

Les lunettes de soleil d'Arnault de Battz se soulevèrent une fois encore.

— Mais il va bientôt me tutoyer, le petit péquenaud !

— Enfoiré ! s'amusa Valentin. Où est Egon ?

— Mon amoureux n'aime pas les adieux, rétorqua Arnault de Battz en ouvrant le portail. Allons-y, *the show must go on !*

Par-dessus le mur d'enceinte, on apercevait des voitures, des scooters sur le trottoir et une dizaine de silhouettes qui patientaient. Valentin sortit le premier.

Ce garçon est brillant, songea Arnault de Battz en emboîtant le pas de Valentin. *Sans cette vilaine hétérosexualité, il serait parfait.*

Kipling dévala les marches à la suite d'Arnault, le dépassa et posa sa main sur la poignée de la grille avant Valentin.

— Fais pas le con là-bas dans ton bled, conseilla-t-il au jeune homme. Tu as mon numéro. Je descends si tu as besoin.

— Je sais, assura Valentin.

Kipling ouvrit la grille, ce qui eut pour effet d'agiter les silhouettes aperçues plus tôt. Les journalistes convergèrent vers eux, micro à la main, caméra sur l'épaule, des questions plein la bouche.

Arnault de Battz et Valentin s'engouffrèrent dans l'Audi du producteur, Kipling écarta plusieurs personnes pour dégager le passage. À travers les vitres fermées, Valentin entendait les questions des journalistes. Des nouvelles de Lara Mendès ? L'enquête avançait-elle ? Allait-il se porter partie civile ? Comment allait sa grand-mère ?

À cette dernière question, Valentin ouvrit brutalement sa portière sur un cameraman de iTélé. Son geste rameuta tous les journalistes vers lui. Une forêt de micros et d'objectifs se tendirent sous son nez.

— Est-ce que ma grand-mère va bien ? Vous avez déjà oublié que c'est à cause d'un connard dans votre genre qu'elle est à l'hôpital !

Quelques commentaires fusèrent, et parmi eux l'idée que la liberté de la presse se nommait dorénavant le devoir d'information, la responsabilité du journalisme devant le peuple.

— Vous êtes responsables de mes couilles, messieurs-dames. Vous l'avez enregistrée celle-là ? Mettez-la au zapping, qu'elle fasse le tour du PAF. Les gens n'en ont rien à cirer de la santé de ma grand-mère. Et ils ont bien raison. Ils se préparent à regarder le Tour de France, c'est ça qu'ils font. Mais vous, les corbeaux, vous êtes responsables de la merde que vous balancez à la télé tous les jours. Des brasseurs de merde, c'est ça que vous êtes. Y'en a un parmi vous qui s'intéresse à ce qu'est devenue Lara ? Non, vous espérez sa mort, une mort bien glauque pour pleurer une consœur et nous en rajouter une tartine sur le devoir des journalistes. Tas de merde !

Rouge de colère, Valentin claqua la portière. L'Audi démarra sur les chapeaux de roues. Valentin eut le temps d'adresser un petit signe à Kipling. Du regard, il chercha la silhouette de Solange, en vain. Puis il ne vit plus que les allées du bois de Boulogne.

63

La sonnerie de son portable réveilla **Léon Castel** en sursaut. Il ne réalisa pas aussitôt où il se trouvait. Une fontaine à eau, une table couverte de dépliants médicaux, des murs crépis en jaune, quelques affiches vantant les méfaits du tabac, de l'alcool et des excès en tout genre, il était dans une des salles d'attente du troisième étage de l'hôpital Jean-Monnet.

Le soleil s'encadrait dans la vitre. Dans son rêve, il était un enfant, et un homme d'une force colossale au physique de Michel Simon essayait de l'enfermer dans un four réglé sur thermostat 8. Sa main se porta à son front inondé de sueur, puis descendit vers la poche de son pantalon.

— Mmmh… dit-il, la bouche pâteuse.

— Léon, ça mange des croquettes pour chat, les chiens ?

— Putain, Hervé, grogna Léon en se redressant sur le siège, il est quelle heure ?

— Il est 19 h 30 et le chien a faim.

— Quel chien ?

La réponse s'imposa aussitôt. Le chien avait débarqué avec Sookie, Sookie était partie chez JP et JP gisait un étage plus bas, en réanimation.

Léon raccrocha.

Isolé sur un îlot de sièges en métal posé au milieu de cet espace, il attendait depuis des heures.

Non, lui avait-on dit. Non, il ne verrait pas Sookie, et non, il n'en saurait pas davantage. Léon avait insisté, s'était irrité puis avait haussé le ton. Mais la réponse des médecins et des gendarmes n'avait pas changé d'un iota. On lui avait même conseillé de ne pas demeurer dans l'établissement afin de ne pas importuner la famille Dardelin.

Le maire était là, certains de ses amis, amies, des connaissances, le correspondant du journal local, deux gars de France 3, tous unis dans la tourmente, et presque tous unanimes pour condamner Sookie, et assurer qu'ils savaient des choses qui expliqueraient son geste.

Mais en réalité, personne ne savait.

Régulièrement, Léon changeait de position. L'assise était raide, inconfortable. En une autre occasion, il aurait porté le pet auprès de la direction, arguant qu'il est irrecevable de laisser s'asseoir des contribuables, pire, des citoyens, sur du matériel à peine digne d'un fast food. Mais Léon se taisait. C'est à peine s'il ressentait son inconfort comme une nuisance.

Il fut tiré de ses pensées par un cadre infirmier bienveillant.

— Votre fille ne se réveillera pas avant demain matin. Venez, j'ai quelques papiers à vous faire signer, après vous pourrez rentrer chez vous.

— Je ne peux pas juste la voir ?

— Non, monsieur, je suis désolé.

Léon poussa un profond soupir et suivit l'homme habillé de vert, les yeux fixés sur ses talons.

— Ta fille est placée en isolement, Léon, dit une voix dans son dos.

Léon soupira. Il n'aimait pas Rémy Lagrange et le gendarme le lui rendait bien.

— Je vous attends à l'accueil, glissa l'infirmier avant de s'éclipser.

— Merci monsieur, répondit Léon avant de se tourner vers le gendarme. Sookie n'est pas une criminelle. Arrêtez donc de la traiter comme telle !

— Ça reste à voir… JP est dans un sale état. Qu'est-ce qui s'est passé, bon Dieu ?

— Tu le sais mieux que moi, vous êtes toujours fourrés ensemble. Demande-lui !

— Léon, il a les mâchoires fracturées ! Merde !

— Tu m'emmerdes Lagrange, rétorqua Léon. Je ne suis pas venu là pour répondre à tes foutues questions.

— C'est grave, cette fois, lâcha le gendarme, très grave. Tu ferais mieux d'arrêter de faire le con.

— Jamais Sookie ne ferait du mal gratuitement.

— Visiblement, ce n'est pas la première fois qu'elle s'attaque à quelqu'un. Paraît-il qu'elle aurait agressé un suspect dimanche dernier. Une pauvre fille qui a passé une semaine à l'hosto. Elle est cinglée, Sookie, c'est tout !

Combien de temps je vais tenir chez mémé sans péter les plombs ?

C'est la question que **Valentin Mendès** se posait en quittant la zone du métro pour monter vers le grand hall de la gare Montparnasse. Arnault de Battz l'avait déposé dans le parking souterrain des Galeries Lafayette.

Un billet de deux cents euros en poche, Valentin avait acheté une casquette, une paire de lunettes de soleil et un grand sweat-shirt à capuche. Ainsi métamorphosé, le jeune homme s'était glissé dans la foule compacte de la rue La Fayette pour se rendre à pied jusqu'à la station Miromesnil. La ligne 13 le transporta en un quart d'heure jusqu'à la gare.

Il acheta un billet à une borne automatique, puis erra dans le hall. Son train ne partait pas avant une heure. Quelques instants, il tourna dans la zone où il avait attendu Lara dix jours plus tôt et s'installa à l'endroit où il s'était tenu à sa descente du train.

T'es content maintenant ? se tança-t-il. *Lara manque toujours à l'appel, Solange se casse à l'autre bout du monde, et toi t'es comme un con !*

Valentin n'en menait pas large. L'absence de Lara d'abord, le manque, l'angoisse du coup de fil qui annoncerait qu'on avait retrouvé son cadavre dans un fossé. À quoi ressemblerait sa vie après ça ? Il se sentait évincé, le petit retournait dans sa province calmer ses ardeurs.

Se préparer au deuil.

C'est vrai que Kipling et lui avaient merdé. Mais il n'arrivait pas à se le reprocher.

By any means necessary ! se répéta Valentin en plagiant les Black Panthers.

Et puis il y avait Solange.

Tandis qu'il observait la foule des voyageurs, une autre certitude s'imposa à lui : jamais plus il ne pourrait regarder une vidéo de Serena. Peut-être même plus de film porno tout court. Après ce qu'il avait appris sur les réseaux de prostitution, il n'était plus certain de bander en regardant une nana se faire défoncer par plusieurs types au regard vide. Par contre, Solange Durieux, son odeur, sa peau laiteuse, son chemisier tendu sur ses seins, tout en elle le rendait fou de désir.

L'arrivée d'un message de Bruno Dessay sur son smartphone interrompit ses réflexions, et le début d'embonpoint qui gagnait son entrejambe.

« Salut Valentin, je sais, j'ai tardé, mais il y a tellement de taf ! Bref, j'ai mis les rushes de Lara sur un serveur. Dis-moi où tu en es et si tu as besoin d'aide, n'hésite pas. Je te laisse transmettre tout ça aux flics. »

Suivait le lien vers le serveur en question.

En s'y connectant aussitôt, Valentin y trouva une dizaine de fichiers vidéo qu'il ouvrit les uns après les autres : quelques interviews sans grand intérêt, dont certaines n'avaient pas été menées par Lara, suivaient trois vidéos réalisées en caméra cachée dans les locaux d'un site de pornographie, et l'interview de deux OPJ sur les boulevards extérieurs et d'un flic de la BRP. Rien sur Ilya Kalinine ou l'affaire Moreau.

Valentin se sentit trahi. L'image de sa grand-mère alitée le pétrifia et il regarda son train partir sans bouger.

Le quai vide le ragaillardit. Mémé Carmela se trouvait entre les mains de médecins compétents, ses jours n'étaient pas en danger, et Valentin savait qu'elle appuierait sa démarche. « La famille, c'est sacré », grommelait-elle souvent.

Il ne fallait pas que les salopards s'en sortent. Pour Valentin, il était évident que Bruno Dessay gardait pour lui les images tournées par Lara. Il restait maintenant à les récupérer.

Un plan s'échafauda dans l'esprit du jeune homme. Il suffirait d'une toute petite dose de chance pour qu'il fonctionne.

Et la chance, Valentin le savait, ça se provoque.

65

Quand **Léon Castel** rentra chez lui un peu après
21 heures, il trouva Hervé Marin affalé sur le divan
en compagnie de Guernica. La télévision braillait les
commentaires édifiants d'une émission de téléréalité.

— Salut, l'accueillit Hervé, tu sais, j'ai pas de marmelade dans le crâne. C'est pas vrai.

— Sookie va bien, merci, grinça Léon. T'as
mangé ?

— Non, j'avais pas faim. On a goûté à 6 heures.

Léon supposa que ce « on » englobait Guernica.

— Et maintenant, t'as faim ?

Les lèvres d'Hervé s'étirèrent sur son sourire en partie édenté. Il se tourna vers la chienne, dont l'arrière-
train s'anima aussitôt.

— On a faim, Mouchou ? Moi oui, on mange quoi ?

— Je m'en occupe.

Léon battit en retraite dans la cuisine. Il ouvrit le
frigo, constata qu'il ne restait plus grand-chose et opta
pour une omelette au jambon.

Tout en battant les œufs, il songea à la conversation
qu'il avait eue avec sa fille la veille. Que lui avait-elle
raconté au juste ? Il était question d'une triple pendaison
suspecte, de bijoux cachés dans la maison des victimes,

bijoux disparus par la suite, de bagues d'identification pour bétail, de l'opposition très forte qu'elle avait rencontrée au sein de ses services, et d'une femme dont elle pensait qu'il serait plus sage que ce soit Léon qui la contacte. Mais elle n'avait pas mentionné la véritable raison de sa mise à pied qui, selon le gendarme Lagrange, était qu'elle avait agressé une suspecte.

— Dans quoi tu t'es fourrée, Sook ?

— C'est bon les œufs ? entonna la voix d'Hervé derrière lui. Qu'est-ce que tu fiches, traînée !

Léon haussa les épaules et leva les yeux au ciel. Hervé n'avait pas dû prendre son traitement de la journée. Il débuola dans la cuisine, Guernica sur les talons.

— Alors, ça vient ? répéta-t-il, hilare.

Léon posa la boîte des pilules du mercredi sur la table.

— S'il te plaît, Hervé, dit-il en contrôlant son ton, juste pour ce soir, prends tes cachets, mange en silence, et va regarder la télé. Je suis soucieux, tu comprends ? Ça n'a rien à voir avec toi, mais j'ai besoin de calme.

Hervé répondit « Pas de problème, mon capitaine, j'ai pas de marmelade dans le crâne ! », puis s'occupa de dresser le couvert sans plus faire de bruit pendant que l'omelette cuisait.

Léon resta un instant les yeux rivés sur sa poêle puis il en vida le contenu dans les assiettes, et s'abandonna à la peine qui, ce soir, il s'y attendait, ravagerait son cœur sans espoir d'apaisement.

Entre samedi 16 juin et mardi 19 juin

Entre mercredi 20 juin et vendredi 22 juin

Entre samedi 23 juin et lundi 25 juin

Mardi 26 juin

Mercredi 27 juin

Entre jeudi 28 juin et samedi 30 juin

Entre dimanche 1ᵉʳ juillet et lundi 2 juillet

Entre mardi 3 juillet et jeudi 5 juillet

Vendredi 6 juillet

Entre samedi 7 juillet et dimanche 8 juillet

Lundi 9 juillet

Mardi 10 juillet

Mercredi 11 juillet

Jeudi 12 juillet

Vendredi 13 juillet

Entre samedi 14 juillet et lundi 23 juillet

66

Allongée dans la grande salle du deuxième sous-sol entre deux panneaux de contreplaqué, **Lara Mendès** somnolait, son fusil et une canette de bière entamée à portée de main.

Au long des jours écoulés, la volonté de Lara avait peu à peu ployé. Le coin en métal avait disparu, la porte était retombée sur ses gonds, emportant toute possibilité d'accès au réfrigérateur. Son corps endolori avait crié grâce. Son tibia portait un vilain bleu qui avait viré au brun mauve en gonflant.

Lara ouvrit les yeux.

Un sentiment d'alerte s'empara d'elle. Cachée entre les deux parois de contreplaqué, la jeune femme se sentait à l'abri. Pourtant, elle venait d'être réveillée par un frottement, du côté de la porte. Était-il possible d'entrer dans le bunker sans qu'elle le sache? Ce silence bourdonnant, la sonorité particulière créée par le béton et l'humidité, elle les connaissait si bien à présent. Qu'y avait-il de changé?

Rien. À moins que…

Lara tendit l'oreille dans un silence écrasant.

— Y'a quelqu'un? Hé ho?

Soudain, les muscles de Lara se tétanisèrent et elle eut l'impression que chaque poil de son corps se dressait. Noire, parfaitement équilibrée avec ses huit pattes dressées comme autant de balanciers, une énorme araignée descendait du plafond.

Incapable de bouger, elle regarda l'araignée s'approcher du sol, puis s'y poser, entre ses jambes, à hauteur de son tibia blessé. Une fraction de seconde, la bestiole resta figée. Lara aurait juré qu'elle la fixait droit dans les yeux. Elle pensa qu'elle allait mourir dans d'atroces souffrances et qu'elle n'avait rien fait pour mériter ça.

L'araignée avançait vers l'entrejambe de Lara quand elle fut stoppée à mi-chemin par un éclair gris. Lara eut à peine le temps de reconnaître un rat tant l'animal fut prompt. Seuls restèrent dans son esprit les bruits des griffes sur le béton quand il disparut en emportant l'araignée dans sa gueule.

Lara se redressa d'un bond, renversa sa bière entamée et manqua faire tomber la feuille de contreplaqué.

— Quelle conne ! s'adressa-t-elle en hurlant. Mais quelle conne !

Lara s'éloigna vers le centre de la salle et s'accroupit.

— Me fais pas chier ! dit-elle en ricanant, on voit bien que t'as pas connu la guerre. Hein ! On n'apprend pas à survivre chez les bourgeois ! On n'apprend rien d'utile à l'école de la République. 2 × 2, ça fait combien ? Hein ?! Qu'est-ce qu'on en a à foutre à présent ? Et la capitale du Burkina Faso, tu sais où tu peux te la carrer, ta capitale de merde ?

L'éclat de rire qui s'ensuivit s'acheva dans un spasme. Lara se recroquevilla sur le sol et pleura longtemps, la tête posée sur les genoux.

— Qu'est-ce que tu pues, ma salope ! s'invectiva-t-elle en reniflant. Tu vas me faire une putain de candidose à t'en faire baver Glaxo Welcome. Merde, tu schlingues !

L'idée que la mort surgirait de l'intérieur d'elle-même fit se relever Lara. Elle se précipita au premier sous-sol sans prendre la peine d'emporter son fusil. Dans la cuisine, elle ouvrit la porte de la chambre froide, où elle récupéra le balai en s'interdisant de jeter un regard au cadavre congelé.

— Pardon, Pierre, dit-elle en défroissant la feuille où elle avait dessiné un visage. On est une équipe, j'aurais pas dû me mettre en colère.

Tant bien que mal, elle réussit à remboîter la brosse sur le manche, puis lissa les fibres désordonnées.

— J'ai compris la leçon, on n'en appelle pas aux dieux sans conséquence. Tu as raison, tu as toujours raison ! On fait quoi maintenant ? T'as…

Lara s'interrompit, les jambes tremblantes. Elle venait d'entendre un nouveau bruit. Et cette fois, il semblait venir de l'escalier.

67

La nuit de **Léon Castel** fut hantée par le souvenir de Valie, de Napoléon Bonaparte, de Sookie transformée en pirate à la jambe de bois, munie d'un marteau de Thor chargé d'écraser tous ceux qu'elle croisait, d'un doberman à deux têtes énormes. D'autres connaissances lui avaient rendu visite. Hervé Marin, une gamelle à la main, réclamait des croquettes et l'avait poursuivi jusqu'à ce qu'il vide le contenu de ses poches. Ange Lebœuf, le maire de Saint-Junien, rôda autour de la maison. D'une bourse en cuir, il sortit une poignée de graines qu'il planta à l'emplacement du vieux châtaignier. Les graines germèrent à vue d'œil, se transformèrent en une plante ligneuse d'une voracité inquiétante, sorte de haricot magique dont la floraison prit l'apparence de JP et de Rémy Lagrange.

Léon s'éveilla en nage. Sa main se posa à l'endroit où Valie avait dormi des années durant. Le drap était froid, le grand lit vide.

Il referma les yeux et chercha le réconfort du sommeil. Oublier était si tentant. Mais il en fut incapable. Son esprit traqua aussitôt les raisons du geste tragique de Sookie. Sa fille avait toujours été une solitaire. Elle passait son temps libre à traîner du côté des mines abandonnées, à s'inventer une vie alimentée par ses lectures. Léon l'avait initiée à la pêche. Ensemble, ils avaient randonné, marchant d'un bout à l'autre du jour, donnant des rendez-vous à Valie qui les rejoignait en voiture avec le déjeuner, ou le dîner quand ils dormaient à la belle étoile. C'étaient de beaux souvenirs…

Mais Léon avait beau se creuser les méninges, il n'envisageait pas le rôle de JP dans ce tableau idéal.

JP, l'enfant du pays, bien né, beau garçon, un corps d'athlète, courtisé, sa médaille de champion de France de natation exhibée sur le mur du bistrot du village. Un jour, il y aurait une rue à son nom, de préférence dans le cœur de Saint-Junien. Mais on ne baptisait les lieux publics qu'à la mort des gens…

Cette pensée fit sortir Léon de son lit. Il fallait qu'il agisse, qu'il vienne en aide à sa fille. Et pour ça, Léon devait comprendre pourquoi, à peine rentrée, Sookie était allée massacrer la gloire du pays.

« Chez Dédé » – ainsi appelait-on le dernier café de Saint-Junien pourtant baptisé « Charly Bar » – était composé d'une salle étroite s'enfonçant dans un bâtiment de la rue principale. En tout et pour tout, une demi-douzaine de tables étaient collées au mur de droite. C'est sur la gauche, au comptoir, qu'il fallait être, assis sur l'un des huit tabourets hauts, ou mieux, sur la banquette qui épousait l'arrondi du comptoir.

La salle était vide. Soulagé, Léon, qui avait patienté jusqu'à 8 h 30 pour éviter de croiser les ouvriers de l'usine à bois, la traversa et s'installa sur la banquette.

C'est là que Valie et lui avaient rencontré Hervé Marin, Romain et Annick Walter, et la plupart de leurs relations locales.

Dédé émergea d'une porte située derrière le comptoir. C'était un homme corpulent, avec des jambes épaisses et un gros postérieur qui bougeait en cadence. Il avait été sidérurgiste dans la vallée des « anges » et portait comme un étendard d'avoir, avec d'autres ouvriers, séquestré leur patron pendant une semaine. C'est même sur ce point qu'ils avaient sympathisé, Léon et lui. Après de copieuses prises de bec, évidemment.

— Salut, Léon, un café ?

— Un double.

Dédé s'affaira devant le percolateur. Ses cheveux grisonnants formaient un tas d'épis sur son crâne.

— J'ai pas la gale, dit Léon, t'es pas obligé de faire comme si.

Les gros doigts potelés de Dédé attrapèrent deux sucres, deux petites cuillers, puis s'emparèrent des soucoupes supportant tasses et accessoires pour les poser sur le comptoir.

— Paraît que c'est pas beau à voir, attaqua le patron du bistrot.

— Je sais pas, je n'ai pas vu JP.

— Moi non plus, remarque. C'est ce qu'on dit.

Léon manqua ajouter que si on le disait alors ce devait être vrai, mais il retint sa langue. Pour une fois, juste une fois, il garderait sa causticité pour lui. Pour apprendre quelque chose. Pour Sookie.

— Tu m'avais pas dit que ta fille arrivait.

— Tu connais les mômes, rétorqua Léon, passé 15 ans, ils n'en font qu'à leur tête.

Dédé avait une fille, à peine plus jeune que Sookie, qu'il ne voyait plus depuis qu'elle avait rejoint à Paris un fiancé dont la couleur de peau ne faisait pas bon ménage avec ses idées.

— C'est sûr, apprécia-t-il.

Pendant un moment, on n'entendit plus que le tintement des cuillers dans les tasses.

— Je ne comprends rien, murmura Léon. Sookie est arrivée avant-hier, on a déjeuné ensemble, tout allait bien.

— Je t'ai vu faire le mariole aux infos. Ils t'ont pas gardé, à ce que je vois.

— Le juge n'a pas voulu.

— Tous des rouges !

— Bah ! justement, pas celui-là. C'est pour emmerder le maire qu'il m'a relâché. Remarque, la prochaine fois, je suis bon comme la romaine.

— Tu crois pas qu'il a été coulant parce qu'il savait pour ta fille ?

— C'est bien possible. Même si je n'ai jamais entendu dire que les juges tranchaient pour des raisons humanistes.

Au fond de lui, Léon se doutait bien que le juge Courtois ne pouvait ignorer, au moment où ils s'étaient trouvés face à face, l'agression de Sookie sur JP.

— Ils ont eu une histoire y'a longtemps, JP et Sookie, lança subitement Dédé. C'est le Pierrot qui m'a dit ça ce matin. Tu savais pas ?

— C'est pas le genre de choses qu'une fille raconte à son père.

— Ben, moi je te le dis. Quand ils avaient 17 ou 18 ans. C'est pas vraiment une nouvelle fraîche, mais ça pourrait expliquer.

— Pas vingt ans plus tard ! opposa Léon. Tu te vois rendre visite à une nana d'il y a vingt piges pour exiger des comptes ?

— C'est pas pareil.

— Si, c'est pareil.

Dédé plongea le nez dans sa tasse.

— Le JP, il aurait profité des générosités de Sookie, après quoi, il ne lui aurait plus adressé la parole, émit-il l'air de rien. C'est ce qu'on dit au pays. Tu vois l'histoire ?

Léon grommela. Il n'aimait pas qu'on lui parle de la sexualité de sa fille.

— Mais pour hier, t'as entendu des choses ?

— Polope, rétorqua Dédé visiblement mal à l'aise. Personne n'a rien dit.

— Fais pas le con, dis-moi ce qu'il y a…

— C'est le débile. Y'en a qui disent qu'il rôdait dans le coin hier soir.

— Hervé ? Hervé Marin ?

Dédé hocha la tête.

— Il avait l'air bizarre. Il rasait les murs du côté de chez JP, si tu vois ce que je veux dire. Et après, il a couru chez toi comme un dératé. Lagrange et ses sbires ont voulu le faire sortir de sa tanière pour l'interroger, mais il n'a pas répondu. Tu devrais peut-être le cuisiner. Il est pas net, tout de même.

Léon fronça les sourcils. C'est vrai, Hervé n'avait pas pris son traitement la veille et semblait agité.

— Je vais voir ça, grinça Léon.

— Tu ne devrais pas le prendre chez toi. On lui paie ses allocs de taré avec nos impôts, il a un tuteur. Et puis, si tu veux savoir, il est capable du pire, celui-là.

— Dis-moi ?

— L'autre jour, je lui ai demandé de l'aide pour sortir une vieille cuisinière. Ben, il me l'a fait tomber sur les pieds exprès, et il s'est barré en rigolant comme un tordu.

68

Valentin Mendès se l'était promis, il ne différerait pas son retour à La Réole de plus de deux jours.

Seuls Egon Zeller et sa tante étaient dans la confidence. Arnault de Battz le pensait dans ses pénates, il l'avait même appelé la veille, et Valentin s'était fendu d'un gros mensonge.

Assis sur un banc, Valentin patientait. Pour une fois, Bruno Dessay était arrivé à l'heure au rendez-vous. Le jeune homme l'avait regardé s'installer à la terrasse du Hard Rock Café, sortir son ordinateur portable de sa sacoche et fumer deux cigarettes, en jetant de réguliers coups d'œil sur sa montre. Le retard que Valentin prenait intentionnellement faisait partie du plan. L'arrivée surprise d'Egon Zeller aussi, mais plus tard.

Lorsqu'il l'avait appelé la veille, depuis la gare, le comédien avait admis qu'il avait un doute sur le bien-fondé du départ de Valentin. En dehors de visiter sa grand-mère à l'hôpital, qu'allait-il donc faire dans sa campagne, pendant que les recherches sur la disparition de Lara s'enlisaient ? Alors, quand Valentin lui avait demandé de l'héberger, le temps qu'il piège l'ordinateur de Bruno Dessay, dont il était certain qu'il contenait tout le travail de Lara, Egon Zeller n'avait pas hésité.

« Je suis d'accord, on peut être sournois, pourquoi pas fourbe, mais pas malhonnête. J'ai une idée ! »

Le comédien avait fait envoyer une voiture de maître à Valentin, tout excité de se retrouver dans une limousine pour la première fois, puis ils avaient partagé un repas commandé chez Fauchon, livré à l'appartement d'Egon où ils avaient fomenté leur plan.

Comment attirer Bruno Dessay, et l'éloigner de son ordinateur quelques minutes ? Rien de plus simple, surtout avec la complicité du comédien. Ils avaient beaucoup ri, et s'étaient félicités de ce qu'ils préparaient au journaliste.

Puis ils passèrent à autre chose. Totalement ignorant du monde du cinéma, Valentin interrogea Egon sur sa vie d'acteur, les plateaux de tournage, les paillettes, le quotidien d'une star. Egon lui raconta les intrigues, les enjeux d'argent, les mesquineries de carriéristes et aussi la chance formidable qu'il avait eue en embrassant cette profession qui fascinait tant de gens.

« Vous n'êtes pas capricieux, encore moins distant, ce doit être rare dans le milieu, non ?

— Je ne le suis pas avec ceux que j'aime, avait répondu Egon en souriant. Mais je peux te dire qu'avec le reste du monde, je suis une vraie saloperie ! C'est le seul moyen de ne pas te faire bouffer tout cru. »

Le jeune homme et le comédien échangèrent sur leurs goûts divers et Egon s'aperçut que, du septième art, Valentin ne connaissait que *Le Seigneur des anneaux,* les blockbusters de superhéros ou les films de Tarantino.

Alors il lui proposa *Citizen Kane* sur son écran géant.

« Tu ne peux pas dire que tu aimes le cinéma si tu n'as pas vu ce film ! Et ne soupire pas parce que c'est en noir et blanc. Dis-toi qu'Orson Welles a réalisé ce chef-d'œuvre à 25 ans. Tu te rends compte ? Il a commencé par accoucher du film qui aurait dû couronner sa carrière. D'ailleurs, ça lui a été fatal ! »

Valentin apprécia le film, ils en débattirent, se couchèrent tard et prirent un petit déjeuner sur la terrasse, avec vue sur les vignes de Montmartre. Le comédien avait spécialement commandé du chocolat et des viennoiseries chez Laurent Duchêne, un pâtissier du 13e.

« Rien ne vaut les croissants parisiens ! Tu ne peux pas rentrer chez toi sans les avoir goûtés ! »

Quand son retard atteignit dix minutes, Valentin adressa un SMS à Bruno Dessay, puis traversa le boulevard pour le rejoindre.

— Désolé, je me suis encore viandé dans le métro !

— Fais comme moi, rétorqua le journaliste en désignant son casque de moto, utilise un scooter.

Non, on ne met pas son poing dans la gueule de son beauf ! songea Valentin en s'installant à ses côtés.

— Cette fois, j'ai surveillé mes arrières, poursuivit Bruno Dessay, aucun paparazzi ne m'a suivi. Tu sais, toute cette histoire va retomber très vite, c'est l'avantage et l'inconvénient de l'actualité. Il y a cent dépêches par heure. Remarque, dans notre cas, ça nous arrange plutôt bien.

C'est ça, tu vas me faire croire que tu n'y es pour rien dans la sortie des photos dans les torche-culs.

— J'ai pas les moyens de m'offrir un scooter, répondit finalement Valentin, et puis je redescends dans le Sud-Ouest cet après-midi.

— J'ai appris pour ta grand-mère. C'est con, hein ? Comment elle va ?

— Les médecins ont l'air confiants. Au fait, merci pour ton mail.

— J'ai transmis les mêmes documents à la cellule de flics chargés d'enquêter sur la disparition de ta sœur.

« Ta sœur ». Valentin se persuada que si Lara avait véritablement compté pour lui, alors il aurait utilisé son prénom.

— Dis-moi, ajouta le journaliste en allumant une cigarette, je n'ai pas trouvé de commandant Lambert au 36, quai des Orfèvres. Tu es certain du nom ?

— Je sais pas, marmonna le jeune homme. Peut-être, peut-être pas.

— Peu importe, j'ai tout transmis au capitaine Budzinski, le responsable de la cellule. Mais je ne crois pas que cela puisse leur être très utile. Lara en était aux prémices de son docu. Il n'y a pas grand-chose à en tirer.

— C'est vraiment tout ce qu'elle avait ? Y'a rien d'exceptionnel, là-dedans. Rien qui justifie un enlèvement…

— Je suis d'accord, et franchement, plus le temps passe, plus je doute que sa disparition ait un rapport avec son enquête. Je pencherais plutôt pour un des tarés qui faisaient partie de la soirée Stalker. Pierre Budzinski m'a confirmé qu'ils interrogeaient des dizaines de types qui auraient pu la croiser là-bas.

Tandis qu'il commandait un café, Valentin vit avec jubilation la limousine d'Egon Zeller se garer le long du trottoir.

— Et puis j'ai l'impression qu'ils n'ont toujours pas abandonné l'idée qu'elle soit partie sur un coup de tête.

Valentin soupira d'agacement. Ce type osait tout. Il devenait difficile de garder son sang-froid.

Tiens bon, encore quelques minutes et tu te casses !

Le jeune homme suivit du regard l'élégante silhouette d'Egon Zeller qui traversait la terrasse du Hard Rock Café. Aux tables voisines, les conversations s'étaient arrêtées. On murmurait, on s'ébaudissait de l'arrivée d'une star du grand écran.

— C'est qui ? Pourquoi ils sont tous comme des fous ?

— Merde, c'est Zeller ! s'exclama Bruno Dessay en se dressant sur sa chaise. On s'est déjà croisés à deux ou trois cocktails. Tu veux que je te le présente ?

— Laisse tomber, ça ferait sûrement plaisir à ma grand-mère, mais moi, les has-been, c'est pas trop mon truc.

— Ce mec n'est pas du tout has-been, Valentin ! C'est un monstre sacré ! T'es sûr, tu ne veux pas m'accompagner ?

— Laisse tomber.

— OK, alors tu gardes un œil sur mes affaires ?

— Les deux.

Bruno Dessay se leva et disparut dans le sillage du comédien, déjà sollicité par des admirateurs. Immédiatement, Valentin glissa une clé USB dans l'un des ports de l'ordinateur et double-cliqua sur le fichier 007-spy software qui démarra automatiquement, pénétra le système et effaça toute trace de son installation. La manipulation demanda quelques minutes à Valentin, minutes qui lui parurent une éternité.

Les yeux rivés sur Bruno Dessay et Egon Zeller qui échangeaient quelques mots dans la salle, il récupéra sa clé USB et sucra son café qu'un serveur venait de déposer sur la table.

Bruno Dessay le rejoignit quelques instants plus tard.

— Zeller se souvenait de moi, dit-il sur un ton empreint de fatuité. Je lui ai proposé de faire un portrait de lui dans un prochain numéro de *Century*, Pascale sera ravie.

— Cool. Si ça se fait, tu m'en passeras un exemplaire, la mémé sera contente.

— Tu sais, murmura Bruno en allumant une nouvelle cigarette, j'ai fait passer le portrait de Lara dans toutes les rédactions de province que je connais, j'ai beaucoup d'amis qui font bouger leurs réseaux. Grâce à toi, et à ce que tu as fait sur Internet, les gens se mobilisent. Il ne faut pas voir que la presse people, il y a de nombreux journalistes qui se sentent concernés, dans les régions. Ils font des appels à témoins, si quelqu'un a vu quelque chose, on le saura.

— Ouais…

— Je sais que c'est dur, mais tiens le coup, crois-moi, on va la retrouver.

— Merci, dit Valentin avant d'avaler son café. Merci pour ce que tu fais, c'est cool. Bon, maintenant faut que j'y aille. Manquerait plus que je rate mon train.

69

De retour chez lui, pendant qu'Hervé dormait, Léon Castel profita du calme pour farfouiller dans les affaires de famille entassées à la cave. À court d'idées, il avait imaginé que si Sookie et JP avaient connu une amourette, alors cela devait se voir sur les photos de classe ou sur les films de fêtes de fin d'année.

Hervé Marin, que le bruit avait réveillé, se joignit à lui. Et le bougre s'y connaissait pour retourner un intérieur. Mais après une demi-heure de fouille infructueuse, Léon se mit en quête des clés de voiture de Sookie qu'il trouva sous les papiers du vide-poche de l'entrée.

Le coffre livra deux sacs, une paire de pataugas, du matériel de bivouac ; l'habitacle, une carte bancaire, un sac en plastique avec trois boîtes de pâtée pour chien, une collection de bouteilles d'eau vides au pied de la banquette arrière. Léon s'assit au volant tandis qu'Hervé rôdait sur le trottoir. La chaleur était encore douce. L'ombre de la maison reculait lentement. Bientôt, l'endroit se transformerait en fournaise.

— Tu dors ? dit la voix d'Hervé tout à côté de lui.

— Dis-moi, qu'est-ce que tu fichais autour de chez JP, l'autre soir ?

Hervé fronça le nez.

— J'étais pas là-bas. J'aurais jamais laissé la maison toute seule, tu m'as interdit !

— Hervé ? Des gens t'ont vu, pas la peine de mentir !

— Ils disent toujours des choses méchantes, mais toi, tu sais que c'est pas vrai.

— C'est important, insista Léon. Si tu as vu quelque chose, tu dois m'en parler.

Hervé secoua la tête d'un air buté.

— J'ai rien à dire, dit-il en tournant les talons.

Léon regarda la silhouette d'Hervé disparaître dans sa maison, Guernica sur les talons.

— Toi, tu ne perds rien pour attendre ! s'écria-t-il. Mais qu'est-ce qui t'est arrivé, ma Sookinette ? ajouta-t-il en posant ses mains sur le volant.

The answer, my friend, is blowin' in the wind.

— Sale gosse !

La main de Léon quitta le volant pour attraper le portable de Sookie, coincé dans le vide-poche du tableau de bord. Sur l'écran, une icône enveloppe clignotait.

Tu n'aimeras pas ça, mais je suis prêt à me faire engueuler, songea Léon, comme s'il s'apprêtait à commettre un sacrilège.

Huit messages attendaient Sookie, dont quatre d'Erwan Guenarec qui s'excusait d'abord, s'inquiétait de ne pas avoir de nouvelles, et finissait par demander de rappeler quand elle aurait fini de bouder. Ensuite venait le message d'une certaine Bettie Henriot. Celle-ci confirmait que « tout se déroulait à merveille avec qui elle savait ».

Deux numéros masqués avaient raccroché sans laisser de message, et le dernier provenant d'un contact sobrement enregistré « Craven » datait de la veille : une voix de ténor assurait Sookie de son aide en cas de problème et soutenait qu'une mise à pied, c'était un bon moment pour faire le point sur ses véritables motivations.

Léon fut remué quand il s'aperçut qu'il avait oublié de prévenir Erwan. Aussi rejoignit-il son domicile, sacs de Sookie en main, pour le contacter sans plus tarder.

Léon fut reçu avec froideur. Lui et Erwan s'étaient croisés à deux occasions et le courant n'était pas vraiment passé.

— C'est quand même dingue que vous ne pensiez à me prévenir qu'en bout de course, s'insurgea Erwan Guenarec quand Léon lui eut appris l'hospitalisation de Sookie, vous ne pensez à me prévenir que quand vous entendez parler de moi ! Vous êtes complètement égocentré et narcissique.

Égocentré, Léon l'était et l'assumait. Mais narcissique, il ne fallait pas pousser. Il attendit qu'Erwan Guenarec vide son sac, expliqua qu'il n'avait pas encore eu le droit de voir Sookie, et qu'il cherchait à en savoir plus sur les raisons de sa mise à pied.

— Elle s'obstinait sur cette enquête, et c'est visiblement ce qui a poussé son chef à la mettre au vert. Mais je n'arrive pas à croire qu'elle ait vrillé à cause de ça. Il y a forcément autre chose. Écoutez, je suis d'astreinte les trois prochains jours, mais appelez-moi dès qu'elle est visible. Je me débrouillerai pour être là.

Léon se sentait à fleur de peau, incapable de supporter les bruits de balle, les aboiements et les cris enthousiastes d'Hervé depuis le jardin.

À peine avait-il raccroché qu'il prit un nouvel appel sur le portable de Sookie.

— Monsieur Castel, juge Rodolphe Craven à l'appareil. C'est difficile de vous avoir au téléphone. A-t-on idée de se mettre sur liste rouge !

Rodolphe Craven connaissait les dernières nouvelles entourant le retour de Sookie dans les Vosges. Il voulait juste assurer Léon qu'il pourrait compter sur lui en cas de besoin.

— Faites en sorte que je puisse la voir, demanda Léon.

Le magistrat assura qu'il ferait son possible, Léon remercia, expédia son interlocuteur et s'isola dans son bureau.

D'ordinaire, il lui suffisait d'allumer son ordinateur pour se trouver une occupation, mais là, Léon ne s'en sentit pas la force. Demain, il réagirait, demain il relèverait la tête. Mais pas aujourd'hui. Léon avait envie de se cacher dans un coin douillet et de s'y endormir pour longtemps.

Hier, avant-hier, et tous les jours qui s'étaient succédé depuis la mort de Valie, Léon avait fait le con aussi souvent que possible et s'était occupé des autres. Là, il n'y arrivait plus.

70

Une torche enflammée dans une main, et trois en réserve dans l'autre, **Lara Mendès** avançait dans la nuit souterraine, son fusil en bandoulière.

Dans la cage d'escalier qui conduisait au quatrième sous-sol, une odeur d'excréments la prit à la gorge. Lara se pinça le nez, elle avait elle-même quotidiennement vidé son seau d'aisance à cet endroit. Parvenue sur la dalle, elle hésita. Elle n'était descendue qu'une fois. Ce qui en sourdait l'avait fait déguerpir.

Cette fois, la pestilence l'empêchait de ressentir l'atmosphère du lieu. Il n'en restait qu'un souvenir désagréable, que Lara repoussa pour éviter de flancher à nouveau.

Un sas séparait la cage d'escalier du reste du niveau. Il suffisait de le franchir.

Un petit pas pour l'homme...

— Hello! Y'a quelqu'un?

Au-delà du sas, un vide insondable terrifia Lara. Le niveau n'était pas agencé comme les autres. On aurait dit que le sol partait en pente douce.

— Vas-y crevette, s'encouragea-t-elle. Qu'est-ce que tu veux qu'il y ait?

La mort, voilà ce qu'il peut y avoir.

— La mort, c'est juste la fin de la vie, rien d'autre.

Et si tu te trompais ?

D'un coup, Lara avança de plusieurs pas dans l'espace obscur. Elle s'arrêta, éleva la torche au-dessus d'elle et s'écria :

— Si je me trompe, c'est le moment de vous jeter sur moi !

Elle attendit, immobile.

— Voilà, grosse débile ! Il n'y a personne. T'es rassurée ? On peut y aller ?

Ses yeux allaient du sol au plafond, scrutaient les profondeurs de la nuit que la torche enflammée ne perçait que sur deux à trois mètres. Rapidement, elle gagna une paroi qu'elle s'employa à longer.

On ne bâtit pas en pente pour rien.

— Pourquoi alors ?

Fais appel à ton imagination.

— Pierre, s'agaça Lara, ce n'est pas le moment de jouer aux devinettes.

Un effort !

— Si tu m'emmerdes, je fais revenir la pleureuse et on va être dans de beaux draps, toi et moi. Ça te dit de rester coincé ici avec mademoiselle-je-pleurniche ?

Le visage de Lara se durcit au point de s'enlaidir. Elle posa l'extrémité de sa torche sur le mur et avança, laissant sur la paroi une traînée noirâtre.

Ingénieux, le coup du petit Poucet !

— Ta gueule !

Une vingtaine de mètres plus loin, Lara s'arrêta. Il y avait quelque chose à la périphérie de la zone éclairée, une masse tapie sur le sol, ramassée comme un animal sur le point de bondir.

— Non ! vociféra Lara pour refouler sa peur.

Deux pas lui suffirent pour comprendre de quoi il s'agissait. De gros tuyaux en fonte sortaient du sol, montaient vers le plafond pour se couder à mi-chemin et redescendre vers le béton, où ils disparaissaient. Elle observa la direction que semblaient prendre ces tuyaux et la suivit jusqu'à une fosse partiellement occupée par une grande cuve. Une forte odeur de pourriture s'en dégageait. Dans la poussière qui recouvrait la cuve, des empreintes de chaussures étaient clairement visibles.

Pourquoi bâtir en pente ?

— Picrre, ce n'est vraiment pas le moment.

Les tuyaux derrière toi, c'était quoi ?

— Je t'ai dit que je m'en foutais.

Un siphon...

— Les petites marionnettes !

Amusant.

— Qu'est-ce qu'il y a de si important à voir ici ? cria Lara en remuant sa torche de droite et de gauche. Qu'est-ce que j'en ai à foutre de savoir si les nazis avaient inventé la fosse septique ?

Bien, tu as compris.

— J'ai compris que je vais me barrer. Ça pue la mort ici.

Lara enjamba le vide qui la séparait de la cuve et prit pied dessus. Ses chaussettes en soie glissaient sur les tuyaux, rendant l'exercice périlleux.

Devant elle se trouvait la paroi du fond du bunker. Sur sa gauche, la cuve mesurait une dizaine de mètres. Elle alla jusqu'à son extrémité pour constater qu'un vide obscur la prolongeait. Lara détourna le visage. La puanteur provenait de là.

Elle alluma une nouvelle torche et jeta la première qui toucha le fond de la fosse après une dizaine de mètres de chute. Lara distingua des formes sur le sol, et repéra une ouverture dans le mur, desservie par une échelle métallique et une petite plate-forme. Son cœur pourtant déjà soumis à rude épreuve accéléra encore.

— Pierre, t'es génial.

J'ai bâti cet endroit.

— N'empêche, ça fait soixante-dix ans. Tu aurais pu oublier.

Lara s'engagea sur l'échelle, vérifiant la résistance de chaque barreau et poursuivit sa descente jusqu'à la plate-forme, qui grinça sous son poids. L'odeur de pourriture augmenta.

En prenant en compte la hauteur de chaque étage et l'épaisseur de béton des planchers, Lara estima qu'elle devait se trouver à une profondeur de 30 à 35 mètres. Cette ouverture dans la paroi ne pouvait la mener nulle part, à moins que le blockhaus ne soit construit le long d'une falaise.

Le passage étroit et bas de plafond l'obligea à marcher courbée. Il partait en diagonale sur quatre mètres, puis tournait à angle droit. Lara le suivit et s'immobilisa soudain.

Ses pieds venaient d'entrer en contact avec une matière veloutée et mouillée. Instinctivement, Lara abaissa sa torche. C'était de la mousse végétale. Son regard partit alors au-dessus d'elle. Le plafond était percé d'une demi-douzaine de trous, espacés d'un mètre. Quatre d'entre eux se coudaient, mais le dernier partait droit dans le béton, remontait trente mètres d'obscurité jusqu'à la lumière du jour. En se plaçant dessous, Lara reçut en même temps la caresse d'un jour lointain et des gouttes d'eau.

Les conduits étaient bien trop petits pour qu'elle s'y introduise, mais entrevoir cette lumière fut un tel choc qu'elle ne sut tout d'abord si elle en était heureuse ou accablée. Dans un deuxième temps, elle comprit qu'en plaçant un récipient sous ces conduits, elle ne manquerait pas d'eau, à moins d'une sécheresse en surface.

— Merci, Pierre, souffla Lara dans un murmure.

C'est le secret, tu dois tenir, garder Lara au fond de toi, pour la laisser ressortir quand ce sera fini. Ne jamais perdre espoir.

Lara demeura sous la pluie, laissant l'eau inonder son visage. Elle entrouvrit son loden, souleva sa tunique de fortune et frotta sa gorge, ses seins et son ventre crasseux. Dieu que c'était bon ! Lara aurait pu rester là longtemps, si la flamme vacillante de la deuxième torche ne l'avait rappelée à l'ordre.

Elle retourna sur la plate-forme et posa le pied sur l'échelle. Ce barreau, qu'elle n'avait pas utilisé lors de sa descente, céda sous son poids. Pour se rattraper, Lara laissa échapper ses torches, qui chutèrent au fond de la fosse, et s'agrippa à deux mains aux montants.

En contrebas, la flamme brûlait sur le sol, dispensant une clarté suffisante pour que Lara distingue la base de l'échelle. La jeune femme se hâta, malgré la puanteur qui s'intensifiait.

Le fond de la fosse était recouvert d'une matière friable, blanchâtre, d'où émergeait un crâne humain. De la peau parcheminée sur l'os, des cheveux longs et clairs.

D'autres ossements affleuraient, d'autres crânes, d'autres chevelures par dizaines.

71

D'ordinaire, pour **Valentin Mendès**, un vendredi aurait dû être, sinon un jour de fête, du moins un préambule de farniente au week-end à venir. Au lieu de ça, il se morfondait dans le pavillon de sa grand-mère. Après avoir tourné en rond, il avait téléphoné à Egon Zeller pour l'informer de la suite de leur affaire de hacking sur l'ordinateur de Bruno Dessay. Depuis leur stratagème de la veille, ils s'étaient déjà appelés plusieurs fois, plaisantant de ce qu'ils pourraient découvrir en piratant le journaliste.

« Pour une fois que c'est une star qui espionne un journaliste et pas le contraire, j'espère qu'on tombera sur un scoop ! »

En attendant que Bruno Dessay se connecte – l'ordinateur était branché sur un établi crasseux –, Valentin démontait pour la centième fois la vieille ER 80 qui avait appartenu à son père.

La lettre W suivie d'un 3 de plus petite taille était peinte sur le guidon et le carter, et tout le monde dans la famille appelait la vieille bécane : « *double V trois* ». Mais ce nom, choisi par René, le père de Valentin, était aussi mystérieux que la mécanique de la moto capricieuse.

Pourtant, les pièces du moteur, Valentin aurait été capable de les assembler les yeux fermés, si on lui avait demandé. S'il restait quelqu'un dans cette maison pour lui adresser la parole. Mais Lara s'était volatilisée et la mémé était encore hospitalisée. « C'est un AVC », commentaire laconique de l'interne de garde que Valentin avait vu en coup de vent la veille. « La paralysie faciale peut disparaître, comme elle peut rester en l'état ou s'accentuer. » En gros, le toubib ne savait rien. Valentin trouvait gonflé d'énoncer des absurdités pareilles avec un tel aplomb.

En entrant dans sa chambre, il avait été rassuré : « Œil de faucon », comme Lara et lui avaient surnommé leur grand-mère, avait encore des difficultés à parler, mais elle veillait. Son œil brun-noir toujours aux aguets – capable, croyaient-ils quand ils étaient enfants, de voir à travers les murs.

— Ça sent le vieux ici, avait critiqué Valentin en ouvrant la fenêtre.

Il était 19 heures quand il abaissa la barrière de sécurité du lit et s'assit à côté de la vieille dame.

— Ils ne s'occupent pas bien de toi, soupira-t-il en rectifiant la position d'une mèche de cheveux rebelle. Et ils m'ont pas dit quand tu rentreras à la maison.

Un ton plus bas, il confia :

— Emmerde-les comme tu sais faire, mémé, ils te mettront à la porte d'ici deux jours !

Le visage de la vieille femme sourit d'un seul côté. Pour ne pas craquer, Valentin se lança dans l'évocation de moments heureux avec Lara.

Le demi-sourire de la mémé avait déformé encore plus son visage parcheminé. Laide, mais heureuse, au moins pour un temps.

Le moteur de W3 tournait au petit poil. C'est son grand-père qui lui avait transmis le goût de la mécanique. À l'âge où d'ordinaire on aime réaliser des puzzles, le pépé avait pris Valentin dans son atelier pour lui apprendre à penser en trois dimensions.

Cette bécane qui ne dépassait pas les 70 km/h était un trésor aux yeux du jeune homme, une sorte de talisman que les Mendès se seraient transmis de père en fils, si les choses avaient été différentes.

Un instant, Valentin songea l'enfourcher pour aller faire un tour, mais le cœur n'y était pas. Qu'allait-il courir les bois ou les bords de Garonne, alors que Lara était…

Au plus profond de lui, une lueur persistait. Valentin ignorait si un lien immatériel les connectait ou s'il se refusait à admettre l'inacceptable.

Désœuvré, le jeune homme s'assit à côté de la moto. Ses potes de rugby étaient partis en stage d'une semaine à Béziers. Ils n'en reviendraient pas avant trois jours. Leur présence lui aurait fait du bien, surtout celle de Gaultier avec lequel il partageait tout depuis le primaire.

La tête penchée vers le sol, Valentin regarda ses mains couvertes de graisse de moteur. Il se maudissait de se transformer peu à peu en une baudruche pleine de larmes.

— Retrouver la crevette ! C'est le seul moyen, maugréa-t-il dans le silence du sous-sol.

C'était plus facile à dire qu'à faire, surtout depuis qu'il était revenu à La Réole. L'absence d'Arnault de Battz et d'Egon Zeller lui pesait. Et Solange ? Ces gens

qu'il connaissait à peine avaient pris une telle importance dans sa vie.

Valentin hurla sa rage, frappa du poing sur le sol,
s'arrêta de respirer, rien n'y fit. Alors il laissa faire.
Après tout, il était seul. Il pleura sur son sort, sa solitude, la perte des femmes qui comptaient, son impuissance. Surtout sur son impuissance.

72

Installé dans le fond de la salle du bar où il avait ses habitudes, **Arnault de Battz** contemplait les reflets d'une lampe à quartz dans les glaçons de son verre. Il lui restait au mieux deux gorgées de whisky et il s'était promis qu'il n'en commanderait pas un deuxième.

Pour lui, le samedi n'était pas un jour comme les autres. C'était le jour de l'émission en direct, le paroxysme du stress dans son métier. La veille des emmerdes. Ces derniers mois, l'audience avait légèrement augmenté. Il fallait que ça dure. Il en allait de la reconduction de l'émission sur la grille de septembre.

Perdu dans ses pensées, il releva les yeux et vit Herman Stalker flanqué de deux gardes du corps se planter devant sa table.

— J'en ai pour deux minutes, prévint Stalker en s'asseyant d'autorité.

— Je ne suis pas certain de les avoir. Prenez plutôt rendez-vous avec mon secrétariat.

— Nous allons nous parler entre hommes, persifla Herman Stalker en repoussant d'un geste un serveur venu prendre sa commande, si vous êtes capable de tenir ce rôle.

— Vil flatteur !

— La publicité est bonne pour les affaires, poursuivit Stalker, le regard rivé dans celui d'Arnault, mais celle dont je fais l'objet ces derniers temps, non.

— On dit que tout est bon à prendre tant qu'on parle de vous.

— Depuis que le frère de votre petite chroniqueuse a balancé sur Twitter, j'ai reçu la visite du capitaine Budzinski, ce nom ne doit pas vous être étranger?! Ce flicaillon a réquisitionné le fichier clients de ma soirée, vous entendez? Réquisition! On ne réquisitionne pas Herman Stalker! J'ai dû plier devant la loi. Conséquence, certains de mes clients ont été entendus par les flics et ça, c'est très mauvais pour les affaires. En outre, je suis inondé de messages des défenseurs de votre chroniqueuse. On me calomnie sur le Net et ça m'agace…

— On récolte souvent ce qu'on a semé.

Herman Stalker posa ses coudes sur la table et frotta ses paumes l'une contre l'autre.

— On ne joue plus, Herr Battz! gronda-t-il. Je viens d'apprendre que le jeune Mendès s'en est pris à l'un de mes amis, et lui a dérobé des enregistrements importants.

— Un ami? Parce qu'il vous en reste?

— Inutile de faire la maligne!

— J'ignore de quoi vous voulez parler, rétorqua Arnault de Battz. Et je vous déconseille de vous en prendre à ce gamin.

— Vous êtes pathétique, le coupa Herman Stalker. Mais vous êtes tous pathétiques. Niez les évidences si ça vous chante, ça ne sauvera pas le petit cul de votre nouvelle coqueluche.

— Vous devriez aller raconter ça au capitaine Budzinski, monsieur Stalker. Moi, ça me laisse de marbre.

— La suite vous titillera davantage. Je vais donc placer entre vos mains habiles un marché on ne peut plus honnête : soit vous récupérez ces enregistrements, détruisez les copies, et me remettez les originaux, soit je déploie tous mes réseaux pour que votre carrière de producteur s'arrête net.

— Si vous avez du temps à perdre…

— Ça n'est pas le cas de votre gonzesse ! rétorqua Herman Stalker avec un sourire cruel. Imaginez les titres : Egon Zeller est une pauvre folle !

Herman Stalker se leva.

— Fin de l'ultimatum, demain à midi, précisa-t-il.

Abasourdi par la violence de l'entretien, Arnault de Battz regarda Stalker rejoindre ses molosses, puis quitter le bar.

Cela faisait plus de trente ans qu'Egon Zeller mentait pour épargner sa carrière d'acteur de charme. Il avait tout fait pour étouffer ses penchants, même se marier trois fois. La naissance de son fils, Aymon, ne l'avait pas rapproché de sa seconde épouse. Pire, il affirmait qu'il n'avait vu en elle que le ventre qui lui avait permis d'être père.

Arnault de Battz était certain qu'Egon se leurrait. Ce n'est pas sa carrière qui le poussait à agir ainsi, mais seulement son incapacité à assumer socialement son homosexualité. Les raisons étaient complexes, intimement liées à son éducation, surtout à l'image sacrée de son père, alors que ce dernier était mort depuis de nombreuses années. Un père résolument homophobe et intransigeant.

Tout le monde devrait se foutre de savoir qui fait quoi avec son cul, songea Arnault, *tant que les gens sont consentants.*

Il rompit sa promesse et commanda un deuxième verre de whisky.

— *In vino veritas,* déclara-t-il en levant son verre pour porter un toast vers la salle. Et advienne que pourra !

73

Lara Mendès patienta un long moment avant de bouger, les yeux fixés sur les crânes luisant doucement à la lueur de la torche qui achevait de se consumer. Quelques étincelles firent grésiller des cheveux.

Puis elle bondit sur l'échelle et gagna le rebord de la cuve. L'escalier se trouvait à l'extrémité de cette salle maudite. Elle s'élança, les jambes tremblantes, et retrouva les marches qui la conduisirent à la lumière chiche des néons du troisième niveau.

Son ventre, tordu par de violents spasmes, ne cessait de se soulever, l'obligeant à s'arrêter plusieurs fois. Quand elle put enfin regagner le premier niveau, elle vomit dans un seau, et se rinça la bouche avec une gorgée de lait.

Puis elle se rendit auprès du balai.

— Pierre ?

Lara attendit sans un geste que l'objet lui réponde.

— Pierre ! insista-t-elle en élevant la voix. Pourquoi tu m'as envoyée là-bas ? Pourquoi ?

Je n'existe pas.

— C'est faux ! Pourquoi t'as fait ça ?

Je suis le fruit de ton imagination.

— Non ! hurla Lara au bord des larmes. Je ne savais pas pour la pente, je ne savais pas pour le siphon ! Si

c'est pas une preuve, qu'est-ce qu'il te faut? Pierre?
Pierre!

Lara tendit l'oreille, inquiète.

— Pierre?

Pierre est mort, Lara.

— T'es qui, toi?

Moi, je suis toi.

— La pleurnicheuse! Tu veux ma mort, sale pute!

Accepte-toi, Lara, telle que tu es, telle que je suis.

— Va te faire foutre! Je ne veux plus être seule, tu
entends! Bruno, t'es où? Bruno! Brunoooo!!!!!

Lara envoya valdinguer le balai et courut se jeter
aux pieds de la jeune fille congelée dans la chambre
froide.

— Toi, au moins, lui murmura-t-elle, t'es sympa.
Oui, t'es cool comme une petite sœur. J'aurais aimé
avoir une petite sœur. Je ne dis pas que Valentin – c'est
mon frangin – c'est pas un bon gosse. Mais tu sais, une
fille, c'est pas pareil. Tu ne pourrais pas me dire ton
prénom, maintenant qu'on se connaît un peu mieux?
Moi, c'est Lara.

74

En raccrochant, **Valentin Mendès** ne savait pas s'il était soulagé. Mémé Carmela quittait l'hôpital le lendemain à midi. Dans l'esprit du jeune homme, un signal d'alarme retentit. Il lui restait moins de vingt-quatre heures pour mettre un peu d'ordre dans la maison, et surtout le potager.

Pour éviter la chaleur trop vive à cette heure, il commença par l'intérieur. Il rangea le foutoir de la cuisine, passa un coup d'aspirateur dans le couloir et enleva au chiffon la poussière du salon. Sa chambre ne concernait que lui, mémé n'y rentrait plus depuis des années. Régulièrement, il jetait un coup d'œil vers son ordinateur. Mais à chaque fois il constatait la même chose : Bruno Dessay ne s'était toujours pas connecté.

À 19 heures, il gagna le jardin et constata l'état de flétrissure du potager de sa grand-mère. À l'abri, la température devait avoisiner les quarante degrés. Les pieds de tomates faisaient grise mine, le basilic agonisait et les chères salades de mémé Carmela ne tarderaient plus à rendre l'âme.

— Putain, Val, tu crains !

Deux heures durant, il arrosa les plantes, arracha les mauvaises herbes, sua sous une chaleur qui tardait à redescendre vers des niveaux acceptables. Cette activité lui permit de se défouler, ce qu'il n'avait pas fait depuis trop longtemps. Quand il remonta dans la maison, avec l'intention de se glisser sous une douche fraîche, Valentin s'arrêta devant son portable. Un message l'avertit que son logiciel espion était au travail. Bruno Dessay s'était enfin connecté.

Valentin oublia la sueur qui le couvrait de la tête aux pieds et cette sensation de picotements qui agaçait sa peau, et s'installa derrière son écran pour accéder au disque dur de Bruno.

— Qu'est-ce que t'as foutu depuis hier mon salaud ? gronda-t-il.

Bruno était abonné à la Française des jeux, il jouait aussi au poker en ligne, s'était renseigné plusieurs fois sur la météo au cours des dernières vingt-quatre heures et avait consulté divers organismes de presse et l'AFP. Actuellement, il faisait une recherche sur le site de l'INA. Valentin ne chercha pas à en connaître la teneur. Il farfouilla dans les dossiers, au hasard, puis repéra ceux qui avaient été récemment archivés. C'est de cette manière qu'il découvrit les documents que Bruno Dessay avait pris à Lara.

Au total, il y avait une trentaine de fichiers vidéo. Valentin jugea plus prudent de les rapatrier sur son portable, au cas où le journaliste se déconnecterait.

Valentin réduisit le bureau virtuel de Bruno Dessay à une fenêtre qu'il glissa en bas de son écran, puis lança la copie des fichiers.

Une barre lui annonça qu'il en aurait pour une dizaine de minutes.

Après une douche rapide durant laquelle il se masturba en pensant à Solange, il s'installa sur son lit, l'ordinateur sur les genoux, et ouvrit un premier fichier dans un dossier intitulé « Wilma ». Il s'agissait d'une interview réalisée quelques mois plus tôt par Lara. Elle-même n'était pas à l'image, mais on entendait sa voix, ses rires, et cela provoqua une profonde tristesse chez Valentin. La personne interviewée, Wilma, était une ancienne call-girl qui dirigeait un site de strip-tease en direct. Dans un deuxième fichier associé au premier, Valentin découvrit les box de strip-tease, avec de jeunes et aguichantes jeunes femmes qui travaillaient face à une webcam.

Une vive excitation gagna l'entrejambe de Valentin. Ces filles étaient très sexy et savaient y faire. Il regarda la vidéo jusqu'au bout, puis lança la troisième et dernière vidéo de ce dossier, intitulée « Practice ».

Son cœur fit un bond dans sa poitrine et son premier réflexe fut de refermer le clapet de son PC.

Puis il le rouvrit, les mains tremblantes.

La femme sur l'écran n'était autre que Lara.

Lara en sous-vêtements, allongée dans un des box, le visage à peine caché derrière un loup. Elle parlait avec un internaute d'une voix qu'il ne lui connaissait pas et bientôt, Valentin comprit qu'elle allait se caresser pour lui. Il interrompit aussitôt la lecture puis en ouvrit un autre.

Cette fois, le fichier n'avait pas été nommé. Il ne comportait qu'une date. Valentin cliqua au hasard et le referma après une poignée de secondes.

Lara, nue parmi d'autres corps, pratiquait une fellation à Bruno Dessay tandis qu'une femme en plein coït les observait. Au cadre de travers et au son de médiocre qualité, Valentin comprit que les images provenaient d'une caméra cachée installée au cours d'une partouze.

Décontenancé, Valentin repoussa l'ordinateur au pied de son lit et attrapa son téléphone. Il fit dérouler le menu répertoire et s'arrêta sur le numéro de Solange Durieux puis composa un SMS.

« J'aurais préféré que tu ne sois pas partie. Ça craint ici. »

Il attendit un long moment, les yeux rivés sur son ordinateur, prêt à l'éteindre, à oublier. Puis il rouvrit son PC et le posa sur ses genoux.

S'il voulait être certain que ces fichiers ne comportaient pas une information sur le ravisseur de Lara, il devait les regarder, tous sans exception. Les regarder, et les écouter.

C'est donc ce qu'il fit. En tout, il y avait six heures de visionnage, et pour éprouvante que fut cette tâche, Valentin s'en acquitta jusqu'au bout, réalisant un peu plus à chaque nouveau fichier pourquoi Bruno Dessay avait préféré ne pas les transmettre à la police.

Et encore moins à lui.

75

« Un monde de porcs et d'assassins, par Lara Mendès, partie 5 »

Bruno s'impliquait pas mal dans le projet depuis que Pascale Faulx nous avait présentés, et nous finissions souvent la soirée ensemble, à travailler. Au fil des jours, je le trouvais bien moins orgueilleux et suffisant qu'il paraissait. Au contraire. Il était sans cesse à l'écoute de mes idées, et ne tentait jamais de prendre la main sur le papier. Il était là pour m'épauler, pas pour me diriger.

Comme je n'étais plus seule pour mener à bien le projet pour *Century*, j'ai repris mes recherches sur Moreau, en tentant de contacter le journaliste qui avait fourni la liste de ses clients à la presse, juste après le meurtre. Puisque Herman Stalker refusait de me recevoir, d'autres accepteraient peut-être ! Mais là aussi, je me heurtais à un mur. Bruno, à qui je parlai de cette idée, me proposa de faire fonctionner ses réseaux à son tour. En vain.

Décidément, comprendre l'affaire Moreau, c'était comme grimper l'Everest sans oxygène. Et Pascale Faulx nous rappelait sans cesse que si nous voulions nos six pages, il fallait respecter les délais.

Lorsque j'informai Bruno que j'avais l'intention d'infiltrer le lieu de tournage d'un site où les filles s'effeuillent en direct, il a aussitôt proposé de m'accompagner. (Visiblement, il me rejoignait sur un point essentiel : pour séduire Pascale Faulx, il fallait des faits croustillants.)

Nous avons rencontré Wilma, une ex-prostituée de luxe ~~(honnêtement, en dehors du prix que ces filles touchent à chaque passe, je n'ai jamais compris cette idée de « pute de luxe »)~~ reconvertie en chef d'entreprise. Un site Internet, des box, des webcams et des filles pour se déshabiller, se masturber, voire utiliser des accessoires.

— Mon activité n'a rien de choquant, a confirmé Wilma.

J'écris « confirmé » parce que cette belle quadra n'avait cessé de nous l'assurer tout au long de notre entretien.

— Elles n'ont jamais de partenaire ? a demandé Bruno.

— La loi l'interdit, a répondu Wilma.

— Sans ça, vous le feriez, je suppose, ai-je dit.

Wilma me fit cette réponse que je n'attendais pas :

— Le sexe ne devrait jamais être une activité solitaire. Je n'irai pas jusqu'à dire que les sociétés comme la mienne font œuvre de salubrité publique, mais elles contribuent à amoindrir les frustrations du quotidien. Je parle des hommes, bien entendu. Les femmes sont faites d'un autre bois.

Nous avons filmé ces entretiens en caméra cachée et assisté aux séances d'effeuillage en direct. Les filles étaient toutes joliment faites et j'ai eu le sentiment qu'aucune ne travaillait contrainte et forcée.

— Tu ne veux pas essayer ? m'a proposé Wilma. C'est très excitant de te caresser alors que des inconnus te matent.

Je déclinai l'invitation pour l'accepter la fois suivante, sur l'insistance de Bruno. Selon lui, les filles accepteraient mieux mes questions si je partageais pour un moment leur quotidien.

Je dois admettre qu'il avait raison, et que l'expérience fut intéressante, une fois la gêne initiale passée. Intéressante et troublante. Petit bémol, je couvris mes yeux d'un loup, ce qui, d'après Bruno, me rendait encore plus craquante.

(Aujourd'hui, dans mon bunker, l'idée même de me caresser devant un homme m'est intolérable, qu'il soit anonyme ou qu'il s'appelle Bruno.)

C'est à cette époque que Bruno et moi sommes devenus amants. Je nourrissais à son égard une forme d'admiration professionnelle, et il avait quinze ans de plus que moi. Pas la peine de faire un dessin, je ne voulais partager son lit ni par opportunisme ni par fanatisme, et encore moins entamer une quête du père.

On a craqué un soir où nous visionnions les films de mon effeuillage chez Wilma, en évoquant notre attirance mutuelle et les emmerdements que ça pourrait provoquer, les ragots, le quotidien – il réalisait une série de documentaires pour Canal 9 – et ce genre de choses. Il ne m'avait d'ailleurs pas caché qu'il couchait avec Pascale Faulx depuis près de vingt ans, tout en écartant l'idée qu'il la quittait pour moi.

« C'est une amie avec qui je m'éclate au lit. Pas d'engagement, pas de jalousie, on se voit quand on en a envie. Avec toi, c'est pas pareil. »

Quelques jours plus tard, Wilma reconnut que des sites comparables au sien outrepassaient allègrement les interdits légaux en Belgique, en Allemagne et surtout dans les anciens États du bloc soviétique, et nous communiqua quelques noms. À nous de nous faire une opinion.

— Là, vous allez entrer dans la pornographie pure et dure. Et vous risquez de ramer longtemps avant d'obtenir un contact.

Le soir même, avec Bruno, carte bancaire en main, nous nous sommes connectés. Nous avons choisi une fille et lui avons demandé de se déshabiller en musique, ce qu'elle a fait. Puis Bruno lui a commandé un partenaire masculin (au maximum, c'était trois en même temps) et nous avons eu droit à notre séquence porno en direct.

À tout moment, nous pouvions intervenir, demander une position particulière, ou payer pour l'utilisation d'objets divers. Nous nous sommes masqués, puis avons branché la webcam pour qu'ils nous regardent aussi. Au début, j'étais honteuse, gênée, et Bruno, terriblement excité. Mais il m'a convaincue avec beaucoup de douceur. Pour comprendre, il fallait nous immerger totalement dans le milieu, comprendre ce que ressentaient les clients comme je l'avais déjà expérimenté avec les filles de Wilma. Finalement, je dois avouer que lorsque je suis parvenue à dépasser ma pudeur, j'ai trouvé ça plutôt émoustillant.

C'est à ce moment-là que j'ai compris que ces pratiques devaient rapporter un maximum.

Depuis l'avènement d'Internet et de la pornographie à la carte, les relations amoureuses ont changé. Beaucoup de jeunes gens sont devenus inaptes au flirt ou à la drague par exemple, ils veulent tout, tout de suite. Pourquoi sortir, risquer de prendre un râteau alors que pour le prix d'un resto, on peut avoir une fille à disposition, une fille qui accepte tout sans rechigner. Dans mes pérégrinations chez Wilma, j'ai pu tchater avec un jeune homme qui avouait ne plus être capable de sortir avec une fille « en vrai », un autre qui ne supportait plus qu'une femme ait des défauts physiques ou refuse la sodomie, un autre encore, incapable de bander sans une image porno. Peut-être suis-je en plein dans le cliché, je dois avouer que je ne me suis pas encore vraiment attardée sur le versant « client » de mon article, mais j'ai vu comment Internet ouvrait la porte à des pratiques que beaucoup d'entre nous n'auraient jamais testées ailleurs que dans l'intimité d'un appartement, avec une facilité déconcertante.

Bien décidés à avoir l'image la plus précise des dernières modes en matière de sexe, Bruno et moi avons visité d'autres sites dont Wilma nous avait donné l'adresse. Et nous n'avons pas tardé à découvrir qu'il en existe où les filles sont violées et battues en direct, en fonction du bon vouloir des clients.

Des sites où celui qui mène le jeu doit débourser cinq mille euros cash et peut choisir d'ouvrir ses fantasmes à un ou plusieurs voyeurs moyennant quelques centaines d'euros.

Au libellé de la séance en cours : « je te taillade la chatte au cutter et je te baise après », nous n'avons pas eu le courage de nous connecter.

Mais nous avons aussitôt communiqué l'URL aux autorités (et appris sans surprise que ce site était sous surveillance depuis un bail mais qu'il était impossible de localiser les lieux de tournage) et nous nous sommes soûlés avec un fond de whisky.

« C'est horrible », ne cessait de répéter Bruno.

De nos jours, on dit « c'est horrible » quand on veut dire que quelque chose n'est pas terrible. On dit génial pour dire d'accord. Mais là, je peux l'affirmer, c'était vraiment horrible.

Ce soir-là, Bruno m'a proposé de dénoncer ces pratiques dégueulasses plutôt que d'écrire un article dans le glamour. Pour lui, soudain, la pornographie n'avait plus rien de sexy.

Il m'a encouragée. « Pas question d'abandonner ton projet de documentaire pour servir une soupe fadasse à Pascale et à *Century.* »

J'ai accepté. De toute façon, un remake d'articles déjà parus dans différents hebdos féminins au cours des cinq ans passés, ça n'était pas vraiment mon ambition première.

Bruno m'a convaincue de jouer avec lui aux amateurs de pornographie. À force de nouer des contacts, on arriverait bien à s'immiscer dans ce milieu sordide. J'étais horrifiée, mais déterminée et prête à prendre des risques.

Alors oui, nous avons fréquenté les boîtes échangistes avec une caméra cachée, filmé une dominatrice, assisté à l'humiliation d'un masochiste – j'ai rarement été en présence d'une situation aussi grotesque – et participé à d'étranges soirées dans des hôtels particuliers, où tous les convives étaient nus et masqués, et où il nous est arrivé de faire l'amour en public pour ne pas nous faire repérer. Nous y mettions tant d'entrain que nul n'aurait pu deviner que nous étions des journalistes en sous-marin !

Ainsi, nous avons commencé à comprendre le fonctionnement de ces réseaux de prostitution, d'escorts, devrais-je dire, qui fournissent des filles (ou garçons) lors de ces soirées branchées un peu spéciales, et à repérer quelques clients célèbres – parmi eux, Hubert Oury, le secrétaire d'État aux Transports, Adrien Danault, le célèbre industriel et un émir du Qatar dont j'ai oublié le nom —, enfin, des proxénètes, comme le fameux « Momo la raclure » dont on a entendu parler dans l'affaire du Hilton. Néanmoins, nous étions encore loin du monde d'extrême violence entrevu sur le Net, ou des fillettes abusées par Moreau…

Pourquoi n'ai-je pas été étonnée de rencontrer, quelques semaines plus tard, lors d'une de ces soirées un peu spéciales, le fameux Herman Stalker, et d'apprendre qu'il acceptait enfin mon invitation à l'émission « Un samedi pas comme les autres » ?

Entre samedi 16 juin et mardi 19 juin

Entre mercredi 20 juin et vendredi 22 juin

Entre samedi 23 juin et lundi 25 juin

Mardi 26 juin

Mercredi 27 juin

Entre jeudi 28 juin et samedi 30 juin

Entre dimanche 1er juillet et lundi 2 juillet

Entre mardi 3 juillet et jeudi 5 juillet

Vendredi 6 juillet

Entre samedi 7 juillet et dimanche 8 juillet

Lundi 9 juillet

Mardi 10 juillet

Mercredi 11 juillet

Jeudi 12 juillet

Vendredi 13 juillet

Entre samedi 14 juillet et lundi 23 juillet

76

Pour **Egon Zeller**, ce dimanche serait à marquer d'une pierre blanche. Il venait d'achever la lecture d'un nouveau script. Depuis quelques années, on ne lui proposait plus que des rôles insipides, des caricatures de bellâtres, des personnages sans profondeur qui servaient au mieux une action convenue. Cette fois, le comédien sentait que le vent pouvait tourner. Le script était bon, le rôle consistant, l'histoire passionnante, adaptée de faits réels.

Il jouerait le rôle d'un flic flirtant avec la cinquantaine – ce qui lui permettrait de ne pas trop tricher sur son âge réel –, revenu de tout, et qui allait risquer le peu qui lui restait pour sauver un jeune père tombé dans les filets d'un effrayant psychopathe, dresseur d'hommes. Il n'y aurait pas d'histoire d'amour, pas même de flirt, et son rôle finissait mal. C'était peut-être l'occasion d'une sortie en beauté. Oui, l'idée lui plaisait. Son dernier film, dans lequel son personnage et lui en tant qu'acteur disparaîtraient. Que ferait-il ensuite ? Après tout, 56 ans, c'était de nos jours le début de la jeunesse des vieux.

— Qu'importe ! siffla-t-il en tournant dans la rue de la Roquette, qu'il remonta jusqu'à la place de la Bastille, où il héla un taxi. Neuilly, indiqua-t-il au chauffeur.

Il appela Arnault, étonné de ne pas avoir reçu de ses nouvelles, et lui laissa un message. Puis il passa un rapide coup de fil à Valentin qui décrocha aussitôt.

— Bonjour le petit !

— Bonjour Egon.

— Alors, toujours à jouer les espions devant l'ordinateur de qui tu sais ?

— Oui, et rien à l'horizon, grinça Valentin. Je commence à croire que ce type n'est pas aussi malhonnête que ça.

— Tu le détestes à ce point ?

— Oh, je ne sais pas trop. Disons que je ne lui fais pas vraiment confiance.

— C'est toujours difficile d'imaginer sa grande sœur dans les bras d'un homme, surtout quand elle a joué un rôle aussi important que Lara !

— Vous croyez ?

— Je l'imagine. Mais peut-être aussi que Bruno est trop suffisant ou sûr de lui pour être vraiment sympathique. Ce qui n'en fait pas un mauvais homme. Il doit avoir des qualités, Lara l'a choisi, non ?

— Mouais. En fait, ajouta Valentin après un silence, si, j'ai trouvé des trucs…

— Oui ? Tu veux en parler ?

— J'en sais rien.

— Quelque chose qui pourrait aider les policiers ?

Valentin renifla.

— Non. Mais… il y avait des vidéos, des trucs intimes. Des trucs que j'aurais jamais dû voir.

— Merde… Je suis désolé.

— Pourquoi ? Vous n'y êtes pour rien !

— Je n'aurais peut-être pas dû t'encourager.

— Ça m'apprendra à fouiner dans la vie des gens, c'est bien fait pour ma gueule.

— Ne dis pas ça. Au moins, tu sais pourquoi Bruno Dessay a menti. Même si je présume que voir ces vidéos t'a fichu un coup. N'oublie pas, si Lara est ta sœur, c'est une femme avant tout.

— Je sais pas. C'est pas mes affaires, mais je ne l'imaginais pas comme ça. Sa sexualité, quoi. Elle ne me parlait jamais de rien.

— Quand Aymon avait 16 ans, je l'ai surpris au lit avec deux copines. Je peux te dire que j'étais chamboulé. Bien plus que lui. Et j'ai dû me faire à l'idée que mon garçon devenait un homme, et que ce n'était pas mon problème. Malheureusement, lorsqu'il a découvert mon homosexualité, il l'a tellement mal pris qu'il a commencé à boire et à se droguer. Avoir un père pédé, ça fichait tout son univers en l'air. Et je n'ai pas su lui parler, j'étais mortifié, dans le déni. Et tu sais comment tout ça s'est terminé. Il faut accepter les autres comme ils sont, c'est important! Mince, je fais un peu vieux con, là, non?

— Non… Je suis content de vous en avoir parlé. Voilà. On change de sujet maintenant?

— Tu es certain?

— Oui.

— Alors, comment va ta grand-mère?

— Mieux, elle rentre à midi, et rien qu'à cette idée, j'étouffe déjà.

— Tu dois rester auprès d'elle. C'est mieux. Tu sais, ici, il ne se passe pas grand-chose. Le commandant Lambert passe son temps à fouiner, Arnault travaille du matin au soir et moi, j'ai un nouveau rôle à préparer.

— Je vais crever si je reste tout seul à La Réole, insista Valentin. Elle en a vu d'autres, la mémé. Elle n'a pas besoin de moi.

— Je verrai avec Arnault si tu peux remonter quelques jours quand Carmela ira mieux. En attendant, prends soin d'elle, veux-tu ?

— Ouais.

— Allez, mon petit, je dois raccrocher maintenant. Je t'embrasse fort. Prends soin de toi.

— Merci, Egon.

En arrivant aux abords de la villa, Egon Zeller traversa l'avenue Charcot et se promena sur le chemin qui serpentait parmi des pins maritimes, les sens aux aguets. Après quelques minutes, il se fustigea. Aucun paparazzi ne rôdait dans les parages, il devenait parano.

Quand il eut refermé la porte du jardin, il se sentit plus à l'aise. Il grimpa les marches, heureux de voir l'Audi stationnée dans l'allée.

— Battz ! héla Egon Zeller en traversant le salon.

Il gagna la cuisine, où il prit une bouteille de champagne au réfrigérateur, puis attrapa deux flûtes, et descendit au jardin. Ils avaient fait l'amour des dizaines de fois sur la banquette à l'abri du saule, où la frondaison retombe jusqu'au sol. C'est bien là qu'Egon Zeller comptait entraîner Arnault.

Il le trouva au bord de la piscine, immobile, appuyé sur le manche télescopique de l'épuisette d'entretien, le regard perdu sur la surface de l'eau.

— L'émission n'est pas reconduite, annonça Arnault de Battz d'une voix sombre.

— Qu'est-ce que tu veux dire ?

— Ces petits cons tout droit sortis d'HEC me jettent comme une vieille merde, voilà ce que ça veut dire !

— Ils ne peuvent pas te prévenir comme ça, en juillet pour septembre, glissa Egon en retirant des mains d'Arnault la barre d'aluminium qui les séparait.

— Si, la prochaine sera la dernière.

Egon Zeller enlaça son ami, qui déposa un énorme soupir sur son épaule.

— Tu vas rebondir. Tu as toujours su le faire.

— Je n'ai plus la niaque, chéri. Je me suis battu toute ma vie, et je pourrais encore le faire si j'avais des arguments. Mais en face, c'est arbitraire, du copinage à la noix. L'émission saute et c'est tout. Elle sera remplacée au pied levé par une connerie. Ils n'en ont rien à foutre. Tout ce qui compte, c'est d'emballer les pages de pub. C'est ça la télé d'aujourd'hui, du vent et des pubs.

La main d'Egon monta dans la chevelure d'Arnault et ses doigts massèrent son crâne.

Décidément, pensa-t-il, *il est plus que temps de prendre le large.*

Egon Zeller savait que pour Arnault, enterrer « Un samedi pas comme les autres » revenait à enterrer aussi Lara.

77

Sur la demande du vigile, **Léon Castel** exhiba son passeport en priant pour que son nom ait été rayé de la liste des indésirables. Léon avait sévi à Ravenel quelques années plus tôt.

Il s'agissait d'une affaire de tutelle, un cas patent de collusion entre un des chefs de service, le docteur Mariani, et la famille d'un malade. Prévenu par le conjoint du patient, Léon avait porté l'affaire jusque devant les portes de l'établissement, organisant une sorte de piquet de grève. L'opiniâtreté des fidèles avait fini par attirer un journaliste de France 3, et la tutelle avait été levée.

Depuis, Léon et sa « confrérie des emmerdeurs » étaient interdits de séjour au centre hospitalier de Ravenel.

Le vigile voulut savoir si Léon était déjà venu.

— Jamais.

Il posa un plan sur le comptoir de sa guérite, entoura au feutre rouge un carré où était inscrit « Camille Claudel », puis traça le chemin qu'il faudrait emprunter pour rallier ce pavillon à partir du poste de garde.

— Les visites se terminent à 17 heures.

Léon acquiesça et s'éloigna vers l'intérieur du domaine. Il laissa sur sa droite le bâtiment principal, dédié à l'administration, un corps central épaulé de deux ailes entourant un jardin à la française. Le pavillon Camille-Claudel se trouvait quelques centaines de mètres plus loin.

Installé sur la commune de Mirecourt, à mi-chemin entre Épinal et Nancy, l'hôpital de Ravenel était un exemple de l'architecture psychiatrique îlotière du début du XXe siècle. Des dizaines d'hectares de parc permettaient d'oublier ce qui se déroulait au sein des pavillons édifiés selon un plan qui représentait depuis le ciel un oiseau en vol plané.

Quel pignouf a pu pondre une idée aussi perfide ?

C'est chez Dédé, un peu plus tôt, que Léon avait appris la nouvelle, entre autres ragots : JP avait repris connaissance, et Sookie avait été transférée chez les fous.

Léon remonta la route étroite et rectiligne jusqu'au pavillon Camille-Claudel et se présenta, en nage, au bureau des infirmiers. Un aréopage de blouses bleues le reçut aimablement. Il semblait que la pause déjeuner avait duré plus que de coutume. On fêtait un départ à la retraite. Léon eut droit à une part de gâteau, qu'il emporta dans une salle réservée aux familles où il patienta quelques minutes.

— C'est très inhabituel, monsieur Castel, dit l'infirmier en chef dès qu'il entra dans la salle, d'habitude, les autorisations de visite ne sont jamais octroyées avant que les patients soient stabilisés.

Léon remercia muettement Rodolphe Craven qui était intervenu auprès du magistrat chargé de l'instruction.

— Comment va Sookie ?

Une ombre passa sur les traits du soignant dont l'insigne informait qu'il s'appelait Baptiste Grandidier.

— Nous l'avons placée sous un protocole lourd. C'est souvent une image des proches que les familles n'aiment pas emporter.

Léon tenta de visualiser sa fille sous l'emprise de puissants neuroleptiques. Des cas similaires, il en avait vu. Lenteur des déplacements, regard absent, difficulté d'expression orale, incohérence des propos, tics et bave aux lèvres. Il lui était impossible de faire coller ce tableau avec Sookie.

— Quoi qu'il en soit, comme l'autorisation de visite a été délivrée…

L'esprit pétrifié d'appréhension, Léon emboîta le pas à l'infirmier. Ils retournèrent dans le hall d'entrée, puis franchirent une porte à serrure électrique. Une odeur d'urine et de détergent saisit le nez de Léon. C'était désagréable au point qu'il porta une main à ses narines, puis la retira et se força à respirer discrètement par la bouche.

— C'est au premier, expliqua Baptiste Grandidier en conduisant Léon vers un escalier aux marches recouvertes d'une matière souple. Les nouveaux n'ont pas d'autorisation de sortie, alors ils sont placés dans les étages. Ça simplifie le travail des équipes.

Les « nouveaux ». Le mot glaça le sang de Léon. S'il était question de nouveaux pensionnaires, cela signifiait qu'il y avait les anciens. Et même de très anciens « prisonniers » des protocoles psychiatriques.

Quand il franchit une seconde serrure électrique, Léon eut l'impression de pénétrer à l'intérieur d'une prison. Le sas leur livra un couloir de la longueur du bâtiment. D'un côté, une dizaine de portes, ajourées d'un carreau en verre blindé, de l'autre, le local de garde des infirmiers, des toilettes, un bloc sanitaire et une salle de soins.

Une fenêtre, grillagée à l'intérieur, jetait sur le couloir une lumière insatisfaisante pour le visiteur. Insatisfaisante pour Léon, qui n'eut qu'une envie : fuir cet endroit.

Ses pieds le menèrent malgré lui jusqu'à l'avant-dernière porte du couloir. Peinte du même bleu que celui de la porte du local aux documents dans la cave à Saint-Junien, elle portait le numéro 8.

L'infirmier choisit une clé dans son lourd trousseau et ouvrit.

L'odeur frappa Léon de plein fouet. Il n'était plus question de relent d'urine ou de détergent, mais d'excréments.

Incapable de faire un geste, Léon resta sur le pas de la porte tandis que Baptiste Grandidier traversait la pièce pour ouvrir une fenêtre à guillotine, elle aussi cadenassée.

La chambre était longue, une dizaine de mètres, et étroite. Avec son haut plafond, les proportions de la pièce évoquaient un cercueil géant.

— Ce n'est pas pour nuire aux familles qu'on les empêche de voir les patients, expliqua-t-il en revenant vers Léon, mais autant leur éviter une épreuve inutile. C'est vraiment étonnant que le docteur Mariani ait donné son accord. D'habitude, il ne laisse personne décider à sa place, pas même un juge.

Léon serra les dents.

Le docteur Mariani… L'ennemi juré de Léon entre ces murs venait de lui infliger sa première punition en lui laissant rendre visite à sa fille réduite à l'état de légume.

— Je reste tout près, n'hésitez pas à m'appeler, ajouta Baptiste Grandidier avant de refermer la porte derrière lui.

Encore une fois, Léon acquiesça sans un mot. Il réussit à mettre un pied devant l'autre et se porta au chevet de Sookie.

Elle était sanglée sur un lit médicalisé. Poignets, chevilles et torse entravés. Seule sa poitrine se soulevait lentement. Son visage était paisible. De la salive avait séché à la commissure de ses lèvres.

Léon s'assit sur le rebord du lit, caressa doucement le front et les joues de sa fille avant de prendre sa main entre les siennes.

Sur le mur à côté de lui, la peinture bleue disparaissait sous des dessins réalisés avec un mélange de merde et de nourriture.

Léon en eut un haut-le-cœur.

Trois pendus au visage rond affichaient un sourire plein de dents et leur entrejambe était garni de sexe surdimensionné. Deux hommes, une femme. Mais ce n'était pas tout. Une traînée marron reliait ces pendus à d'autres bonshommes isolés, un chien, des initiales, des numéros, des dates répétées à l'envi, et un visage hurlant derrière des barreaux.

Les doigts de Sookie agrippèrent la main de Léon, un râle s'échappa de la bouche de la jeune femme.

— Aide-moi, papa.

— Sookie? Dis-moi ce que je dois faire. Qu'est-ce qui s'est passé avec JP? Qu'est-ce qu'il t'a fait?

Sookie ouvrit les yeux et lança un regard empli de désespoir à Léon. Une grosse larme roulait sur sa joue.

— La boîte…

Chaque mot prononcé l'était avec lenteur. Il sembla à Léon que Sookie faisait un effort surhumain pour lui parler.

— Quelle boîte, Sook? demanda Léon en se maudissant d'être incapable de comprendre sa fille.

Si seulement il avait été plus attentif…

— Trouve-la, bredouilla-t-elle en tendant un doigt tremblant vers le croquis représentant un visage derrière des barreaux.

— Qui Sookie? Qui veux-tu que je retrouve?

— Là, là…

Les paupières de Sookie se fermèrent et sa main retomba sur le drap.

Léon resta un long moment aux côtés de sa fille, les yeux accrochés aux étranges messages qu'elle lui avait laissés sur le mur.

78

Les yeux de **Lara Mendès** peinaient à s'ouvrir. Ses larmes avaient séché et collé ses paupières. Des poings, elle les frotta et regarda autour d'elle, s'attendant à voir déguerpir Tintin, ou Milou, dont elle venait de rêver.

— Tu yoyotes, ma fille, maugréa-t-elle.

Mais le rêve s'accrochait. Il s'agissait de scènes du *Secret de la Licorne*, ou du *Trésor de Rackham le Rouge,* elle ne se souvenait plus précisément. Tintin était enfermé dans les sous-sols de Moulinsart et cherchait une issue.

Avec un effort, Lara s'assit. Elle avait faim, soif, et les planches de décor entre lesquelles elle dormait lui faisait penser à un cercueil. Elle se redressa et sortit de sa cachette en traînant son fusil.

Un néon au plafond commençait à palpiter. Lara l'observa comme s'il s'agissait d'une chose digne d'intérêt. C'était la première nouveauté dans son environnement depuis des jours et des jours.

Elle traversa ensuite la salle et gagna la réserve. Ce qui l'attendait était catastrophique. Même si elle connaissait l'état de son stock, voir la brique de lait et le reste de flocons d'avoine l'affligea au point qu'elle fit demi-tour pour retourner se coucher.

— Nom de Dieu ! glapit-elle en s'arrêtant sur le pas de la porte. Mais oui !

Lara détala en direction de l'escalier comme si elle avait eu le diable à ses trousses et se rendit au quatrième sous-sol pour entreposer des seaux sous le conduit d'aération. Deux heures plus tard elle avait récupéré un maximum d'eau pour ses réserves, puis acheminé tout ce dont elle avait besoin pour forcer la porte récalcitrante du deuxième sous-sol.

Ce qu'elle avait pris pour des sacs de ciment, en réalité remplis de chaux vive solidifiée, lui avait demandé des efforts considérables. Ils pesaient chacun une fois et demie le poids de Lara, si bien qu'elle avait dû les déplacer à l'aide d'une couverture et avait cru mourir à chaque marche. La balance était là aussi, à côté de deux moyeux de charrue et de tout le stock de couvertures, de fils électriques et de torchons qu'elle avait pu réunir.

Tout se trouvait sur le côté de la salle, à trois mètres de la porte fermée, juste sous les supports de câbles qui couraient au plafond. Les yeux de Lara allaient des supports à la porte, puis s'attardaient sur les moyeux.

Elle commença par aligner les fils électriques sur le sol, les associa par grosseur de section, puis par longueur. Après quoi, elle installa une chaise sous le passage des câbles, face à la porte. Sur cette chaise, Lara hissa un moyeu de charrette. La pièce de roue était en bois plein, tout juste excavé d'une dizaine de renfoncements destinés à recevoir les rayons. Quand elle en fut capable, Lara monta sur la chaise, puis sur le moyeu. Mais même ainsi, bras tendu, elle était incapable d'atteindre les crochets fixés dans le plafond.

— Merde ! ragea-t-elle de dépit.

Elle songea à toutes ces occasions où sa taille en dessous de la moyenne lui avait joué des tours.

Tu dois tenir, garder Lara au fond de toi, pour la laisser ressortir quand ce sera fini. Ne jamais perdre espoir.

Évidemment ! Pierre était la solution, une fois encore. Elle remonta dans la cuisine, s'empara du balai et redescendit. Cette fois, armée de son « arrière-grand-père », Lara atteignit les crochets.

— C'est bien, crevette, s'encouragea-t-elle, tu as au moins le QI d'un macaque. Et maintenant…

Elle redescendit de son perchoir et s'appliqua à réaliser des boucles à l'extrémité des câbles les plus solides. Puis elle observa le plafond.

— Voyons voir… T'en dis quoi, Pierre ?

Quatre points d'attache, voilà ce qu'elle décida seule, deux par deux, pour soutenir le poids qu'elle s'apprêtait à y suspendre. Et surtout, rien qui entrave le mouvement de balancier.

Il fallut une demi-heure à Lara pour passer ses quatre boucles de câble dans les crochets, balai à bout de bras. Ensuite, elle retira le moyeu de la chaise et tenta d'y placer un sac de chaux solidifiée. Impossible. Elle eut beau s'emparer du sac de toutes les façons, rien n'y fit.

— Non ! hurla-t-elle.

Elle recommença, jusqu'à ce que ses mains soient incapables de se refermer. Alors elle s'assit, les yeux embués de larmes, le corps tremblant d'épuisement et de frustration. Lara demeura ainsi, les bras passés autour de ses genoux, le front posé sur son avant-bras, le regard au sol, à se lamenter sur la faiblesse des femmes, sur sa faiblesse.

— Les crevettes, c'est fait pour être sautées dans une poêle, murmura-t-elle. Avec de l'ail et du persil.

L'évocation de ce plat la fit saliver.

— Pauvre débile ! s'apostropha-t-elle. Tant pis pour toi.

Lara se releva et retourna dans la réserve. Elle engouffra une poignée de céréales, qu'elle mâcha longuement, et avala trois gorgées de lait.

— Puisque je ne peux aller à la montagne, c'est la montagne qui viendra à moi, déclara-t-elle en retournant à l'étage inférieur.

Lara écarta la chaise et fit glisser un sac de chaux à la place. Puis elle en approcha un deuxième, qu'elle mit à cheval sur le premier. Cette opération achevée, elle fit glisser un troisième sac et utilisa le deuxième comme une rampe.

— Ça ne suffira pas.

Un quatrième sac glissa sur le sol, puis sur la rampe. Lara plaça ses pieds de part et d'autre du sac ainsi élevé et le fit basculer sur les deux autres. Après quoi elle dut s'asseoir. Jamais elle n'aurait pu effectuer un effort pareil deux fois de suite.

— Tu vois, crevette, vouloir, c'est pouvoir !

Lara s'imposa dix minutes de repos, puis elle passa à la dernière étape de son plan : ficeler le sac du dessus avec les câbles qui pendaient du plafond, à la manière d'un emballage de paquet cadeau.

L'opération dura un temps fou. Passer les câbles sous le sac se transforma en épreuve à mesure que les forces de la jeune femme diminuaient. Lara ne voulut pourtant plus s'arrêter.

— Ça va marcher, s'encouragea-t-elle.

L'opération suivante consista à faire glisser le sac ficelé afin de retirer les deux qui se trouvaient en dessous. Ce fut plus aisé que Lara ne l'imaginait. Les câbles se tendirent. Le sac se retrouva suspendu dans le vide, à quarante centimètres du sol. Une interminable minute, Lara observa les crochets au plafond.

— Du bon béton nazi, ça !

Le Troisième Reich devait durer mille ans.

— C'est une promesse bien longue à vérifier, mais t'as bien bossé, Pierre. Si tu savais comment vieillissent les maisons d'aujourd'hui !

Elle attrapa le sac et le tira en arrière, puis le lâcha. Le sac partit vers l'avant et revint vers elle, dans un mouvement de balancier. Lara s'employa à lui donner de l'élan, un peu plus à chaque passage, comme on pousse un enfant sur une balançoire.

Le sac entra en contact avec la porte au cinquième passage. Cela fit un bruit mat. Le sac repartit en arrière, la porte n'avait pas bougé d'un pouce. Inlassablement, Lara lui redonna de l'élan, l'esprit plein de reconnaissance pour Tintin, Hergé, et mémé Carmela qui avait placé de saines lectures entre ses mains.

Millimètre par millimètre, la porte se déforma. Les rivets sautèrent les uns après les autres. Une dernière fois, Lara imprima un élan maximal au sac, qui fit voler le panneau inférieur de la porte à l'intérieur de la pièce qu'elle convoitait.

Voilà à quoi sert la culture !

— Après toi, Pierre, s'écria Lara surexcitée. Non, non, je n'en ferai rien. À toi l'honneur !

79

Lara Mendès dut s'accroupir pour franchir la porte fracturée. Son fusil braqué à hauteur des yeux, elle jeta d'abord un regard devant elle, puis se redressa.

La pièce, dont les parois étaient recouvertes de lambris rouge, s'ouvrait sur un local enténébré. Des rayonnages de DVD s'étendaient sur une partie du mur, les boîtiers se comptaient par centaines. Lara en effleura certains du bout des doigts ; aucun ne portait de jaquette, mais des numéros, écrits au marqueur sur le dos en plastique.

Sur le côté, une longue table étroite croulait sous plusieurs écrans plats reliés à des ordinateurs et des enceintes, des paquets de papier photo et une cisaille Vantage. Lara ne put s'empêcher de songer en frissonnant que cet appareil avait peut-être servi à sectionner des doigts. À côté d'une palette graphique et d'une fontaine à eau complètement vide, un cendrier rempli de mégots dégageait une désagréable odeur de tabac froid.

Devant la table, un fauteuil en cuir usé avait marqué la moquette crasseuse de traînées d'usure et une poubelle débordait de canettes de Coca et de bière vides, ainsi que de nombreux emballages de Mars et de Bounty.

Lara en eut l'eau à la bouche et se jeta sur le réfrigérateur qui l'avait tant préoccupée. Les étagères ne contenaient que des flacons de médicaments, et une dizaine d'emballages de seringues.

Lara s'en empara nerveusement. Kétamine/ Midazolam. Il s'agissait d'anesthésiques vétérinaires utilisés comme hallucinogènes à petite dose, ou comme drogue du violeur dans des proportions plus importantes. De rage, Lara expédia les flacons contre le mur.

Et maintenant ? La porte, l'autre porte.

Kétamine, banc de montage vidéo, DVD, que manquait-il ?

Sa main tâtonna sur le mur de la salle obscure et ses doigts rencontrèrent un interrupteur.

Derrière la porte se trouvait un studio de tournage, une salle de belle taille agencée comme le showroom d'un magasin Ikea. Il y avait un décor berbère, un autre moyenâgeux, un troisième militaire, façon tranchée de la Première Guerre mondiale, et un dernier qui ressemblait à une grotte. Sur le sol, les murs et les panneaux, elle vit des traces de sang un peu partout, des éclaboussures clairement visibles. Une odeur nauséabonde flottait dans l'air.

À droite de la porte, à côté d'une console de réglage des éclairages, Lara découvrit un placard rempli de masques : animaliers, vénitiens, tribaux africains, à l'effigie de personnalités de la politique et du showbiz. En dessous des masques, alignées dans de vieux casiers à bouteilles, une quinzaine de battes de base-ball de toutes tailles patientaient dans l'ombre.

Et pour chacun des décors, une table en métal sur roulettes exposait une batterie d'ustensiles que toute personne équilibrée aurait eu du mal à considérer comme des sextoys.

80

Le retour vers Saint-Junien parut une éternité à **Léon Castel**. Et l'arrivée un choc. La façade entière, porte d'entrée comprise, avait été taguée.

« Sookie sale pute / Les nègres dehors / Castel on aura ta peau ».

À la terrasse du bistrot, le gros Dédé fumait tranquillement une cigarette en compagnie d'Ange Lebœuf, le maire de Saint-Junien. Deux tables plus loin, Romain Walter disputait une partie de 421 avec un de ses cousins.

Léon arriva échauffé comme un lion libéré de sa cage après un long enfermement.

— Dis-moi que tu sais qui a fait le coup !

— J'aimerais te faire plaisir, Léon, mais personne ne m'a rien dit et je n'ai rien vu.

— Si je peux me permettre, glissa Ange Lebœuf, tu emmerdes pas mal de monde.

— Ça veut dire quoi ? exigea Léon. Tu cautionnes les tags racistes dans ta commune ?

— J'ai jamais dit ça, se défendit le maire, mais c'est bien toi ! Quand on n'est pas d'accord avec monsieur Castel, on est forcément un vilain fasciste.

— Romain, dit Léon en se tournant vers son ami, tu passes tes journées à ta fenêtre, tu as dû voir quelque chose.

Ce dernier remua sur sa chaise, l'air très mal à l'aise.

— Eh bien, vas-y !

Son regard en coin vers le maire trahit Romain Walter.

— Je vois ce que c'est, regretta Léon sur un ton où pointait une note d'amertume. Tu peux pas aider ton pote parce que t'as un permis de construire en attente, et que ça ferait mauvais effet si tu te rangeais de mon côté devant monsieur le maire.

Romain Walter se défendit mollement d'un « mais non, Léon, tu n'y es pas du tout », qui ne trompa personne. Même son cousin, qui habitait une autre vallée, eut l'air gêné.

— Tu ne t'es jamais vraiment fait aux gens d'ici, Léon, le relança Ange Lebœuf. Nous, on aime pas ceux qui font des histoires.

— Le problème ici, c'est pas les gens, c'est vos magouilles depuis trente ans. Vous êtes pires que des Corses ! La médecine du siècle dernier a inventé le crétin des Alpes, mais ils auraient dû faire un tour dans le coin, parce qu'en matière de consanguinité, vous vous posez là.

Ange Lebœuf éclata d'un rire gras.

— Tu n'es pas dans ton état normal, Léon, rentre chez toi, s'esclaffa-t-il. (Puis il reprit son sérieux.) Ah, au fait, j'ai obtenu du tribunal administratif que tu rebâtisses ton mur d'enceinte dans les deux mois. Tu recevras la décision dans ta boîte aux lettres, mais je préfère te prévenir. Comme ça, pas de surprise.

Le calme ne revint qu'après une douche froide.

Quand Léon sortit de la salle de bains, la tignasse hirsute et les joues couvertes d'une barbe de trois jours, il fut reçu par Hervé Marin, qui l'attendait dans le salon avec Guernica.

— Ah! t'es encore là, toi, dit-il sans réfléchir.

Ses mots firent se cabrer ses propres sourcils. Il pinça l'arrête de son nez et se reprit.

— Putain, si je deviens aussi con qu'eux, ça promet! T'as vu ce qu'ils ont fait sur la maison?

— Ça va faire vilain, rétorqua Hervé.

— Évidemment, si monsieur n'aime pas l'art contemporain.

— Non, c'est toi qui vas faire vilain si tu te bagarres avec le maire.

— Dis-moi, avec tout ça, j'ai oublié ton histoire de vacances. T'as appelé l'assistante sociale?

— Oui, affirma Hervé, c'est trop tard.

— Le fumier de menteur! s'ulcéra faussement Léon, mais c'est que ça nous raconte des fadaises!

Intérieurement, Léon eut le sentiment de reprendre la main sur les événements. Il y avait longtemps qu'il n'avait pas braillé comme ça pour rien. Mais c'était compter sans Hervé et sa simplicité dénuée d'artifice.

— Elle va comment Sookie?

— Je te parlerai de Sookie quand tu me diras ce qui s'est passé l'autre soir.

— C'est grave, hein?

Hervé tendit un exemplaire du jour de *Vosges Matin*. Un article en deuxième page racontait comment Jean-Paul Dardelin avait été passé à tabac par un policier. L'article était accompagné d'une photographie de JP lors de la remise de sa médaille nationale, vingt ans plus tôt.

Acculé, Léon expliqua que Sookie se trouvait à Ravenel. À ce nom, un tic agaça la lèvre supérieure d'Hervé Marin. Il laissa Léon achever son propos, puis il s'approcha de lui, les bras écartés.

— Qu'est-ce que tu veux ? demanda Léon sur un ton brusque.

— T'as besoin d'un câlin.

— Mais !...

— Y'a pas de mais, dit Hervé en posant son front sur l'épaule de Léon.

En quelques secondes de ce contact inattendu, les émotions de Léon trouvèrent un chemin à travers sa carapace, mais ce moment ne dura pas. Il finit très vite par proférer une ânerie et Hervé retourna chercher la baballe de Guernica au fond du jardin.

Pendant quelques minutes, Léon observa Hervé depuis la baie vitrée du salon, puis il s'intéressa au manège d'un poisson rouge qui tournoyait dans l'eau verdâtre d'un cache-pot transformé en bac pour papyrus.

Bouge ton cul, Léon. Ne t'assieds pas ! N'allume pas la télévision, sinon t'es mort ! Ne t'allonge pas, t'as pas sommeil...

Quoi faire ? Ouvrir son courrier en retard ? Il jeta un coup d'œil vers le tas d'enveloppes en soupirant. Non, il n'en avait pas le courage. Le ménage ? La maison était impeccablement rangée, Hervé avait épousseté les meubles de la cuisine. Léon chercha une autre occupation. Le jardin, la tondeuse ! Oui, c'était parfait.

Sauf qu'on ne tond pas sa pelouse un dimanche soir à 18 h 45 quand on veut ménager son voisinage. Léon le voulait-il ? Il décida que oui, après une grosse minute de tergiversations.

Pour éviter de céder à l'appel du canapé, et donc de la déprime, Léon se réfugia dans son bureau.

Deux heures plus tard, il avait rédigé un article sur l'art pariétal dans les Vosges, qu'il avait posté sur son blog, accompagné de trois clichés de sa maison taguée. Dans la minute, il avait eu droit à trois commentaires de Cerbère, à croire que l'internaute vivait avec son ordinateur. Léon les négligea et préféra répondre aux messages de soutien de la « confrérie des emmerdeurs ». Cette activité lui redonna du courage. Des amis, il en avait partout en France, et même au-delà. Pour beaucoup, il ne les connaissait que par posts interposés. Mais avec les années, chacun avait pu se faire une idée des autres. Il s'agissait de femmes, d'hommes, de tous âges, de toutes origines, animés par un désir commun : s'opposer aux injustices, limiter la casse quand un pot de terre percutait un pot de fer, et Léon savait pouvoir compter sur nombre d'entre eux où qu'il aille.

Avec Hervé et Guernica, ils dînèrent de grillades. Après quoi, Léon proposa à Hervé de regarder *Forrest Gump*. Tout au long du film, il l'observa, curieux de connaître ses réactions.

À la fin, Hervé se leva, s'étira en levant les mains vers le plafond et s'écria :

— Ben qu'est-ce qu'il est con ce Forrest Gump !

Carmela Mendès avait refusé de quitter l'hôpital en ambulance, aussi sa fille cadette, Marie-Pierre, s'était-elle fendue d'un aller-retour Bordeaux-La Réole. Valentin ne participa pas au transfert de sa grand-mère. Il officiait aux cuisines, préparant un poulet de grain pour la mémé, comme elle-même en avait rôti un chaque dimanche que son bon Dieu avait fait depuis qu'elle s'occupait de ses petits-enfants.

À midi pile, la vieille Datsun de Marie-Pierre pétarada dans la rue des Mimosas et Carmela Mendès en sortit avec son petit cabas noir à longues anses en cuir usé. Elle traversa le jardin, constata d'un œil expert que les pensées s'étaient couchées pendant son absence et que la moitié de ses plantes d'ornement crevaient de soif. Elle n'en fit aucune remarque. Carmela Mendès était si heureuse de retrouver sa maison, son petit-fils, ses repères.

La cuisine embaumait la graisse de poulet grillé. Marie-Pierre resta prendre l'apéritif, la mémé vida deux verres de porto et Valentin acheva de préparer le repas.

Quand ils déjeunèrent face à face sur la table en Formica de la cuisine, Valentin sut que son poulet n'avait pas le croquant qu'il fallait, les pommes de terre s'émiettaient en une purée inachevée et la maigre roquette se flétrissait dans le saladier. Mais la mémé le félicita.

— Tu es bon à marier, ma parole ! s'exclama-t-elle la bouche pleine.

— C'est pas pour tout de suite. J'ai plein de choses à faire avant d'y penser.

— Qu'est-ce qui est plus important que de fonder une famille ? le taquina Carmela Mendès avec son nouveau sourire de travers. Tu as une idée là-dessus ?

À court d'arguments, Valentin gonfla ses joues et haussa les épaules.

— Faut te dépêcher, ça fait longtemps que je ne suis pas allée à la noce, et à la tienne, j'irais bien.

— C'est Lara qui court après le mariage, pas moi. Elle est vivante, ajouta Valentin. Toi et moi, nous devons être les derniers à continuer d'y croire.

La sonnerie du portable de Valentin, posé sur le buffet, les interrompit. Le jeune homme sauta sur ses pieds et répondit d'une voix tremblante.

— Allô ?

— Bonjour, Valentin. C'est le commandant Lambert.

— Oui…

— J'ai eu le capitaine Budzinski. La cellule a déjà identifié et interrogé pas mal de monde sur la vidéo de la soirée Stalker.

Valentin resta suspendu au bout du fil en retenant son souffle.

— Des professionnels de la nuit, continua le policier, des prostituées, des dealers connus dans le beau monde,

432

des délinquants en col blanc. Pas grand-chose, comme je m'en doutais, et surtout rien qui nous mette sur une piste. Herman Stalker lui-même a été entendu par les collègues, sans résultat. C'est un insupportable con, prêt à tout, même à dénigrer Lara en l'accusant de…

— Quoi? souffla le jeune homme. Il l'accuse de quoi?

— Je ne devrais pas vous le dire, après tout, il s'agit de rumeurs.

— Quoi? Merde, je ne suis plus un gosse!

Le commandant Lambert hésita à l'autre bout du fil.

— Il sous-entend plus ou moins que si Lara a été enlevée, c'est parce qu'elle participait à des soirées… libertines.

— N'importe quoi… Il est taré ce type!

— C'est ce que je pense aussi. Quoi qu'il en soit, Herman Stalker confirme qu'il a balancé le nom d'Ilya Kalinine à Lara, pour lui donner un os à ronger. Un nom qu'il aurait entendu plusieurs fois dans le milieu, rien de plus. J'ai fouillé les archives, contacté un vieux pote d'Interpol, et je peux vous confirmer ce que j'avais déjà découvert : Kalinine n'est qu'un nom sans visage, un alias, probablement, une sorte de fantôme dont beaucoup parlent mais que personne n'a jamais vu. Un fourre-tout à qui on attribue les meurtres sans coupables et croyez-moi, dans ces milieux de la traite humaine et de la prostitution, ils sont nombreux. Quant aux rushes que Bruno Dessay a confiés à la cellule d'enquête, pas d'avancée de ce côté non plus. Les collègues qui ont fait l'interview ont répondu à ses questions dans le cadre de son docu, c'est tout. Pas un mot, ni sur Éric Moreau ni sur ce fameux Kalinine. Je regrette de vous dire une chose pareille, mais il n'y a rien d'autre à faire pour le moment. Lara a disparu à plus de cent kilomètres de la soirée Stalker, il n'y a sans doute aucun rapport.

— Et les enregistrements ? Et monsieur Laval ?

— Lara ne connaissait pas leur existence, donc sa disparition ne peut être liée. Par contre, je les garde sous le coude en attendant de trouver comment les utiliser sans qu'ils disparaissent comme toutes les pièces de l'affaire Moreau. En y réfléchissant, je me demande même si c'est pas mieux comme ça. Mon petit doigt me dit que dans le circuit normal, ces nouvelles preuves ne tarderaient pas à se volatiliser elles aussi. Trop de beau linge impliqué. Je ne sais pas si vous vous rendez compte de ce que vous avez dégoté : la preuve que Moreau faisait partie intégrante d'un trafic de mineures, et la liste de tous ses clients. Je pense déjà en avoir identifié un ou deux, je vous confirmerai ça quand ce sera certain, mais je devine sans mal que dans le lot, il y a des politicards, des vedettes du showbiz, des proxénètes et j'en passe.

— Y'a qu'à les balancer sur le Net, quand Lara sera rentrée. Ça évitera que les preuves disparaissent.

— Pour l'instant jeune homme, non seulement on ne les balance pas sur le Net, comme vous dites, mais en plus on n'en parle à personne ! Monsieur Laval, alias Frédéric Jensen, a vidé ses comptes et son appart. On n'est pas près de le revoir.

Le sang monta aussitôt aux joues de Valentin.

— Fait chier ! Quelle bande de cons !

— Les chiens ne font pas des chats, lâcha mémé Carmela en voyant la tête déconfite de son petit-fils.

Ses yeux noirs brillaient. Un léger tremblement agitait son visage ridé comme une vieille pomme et Valentin songea qu'il avait en face de lui tout ce qui restait de sa famille.

82

Après avoir fait un rapide tour des décors de la salle de tournage, **Lara Mendès** retourna dans le bureau et s'installa devant l'ordinateur. Le matériel neuf démarra avec un ronronnement doux, mais refusa d'ouvrir une session. La jeune femme dut se rendre à l'évidence, elle ne possédait pas les talents de Valentin. C'était comme avoir entre les mains un téléphone dont le micro aurait été en panne. Insupportable !

Elle hurla de rage, puis finit par se calmer. Il était peu probable que cet endroit dispose d'une connexion Internet.

En poursuivant sa fouille, elle découvrit son pendentif en cristal de Swarovski, et ça lui tira des larmes d'amertume. Cet objet la reliait à Bruno. Il l'avait choisi, acheté, touché.

Lara dut le séparer d'une languette de plastique jaune mais en dehors de ce détail incongru, le bijou n'avait pas souffert. Un instant, elle fit jouer les éclats de cristal sur les murs avant de passer la chaîne à son cou crasseux.

Les autres tiroirs livrèrent du matériel de bureau, des pièces électroniques, des câbles et des passeports, permis de conduire – dont le sien – et cartes d'identité en pagaille. Parmi les photos, elle reconnut le visage de la jeune fille du congélateur, Petra Seipel, une petite Allemande de 13 ans, et celui d'une Espagnole dont la disparition avait fait grand bruit quelques mois auparavant.

Elle glissa son permis de conduire dans la poche de son loden et observa avec attention chaque visage jusqu'à la nausée. Ces jeunes filles et femmes, dont le seul tort avait été d'être trop jolies, au mauvais endroit au mauvais moment, n'étaient plus que des cadavres anonymes, entassés dans la fosse du quatrième sous-sol.

Les larmes aux yeux, Lara posa les papiers d'identité en évidence sur le bureau et poursuivit sa fouille. Elle retrouva son téléphone dans une caisse avec d'autres carcasses de mobiles, mais la joie fut de courte durée. Il avait été amputé de sa carte SIM et de sa batterie.

Rangé à côté de la cisaille, un album photos soigneusement réalisé lui montra en divers clichés une assemblée d'officiers de la Wehrmacht concentrés autour d'une grande carte de l'Europe. Lara reconnut la salle du deuxième sous-sol, la porte qu'elle avait fracturée. D'autres photos montraient des soldats alignés en batterie, casque audio sur les oreilles, penchés sur des papiers. Les deux dernières offraient un aperçu de ce qui se trouvait au-dessus de sa tête : l'entrée du bunker, minuscule, une simple porte entre deux murs de béton, qui ouvrait sur un escalier. Un filet de camouflage en dissimulait l'emplacement à d'éventuels observateurs aériens.

— Putain, je ne suis pas près de sortir de là.

Elle se leva, choisit un DVD au hasard parmi les centaines qui couvraient les murs, et se planta devant le lecteur.

— Tu dois le faire, crevette, s'encouragea-t-elle.

Après de longues minutes d'hésitation, elle alluma l'appareil et glissa le DVD dans la fente. L'image apparut sur l'écran.

La scène allait se jouer dans le décor militaire.

Dès les premières secondes, Lara comprit qu'elle avait depuis le début été la seule femme vivante dans le blockhaus. Les cris qu'elle avait entendus lorsqu'elle avait faussé compagnie au « borgne » provenaient des enceintes de la régie de montage.

Elle se précipita pour baisser le son, et se résolut finalement à le couper.

— Plus personne ne souffre maintenant, répéta-t-elle plusieurs fois, tandis que les minutes filaient, dévoilant l'innommable.

Lara se contredit aussitôt. Elle se leurrait en prétendant ça. Plus personne ne souffrait ici.

Mais le monde était vaste. D'autres blockhaus existaient peut-être. Tant de blockhaus.

Le time code annonçait la durée restante du programme, une vingtaine de minutes. Lara vomit quand l'écran afficha 00:08:55.

83

Un peu avant 3 heures du matin, **Léon Castel** s'éveilla en sursaut. Les pendus de Sookie n'avaient cessé de le visiter. Il se leva et descendit dans l'entrée où il avait posé les bagages de sa fille.

Dans un sac de congélation, il y avait une grande clé de facture ancienne, et deux clés Fichet dont les numéros de série avaient été limés. Léon les examina longuement, avant de les accrocher au trousseau de son combi. Puis il fit défiler les clichés enregistrés dans l'appareil photo de Sookie.

Des bijoux par dizaines, en plan large, en gros plan, associés ou non à une mallette en métal. Sookie lui avait raconté quelque chose à propos de ces bijoux découverts dans la maison des pendus. Léon se souvenait de ça. Puis les bijoux avaient disparu. Il déconnecta l'appareil et ouvrit un dossier en carton dans lequel il trouva une centaine de photocopies de PV, extraits du dossier d'une certaine Charlène Bonnet, disparue en juillet 2011. Le patronyme fit jaillir la lumière dans l'esprit de Léon. Sookie était venue lui parler de la mère de cette jeune femme qui s'était battue contre la lenteur des services policiers.

Il parcourut le dossier et fut étonné de n'y trouver aucun rapport avec les pendus qui tracassaient tant

Sookie. Mais il découvrit, écrit de la main de sa fille, un nom, Petra Seipel, souligné plusieurs fois.

Quelques recherches sur les sites du ministère de l'Intérieur et d'Interpol lui permirent de retrouver la fiche de cette Allemande disparue le 15 mai dernier. En regardant la photo, Léon se fit la réflexion que cette jolie jeune fille avait les yeux de Brooke Shield.

— Pauvre gosse, maugréa-t-il. Dans les mains de quel malade es-tu tombée ?

En éteignant son ordinateur, Léon avait pris sa décision. Il monta dans sa chambre, où il fourra des vêtements dans un sac, passa dans la salle de bains attraper sa trousse de toilette et frappa à la porte de la chambre d'amis.

— Debout là-dedans ! Y'a le feu !

Hervé apparut dans les trois secondes, les cheveux en bataille, un vieux tee-shirt enfilé par-dessus un slip passé de mode depuis une quarantaine d'années.

— Où ça ? dit Hervé l'air affolé.

— Viens avec moi, le tranquillisa Léon. Y'a pas le feu, mais j'ai à te parler !

Hervé descendit docilement l'escalier à la suite de Léon, Guernica sur les talons.

— Faut que je file à l'autre bout du pays, expliqua Léon. Je ne sais pas pour combien de temps je vais en avoir, des jours, quelques semaines au plus. On a deux solutions, soit tu viens avec moi, soit tu gardes la maison. Qu'est-ce que t'en dis ?

Hervé sembla réfléchir, se gratta consciencieusement les parties, puis trancha, un petit sourire sur les lèvres.

— Guernica n'aime pas la voiture.

— Parfait !

Léon acheva de préparer ses affaires, vérifia que ses deux sacs d'expédition contenaient tout le matériel nécessaire, puis il donna ses consignes à Hervé.

— Tu t'occupes du chien, tu fous pas le bordel dans la maison, tu fais le ménage deux fois par semaine, tu réponds au téléphone uniquement si c'est moi, et tu parles pas aux cons.

— Je vais pas parler à grand monde alors, répliqua Hervé en s'esclaffant.

Pour ranger ses bagages à l'arrière du combi, Léon dut pousser une caisse remplie de bombes de peinture. Il les soupesa une à une et jeta son dévolu sur la verte. Hervé l'observa sans comprendre et crut que Léon devenait fou quand il le vit taguer sa propre façade par-dessus les mots racistes.

— Tiens, attrape ça, dit Léon à Hervé en lui lançant la bombe de peinture, tu me le copieras cent fois.

La mine interloquée d'Hervé obligea Léon à s'expliquer.

— Monthy Python, *La Vie de Brian,* non, tu ne connais pas ? Oublie, je plaisantais. Ferme à clé et va te coucher. Je t'appellerai en arrivant.

Léon grimpa dans son combi et démarra. Son visage afficha un petit sourire. Dans le rétroviseur, il vit rétrécir la silhouette d'Hervé, toujours planté devant la façade, les mains sur les hanches. Le pauvre mettrait du temps à comprendre pourquoi Léon avait inscrit « crétin des Vosges » sur sa propre maison.

S'il comprenait jamais.

Entre samedi 16 juin et mardi 19 juin

Entre mercredi 20 juin et vendredi 22 juin

Entre samedi 23 juin et lundi 25 juin

Mardi 26 juin

Mercredi 27 juin

Entre jeudi 28 juin et samedi 30 juin

Entre dimanche 1ᵉʳ juillet et lundi 2 juillet

Entre mardi 3 juillet et jeudi 5 juillet

Vendredi 6 juillet

Entre samedi 7 juillet et dimanche 8 juillet

Lundi 9 juillet

Mardi 10 juillet

Mercredi 11 juillet

Jeudi 12 juillet

Vendredi 13 juillet

Entre samedi 14 juillet et lundi 23 juillet

« Un monde de porcs et de pervers assassins, par Lara Mendès, partie 6 »

~~À force de tourner dans ma cage, les idées deviennent plus claires. C'est ce que j'aime penser. (Même si je sais que dans ma situation, mon cerveau va fabriquer automatiquement des chemins vers un déplaisir minimal, ou un début de plaisir. Vais-je aimer ma geôle, espérer que mon tortionnaire revienne ?)~~

L'injustice me fait vomir.

C'est dire si j'ai de quoi me ruiner l'estomac. Je savais qu'en écrivant cet article pour Pascale Faulx, je risquais de perdre mon âme, en tout cas sa partie pure et un peu naïve, mais il faut bien manger. Et puis il n'y a rien de honteux à accepter une telle proposition. Enfin, c'est ce que je croyais.

Aujourd'hui, je me rends compte que Bruno et moi étions à côté de la plaque avec notre papier sur les Français et le cul. J'ai choisi la facilité en travaillant pour Pascale, je n'ai rien tiré d'Herman Stalker, à part un nom, Ilya Kalinine, j'ai traité l'affaire Moreau en m'imaginant plus maligne que les autres, et pourquoi ?

Je crève ici, et j'ignore la raison. Le hasard, peut-être ? À force de fréquenter des soirées glauques, je suis devenue une cible facile. Pourtant, je n'arrête pas de me dire que je suis peut-être victime, moi aussi, de la malédiction de l'affaire Moreau. Après tout, connaître le nom de l'assassin présumé de l'avocat et de sa femme, ne faisait-il pas de moi quelqu'un à abattre ? Et si c'était Herman Stalker lui-même, qui m'avait envoyé un de ses sbires pour me faire taire ?

Je ne le saurai sans doute jamais.

J'ai beau dire que l'injustice me fait vomir, j'avais tout sous les yeux, et je n'ai rien fait. Pire, j'ai appuyé sur la souris de mon ordinateur et d'un clic, j'ai décidé qu'une jeune fille allait se prostituer pour moi, parce que j'avais payé pour voir. Cela fait-il de moi un monstre ? J'ai sucé la queue d'un pervers pour survivre. Cela fait-il de moi une salope ? Une lâche ?

Peu importe, la vraie question n'est pas là.

Je juge inacceptable de voir les trottoirs de nos villes hantés par des gamines forcées à se prostituer pour le bénéfice unique d'un groupe de porcs et d'hommes prêts à tout pour s'enrichir.

Qu'est-ce que j'ai fait contre ça ?

M'indigner.

Je juge inacceptable de voir ces porcs qui se croient au-dessus des lois, vendre, ou se faire offrir des gamines en échange d'un contrat.

Qu'est-ce que j'ai fait ?

M'indigner, encore.

Je juge inacceptable que le sexe soit devenu un produit de consommation sans limite dans la déviance et dans l'horreur, et qu'il soit accessible à n'importe quel gamin doué en informatique. À quoi ressemblera cette nouvelle génération élevée dans le culte du porno, de la torture et du meurtre spectacle ?

Là aussi, je m'indigne et me désespère.

Toutes les injustices me font vomir, disais-je. Et moi, j'observais le monde en m'indignant.

J'ai choisi le sexe, la pornographie, ses dérives, parce que ça me paraissait plus simple. Plus simple de trouver des interlocuteurs de tous les bords, plus simple de susciter un intérêt. Plus vendeur, quoi.

Mais j'ignorais dans quel milieu j'avais posé les pieds. Je n'avais vu que des jolies jeunes filles forcées à la prostitution, des filles venant de pays lointains et ne parlant pas notre langue, ou quelques étudiantes en manque d'argent.

Je savais qu'il s'agissait souvent de gosses, mais je n'ai pas vu qu'ici comme ailleurs, la société repose sur l'acceptation tacite de situations sordides et monstrueuses.

Et surtout, j'ai refusé de regarder la vérité en face.

Alors, bien sûr, je ne vais pas remercier mon tortionnaire. Mais je dois avouer qu'ici, j'ai compris bien plus que jamais.

Je n'écrirai pas ce papier pour Pascale Faulx, je ne ferai pas de reportage pour Arnault. Quand je sortirai d'ici, on peut toujours rêver, je ne pleurnicherai pas sur mon sort, mais je chercherai le responsable des horreurs perpétrées dans ce bunker, je le traquerai et je le lyncherai en place publique, aussi puissant, aussi riche, aussi dangereux soit-il.

Je le jure.

Pour moi, pour Petra et toutes les autres.

Mais je ne serai pas une autre victime.

Je serai la porte-parole de toutes celles qu'on a martyrisées ici. Et je vivrai, pour elles. Et je referai l'amour, et je jouirai.

Ce salopard de rouquin et ces saloperies ne me feront pas crever. Je refuse d'être brisée par ce porc, je refuse de lui donner la plus petite satisfaction et si un jour, je me retrouve face à lui, je lui ferai bouffer son dernier œil, et ses couilles avec.

Ici Lara Mendès qui vous parle depuis le mur de l'Atlantique !

85

Léon Castel se réveilla sur le canapé d'un salon inconnu, et douta un instant de ses facultés mentales. Où se trouvait-il au juste ? Une poignée de secondes lui permit de retrouver le cours des dernières heures. Il avait traversé la France d'est en ouest. Et cet appartement impeccable qui sentait un mélange de renfermé et de lavande était celui de Sookie.

Léon s'était allongé sur le canapé pour se reposer du trajet et il s'était endormi comme un sac.

— Putain, il est quelle heure ? jura-t-il d'une voix pâteuse.

L'écran de son téléphone le renseigna. 19 h 45. Il avait dormi près de quatre heures.

— T'as les yeux en trou de pine, mon con ! Une douche et hop ! Dîner au bord de l'eau.

Léon se leva et tituba jusqu'à la salle de bains. Dans un placard, il trouva trois piles de serviettes, rangées par couleur, une bleue, la deuxième rouge et la dernière verte. Débarrassé de ses vêtements, il entra dans la douche. Le porte-savon était rouge et la savonnette entamée affichait la même couleur.

— T'es vraiment cintrée, ma fille ! grommela Léon en actionnant le robinet.

Il attendit que l'eau devienne chaude, sans résultat.

— Putain d'écolos! J'ai l'air de quoi, moi, à poil sous l'eau froide?

Léon se ceintura d'une grande serviette rouge et partit à la recherche du tableau électrique. Il le trouva dans un local près de la porte d'entrée. Sur des étagères fixées au mur, il y avait de quoi tenir un siège. Les aliments y étaient impeccablement alignés. Les pâtes avec les pâtes, le riz avec le riz, les produits ménagers rangés côte à côte, au cordeau. On se serait cru dans un spot publicitaire pour une grande surface. Mais il y avait aussi une astuce de rangement, toute personnelle à Sookie, que Léon découvrit en un regard. Sa fille n'achetait rien qui n'entre dans sa charte de couleurs. Et comme elle n'intégrait dans son intimité que le rouge, le bleu et le vert, alors les produits composant son stock ne comportaient que ces trois coloris.

— Ça doit être une expédition de faire les courses avec toi, ma fille chérie, gloussa Léon, goguenard.

Sur le mur opposé, d'autres étagères alignaient des boîtes en carton ou en plastique, elles aussi respectant ces trois couleurs. Léon en tira quelques-unes. Dans la première il trouva des crayons à papier, une bonne centaine à vue d'œil. Dans la suivante, il y avait des vis de toutes tailles, dans une autre des chevilles, dans la suivante des ampoules, et ainsi de suite.

— Ma pauvre Sookinette, se plaignit Léon en rangeant les boîtes, j'aimerais pas être ton psychiatre.

Avant d'éteindre la lumière, Léon commuta le cumulus sur marche forcée, puis il alla se rhabiller. Il n'obtiendrait pas d'eau chaude avant deux ou trois heures.

450

Sur le point de sortir, il s'arrêta. Quelque chose le chiffonnait. Et ce quelque chose se trouvait dans le local de stockage. Alors il y retourna et scruta la pièce. L'évidence lui sauta au visage au bout de quelques secondes. Sur la plus haute étagère, juste au-dessus du stock alimentaire, il y avait des dossiers, des dizaines de dossiers. Le hic, c'est que les couleurs des chemises cartonnées étaient mélangées.

Intrigué, Léon fouilla parmi ces dossiers. Il s'agissait de factures, de vieux rapports d'enquêtes, de photos de Sookie, ses bulletins scolaires, ses diplômes, son vieil herbier débuté au cours de son premier automne dans les Vosges, des souvenirs de ses voyages, du ticket de bus aux notes d'hôtel, aux cartes de restaurant.

Rien n'allait de travers, en dehors de ces couleurs mélangées. Mais connaissant Sookie comme un père connaît sa fille, Léon sut que ce n'était pas anodin et qu'il devait étendre son examen à tout l'appartement.

C'est dans la chambre que Léon tiqua le plus. L'armoire de Sookie était correctement rangée, mais là encore, les vêtements empilés mélangeaient les couleurs.

Léon décida d'appeler Erwan Guenarec. Le médecin-pompier était à la caserne de Vannes. Il pourrait le rejoindre d'ici dix minutes.

86

Erwan Guenarec trouva Léon dans la cuisine. Celui-ci avait passé un tablier si impeccable qu'il semblait ne jamais avoir servi, et astiquait la cafetière.

— Bonjour Erwan, entrez. La machine à café est crade, il y a du Perrier. Ou on peut descendre boire un canon, si vous voulez.

— Un Perrier, ça ira très bien, merci.

Léon prépara deux canettes d'eau pétillante accompagnées de deux verres sur un plateau et le déposa sur la table basse du salon. Erwan Guenarec se tenait dans un angle de la pièce, tout près d'un pan de mur où Sookie avait fixé des cadres. Y figuraient des photos d'elle, de Valie, de Léon, ensemble ou séparément, ainsi qu'un bestiaire non exhaustif des animaux que Léon avait recueillis au cours de l'enfance de Sookie.

— Il ne reste pas grand-chose de la famille, soupira Léon.

— Et le doberman ? demanda Erwan Guenarec sans se retourner.

— Guernica ? Il est chez moi. Un ami s'en occupe. Ça allait bien entre vous deux ? questionna Léon. Je sais que ces choses-là ne se demandent pas, mais vu la situation… j'aimerais comprendre ce qui est arrivé à Sookie.

Erwan Guenarec quitta les photographies des yeux et se retourna enfin.

— Avec Sookie, c'est toujours sur le fil, mais oui, ça allait. On ne s'engueulait pas plus que d'habitude. C'est qui, le type qu'elle a tabassé ?

— Un sale con qui ne méritait pas mieux.

— Mais encore ?

— Rien de plus, vraiment. Vous avez l'air crevé, remarqua Léon en ouvrant une canette.

— J'ai été d'astreinte toute la semaine. Et j'en ai plein les bottes. Mais c'est terminé. Je pars pour Ravenel tout à l'heure.

— Sookie est dans un sale état, lâcha Léon. C'est à peine si elle me reconnaît.

— Normal. Ils ont dû la charger. (Il ajouta après un silence.) Vous m'avez dit au téléphone qu'on avait fouillé l'appartement.

— J'ai dit « peut-être », je ne suis pas certain.

— Et qu'est-ce qui vous fait penser une chose pareille ?

Léon entraîna Erwan Guenarec dans le stock.

— Ça ! dit-il en désignant les dossiers. Sookie n'en dormirait pas…

Erwan observa les chemises cartonnées, un air dubitatif sur les traits.

— C'est pareil dans sa chambre. Des pulls rouges avec des bleus. Ou alors elle a bien changé.

— Non, elle n'a pas changé. Sookie me fait avaler des ronds de chapeau avec ses obsessions.

— Ah ! Vous voyez !

— C'est bizarre, je vous l'accorde, murmura Erwan Guenarec en allant vérifier les dires de Léon dans la chambre. Un jour, elle m'a fait une scène parce que j'avais touché à ses fringues. En revanche, je ne vois pas qui aurait eu intérêt à fouiller son appartement.

— Les flics d'Épinal m'ont dit qu'elle avait passé un suspect à tabac. C'est vrai ?

— Aucune idée, mais franchement, ça m'étonnerait. Tout au plus un peu bousculé. Au fait, j'ai contacté l'HP de Ravenel, déclara Erwan Guenarec en quittant la chambre. Sookie ne changera pas de service. Elle ne sera pas transférée dans le coin non plus.

— Merde !

— Ça ira, je vais rester auprès d'elle quelques jours.

Erwan Guenarec s'avachit dans le canapé où Léon avait dormi. Il but la moitié de son verre d'eau pétillante, puis laissa échapper un rot.

— Je ne sais pas ce qui s'est passé à Saint-Junien, reprit Erwan. Écoutez, j'ignore pourquoi Sookie s'en est prise à ce type, mais je sais une chose, elle est sous la coupe d'un psy plutôt remonté contre vous. Et ça c'est pas terrible.

Léon accusa le coup.

— On paye toujours ses fautes, admit-il.

— Non, Sookie va payer à votre place.

Pour se donner une contenance, Léon attrapa son téléphone sur la table et fouilla dans le fichier photos.

— Attendez-vous à ça quand vous la verrez, dit-il en tendant l'appareil à Erwan. Pour ce qui est d'avoir merdé, elle s'en sort assez bien. Un vrai travail d'artiste.

Erwan Guenarec fit défiler les clichés des murs de la chambre de Sookie à Ravenel. Sa peine se traduisit par un pincement de lèvres.

— Sa personnalité s'est toujours située quelque part entre violence et fureur, soupira-t-il. Cette fois, elle a basculé. Cette histoire de pendus l'a rendue dingue.

— Sookie est convaincue qu'elle a raté un détail important.

— Vous avez une idée ?

— Oui, elle me l'a dit. Elle pense qu'une gamine est encore enfermée quelque part, et qu'elle aurait pu la sauver.

— Mais, vous avez prévenu Renaud Cochin, le supérieur de Sookie ?

Léon grimaça.

— Je n'ai rien de tangible à lui raconter ! C'est bien tout le problème. Sookie est venue me demander de l'aide et je ne l'ai pas écoutée.

— Avec Sookie, c'est toujours comme ça. Si quelque chose ne rentre pas dans ses boîtes, elle s'obsède. Qu'est-ce qu'elle voulait au juste ?

Léon frotta ses mains l'une contre l'autre. Il avait l'impression de trahir sa fille, et ça ne lui plaisait pas du tout.

— Que je rencontre la mère d'une jeune femme disparue dans le cadre de mon association.

— Elle ne lâche jamais le morceau.

— Elle a eu un bon exemple.

— Raison de plus pour arrêter les frais, Léon, s'emporta Erwan Guenarec. Sookie est assez mal, c'est pas la peine d'en rajouter. Si vous êtes convaincu que l'appart a été visité, appelez les flics. Sinon, rentrez avec moi. Sookie a besoin de vous là-bas, pas ici.

— Je n'en suis pas aussi certain que vous.

87

Lara Mendès fixait d'un air absent deux tas de céréales posés sur la table. Elle avança la main vers celui de droite et appuya dessus légèrement, ce qui eut pour effet de réduire sa hauteur. Elle fit de même avec le second tas, puis cala son menton entre ses paumes, les sourcils froncés.

— Je ne peux pas me voler moi-même, soupira-t-elle en réunissant les deux tas.

Face à elle, coincé entre deux chaises, le balai était dressé comme un I.

— On peut voler la terre entière, mais on ne peut pas se voler soi, hein Pierre ? Dis voir, hein que c'est vrai ?

Lara regarda le balai, puis reporta son attention sur les céréales. Ses mains retournèrent sur la table où, lentement, elles recommencèrent à composer deux tas en épuisant peu à peu le premier.

— Tu t'en fous, toi, t'es un balai !

Si tu veux que justice soit faite, hâte-toi. Et fais-le toi-même.

Lara stoppa son geste et fixa le balai.

N'oublie pas le traité de Versailles, la France, Vichy. Ils ont tous été prêts à trahir. Souviens-toi de Vichy.

— Quoi, Vichy ? Qu'est-ce que tu as avec Vichy ?

Souviens-toi de Bousquet, souviens-toi de Mitterrand. Les Français s'échauffent et puis après ils pardonnent, ils oublient, ils sont faibles.

— Je ne crois pas que tu as compris, mais je suis enfermée. Et l'enculé qui a pris la clé s'est fait la malle ! Alors lâche-moi avec tes leçons d'histoire.

Si tu ne t'occupes pas toi-même de dire la vérité sur ces pauvres filles, personne ne le fera. C'est ta responsabilité, crevette.

Lara se concentra sur ses deux tas de céréales.

— Tu m'as fait perdre le compte, merde, je vais devoir recommencer.

Tu es concernée...

— Je sais, bordel, que je suis concernée. Ça fait des mois que je travaille sur ce sujet. J'ai lu et fait tellement de choses dégueulasses à cause de ça...

Elle eut un sanglot.

— J'ai tout foiré, tu vois ? J'ai cru qu'il fallait entrer dans le jeu pour le décortiquer, en saisir les rouages et le démanteler. Mais il n'y a rien à faire, Pierre. C'est la nature humaine, détruire, écraser, conquérir, tuer. Qu'est-ce que tu veux faire contre ça ? Espérer que quelqu'un appuie sur le bouton et nous fasse tous disparaître ? Oui, peut-être que c'est ce qu'il y aurait de mieux.

On voit que t'étais pas là quand ils ont rasé Hiroshima et Nagasaki.

— C'est tout ce que tu trouves à dire ? Putain, mais regarde-les, ces films, souviens-toi que dans le monde, plus de 40 millions de gosses sont prostitués, et calcule le nombre de cinglés de clients que ça fait ! L'offre et la demande, tu connais, non ? Oh et puis merde, fiche-moi la paix !

Lara se leva brusquement, envoya le balai valdinguer dans la pièce et s'engouffra dans la chambre froide.

Ses allées et venues abîmaient le corps, et la peau de la jeune fille, sans cesse congelée et décongelée, commençait à ressembler à du carton ondulé couvert de givre.

— Petra, murmura Lara en s'agenouillant près d'elle, je suis si désolée.

Elle caressa longuement la tête de la jeune fille, et quand ses doigts furent si gourds qu'elle ne parvint plus à les bouger, Lara retourna en trottinant dans le bureau. Elle se laissa tomber dans le fauteuil, le tas de passeports sur les genoux, et entreprit de les examiner en détail.

Petra, Anita, Isabelle, Antonietta, Charlène…

— Je suis désolée, balbutia Lara à chacune des photos. Désolée…

Après un moment, quand les sanglots se tarirent, Lara s'approcha du mur de DVD. Son regard passa des films au bureau où trônait la cisaille Vantage.

Il y en avait tant.

Elle retira celui qu'elle avait commencé à visionner et le passa sous la lame. Puis elle actionna le levier. Quand le DVD vola en éclats, Lara fut secouée par un rire hystérique. Aussitôt, elle se jeta sur les autres et entreprit de les détruire un par un.

— Plus personne ne verra ces horreurs, je vous le promets, hurla-t-elle dans le silence du bunker. Ni les flics, si un jour ils se pointent, ni vos mamans. Jamais !

Avant, il lui suffisait de fermer les yeux, pour ne pas voir.

Mais à présent qu'elle savait, Lara aurait beau fermer les yeux, l'horreur ne la quitterait plus.

Lorsque chaque DVD fut réduit à l'état de morceaux étalés sur la moquette crasseuse du bureau, Lara se précipita dans la salle des décors pour attraper une batte de base-ball. Elle s'employa alors à réduire en miettes les meubles et les murs en carton. Un instant, elle songea à y mettre le feu, mais elle se ravisa très vite.

— Je vais quand même pas m'enfumer comme un jambon, maugréa-t-elle.

Derrière un faux rocher de la grotte qu'elle avait en partie fracassé, Lara découvrit un sac éventré de croquettes pour chien, juste à côté d'une écuelle en fer émaillé où un nom apparaissait : Guernica. Lara tenta sans y parvenir complètement d'éviter de penser à quoi un chien avait pu servir dans ce lieu maudit. Hypothéquant que les décors creux de la grotte recelaient d'autres surprises, Lara les retourna tous. Mais en dehors d'un seul, qui cachait un parterre d'étrons, elle ne trouva rien de plus.

Elle déchira ensuite chaque tenue affriolante et les piétina, elle lança les objets de torture contre les murs, et quand la salle de tournage ne fut plus qu'un vaste capharnaüm de cartons, de tissus et de débris mêlés, elle retourna dans le bureau et acheva de briser les ordinateurs, les écrans, tout ce qui pouvait encore garder la trace du calvaire des jeunes filles.

La lumière des néons se découpait sur les éclats de DVD éparpillés sur le sol, et chacun de ses pas renvoyait un crissement sinistre. Lara jeta la batte de base-ball, fourra les passeports et pièces d'identité dans les poches de son loden. Puis elle fit un détour par la chambre froide où le corps de Petra Seipel avait commencé à se couvrir d'une fine couche de givre.

En s'approchant, Lara fut secouée par un sanglot. Elle dégagea délicatement le visage de l'enfant, ôta le givre de ses paupières et de ses lèvres gelées, puis elle resta un instant auprès d'elle.

— À toi, ma petite sœur, murmura-t-elle, je jure de trouver celui qui t'a fait ça et de te venger. Je te promets aussi de rencontrer ta maman, de la serrer contre moi, pour toi.

Lara se redressa avec peine et referma soigneusement la porte de la chambre froide derrière elle. Ce fut seulement à cet instant qu'elle s'aperçut que ses deux derniers tas de céréales avaient disparu.

88

— Non, monsieur Castel, je ne vous recevrai pas, et je vous prie de ne plus chercher à me contacter. Respectez la peine d'une mère.

— Mais j'ai des éléments nouveaux qui pourraient vous aider à comprendre ce qui est arrivé à Charlène ! insista **Léon Castel**. Vraiment madame, il est important que vous acceptiez de me recevoir !

— Je vous ai déjà dit non, monsieur. Laissez-moi tranquille !

— Vous allez le regretter ! lâcha Léon furieux. C'est important, je vous dis !

Mathilde Bonnet lui raccrocha au nez, le laissant perplexe et découragé dans la salle d'attente du commissariat de Vannes où il avait rendez-vous avec le lieutenant Cochin. Cela faisait à présent près d'une heure qu'il attendait de rencontrer le patron de Sookie.

Comme rien ne semblait bouger dans les couloirs, il composa le numéro de Rodolphe Craven. Léon savait qu'il lui restait peu de latitude pour venir en aide à Sookie. Erwan Guenarec ne détenait aucune information qui pourrait l'aider, les flics de la brigade criminelle de Rennes chargés des pendus de Brocéliande ne parleraient jamais, et encore moins à un type comme lui, connu pour emmerder le monde depuis des années. Restait le lieutenant Cochin, s'il parvenait à le voir, et le juge Craven s'il daignait répondre à son appel. Malheureusement, c'est une voix de synthèse qui l'accueillit.

— Bonjour, monsieur le juge, marmonna-t-il. C'est Léon Castel, le père de Sookie. Je suis dans la région. Pouvons-nous nous retrouver quelque part ?

La réponse tomba quelques secondes plus tard sous la forme d'un SMS.

« Je suis indisponible aujourd'hui. Venez chez moi demain, vers 18 heures. »

Suivait une adresse dans un hameau, du côté de Châteaubriant.

— Monsieur Castel ?

Quand Léon leva la tête, il crut qu'il était dans un mauvais rêve et que Tommy Lee Jones en personne venait le réveiller.

— Oui ?

— Bonjour, dit TLJ en lui tendant la main. Je suis le lieutenant Cochin. Vous m'accompagnez ? Je vais vous recevoir dans mon bureau.

Renaud Cochin avait beau être flic, il avait l'air d'un brave type, sincèrement désolé de ce qui arrivait au brigadier Castel. De leur entretien, Léon retint plusieurs points : Sookie n'avait pas passé un suspect à tabac, comme les gendarmes de Saint-Junien l'avaient laissé entendre, et elle s'était même occupée de cette Yanna Jezequel, qui d'après sa fiche comptait plus au nombre des délinquants qu'à celui des victimes.

— Vous pouvez toujours rendre visite à Bettie Henriot, avait lâché Renaud Cochin. C'est la dame qui s'occupe de mademoiselle Jezequel. On lui a dit que Sookie était en vacances, mais elle vient ici deux fois par jour en exigeant de lui parler. Si ça vient de vous, elle nous fichera peut-être la paix.

En revanche, le policier ne lui apprit rien sur les pendus. Sookie les avait découverts en cherchant à rapporter un chien à ses propriétaires. L'affaire s'arrêtait là pour eux. La suite avait été encadrée par la PJ de Rennes.

— Elle a failli m'en faire une jaunisse. Moi, si vous voulez mon avis, je ne suis pas mécontent qu'on ne s'en soit pas occupé.

En sortant du commissariat Léon décida de descendre sur le port de Vannes pour prendre un petit remontant. Il était arrivé en ville depuis une vingtaine d'heures et n'avait toujours pas vu la mer.

La vieille ville grouillait de touristes. Il s'installa en terrasse et prit un café et un calvados. De là, il téléphona à Hervé Marin. Guernica se portait comme un charme, détail dont Léon se contrefichait, mais qui semblait compter pour lui. En dehors de ce point, son locataire n'avait rien de particulier à raconter. Le gazon avait été arrosé, les plantes en pot aussi, et Saint-Junien brûlait sous le soleil de juillet. Hervé avait commencé à recouvrir les tags sur la façade avec la peinture verte, mais après un mètre carré, il s'était lassé.

— Il fait trop chaud pour peindre.

— T'inquiète pas, grinça Léon, ça va pas durer.

— Y paraît qu'y vont annuler le feu d'artifesses, se plaignit Hervé. Tu crois qu'y z'ont le droit ?

— Ils ont tous les droits, rétorqua Léon en se maudissant d'avoir téléphoné. Ce sont les pompiers qui décideront, tu comprends ? On ne va quand même pas foutre le feu à la forêt juste pour que t'applaudisses à leurs conneries, non ?

— Ben… si !

Un appel entrant donna l'occasion à Léon d'écourter la communication avec Hervé, ce qu'il fit avec soulagement.

— La Guilde des emmerdeurs, j'écoute !

— Monsieur Castel ?

La voix féminine fit bondir le cœur de Léon.

— Lui-même.

— C'est Mathilde Bonnet. Je suis désolée pour tout à l'heure.

— Oui. Moi aussi.

— Je peux vous recevoir jeudi dans la journée. Ça ira ?

— C'est parfait. Merci beaucoup, madame Bonnet.

Après avoir raccroché, Léon serra le poing en signe de victoire. Finalement, les choses ne se présentaient pas si mal.

Il paya son café-calva et quitta le centre-ville de Vannes en se fustigeant de ses excès de gentillesse.

— Trop bon, trop con ! dit-il tout haut, effrayant au passage une mère accompagnée de ses deux bambins. Tu devrais insister tout le temps comme ça ! Peut-être que tu y gagnerais ! Nous vivons dans un monde d'assoiffés, ajouta-t-il, s'adressant cette fois directement à la jeune femme. Faites pas comme les autres, ma petite dame, ne les couvez pas. Ne livrez pas des angelots aux chiens féroces !

Léon eut droit à un sourire forcé. Il regarda la mère pousser ses enfants devant elle et accélérer le pas.

— Si on ne peut même plus se parler tant qu'on n'a pas couché, je vais finir jobard, acheva-t-il.

Il rit de sa propre ânerie et sortit le plan de la ville sur lequel Renaud Cochin lui avait entouré l'adresse de Bettie Henriot. À vue d'œil, c'était à dix minutes de marche.

Léon ignorait ce qu'il pouvait attendre de la rencontre avec Yanna Jezequel. Cette jeune femme qui se trouvait devant lui avait un air buté. Pas vilaine si l'on faisait l'effort de la regarder à deux fois, presque jolie même, mais elle ne se coiffait pas et s'habillait comme une pétroleuse. Il se trouvait pourtant là, forcé de répondre gentiment aux amabilités de Bettie Henriot, qui ressemblait fort à une vieille dame très convenable et donc très ennuyeuse.

— Un peu plus de thé? proposa Bettie Henriot, voyant que Léon avait avalé son Darjeeling en deux lampées.

— Non merci, ça risque de m'empêcher de dormir.

Je déteste pisser chez les autres, surtout quand une vieille pie m'écoute et tremble pour sa faïence!

— Pour répondre à votre question, enchaîna-t-il, je dois vous apprendre que Sookie n'est pas dans son meilleur jour.

— Que voulez-vous dire?

— Vous le saurez tôt ou tard, alors autant que ce soit par moi. Sookie a… comment dire, perdu le contrôle et agressé un homme… très violemment. Elle a été placée

466

dans un hôpital psychiatrique en attendant qu'elle se calme.

Bettie Henriot émit une série de « oh ! » et de « la pauvre ! » qui agacèrent Léon. En revanche, il nota un regain d'intérêt dans le regard de Yanna Jezequel qui n'avait toujours pas ouvert la bouche.

Une arnaqueuse ! Cette fille a le feu et ne montre que des cendres. Voilà pourquoi Sookie lui a donné sa chance.

Quelques minutes encore, Léon expliqua ce qui était arrivé dans les Vosges, du moins le peu qu'il en savait. Il fut interrompu par la sonnerie de son portable.

— Excusez-moi, dit-il à l'adresse de Bettie Henriot. C'est important.

La voix de Quentin X résonna dans l'écouteur. Le jeune homme avait un ton accablé.

— Je n'ai pas obtenu l'autorisation de récupérer les affaires de ma mère. Il n'y a plus rien à faire d'autre qu'attendre la mort de mon beau-père. Et ce vicelard a la peau dure. Vous avez passé une nuit en garde à vue pour rien.

Pris de court et agacé par ce que lui annonçait Quentin, Léon bredouilla une bordée d'injures.

— Attendez mon retour. Je cambriolerai moi-même le domicile de votre maman pendant que vous serez en voyage à l'autre bout du monde s'il le faut. Ne faites rien de fâcheux d'ici là, d'accord ?

Léon raccrocha avec le sentiment d'avoir évité à ce garçon une énorme connerie. À présent, il lui appartenait de remplir ses engagements, et ce ne serait pas une chose aisée. La maison familiale de Quentin était une ferme fortifiée du XIVe siècle, un petit bijou aux murs épais de deux mètres et aux huis renforcés. Et puis il ne devait pas oublier qu'avec sa grande gueule, il avait déjà menacé le juge Courtois de cambrioler cette maison lui-même.

— Vous avez l'air au bout du rouleau, monsieur Castel, lui dit Bettie Henriot à brûle-pourpoint.

Le commentaire piqua Léon. Lui qui épaulait beaucoup de personnes via les sites d'aide aux victimes ressentait soudain le besoin d'agir comme elles. Bettie Henriot était là, et Léon ne lui trouvait plus du tout un air de vieille femme très convenable et très ennuyeuse.

— Voyez-vous, madame, je milite dans des associations depuis plus de quinze ans. Les gens broyés par le système judiciaire entre autres, les victimes innocentes d'un droit trop souvent inique. Je n'ai jamais eu autant de boulot que ces dernières années. Et le phénomène risque d'empirer, avec les pantins qui nous gouvernent. Le jeune homme qui vient de m'appeler cherche à récupérer son bien de famille, une maison qui lui appartient juridiquement, mais dont il ne peut jouir parce que son beau-père en possède l'usufruit. Et ce beau-père n'est autre que le meurtrier de sa mère. À défaut de la maison, ce fils voudrait retrouver ses souvenirs d'enfance, des photos de famille, vous comprenez. Et il n'a pas le droit ! Ubuesque, non ?

Bettie Henriot en convint, même si elle n'avait jamais entendu dire que des choses aussi tordues arrivaient dans son pays.

— Vous n'allez tout de même pas faire ce que vous avez dit ? Cambrioler cette maison, n'est-ce pas ?

468

— Oh, si vous saviez… Mais pour en revenir à Sookie, j'ai déjà dû encaisser qu'elle embrasse la carrière de flic, mais à présent, la voilà criminelle, et folle à lier. C'est beaucoup pour un père.

— Allons faire un tour sur la grève, proposa la vieille dame. Ça vous fera du bien. Nous allons passer par le jardin, ce sera plus court.

Bettie Henriot glissa son bras sous celui de Léon et se laissa escorter jusqu'au potager.

— Je n'ai jamais eu le temps ni la patience d'en faire un, mais je dois admettre que le vôtre est très beau.

Le potager s'étalait sur une centaine de mètres carrés tirés au cordeau. Trois variétés de salades à différents stades de croissance, quatre de tomates, des courgettes, des petits pois et plusieurs rangs de haricots verts.

— Autrefois, je plantais des fayots, mon mari adorait ça. Moi je ne les digère pas.

— Et là, c'est quoi ? demanda malicieusement Léon, en désignant des plants de cannabis à peine sortis de terre et séparés des autres par des éléments d'une clôture en lattis.

— Oh, ça ? C'est à Yanna qu'il faut le demander.

Léon s'approcha des plants nouveaux, se baissa et cueillit une petite feuille finement dentelée. Il la frotta entre ses paumes et la huma.

Ben ma garce, on cultive de la beuh chez tata Henriot, c'est du propre !

Yanna Jezequel arriva de la maison au même moment. Elle s'immobilisa à deux mètres. Léon seul put voir ses lèvres bouger.

Non, s'il vous plaît, disaient-elles sans qu'aucun son ne sorte.

— L'odeur me parle, mais je n'arrive pas à mettre un nom dessus, dit finalement Léon en se tournant vers la maîtresse de maison. Une plante aromatique sans doute !

Au regard reconnaissant de Yanna Jezequel, Léon comprit qu'il venait de se faire une alliée.

89

La main d'**Erwan Guenarec** effleurait la peau moite du visage de Sookie. Il avait beau être médecin, il encaissait mal de voir celle qu'il aimait sanglée sur un lit d'hôpital.

Sookie proposait au monde une personnalité abrupte, souvent peu diplomate, parfois capricieuse. C'est ce que beaucoup retenaient d'elle. Erwan comptait au nombre de ceux qui avaient vu l'autre Sookie, celle qui se cachait derrière une armure lourde, une Sookie intelligente, probablement trop pour vivre raisonnablement au milieu des gens, une Sookie généreuse.

Il régnait une chaleur étouffante dans cette chambre orientée plein sud. Erwan Guenarec n'avait pas encore rencontré le docteur Mariani, le chef de service, mais il avait demandé à l'interne qu'on la change de chambre dans l'après-midi.

Délicatement, il épongea la sueur qui perlait sur le front de Sookie. Leur relation avait connu des hauts magnifiques et des crises qu'on aurait pu qualifier de systémiques, tant elles tenaient à leurs personnalités. Mais justement, ça laissait de l'espoir. Parfois, les personnalités s'apprivoisent, se modifient légèrement pour laisser de l'espace à l'autre.

C'est ce que font les gens quand ils s'aiment et que c'est compliqué.

Erwan Guenarec étudia la feuille de suivi accrochée au bout du lit. Il n'y avait rien à espérer dans l'immédiat, Sookie n'émergerait pas de sitôt. Et pourtant, il avait décidé de rester quelques jours.

Depuis son arrivée, Erwan tournait intentionnellement le dos aux dessins de Sookie. Plus que la matière utilisée, c'était l'iconographie qui l'angoissait. Ces pendus aux sexes énormes, et puis cette forme humaine qui attendait derrière des barreaux…

Les lèvres de Sookie bougèrent, son visage s'anima.

Un court instant, ses paupières s'entrouvrirent, son regard nébuleux croisa celui d'Erwan, puis tout s'éteignit, à l'exception de ses lèvres, qui continuèrent d'articuler.

Erwan Guenarec approcha son oreille. Si elle le reconnaissait, ce serait déjà beau. Mais si elle entrait en contact avec lui, alors il pourrait intercéder auprès de Mariani pour qu'il abaisse la posologie.

Les mots mâchouillés par Sookie étaient à peine perceptibles, mais il réussit à reconstituer les sons.

— Dis-leur qu'il y a quelqu'un, là-bas…

90

Des céréales, ça ne disparaît pas comme par enchantement.

— Pierre, tu as vu quelque chose? demanda **Lara Mendès** au balai.

Tu deviens folle, Lara. Il fallait bien que ça commence.

— Non, je ne deviens pas folle. J'avais fait deux tas de céréales, un ici et un là!

Tu les a mangés et tu refuses de l'admettre parce que ta gloutonnerie te condamne.

— Ta gueule, Pierre! beugla Lara en quittant précipitamment la cuisine. Si ça se trouve, c'est toi le responsable.

En passant devant le sas, Lara jeta un regard derrière elle, puis elle se cacha dans l'angle, à deux mètres de son système d'alarme. De cet endroit, elle apercevait un coin de la table de la cuisine et le couloir. Elle verrait sans être vue. Ce serait la même chose si le voleur sortait d'un placard de la cuisine, ou de la chambre froide.

Lara s'installa en position accroupie, s'adossa contre le béton froid et attendit, son fusil braqué devant elle.

Je ne deviens pas folle, c'est toi Pierre qui n'as pas toute ta tête, nuance!

Jugeant la position incommode, Lara s'assit, replia ses jambes vers son visage. Elle commença à se bercer dans les secondes qui suivirent, et une dizaine de minutes plus tard, elle s'endormait.

Un bruit la réveilla en sursaut. On aurait dit qu'une ferraille venait de tomber. Lara tendit l'oreille, le cœur battant, cramponnée à son fusil. Plus rien. Très vite, Lara se persuada que ce bruit appartenait à ses rêves. Elle quitta le sas, de plus en plus certaine qu'elle avait mangé les céréales et ne s'en souvenait pas.

Le balai ne tarderait plus à avoir raison.

C'est là qu'elle entendit un nouveau son. Cette fois, Lara ne pouvait plus accuser ses rêves. Quelque chose remuait à l'étage inférieur. Lara éprouva une peur atroce au fond de son ventre.

Elle atteignit le deuxième sous-sol sans faire un bruit. Son visiteur en revanche ne se gênait pas. Ça farfouillait dans la salle vidéo, Lara en était à présent certaine. Elle s'approcha sur la pointe des pieds, mais quand elle passa sous la porte fracturée, ses genoux craquèrent. Il y eut un mouvement à la limite de son champ de vision, puis plus rien.

— Ho ! Y'a quelqu'un ?

Lara se précipita dans la salle de tournage où les décors fracassés s'entassaient dans un chaos indescriptible.

— Montre-toi ! Je te préviens, j'ai une arme, alors tu fais pas le con !

Lara braqua son fusil tandis qu'elle effectuait un tour de la pièce, repoussant du pied des morceaux de décors pour voir en dessous. Elle finit par trouver l'entrée d'un conduit étroit caché derrière un pan de lambris partiellement vissé dans le mur.

— Sors de là ! cria Lara dans le conduit tout en y introduisant son fusil. Dépêche !

Son index pressait dangereusement sur la gâchette.

Comme elle ne voyait rien dans le conduit, Lara arracha les lambris qui masquaient la lumière, puis elle s'accroupit et distingua une paire de pieds crasseux à deux mètres de l'entrée.

— Merde !…

Lara se glissa dans le conduit et fut assaillie par une forte odeur d'urine. À bout de bras, elle réussit à toucher la plante d'un de ces pieds. Elle entendit un cri perçant, puis les pieds s'éloignèrent et disparurent dans l'ombre.

— Reviens, murmura Lara. Je ne vais pas te faire de mal !

Incapable de se faufiler plus loin dans ce conduit trop étroit, elle alla chercher une torche. C'est en éclairant l'intérieur du conduit qu'elle comprit qu'il s'agissait d'une enfant.

91

« Le secret d'**Egon Zeller** ».

Ainsi allait titrer un magazine people dès le lende-main matin, avec en couverture une photo du comédien consolant Arnault de Battz au bord de la piscine de sa villa de Neuilly.

La parution était tirée à 500 000 exemplaires. Avant midi, tout le monde parlerait de l'homosexualité de l'icône du cinéma français.

À l'intérieur, il y aurait des photos d'Egon Zeller avec ses trois femmes, son fils, quelques-unes des plus belles actrices de ces trente dernières années, mais aussi devant le domicile d'Arnault de Battz, ou à ses côtés lors d'une première.

Pour le moment, peu de gens savaient. Après avoir reçu un e-mail du rédacteur en chef qui avait jugé plus humain de le prévenir, Egon Zeller s'était aussitôt reclus dans son appartement montmartrois. Lui qui avait si longtemps inventé des stratagèmes pour cacher son homosexualité se trouvait complètement démuni. Il se sentait même plus mal que lorsqu'il avait découvert son penchant vers l'âge de 20 ans, dans les bras de l'agent qui lui avait décroché son premier grand rôle.

Le téléphone sonna, Egon Zeller faillit ne pas répondre. C'était Arnault, bien sûr, qui venait de lire l'e-mail qu'il lui avait transféré.

— Ça n'est pas parce que c'est écrit que c'est vrai, dit-il pour combler le silence d'Egon. Ces photos ne prouvent rien, chéri. Tu as le droit de consoler un ami pédé.

— Ce n'est pas ça, c'est juste que ça ne finira jamais. Ils mordront leurs mères si ça peut faire du fric. Je n'en peux plus de ce monde-là.

— Tu ne vas pas faire de bêtise, dis-moi ?

— Rassure-toi, ce n'est pas un paparazzi qui aura ma peau. Non, je pense à ma carrière. C'est de ça qu'il s'agit. Du mensonge aussi. Ça fait trente ans que je mens. C'est dur de s'apercevoir à mon âge qu'au fond, on n'est qu'une illusion.

— Toi, une illusion ? Laisse-moi rire, mon grand, glapit Arnault de Battz sur un ton plus aigu qu'il ne l'aurait souhaité. Je connais peu de gens aussi vivants que toi. Allez, viens, on sort ce soir. On va se soûler au champagne chez Michou, et on appelle les journalistes pour leur faire la nique.

Le soupir d'Egon le coupa net dans sa tentative de le dérider.

— On a dû se battre toute notre vie. Tu le sais aussi bien que moi ! C'est pire qu'au Moyen Âge ! J'ai envie de tout plaquer.

— Tu veux plaquer quoi, ta carrière d'acteur ?

— Elle me plaque sans que j'aie besoin de faire d'effort. Figure-toi que mon agent m'a appelé. Tu sais, ce script très intéressant... Le producteur a eu un accord avec un diffuseur, à la condition que je ne sois pas au casting. On peut supposer que ces jolis messieurs ont des contacts dans les rédactions.

À l'autre bout du fil, Arnault de Battz se décomposa.

— Ils ne peuvent pas te virer, pas pour ça. On va les attaquer, un contrat, c'est un contrat !

— Tu parles ! Je ne pourrai rien contre l'opinion. Dans deux jours, je ne suis plus bankable et ça, n'importe quel avocat merdique pourra le démontrer. Les pédés, c'est juste bon à s'encoller dans les chiottes publiques, ou à faire des partouzes dans les backrooms. C'est ça l'image qu'on traîne.

— C'est parfois vrai, chéri, tu le sais.

— C'est souvent vrai, s'agaça Egon, mais ce n'est pas une raison pour penser que si un couple homo adopte un enfant, c'est pour l'enculer.

— Qu'est-ce que tu racontes ?

— Je te dis que beaucoup font l'amalgame entre pédophile et pédéraste, simplement parce que les deux mots commencent de la même façon. Tu vois à quoi ça tient, l'homophobie ? À deux syllabes.

— Tu exagères ! Il faut toujours que tu…

— Arrête, Battz, s'il te plaît. Au fait, tu pourras prévenir Valentin de ce qui se passe ? Là, je n'ai pas la foi et je ne voudrais pas qu'il s'inquiète. D'habitude, je l'appelle tous les jours.

— Tous les jours ? Depuis qu'il est rentré ?

— Je l'adore, ce petit. On ne se raconte pas grand-chose mais il me fait du bien. Je lui avais même promis de te convaincre de le reprendre chez toi quelques jours.

— Voilà que tu me préfères un apollon de 18 ans…

— Tais-toi.

— Tu es seul depuis trop longtemps. Fais tes bagages, je passe te prendre dans une heure, et ce soir, on se fait un plateau de fruits de mer à Honfleur. Ça fait une éternité…

— Non, j'ai envie de rien. Pour l'instant, je vais rester chez moi. Et je préfère être seul.

92

La présence de l'enfant expliquait bien des choses : le sac de croquettes vidé, les bouteilles de bière et de soda qui traînaient sur le sol, la fontaine à eau sans eau, le bac à glaçons sans glaçons. La gamine qui regardait **Lara Mendès** depuis le fond du conduit d'aération avait survécu comme elle, avec ses moyens, dans cette salle où…

Que t'est-il arrivé ?

Lara repoussa cette idée et se concentra sur la fillette.

— Viens, dit-elle d'une voix toute douce, tu peux sortir, je ne te ferai pas de mal.

La gamine ne bougea pas. Elle continuait d'observer Lara avec des yeux écarquillés. Le conduit amplifiait le son de sa respiration, haletant, rauque.

— Je n'ai plus grand-chose à te donner, mais j'ai de l'eau, viens, tu dois avoir soif.

Comme l'enfant restait immobile, Lara tenta une autre approche.

— Je m'appelle Lara, et toi ? Tu parles français ? *You speak english ?*

Lara prononça des mots dans toutes les langues dont elle connaissait ne serait-ce que quelques bribes, sans résultat.

La pauvre petite est affolée, laisse-la. Elle sortira d'elle-même.

Lara s'éloigna.

Elle se revit en train de se goinfrer de pâté dans les premiers jours et s'en voulut terriblement. À présent, elle n'avait plus que de l'eau. De l'eau, c'était beaucoup, surtout pour un adulte. Mais pour un enfant ?... Combien de temps un enfant survivait-il le ventre vide ?

C'est avec ce genre de questions que Lara se cacha derrière un panneau de décor, à quelques mètres de la porte fracassée, avec l'intention d'attraper cette petite fille dès qu'elle montrerait le bout de son nez.

93

L'heure de route prévue pour rallier les environs de Châteaubriant fut doublée par un embouteillage monstre sur la nationale. C'est finalement aux alentours de 19 h 15 que **Léon Castel** gara son combi le long d'une haie de bambous, au bout d'un chemin vicinal.

— Le célèbre monsieur Castel, l'accueillit Rodolphe Craven. J'ai entendu parler de vos actions en justice à plusieurs reprises !

— Je préfère parler d'actions en injustice, rectifia Léon en serrant la main que le juge lui tendait.

Rodolphe Craven détailla quelques instants les portraits plaqués sur la carrosserie du combi.

— Il faudra que vous m'expliquiez tout ça, dit-il un sourire aux lèvres. Mais venez, j'ai préparé l'apéro.

Il fit entrer Léon dans le jardin bordant une ferme typique du pays.

— J'ai grandi ici parmi les poules et les cochons, expliqua Rodolphe Craven. Mes parents étaient des paysans. Je l'ai laissée pratiquement en l'état.

Ils traversèrent la maison, pleine d'une patine surannée, et ressortirent sur l'arrière.

— J'ai fait bâtir cet auvent il y a une vingtaine d'années, poursuivit le juge. Il pleut pas mal dans le coin. C'est quand même mieux que les pieds dans la boue, non?

La terrasse donnait sur une cour à l'ancienne, délimitée par des constructions basses qui avaient dû servir de poulailler et de porcherie. Un puits formait l'un des deux angles et un four à bois l'autre. Une table en métal ajouré supportait un plateau garni de verres et de bouteilles d'alcool.

— J'ai commencé sans vous, c'est presque l'heure de la soupe. Asseyez-vous, je vous en prie. Whisky, sec, soda, j'ai aussi de la bière?

Léon accepta un whisky et s'installa tandis que le juge le servait.

— Les gendarmes ne sont pas tendres avec l'alcool au volant dans le coin, le prévint-il. Et j'ai trois chambres qui ne servent que trop rarement. J'espère que vous avez pris votre brosse à dents !

— Toujours prêt! sourit Léon. Merci, c'est une bonne nouvelle, je pourrai profiter de cet excellent whisky !

Les deux hommes trinquèrent.

— Dites-moi, Léon, en savez-vous davantage sur ce qui est arrivé à Sookie?

— Hélas, non.

— Personne n'est à l'abri de perdre le contrôle. Je suis désolé pour elle. Sookie m'a fait une excellente impression.

Pour avoir lu le dossier de sa fille, Léon connaissait beaucoup d'éléments sur la disparition de Charlène Bonnet, mais il écouta religieusement ce que le juge avait à lui raconter sur le triple suicide des Raspail.

— Sookie a découvert qu'un tueur en série se cachait dans l'entourage de la famille. Maintenant, de qui s'agit-il? Un des pendus, les trois, quelqu'un d'autre? Je crois qu'à moins d'un coup de chance, personne ne le saura jamais.

— Pourquoi les flics ont-ils conclu au suicide?

— L'absence de traces d'effraction et de lutte, la simultanéité de la mort. Franchement, cette théorie tient la route sans problème. En tout cas, elle exclut complètement que l'un d'eux ait tué les autres avant de se suicider.

— Qui étaient ces Raspail?

— Un colonel en retraite depuis peu, sa femme et le fils de monsieur, pas de profession connue.

— Colonel dans quelle arme?

— Il travaillait au ministère. Je n'en sais pas plus. Une chose est certaine, quelqu'un est revenu sur les lieux pour prendre les bijoux. (Rodolphe Craven désigna les photographies.) Cette gourmette-là obsédait Sookie. Elle appartenait à une certaine Petra Seipel…

— Je connais ce nom, Sookie l'a écrit sur des notes.

— C'est parce qu'elle pense que cette petite est toujours en vie.

— D'où l'urgence.

— Absolument! Le problème, c'est qu'on ne peut pas grand-chose!

Léon grommela pour lui-même. Il n'allait pas commencer à bouffer du juge devant Rodolphe Craven.

— Sookie est une obsessionnelle. Tant qu'elle pensera la gamine en vie, elle ne lâchera pas.

— La seule possibilité, hasarda Rodolphe Craven, c'est d'entrer en contact avec la mère de Charlène Bonnet. Si elle reconnaît la médaille de baptême sur ce cliché, alors nous saurons que ces bijoux sont bien une sorte de tableau de chasse. Le problème, c'est que tout ça ne pourra être fait que de manière informelle, comme je vous l'ai dit...

Rodolphe Craven s'interrompit. Le visage de Léon trahissait une légère satisfaction.

— Quoi ? Qu'y a-t-il ?

— J'ai appelé Mathilde Bonnet hier. Elle m'a d'abord raccroché au nez puis elle a accepté de me recevoir demain.

— Bigre ! Elle a donné une raison à ce revirement, au moins ?

— Évidemment pas. C'est bien une question de juge, ça !

— Je me rouille, concéda Rodolphe Craven. Et ça ne va pas aller en s'améliorant. Mon congé maladie m'amènera gentiment jusqu'à l'âge de la retraite.

— Moi, j'ai profité d'un plan de licenciement avec prime à l'appul. Je n'ai jamais autant bossé que depuis que j'ai arrêté de travailler.

— Votre pedigree judiciaire en atteste ! plaisanta Rodolphe Craven. Pour en revenir à madame Bonnet, je vais vous accompagner.

— Certainement pas !

— L'entretien va être délicat ! Vous ne devrez ni révéler l'origine des clichés, ni parler des soupçons de votre fille, vous devrez bluffer, arrêter de faire le béni-la-vérité-à-tout-prix, et ramener des informations utiles !

— Vous avez terminé ? Parce que je ne changerai pas d'avis. C'est moi que madame Bonnet accepte de rencontrer, moi Léon Castel, le roi des emmerdeurs ! Et pas un de ces juges qui n'ont rien fait pour retrouver sa fille !

— Léon, croyez-moi. En général, un magistrat, ça ouvre les portes.

Les mots de Rodolphe Craven firent jaillir une idée dans l'esprit de Léon.

— En parlant de ça, il y avait des clés dans les affaires de Sookie !

— Volées chez les Raspail, je suis au courant. Ces clés ne correspondent à aucune porte de la propriété. Sookie était convaincue qu'elles ouvrent le local où le tueur enfermait ses victimes.

— Puisque nous ne pouvons pas travailler sur les bijoux ni les clés, alors il faut s'intéresser aux Raspail. Ils sont notre lien, n'est-ce pas ?

— Je vous l'ai dit, le colonel travaillait au ministère. Les informations concernant sa carrière sont protégées par le secret-défense.

— Bon sang, arrêtez de raisonner en juge ! s'agaça Léon. Quand la loi vous emmerde, il faut la contourner.

— C'est-à-dire ?

— Figurez-vous qu'à la Guilde des emmerdeurs, on se serre les coudes, et je vais bien voir si j'ai pas un ou deux potes capables de rapporter du croustillant de sous les fagots.

Le tee-shirt trempé de sueur, le short en partie bariolé de traînées vertes pour s'être ramassé sur la pelouse, **Hervé Marin** n'en pouvait plus. Voilà une heure qu'il jouait à cache-cache avec Guernica, utilisant les différentes portes-fenêtres qui donnaient sur le jardin pour bloquer l'animal.

— Pouh ! Tu sais pas t'arrêter, t'es pire qu'un gosse ! râla Hervé pour tenter de ramener le doberman au calme. Viens, on va se mettre au frais.

Guernica fila se lover sur le canapé, territoire formellement prohibé par Léon, et posa son museau sur ses pattes avant.

Après s'être désaltéré, Hervé la rejoignit et alluma la télé pour suivre le Tour de France. Ce mercredi, la course cycliste traversait les Landes. L'étape se jouerait sur des routes rectilignes à perte de vue. Trois des échappés venaient d'être avalés par le peloton, il restait un groupe de six, mais à cent kilomètres de l'arrivée, il y avait de grandes chances qu'ils se fassent rattraper malgré leur confortable avance.

— On s'emmerde, hein ?

Hervé Marin coupa le téléviseur au bout d'un quart d'heure et resta sur le canapé. Son regard torve vagbondait sur les meubles du salon, courait le long des câbles électriques, sautait d'un carrelage à l'autre, en utilisant toujours le même parcours, puis s'attardait sur les photos de famille disposées sur le dessus d'un coffre.

Soudain, sans que rien ne le laisse présager, il bondit sur ses pieds.

— Viens, Mouchou ! On va aller pour voir Sookie !

Hervé Marin s'installa sous l'abribus pour éviter les rayons cuisants du soleil. Dans une main, il tenait un bouquet de roses du jardin.

Lorsque le car arriva, un peu moins d'une demi-heure plus tard, Hervé laissa descendre trois habitants du bourg avant de monter, Guernica sur les talons.

— Désolé, monsieur, lâcha le chauffeur avec un sourire faussement contrit, mais les chiens ne sont pas autorisés.

— Y'en a qu'un, rétorqua Hervé, et puis tu diras que tu l'as pas vu.

Le chauffeur le connaissait bien. Depuis que son tuteur lui avait interdit d'utiliser une voiture sans permis, Hervé Marin prenait la ligne de bus régionale pour se rendre au supermarché, à la piscine et parfois pour fleurir la tombe de sa mère à Épinal.

— Je te dis que tu ne peux pas monter dans le bus avec cet animal. C'est pas contre toi, c'est le règlement.

Un air buté figea les traits d'Hervé. Il détestait qu'on lui dise non, ça le mettait dans des rages parfois incontrôlables. Pourtant, si Hervé Marin trônait en première ligne des idiots, il n'était pas stupide. Il

488

savait qu'il avait beaucoup à perdre à s'en prendre aux autres. Alors il demeura immobile devant le chauffeur, en attendant qu'il change d'avis.

— Tu descends ou tu montes sans le chien, s'agaça ce dernier, mais je ne l'embarque pas. Et décide-toi, parce qu'on n'a pas la journée.

À défaut d'arracher la tête du chauffeur, idée qui lui trottait sérieusement dans la tête, Hervé s'en prit aux roses, qu'il foula dès qu'il fut retourné sur le trottoir.

Il regarda le bus s'éloigner, la rage au cœur et resta longtemps prostré sur le banc, une moue contrariée sur le visage. Soudain, ses traits s'illuminèrent d'un sourire de sale gosse.

— Viens, Mouchou, on va aux carrières, c'est frais là-bas, et puis il y a des lapins !

Un quart d'heure plus tard, il gagnait les carrières désaffectées, situées à quelques centaines de mètres du bourg, à flanc de colline, cachées à la vue par un bois de sapins. Hervé aimait cet endroit. Il n'y traînait jamais personne et il s'y sentait une âme d'aventurier.

— Regarde là, dit-il en désignant de petites boules noires éparpillées sur le sol à l'entrée des carrières, c'est des crottes de lapins. Ça veut dire qu'ils font des réunions ici. Mais la nuit, hein, parce qu'il y a pas de chasseurs la nuit. Ils sont pas cons les lapins !

Guernica flaira les traces, puis s'aventura dans la pénombre souterraine. Hervé suivit l'animal. Les carrières s'enfonçaient loin sous terre. À cinquante mètres de l'entrée, la température chutait à 15 degrés et on n'y voyait plus grand-chose.

— C'est un coup à attraper un rhume. J'aurais pas l'air d'un con, moi, avec un rhume au mois de juillet !

Soudain, Guernica tomba en arrêt et fila comme une flèche. Hervé tenta de suivre la chienne jusqu'à l'entrée, puis il la perdit de vue dans les broussailles.

— Évidemment, à quatre pattes, tu te fatigues moins, émit-il en s'asseyant sur un gros moellon de pierre.

— Tu serais moins gras, tu y arriverais peut-être ! grinça une voix derrière lui.

Hervé se retourna et se trouva nez à nez avec Rémy Lagrange. Il était accompagné de Pierrot, Hervé ignorait son nom de famille, mais avec JP, ces deux-là formaient un trio qu'il fallait éviter à tout prix.

— Comment qu'c'est, l'abruti ? questionna Pierrot en forçant son accent. T'attends ta fiancée ?

Hervé se renfrogna.

— Ça tombe bien qu'on te croise, lança Rémy Lagrange, je voulais justement te causer.

— T'es pas en gendarme, alors j'ai pas à te répondre !

— On dit que tu suivais la négresse le jour où elle a tabassé JP, c'est vrai ? Tu l'aurais pas aidée, dis voir ?

— Elle est pas négresse !

— Réponds-moi quand je te parle. Elle t'avait demandé de faire le guet, hein ?

— C'est le JP qu'est un vrai connard ! Et pis, j'ai rien vu.

La main de Rémy Lagrange s'abattit violemment sur la joue d'Hervé qui chancela.

— La prochaine, c'est mon poing que tu prends dans la gueule, gronda Rémy Lagrange. T'as pigé, le débile ?

Hervé éleva son bras pour protéger son visage.

— T'as pas le droit de me frapper !

— J'ai tous les droits, mongol, baisse ton bras !
Baisse ton bras, je te dis !

Le front buté, Hervé s'exécuta.

— C'est la négresse qui a commencé, hein ? C'est
cette grosse pute qui a agressé JP, et toi, tu surveillais
les alentours ?

— C'est pas une pute, gronda Hervé.

Son visage s'était subitement transformé.

— Attention, prévint Pierrot en reculant d'un pas, il
va charger !

— Ça m'étonnerait.

— T'as qu'à voir ! murmura Hervé d'une voix
vibrante de colère et d'impuissance mêlées.

— Tu restes assis où je t'embarque, menaça Rémy
Lagrange. Et tu réponds à mes questions ! Alors, la
négresse, tu l'as aidée ? Qu'est-ce qu'elle voulait à JP ?

Comme Hervé gardait une attitude agressive, le gendarme lui flanqua un coup qui laissa une marque rouge
sur l'œil du malheureux.

— Vas-y, touche-moi, pauvre débile. Touche-moi et
je t'embarque à la caserne !

Rémy Lagrange sautillait devant Hervé les poings
serrés.

— Qu'est-ce que t'attends, tas de merde !

— Parasite ! renchérit l'autre. Tu bosses pas, tu
touches une pension, des allocs, tu vis sur nos impôts et
tu emmerdes le monde ! Allez, bats-toi, gros sac !

— C'est ça, viens que je te montre comment on
traite les tarés dans ton genre à la caserne !

Hervé fixa le gendarme une poignée de secondes avec
insolence, puis il capitula et se rassit sur le moellon. Sa

mâchoire tremblait et ses avant-bras étaient agités de spasmes.

— Voilà, c'est plus sage, apprécia Rémy Lagrange. Je reviendrai te voir, en gendarme comme tu dis, et cette fois, tu répondras à mes questions. C'est clair, le débile ?

Hervé Marin regarda la silhouette des deux hommes se dissoudre dans ses larmes alors qu'ils s'éloignaient en remontant le sentier vers la route, puis il enfouit son visage entre ses mains.

95

De sa cachette, **Lara Mendès** eut le temps de détailler l'enfant alors qu'elle s'extirpait du conduit d'aération. Une fillette de 12 ou 13 ans, les cheveux blonds emmêlés de crasse, elle portait un bas de survêtement d'homme aux jambes découpées, sans doute par ses soins, et un haut en dentelle qui avait dû être beige. Elle était si maigre que ses coudes et ses genoux saillaient bizarrement.

Après avoir jeté un coup d'œil prudent autour d'elle, la gamine sortit de la salle de montage en rasant les murs. Elle s'arrêta à plusieurs reprises pour tendre l'oreille, et disparut dans la cage d'escalier.

Lara mit son fusil en bandoulière et lui emboîta le pas. Elle dévala les marches et émergea dans le couloir du premier sous-sol, en veillant à éviter les débris d'ampoule qu'elle avait semés un peu partout.

Un léger bruit sur sa droite lui indiqua que la fillette s'était rendue dans la cuisine.

Je te tiens, petite anguille.

Lara entra à son tour et se débarrassa de son fusil en le posant sur le dessus d'un bahut, puis elle referma la porte derrière elle.

— Tu sais, je suis comme toi, moi aussi je suis enfermée ici depuis des jours.

La fillette se recroquevilla sous la table.

Lentement, Lara s'accroupit près d'elle et lui tendit la main.

— N'aie pas peur, il n'y a que toi et moi.

Alors que les doigts de Lara effleuraient son bras brûlant de fièvre, la gosse poussa un cri strident et plaqua ses mains sur ses oreilles.

— Chuutt… souffla Lara en retirant sa main. Chutt…

La jeune femme s'approcha à nouveau, et avant que la gamine ait le temps de déguerpir vers la porte, elle l'attrapa par une cheville. L'enfant bascula tête la première et rua pour se libérer. Mais elle n'avait plus assez de forces pour opposer de résistance. Seulement pour crier.

Lara rampa jusqu'à elle et la ceintura, évitant avec peine ses coups de pied. Un choc à la poitrine l'obligea à reprendre son souffle mais elle ne lâcha pas.

— Tu ne me laisses pas le choix, hurla-t-elle en serrant la petite contre elle. Reste tranquille, merde !

Quelques secondes encore, la fillette se débattit mollement puis elle rendit les armes, épuisée. Lara qui l'étreignait avec force libéra peu à peu son étreinte en la berçant.

— Il n'y a plus que nous deux, n'aie pas peur, je vais m'occuper de toi, les monstres ne reviendront plus.

96

— Qu'est-ce qui vous est arrivé ? demanda **Léon Castel** sans quitter la route des yeux. Pourquoi on vous a mis au rancart ?

— Voyez-vous, je suis un juge qui gueule quand c'est nécessaire. J'ai bien manqué me casser la voix.

— Un peu comme moi en somme.

— À la nuance près que je suis censé appliquer la loi et non la transgresser.

Les deux hommes avaient pris la route deux heures plus tôt, après que Léon eut obtenu des informations par l'un de ses contacts de la Guilde des emmerdeurs tôt dans la matinée. Ce dernier, inspecteur général à la Sécurité sociale, leur avait expédié le listing des prestations maladie des Raspail sur les quinze dernières années une heure plus tard. Il apparaissait qu'à l'âge de 16 ans, Léopold avait fait un séjour d'une année dans un établissement psychiatrique.

Rodolphe Craven avait alors pris le relais et contacté l'un de ses collègues dont la juridiction correspondait géographiquement avec cet hôpital. Le casier du fils Raspail mentionnait plusieurs actes de délinquance après sa majorité, mais rien qui pouvait être en lien avec cette hospitalisation. À partir de ces éléments, Léon Castel et Rodolphe Craven avaient décidé de se rendre dans son dernier lycée.

— Finalement, si on y réfléchit, je ne transgresse que rarement, grogna Léon. Il se trouve qu'un paquet de vos confrères appliquent vos fichues lois en fonction de leur appartenance politique, ou pour faire chier le pouvoir en place.

— Si les choses pouvaient être aussi simples, dit Rodolphe Craven, le buste secoué de soubresauts de rire. Il y a péril en la demeure Justice, monsieur Castel !

— Tenez, par exemple, je vous ai parlé du petit Quentin X hier soir, eh bien en l'occurrence, ce con de juge pouvait aussi bien lui permettre de récupérer ses souvenirs de famille au lieu d'appliquer le droit à la lettre en laissant l'usufruit à l'assassin de sa mère. Admettez quand même que c'est un pousse-au-crime ! Heureusement, Quentin est un non-violent. Mais tout le monde peut changer, ajouta-t-il d'un air sombre.

— Admettons. Mais dans ce cas, l'usufruitier aurait fait appel de la décision et il aurait gagné en deuxième instance. Le droit est le droit, je me tue à vous le répéter.

— Sans doute, accepta Léon, mais entre les deux jugements, Quentin aurait eu le temps de récupérer les souvenirs de ses parents. Tout le monde y aurait trouvé son compte. Sauf votre droit à la noix.

— Voyager en votre compagnie est une épreuve pour un magistrat, soupira Rodolphe Craven.

À 13 h 45, Léon coupa le moteur du combi sur le parking visiteurs de l'Oisellerie, un lycée agricole situé dans la campagne angevine. L'établissement, ouvert à cette période estivale en raison de stages et du suivi des moissons, bruissait d'activités.

Quelques minutes plus tard, ils se trouvaient dans le bureau de Paul Coupéry, le chef de l'établissement.

Rodolphe Craven ne cacha pas que sa démarche ne revêtait aucun caractère officiel. La simple évocation de Léopold Raspail suffit à délier la langue du directeur.

— C'était un gosse perturbé qu'il fallait cadrer en permanence. Je ne peux même pas dire que je sois attristé d'apprendre sa mort.

Rodolphe Craven et Léon échangèrent un regard entendu.

— J'étais directeur adjoint à l'époque, et je me suis colliné Léopold Raspail plus souvent que je ne l'aurais voulu. Violence, insultes, dégradation de matériel, débordements réguliers avec les professeurs, et j'en passe, jusqu'à cette affaire de viol. C'est là que nous nous en sommes débarrassés, mais à quel prix !

— Que s'est-il passé ?

— Raspail et un de ses camarades ont tendu un piège à une gamine de sa classe, en l'invitant pour fumer un joint, dans les bois, derrière l'école. Ils l'ont assommée, ligotée, violée et battue.

— Merde alors ! ne put s'empêcher de s'exclamer Léon. La gamine s'en est sortie ?

— De justesse, je vous le dis. Et elle a passé près de six mois dans une maison de repos. Je crois qu'elle a arrêté ses études. La malheureuse ne pouvait plus mettre un pied à l'école.

— Et Léopold Raspail ?

— À peine inquiété. Il a tout nié en bloc, n'a laissé aucune trace sur les lieux. Deux jours plus tard, la plainte a été retirée par la famille.

— Et le procureur n'a pas poursuivi ? s'insurgea Rodolphe Craven. J'ai du mal à y croire.

— On raconte que le père Raspail a usé de son influence pour contraindre la victime à faire machine arrière. Je n'ai aucune preuve de ce que j'avance, mais j'en mettrais ma tête à couper. En tout cas, il n'y a pas eu de poursuites, ça c'est sûr. Les journaux en ont à peine parlé, les gens du coin refusaient de répondre aux questions des curieux. On se serait cru en Corse !

— Pourriez-vous nous communiquer les coordonnées de la jeune fille ou celles de sa famille ? demanda Léon, pour couper toute envie à Rodolphe Craven de dire qu'on n'accuse pas les gens sans preuve.

— Non, je suis navré. Ils ont déménagé depuis un bail et de toute façon, vous comprendrez que j'ai déjà outrepassé mon devoir de réserve en vous révélant l'affaire. Mais en revanche, je peux vous donner le complice de Raspail si ça vous intéresse.

— Bien sûr ! tonitrua Léon.

— Il faut tout de même se méfier des évidences, asséna Rodolphe Craven, j'ai parfois reçu dans mon bureau des suspects présentant dix fois plus de présomptions que le véritable coupable.

— Quoi qu'il en soit, je compte sur votre discrétion, expliqua Paul Coupéry. Je ne voudrais pas être accusé de délation. Mais si ce type est encore dans la nature, alors il est dangereux. Il se nomme Stephan Ribaud, ajouta le directeur en baissant la voix. S'il était question de travail, je dirais qu'il était l'associé de Léopold. Pire, son éminence grise.

97

Couchée en chien de fusil, **Sookie Castel** se berçait doucement sur le lit, le visage tourné vers la paroi plus fraîche. Par la grande fenêtre grillagée, la lumière crue de juillet marquait une ombre nette qui remontait peu à peu vers le mur bariolé de pendus et de suppliciés. Les aboiements d'un chien résonnaient à proximité.

Des portes claquaient dans le couloir.

Elle ferma les paupières pour chasser la vision de ces mains décharnées qui tentaient de l'attraper, se désagrégeaient au dernier moment, puis revenaient et s'enhardissaient pour l'arracher à l'abri de son lit. Ces mains étaient celles des pendus aux visages bouffis, rubiconds, et au sourire atroce, qui dansaient sur le mur.

Sookie gémit et se tourna.

— Sookie ?

La jeune femme se redressa d'un bond.

Un homme vêtu de vert la fixait, debout au pied de son lit.

Elle vit avec horreur son visage se fendre sur un sourire, dévoilant ses dents.

Boîte Nuremberg, Nuremberg.

— Non ! Nooon !!!

L'homme en vert avança d'un pas. Sa silhouette se mêlait à celle des pendus qui semblaient se détacher du mur.

Folle de terreur, Sookie ramassa ses maigres forces et se jeta sur lui avec un hurlement rauque. Elle griffa ses joues, le mordit pour qu'il cesse de sourire, indifférente aux coups qu'il lui rendait.

Un déluge de boîtes envahit la pièce, noyant Sookie qui s'effondra sur le sol, recroquevillée et tremblante. Elle sentit à peine la piqûre brûler son bras et bientôt, elle s'enfonça dans un sommeil sans rêves.

98

— Tu bouges pas, Mouchou, hein ! Bien sage.

Hervé Marin ferma lentement le grand sac de voyage dans lequel Guernica s'était installée. Il lui laissa une petite ouverture, puis le passa en bandoulière. Guernica pesait une vingtaine de kilos, une plume pour Hervé qui possédait sous son excès de graisse la musculature d'un fort des Halles.

— Bon chien ça, tu bouges pas.

Après être rentré de la carrière, Hervé s'était mis en tête de trouver un moyen de prendre le bus avec Guernica. Pour ça, il fallait habituer le chien à entrer dans le sac et à y rester tranquille. D'abord ouvert, avec une couverture en laine pour le confort, puis fermé à moitié, et enfin complètement. Au début, Guernica avait résisté, mais l'opiniâtreté d'Hervé ne connaissait pas de limite, à condition que l'exercice cadre avec son intérêt personnel.

À présent, la chienne acceptait de se laisser promener dans le jardin pendant une dizaine de minutes sans se manifester. Au-delà, elle commençait à geindre, puis à donner des coups de patte. Dix minutes, Hervé n'en demandait pas plus. Il installerait Guernica dans le sac juste avant l'arrivée du bus et irait s'asseoir au fond, là où d'ordinaire, il n'y avait que des jeunes. Hervé n'aimait pas beaucoup les jeunes, qui se moquaient de lui ouvertement.

À 10 h 50, Guernica était dans le sac et Hervé sous l'abribus, debout à côté, raide comme un piquet.

Dédé l'observait depuis l'autre côté de la rue, un air moqueur sur le visage, qui s'accentua quand une dame promenée par un bichon capricieux s'approcha d'Hervé. La dame laissa son chien renifler le gros sac, puis s'éloigna rapidement.

— T'as de la chance !

Hervé haussa les épaules sans daigner lever le regard vers celui qui l'interpellait.

— Le rat aurait pu pisser sur ton sac ! ajouta Dédé. Hein, et qu'est-ce que t'aurais fait ?

— Ben, s'il l'avait fait, rétorqua Hervé après un court silence, j'aurais pissé sur le rat.

À 11 heures, le car marqua l'arrêt à Saint-Junien. Son sac sur l'épaule et son bouquet de roses à la main, Hervé Marin grimpa dedans, acheta un ticket pour Mirecourt, et s'installa au fond. Comme il n'y avait pas grand monde, et surtout aucun de ces sales jeunes, il posa le sac sur ses genoux et laissa la tête de Guernica dépasser. Un peu déçu que le chauffeur ne soit pas le même que la veille, il passa le trajet à regarder par les vitres.

Arrivé à Ravenel, il franchit le poste de garde sans encombre – le planton le reconnut aussitôt – et s'avança vers le bâtiment administratif. Dans le sac, Guernica geignait doucement.

— Tais-toi, Mouchou, murmura-t-il. On va se faire prendre ! Bon, tu m'attends. Et pas de bêtises, hein ?

Hervé tira la fermeture, flatta le museau de la chienne, et l'abandonna derrière un buisson avant d'entrer à l'accueil.

L'hôtesse lui adressa un sourire entendu.

— Bonjour, monsieur Marin! Comment va-t-on aujourd'hui?

Hervé eut un sourire espiègle avant de prendre un air important.

— Je ne suis pas malade, j'ai pris un coup dans l'œil, et je viens pour voir quelqu'un.

La jeune femme, dont le nom brillait sur sa blouse – Candice Mergen – lui rendit son sourire.

— Ça fait pas trop mal? Votre œil?

Hervé secoua la tête en tâchant de prendre l'air courageux.

— Non non!

— Je vois qu'on s'est fait tout beau!

— Ben oui, je me suis rasé et j'ai mis des affaires propres. C'est pour Sookie. Elle est jolie, hein?

— Sookie Castel?

Hervé hocha la tête avec fierté.

— Oui, je veux la voir.

Candice eut une moue désolée.

— C'est impossible, monsieur Marin. Le docteur Mariani interdit toute visite en dehors de sa famille. Sookie est très malade et surtout, elle est très agitée. On a dû la sangler sur son lit, ajouta-t-elle un ton plus bas.

Au regard que lui lança la jeune femme, Hervé comprit qu'il n'obtiendrait rien de plus. Ici, chaque consigne donnée par le docteur Mariani était respectée à la lettre. Il était bien placé pour le savoir, lui qui avait souvent séjourné entre ces murs.

Hervé Marin ressortit du bâtiment, malheureux comme les pierres, et ce n'est pas la barre de chocolat offerte par Candice qui allait changer ça. Il traversa le parc en direction de l'arrêt de bus et libéra Guernica, qui se mit aussitôt à trottiner autour de lui en flairant le sol.

Ravenel était un bel endroit, grand comme cent terrains de foot, avec de beaux arbres, des champs tout autour et de la bonne nourriture. Le problème, c'est qu'il y avait des grillages ou des barreaux aux fenêtres, qu'on y croisait des gens malheureux, des gens hurlant, des gens pas propres sur eux ou dans leurs têtes. Il allait pourtant falloir qu'il demande à y être admis. Ce serait le seul moyen de rejoindre Sookie. Et de se trouver loin de Rémy Lagrange et sa bande de malhonnêtes.

99

Erwan Guenarec fulminait. Patienter, se calmer, attendre, il n'avait d'autre ressource que de prendre sur lui.

Habitué à travailler une moyenne de dix heures par jour, toujours occupé et rompu au stress de son métier, Erwan Guenarec se sentait sur le point d'exploser. Le CHS de Ravenel n'était pas un endroit pour Sookie, et encore moins pour lui. En réalité, ça n'était un endroit pour personne. Il y régnait une atmosphère de renoncement qui donnait l'envie de prendre ses jambes à son cou. Or, c'était justement ce qu'Erwan ne pouvait pas faire.

Il quitta l'ombre d'un peuplier et se dirigea vers le pavillon Camille-Claudel. Ce serait bien le diable s'il ne parvenait pas à croiser ce fichu toubib pour lui toucher deux mots.

— Non, mademoiselle Castel n'a pas été changée de chambre, l'informa Baptiste Grandidier, le chef infirmier.

— Bon sang, mais je rêve !

Erwan Guenarec retint la flopée de mots orduriers qui se bousculaient dans son esprit et reprit :

— Franchement, comment voulez-vous que vos patients se retapent dans une fournaise malodorante ?

— Ce sont les consignes du docteur.

— J'entends bien, lâcha Erwan sur un ton qu'il voulait conciliant. Justement, où est-il ?

— Le docteur gère six pavillons, ce qui fait de lui un homme très occupé. Il ne reçoit que sur rendez-vous, les lundis et mercredis après-midi.

— Bien sûr… Pouvez-vous me conduire auprès de l'interne de garde ? Avant-hier, l'un d'eux m'a dit qu'il changerait Sookie de chambre.

— Alors il doit s'agir d'un nouveau, opposa Baptiste Grandidier, les décisions du chef de service…

Erwan Guenarec leva les yeux au ciel. Et pendant qu'il imaginait mille façons de ratatiner l'infirmier, Baptiste Grandidier lui expliqua que le docteur pensait que Sookie devait demeurer dans l'univers psychotique qu'elle avait elle-même créé sur les murs de sa chambre, afin de pouvoir l'affronter le moment venu.

— C'est pour bientôt ? Parce que vu ce que vous lui collez dans les veines, ça risque d'être long.

— Mademoiselle Castel est instable. Elle m'a encore attaqué, précisa l'infirmier en montrant les traces de griffures sur ses joues et son cou. Pour le reste, je ne suis pas en mesure de vous répondre, désolé. Mademoiselle Castel nous a été confiée par les services de gendarmerie. Quand nous l'aurons stabilisée, elle ne sera pas libre de ses mouvements pour autant. Il faudra d'abord qu'elle passe par le bureau d'un juge.

— Vous aimez remonter le moral des familles, vous ! siffla Erwan Guenarec en tournant les talons. Merci pour vos conseils, et bonne journée.

Il quitta le pavillon d'un pas rapide et prit une grande goulée d'air dans le parc.

— Au royaume des cons, le chef de service est un prince ! lança-t-il à un pensionnaire qui marchait le long de l'allée, un pot de Nescafé vide entre les mains.

Dans les deux minutes, Erwan Guenarec avait rejoint le parking visiteurs et s'était glissé derrière le volant de sa voiture.

La sonnerie de son téléphone résonna à cet instant.

— Guenarec.

— Salut Erwan, c'est Habib. Désolé de te déranger pendant tes congés mais on a besoin de toi ici.

— Qu'est-ce qui se passe ?

— Le capitaine, Jean-Marc et un des gamins volontaires se sont pris un retour de flamme ce matin.

— Merde ! Raconte-moi.

— Un immeuble dans le centre-ville, il y a de gros dégâts. Il faut vraiment que tu rentres, on n'est pas assez nombreux pour assurer les astreintes.

— OK. Je serai là demain.

Erwan Guenarec raccrocha et frappa violemment le volant de son poing serré.

— Putain, Sook, dis-moi comment je vais te sortir de là si je ne peux pas rester ?

Il laissa errer son regard sur les champs et fixa son attention sur deux petits points lointains qui se rapprochaient.

Peu à peu, il distingua la silhouette d'un homme robuste accompagné d'un doberman bondissant autour de lui. Erwan Guenarec plissa les yeux, certain d'avoir la berlue, puis quand l'homme et l'animal

508

passèrent près de la voiture, il lâcha un pauvre sourire.

— Ne me dis pas que c'est ton clébard puant, Sookie, murmura-t-il en démarrant. Quoique, t'as toujours su rendre tout le monde fou de toi, alors pourquoi pas un chien.

100

Léon Castel enfonça le bouton de la sonnette de la maison de Mathilde Bonnet située dans la banlieue de Nantes. Les mots de Rodolphe Craven lui tournaient encore en tête. « Vous ne dites pas d'où viennent ces clichés, vous ne racontez pas le lien avec votre fille, vous bluffez, vous arrêtez de faire le béni-la-vérité-à-tout-prix, et vous essayez de ramener des informations utiles. »

Certes, le juge n'avait pas totalement tort, mais lui-même n'occupait pas la première place au concours des ahuris. Il laissait cet honneur à Hervé Marin, dont il se demanda, alors que la porte s'ouvrait sur une femme rondelette, à quoi il pouvait bien occuper ses journées.

Au lieu de grommeler, comme l'évocation d'Hervé lui inspirait de faire, Léon proposa un beau sourire à Mathilde Bonnet, qui l'invita à entrer chez elle.

La maison était étroite et tout en profondeur, joliment décorée. Léon remarqua aussitôt le portrait de Charlène, souriante, accroché dans l'entrée. C'est fou ce qu'elle et sa mère se ressemblaient.

Mathilde Bonnet accompagna Léon jusque dans la cuisine où un homme les attendait.

— Jo est un voisin et ami de longue date, expliqua-t-elle. Il nous soutient depuis le début.

Léon serra la main que lui tendait l'homme, un grand type maigre aux traits légèrement asiatiques.

— Excusez-moi mais je n'ai pas compris votre nom, dit Léon en s'asseyant.

— On ne vous l'a pas dit, rétorqua l'homme sèchement. Je m'appelle Joseph Lieras. Un café ? ajouta-t-il en s'adoucissant.

— Merci.

Léon resta droit sur sa chaise, mal à l'aise. L'ambiance qui régnait dans cette cuisine douillette, conçue pour y manger en famille, était glaciale.

— Je me suis renseigné sur vous, monsieur Castel, expliqua Mathilde Bonnet tandis que Jo Lieras s'activait devant la machine à expresso. C'est pourquoi j'ai accepté de vous recevoir. Vous n'êtes visiblement pas un de ces malades dont l'unique but est de faire souffrir les gens.

— On peut le dire, grinça Léon. C'est même plutôt le contraire…

Il trempa ses lèvres dans le café que l'homme venait de poser devant lui. Puis il dégrafa une grande enveloppe kraft qu'il avait apportée.

— Je milite depuis des années au sein de plusieurs associations d'aide aux victimes. C'est par le biais de l'une d'elles que j'ai reçu ces photographies.

Il fit glisser sur la table le contenu de l'enveloppe.

— Nous nous sommes dit que cette médaille de baptême aurait pu appartenir à Charlène.

Léon n'en dit pas plus. Il poussa les trois clichés vers Mathilde Bonnet, qui étouffa aussitôt un sanglot.

— Je suis désolé, dit simplement Léon.

— CB, c'est un peu court pour arriver jusqu'ici, non ? remarqua Jo Lieras, un brin agressif.

Léon faillit lui demander s'il avait un problème mais il se retint en voyant les larmes dans les yeux de la mère de Charlène.

— Vous voyez cette languette, et ces chiffres ?

Jo Lieras s'approcha de Mathilde Bonnet pour examiner les clichés attentivement.

— Nous en avons déduit que ces chiffres correspondaient à des dates.

Léon expliqua avec douceur comment il avait décodé les bagues de plastique. Deux dates, dont la première correspondait peu ou prou à celle de la disparition.

— D'où viennent *réellement* ces photos, monsieur Castel ? interrogea Jo Lieras en fronçant les sourcils.

Léon eut une déglutition difficile.

— Comme je vous l'ai dit, nous l'ignorons. Et nous n'avons que peu d'indices.

— Étaient-ils accompagnés d'un mot, d'une explication ?

— Non.

Jo Lieras fixait Léon avec insistance, comme si de cette manière, il pouvait le contraindre à dire la vérité.

— C'est la première fois que nous avons un signe de Charlène, murmura Mathilde Bonnet.

— Je sais à quel point c'est difficile, madame, croyez-moi...

— Ah... Vous avez aussi perdu un enfant ?

— Ma femme, répondit Léon, il y a peu. Et ma fille unique est gravement malade. Mais ce n'est pas la question...

Il fut interrompu par un claquement de porte. Une adolescente en jean-baskets fit irruption dans la cuisine.

— Bonjour, maman ! Bonjour, Jo ! s'exclama-t-elle en embrassant chacun avant de plonger dans le frigo pour y prendre de quoi goûter.

Elle défit l'emballage d'un biscuit et l'enfourna dans sa bouche. Puis elle but longuement à la bouteille de lait.

— C'est qui ? ajouta-t-elle quand enfin, elle sembla remarquer la présence d'un tiers.

Elle fixa Léon en s'essuyant les lèvres avec sa manche.

— Bérénice, ma fille cadette, présenta Mathilde Bonnet avec une moue gênée. Monsieur Castel travaille pour des associations de familles de victimes.

— Il se passe quoi ? s'inquiéta l'adolescente en découvrant les yeux rougis de sa mère, puis les photos sur la table. C'est pour Charlène ? C'est ça ?

— Calme-toi, tempéra Mathilde Bonnet en posant sa main sur son épaule. Nous ne savons pas encore ce que ces photos veulent dire. Ce monsieur est là pour nous aider à comprendre.

— Ah ! lâcha l'adolescente en se laissant tomber sur une chaise à côté de Léon. Vous êtes une sorte de détective privé ?

— Non, mademoiselle. Je travaille pour une association.

— C'est à vous, la drôle de camionnette qui est garée devant ?

— Béré… s'agaça Jo Lieras.

L'adolescente fit une grimace et s'intéressa à son téléphone portable.

— Madame Bonnet, reprit Léon, Charlène fréquentait-elle l'Oisellerie ?

— Qu'est-ce que c'est ?

— Une école, répondit Jo Lieras. Non, Charlène allait au lycée à deux pas d'ici. Pourquoi ?

— Connaissait-elle un certain Léopold Raspail ?

La réponse de Mathilde Bonnet fusa.

— Non, je le saurais.

Léon se sentit coincé, et assez peu glorieux par la même occasion. Il songea à Rodolphe Craven, qui l'attendait dans le centre de Nantes, et devait se ronger les sangs en priant pour qu'il ne fasse pas de gaffe.

— Maman, intervint Bérénice sans lâcher l'écran de son portable des yeux, les Raspail, c'est pas ces gens chez qui on a fait un extra l'année dernière ? Souviens-toi, c'était plein de militaires et de flics.

— Béré, tu veux nous laisser avec monsieur Castel ? exigea Jo Lieras d'une voix blanche avant d'allumer une cigarette.

L'adolescente protesta, mais sa mère se leva et la poussa dans le couloir. Le bruit de leurs pas diminua, une porte claqua et le silence retomba sur la cuisine.

— Monsieur Castel, reprit Jo Lieras en se tournant vers Léon, que savez-vous exactement sur la disparition de Charlène ?

— Je ne peux pas vous le dire, pas encore.

— Alors vous conviendrez que nous ne pouvons pas poursuivre cet entretien.

Jo Lieras se leva et d'un geste, invita Léon à en faire de même.

— Je suis venu pour vous aider, n'allez pas croire autre chose.

514

— Je ne crois rien, déclara froidement Jo Lieras en raccompagnant Léon jusqu'à la sortie. Je constate que vous possédez des éléments nouveaux. Comme vous me semblez être de bonne foi, je vous laisse quarante-huit heures pour donner ces preuves à la police. Passé ce délai, je me chargerai de les informer moi-même.

101

Lara Mendès s'était endormie avec la fillette, à même le sol de la cuisine. L'angoisse de se trouver si près de la porte d'entrée du blockhaus sans son fusil la réveilla peu après. Elle ne sentait plus son bras et ne pensait qu'à récupérer son arme. Doucement, elle se libéra du corps de la petite, puis remua les doigts pour que le sang y circule normalement.

Un instant, Lara observa son profil. Elle avait un air doux dans son sommeil, une paix qui contrastait avec l'odeur infecte qui se dégageait d'elle. L'odeur d'urine, mais aussi celle du sang. L'idée de ce qu'elle avait dû subir entre les mains du « porc » ébranla Lara.

C'est pas le moment, crevette. Vraiment pas, songea-t-elle en se redressant.

Lara récupéra le fusil sur le bahut, recouvrit l'enfant avec son loden et lui jeta un dernier coup d'œil avant de sortir de la cuisine.

— Comment je vais faire baisser sa fièvre ? Qu'est-ce que je dois faire ?

En grommelant, Lara prit l'escalier en direction de la fosse après avoir enfilé un des manteaux suspendus dans le couloir.

Pour les enfants fiévreux, l'idéal, c'est un bain tiède.

— Tu crois que je ne le sais pas, Pierre ? Si c'est pour me donner des conseils à la con, tu peux la fermer !

Dans des conditions normales, Lara savait comment s'y prendre. Elle s'était si souvent occupée de Valentin, quand il était tout petit. Doliprane, bain, ne pas trop les couvrir, les sirops pour la toux, les antibiotiques…

— Comment ils faisaient, les hommes des cavernes ? Hein, Pierre ? Tu crois vraiment qu'ils leur donnaient un bain ?

Les malades mouraient… C'est ainsi quand on est en guerre.

— Merde !

Sur le palier du troisième sous-sol, Lara ramassa une de ses torches partiellement consumées, l'enflamma et gagna précipitamment les conduits de ventilation où elle avait laissé plusieurs seaux. Dans l'un d'eux, elle versa jusqu'à la dernière goutte de ce que les autres avaient recueilli. La récolte était maigre, un demi-litre tout au plus. Elle replaça les seaux et remonta vers le premier sous-sol.

La cuisine était déserte. Lara nota que la petite avait emporté le loden. Elle remplit un verre d'eau et redescendit dans la salle aux décors.

— Où te caches-tu ? murmura-t-elle en se dirigeant vers le conduit de ventilation.

Lara distingua les petits pieds à un mètre de l'entrée.

— On va devoir s'apprivoiser, toi et moi, dit-elle en posant le verre. Tiens, je t'ai apporté de l'eau.

L'enfant renifla et recula.

— Je m'appelle Lara. Lara. Et toi ? Bois, insista Lara. Avec la fièvre, tu vas te déshydrater encore plus vite. S'il te plaît !

Qu'est-ce que tu fous ! Tu ne peux pas lui ficher la paix ? Elle est morte de trouille !

— Pierre, c'est vraiment pas le moment.

Tu t'y prends comme un manche, tu ne vois pas ?

Lara se redressa et s'éloigna de quelques pas.

— Et puis quoi ? Qu'est-ce que tu veux que je fasse ? Que je la laisse ici, toute seule ?

Tu ne crois pas si bien dire.

— Et si elle fait des convulsions ?

Eh bien, tu feras quoi ?

— M'emmerde pas !

Tu ne feras rien parce que tu sais pas quoi faire dans ce cas. Cette enfant est en danger de mort, oui, mais toi aussi Lara, alors arrête de te donner des airs importants.

— Tu vas la boucler, oui ! Je vais très bien m'occuper d'elle.

Elle ne bougera pas. Tu dois la laisser venir d'elle-même.

— Mais pourquoi ? s'agaça Lara en faisant les cent pas. Pourquoi elle ne viendrait pas ?

Comment veux-tu quelle te fasse confiance ? Après ce qu'elle a vécu ?

— Tais-toi, Pierre, s'écria-t-elle, je t'ai déjà dit que tu me soûlais avec tes conseils de merde !

Lara s'aperçut qu'elle avait crié quand un gémissement effrayé lui parvint du conduit.

Quelle conne !

Elle s'approcha lentement de l'entrée et tendit une main.

— Excuse-moi, je ne voulais pas crier. Je ne sais pas quoi faire avec toi. Tu sais, si on ne prend pas garde, on risque de ne plus jamais pouvoir aimer quelqu'un.

Mais qu'est-ce que je raconte ?

— Écoute, tout ce que je te demande, c'est de boire, insista-t-elle en poussant le verre vers l'enfant. S'il te plaît.

102

— Qu'est-ce que c'est que ce bordel ! s'exclama **Rodolphe Craven,** que Léon venait de récupérer dans le centre-ville. Joseph Lieras vous dites ? C'est bizarre. Ce nom me dit quelque chose. Vous n'avez pas parlé de moi, j'espère !

— Je me suis senti assez con comme ça.

Tandis que Léon s'infiltrait dans la circulation, Rodolphe Craven envoya un SMS à un commissaire de Rennes, une vieille connaissance.

— Je vais trouver qui c'est, ce type, grommela-t-il. Je suis sûr et certain que je connais ce nom.

— Si vous le dites…

Léon quitta l'agglomération par la nationale 137. Une heure et demie plus tard, ils arrivaient en vue de la demeure familiale de Rodolphe Craven.

Posé sur l'horizon, le soleil embrasait le ciel.

— J'en ai ma claque pour aujourd'hui de la bagnole, tempêta Léon.

Les premiers pas sur l'herbe du talus furent douloureux. De l'autre côté du combi, Rodolphe Craven émettait les mêmes commentaires.

— Ma grand-mère racontait toujours : on ne peut pas être et avoir été. Je crois que nous sommes en plein dedans !

— Parlez pour vous, râla Léon, moi, je disais ça pour ne pas être désagréable. Mais je me sens parfaitement bien, prêt à traverser la France si nécessaire.

— Fanfaron !

— Je préfère fanfaronner que me plaindre comme un vieux !

Rodolphe Craven posa une main sur le portail.

— Vous pissez toujours plus loin que les autres, hein ?

— J'ai cet honneur, en effet, rétorqua Léon en toisant son interlocuteur. C'est un problème ?

— Ma foi, pas vraiment, mais quelle longue adolescence !

Les mots du juge firent grimacer Léon. Puis sa grimace se mua en rire, aussitôt partagé par Rodolphe Craven.

— Venez, je crois qu'on a bien mérité une petite chopine, dit-il en poussant le portail. J'ai surtout du vin des Pays de la Loire, dans le coin, c'est presque dangereux de picoler autre chose, à moins de boire seul. Mais ils ont bien amélioré leur piquette ces dernières années.

Ils marchèrent côte à côte jusqu'à la porte d'entrée. C'est au moment d'ouvrir qu'ils s'aperçurent que la serrure avait été forcée et qu'un halo de lumière se baladait à l'étage.

— Merde, murmura Rodolphe Craven en attrapant son portable.

Léon secoua la tête.

— Vous voulez appeler les flics ? murmura-t-il. C'est bien une idée de juge, ça. Le temps qu'ils se pointent, et l'oiseau sera envolé !

— Qu'est-ce que vous suggérez?

— On s'arme et on fonce dans le tas.

Décontenancé, Rodolphe Craven regarda Léon farfouiller sous l'appentis qui jouxtait la maison, puis en revenir avec deux bûchettes.

— J'ai trouvé que ça, s'excusa-t-il en posant l'une d'elles dans la paume du juge.

Rodolphe Craven n'eut pas le temps de tergiverser. Alors que Léon poussait la porte et pénétrait dans le hall, il sentit le canon d'une arme appuyé sur sa nuque.

Il lâcha la bûchette, ce qui alerta Léon mais trop tard. Un homme jaillit des escaliers et le ceintura violemment.

— Bande de salopards! s'écria-t-il.

Bientôt, Rodolphe Craven et Léon furent ligotés et plaqués contre le mur, nez à nez avec deux hommes cagoulés, revêtus de treillis noirs, et équipés d'armes de poing. L'un d'eux avait des yeux bordés de cils comme ceux d'une femme.

Malgré ses liens, Léon chargea en criant du plus fort qu'il put, la tête penchée en avant. Il fut aussitôt reçu par un coup de poing dans l'estomac qui l'envoya au sol où il se contorsionna pour reprendre son souffle.

— Foutez le camp! brailla Rodolphe Craven, les jambes tremblantes. Vous agressez un juge d'instruction, merde!

L'un des hommes se précipita sur Léon, qui peinait encore à reprendre son souffle, et le força à se relever. Ce dernier tenta une protestation, mais l'homme lui lança un regard si inquiétant, tout en agitant son arme sous son nez, que ses mots restèrent coincés dans sa gorge.

Bientôt, Léon et Rodolphe Craven furent poussés dans le salon et forcés à s'asseoir devant la cheminée. Pendant qu'un des hommes les tenait en joue, l'autre achevait de fouiller les étages.

— Vous êtes blessé, mon vieux ? murmura Rodolphe Craven.

Par geste, Léon fit comprendre qu'il avait du mal à respirer.

— Un verre d'eau, il a besoin d'un verre d'eau !

L'homme qui les surveillait ignora la demande du juge d'un haussement d'épaules.

— Putain, on n'a plus l'âge pour ces conneries, émit Léon d'une voix rendue rauque par la peur.

Il se passa encore une bonne dizaine de minutes où Léon et Rodolphe Craven fixèrent le canon braqué sur eux. Des minutes qui leur semblèrent des heures.

Puis le second homme déboucha dans le salon, fit signe au premier qui déposa un couteau aux pieds de Léon, ébahi, et ils sortirent rapidement de la maison. À aucun moment, Rodolphe Craven et Léon n'avaient entendu la voix de leurs agresseurs.

Ils mirent plus d'un quart d'heure à découper leurs liens, mais deux minutes d'inspection leur permirent de comprendre ce que les cambrioleurs avaient emporté : l'appareil photo de Sookie, resté dans le sac de Léon, les photos des bijoux et le dossier Charlène Bonnet. Léon se félicita d'avoir accroché les clés Fichet et cette autre longue et ancienne clé sur son trousseau de voiture.

— Ce Jo Lieras doit être un bandit, râla Rodolphe Craven. C'est quand même un sacré hasard, non ? Je vais rappeler illico mon pote pour lui demander de bouger son cul. J'aimerais bien savoir qui est ce type avant d'appeler la cavalerie.

Alors que Rodolphe Craven s'éloignait pour passer son coup de fil, Léon s'affala dans le fauteuil à côté de la cheminée. Il se sentait vieux, vieux et vulnérable, et il commençait à douter du bien-fondé de son entreprise. Que pouvait-il espérer en cherchant la petite Petra Seipel ? Comment retrouver cette enfant alors que des bataillons de policiers s'étaient avant lui lancés à sa recherche ?

Le juge Rodolphe Craven, qui venait de raccrocher, s'approcha avec un verre d'armagnac et sortit Léon de ses pensées sinistres.

— J'ai songé qu'il vous faudrait autre chose que du gros-plant nantais, glissa-t-il avec un demi-sourire. Vous vous sentez comment ?

— Comme un vieux con de 60 piges. Alors, vous savez qui est ce fameux Jo Lieras ?

— Vous n'allez pas me croire, soupira Rodolphe Craven en se laissant tomber dans son fauteuil. Ce monsieur est flic.

Léon ne parut guère surpris.

— J'aurais dû m'en douter. Il en a le sale caractère. D'où le connaissez-vous ?

— C'est une longue histoire… Cet homme travaillait du côté de Berck-sur-Mer, il y a des années. Il a perdu son coéquipier dans des circonstances épouvantables, massacré dans les sous-sols de Sainte-Anne par un vrai taré. On en a beaucoup parlé entre nous, à l'époque, car l'assassin, qui était entre parenthèses un véritable tueur en série, n'a jamais été jugé. On l'a retrouvé dans une grotte, à l'autre bout du pays, du côté de chez vous, d'ailleurs, en Lorraine. Ce n'était plus qu'un légume. Le pire, c'est qu'il est toujours relié à des machines parce que personne n'a autorité à le débrancher.

— Je comprends. Mais ce Jo Lieras, il n'a pas un comportement un peu étrange ?

— Plutôt. Il sait que vous possédez des éléments dans une enquête en cours et il ne bouge pas…

— Le mieux, c'est de lui demander pourquoi, vous ne croyez pas ?

Léon joignit le geste à la parole et composa le numéro de Mathilde Bonnet.

— Vous êtes un rapide, monsieur Castel, répondit Jo Lieras en décrochant. Je ne m'attendais pas à avoir de vos nouvelles si vite.

— Vous en êtes sûr ? Parce que vous allez me faire croire que ce n'est pas vous qui avez envoyé ces deux types pour faucher les preuves ?

— Les preuves ?

— Ne faites pas l'imbécile, râla Léon. Ce n'est pas parce que vous êtes flic que vous allez m'impressionner.

Jo Lieras rit à l'autre bout du fil.

— Comme vous y allez ! Donnez-moi votre adresse, je passerai vous voir demain.

— Débrouillez-vous donc pour me retrouver, vous qui êtes si malin, rétorqua Léon de fort mauvaise humeur. Après tout, c'est vous, le flic, ajouta-t-il avant de raccrocher.

Rodolphe Craven et Léon se regardèrent et éclatèrent de rire de bon cœur.

En achevant son verre, Léon eut envie de parler à Sookie. Une envie à en crever. Alors, il tenta de joindre Hervé. Cela faisait des jours qu'il n'avait pas pris de ses nouvelles. Mais son portable était déconnecté et la sonnerie du fixe tinta dans le vide.

103

L'infirmier en chef **Baptiste Grandidier** entra dans la chambre où Sookie gisait toujours entravée, s'approcha de sa patiente et l'observa quelques instants, en touchant du bout des doigts les blessures qu'elle lui avait infligées.

Revêtue d'une simple chemise qui collait à son buste en nage, Sookie était nue sous le tissu trempé. Ses seins ronds et fermes, et ses longues jambes sculptées captivaient l'attention de l'infirmier. À ses yeux, Sookie ressemblait à un animal dangereux qu'il aurait capturé et qu'il serait parvenu à rendre inoffensif.

Féline, pensa-t-il en passant la main sur son bras luisant de sueur. *Une vraie panthère.*

Ce n'était pas souvent qu'il devait veiller sur une telle beauté. L'occasion rêvée de se faire du bien. À Ravenel, comme dans beaucoup d'établissements psychiatriques, les patients baisaient dans tous les coins, ça sentait le sexe à tous les étages et ça lui montait à la tête. Mais les histoires entre gens du personnel étaient mal vues, et les nymphomanes qui se baladaient dans les couloirs puaient le sperme à plein nez…

Dans cette chambre, une odeur forte et musquée montait du corps allongé. Un vrai pousse-au-crime.

L'infirmier tâta le pouls de Sookie. Le cœur de sa patiente battait à 120 pulsations minute. C'était beaucoup, mais cela n'avait rien d'extraordinaire.

Sans quitter Sookie du regard, l'infirmier lâcha son poignet et commença à se frotter lentement l'entre-jambe. Ses yeux passaient de la pointe dressée de ses seins à la courbe affolante de ses fesses rebondies.

Après quelques minutes, il fit jaillir son sexe de son pantalon en toile et l'entoura d'un mouchoir en papier tout en continuant à se caresser.

— Ma bonne petite salope, murmura-t-il, si tu savais comme je te l'enfournerais bien dans ton petit cul serré.

Il accéléra ses mouvements tout en continuant à prononcer des mots salaces, jusqu'à l'éjaculation. Puis il s'essuya, fourra le mouchoir gluant dans sa poche, et lécha le front et les lèvres de Sookie avant de refermer la porte derrière lui.

Entre samedi 16 juin et mardi 19 juin

Entre mercredi 20 juin et vendredi 22 juin

Entre samedi 23 juin et lundi 25 juin

Mardi 26 juin

Mercredi 27 juin

Entre jeudi 28 juin et samedi 30 juin

Entre dimanche 1ᵉʳ juillet et lundi 2 juillet

Entre mardi 3 juillet et jeudi 5 juillet

Vendredi 6 juillet

Entre samedi 7 juillet et dimanche 8 juillet

Lundi 9 juillet

Mardi 10 juillet

Mercredi 11 juillet

Jeudi 12 juillet

Vendredi 13 juillet

Entre samedi 14 juillet et lundi 23 juillet

104

Emmitouflée dans une couverture, **Lara Mendès** était assise à côté de Petra, dans la chambre froide. Elle en avait bloqué le mécanisme d'ouverture pour éviter de se laisser enfermer par la fillette qu'elle n'avait pas entendue bouger depuis des heures.

Lara était allée remplir son verre d'eau, rassurée que la gamine ait pu boire un peu, puis elle avait tenté quelques exercices, mais l'épuisement l'avait vite gagnée. Alors, elle avait somnolé, son fusil serré contre elle, puis elle avait relu les dernières pages de son journal avant de rejoindre Petra.

— La petite refuse d'être approchée. Ça fait des heures que je l'attends. Je n'en peux plus. Je ne sais vraiment plus quoi faire.

Lara passa ses doigts dans les cheveux de Petra.

— Tu es tout emmêlée, dit-elle en tentant de dénouer les paquets de cheveux formés dans la masse. Dis-moi si je tire trop fort.

T'es cinglée, ma pauvre Lara.

Le balai reposait contre le mur de la cuisine, et Lara pouvait le voir de là où elle était. Elle détourna les yeux.

— Tu l'as peut-être connue… Vous étiez ensemble ici, hein ?

Lara continuait de lisser les cheveux de Petra entre ses doigts.

— Dis-moi, tu sais comment elle s'appelle peut-être ? Vous êtes venues ensemble ?

Lara ! Tu parles à un cadavre.

— C'est toi qui es cinglé, cria-t-elle. Où tu vois un cadavre ? Moi, je vois Petra, Petra Seipel, et si t'es pas content, casse-toi !

Tu l'auras voulu.

— C'est ça, va faire la gueule dans ton coin.

Lara sépara trois grosses mèches des cheveux de Petra et les natta consciencieusement.

— Tu as vu, je les fais à l'envers. C'est mémé Carmela qui me disait toujours ça. Moi, je n'ai jamais eu de longs cheveux comme toi. C'est ta maman qui te coiffait ? Moi, je ne me souviens presque plus de la mienne. Mes souvenirs s'effacent, ceux qui me restent sont tous sur des photos, alors je ne sais même pas si ce sont de vrais souvenirs… Quand mes parents ont disparu, j'ai tellement eu peur pour Val que je l'ai vécu comme si c'était l'histoire de quelqu'un d'autre. Mémé et pépé ont cherché, des années, je les ai vus souffrir, mais moi, j'étais… Je sais pas comment j'étais.

Lorsque Lara eut achevé de coiffer Petra, elle se redressa.

— J'ai froid, dit-elle en posant un baiser sur son front. Pas autant que toi, certainement.

Lara recouvrit le corps jusqu'aux épaules.

— Je vais devoir te laisser toute seule maintenant. Ne t'inquiète pas, je serai à côté. Il n'y a plus rien à manger, Petra. Et je suis fatiguée. Je te demande pardon, ajouta-t-elle en l'embrassant à nouveau. Pardon pour tout ce qu'on t'a fait subir.

Lara sortit de la chambre froide en grelottant et verrouilla la porte, puis elle se laissa glisser le long du mur et se recroquevilla sous la couverture, les yeux rivés sur le balai.

— Qu'est-ce que tu veux que je fasse, maintenant ? Hein ? Pierre ? Pierre ! Mais pourquoi tu ne réponds pas ?

105

La certitude qu'ils couraient un danger obligea **Léon Castel** et Rodolphe Craven à une nuit écourtée. Aucun des deux ne voulut l'avouer, mais ils n'en menaient pas large dans cette grande baraque isolée.

Jusqu'à une heure avancée de la nuit, ils échangèrent des hypothèses sur l'identité de leurs agresseurs et en revenaient toujours à la même conclusion. Joseph Lieras.

— On est dans la merde, avait professé Léon. Et on ne sait ni pourquoi, ni comment ce type est mêlé à cette affaire ! Tomber du premier coup sur le flic pourri du coin, c'est le pompon !

Ils finirent par s'endormir dans le salon, l'un dans le canapé, l'autre dans le fauteuil. Rodolphe Craven avait récupéré, planqué sur une armoire, un fusil de chasse au canon piqué de rouille qu'il garda sur ses genoux jusqu'au matin, une cartouche enfoncée dans la chambre.

L'aube apporta une lecture apaisée des événements de la veille.

— On a l'air de pignoufs, grogna Léon.

— C'est pas faux. Mais nous voilà vivants et heureux de l'être.

Ils prirent un petit déjeuner au grand air. L'attente anxieuse de la nuit se dissipa.

À 8 heures, le portable de Rodolphe Craven sonna. Léon l'observa tout en achevant une quatrième tartine beurrée.

— Merveilleux, s'enthousiasma le magistrat, parfait ! Je t'aime, madame le juge Damaze ! Au fait, Jo Lieras, ça te dit quelque chose ? Mmmh… exactement… t'en es certaine ? Ah, OK. Transmets mes amitiés à ton époux, c'est ça, à bientôt. Nous avançons, indiqua-t-il à Léon. Tout d'abord, laissez-moi vous dire que pour Joseph Lieras, nous pouvons cesser d'être paranos. D'après mon amie le juge Damaze, ce flic est un type au-dessus de tout soupçon.

— Ah oui ? grimaça Léon, sceptique. Vous la sortez d'où, cette magistrate ? D'un film de Oui-Oui ?

— Cessez de juger les gens à l'emporte-pièce, merde alors !

— Ah ! s'étrangla Léon, mi-figue mi-raisin. Si ça ne vous dérange pas, je me ferai ma propre opinion.

— Comme vous voulez. En attendant, j'ai une nouvelle qui devrait vous réjouir. Stephan Ribaud, le camarade de jeu de Léopold Raspail, est en ce moment même à la maison d'arrêt de Rennes.

— Pour quels délits ?

— Ce type forçait des prostituées à tourner des films porno en les séquestrant.

— Bigre ! Il m'a l'air bien tordu ! On sait s'il fréquentait encore le fils Raspail ?

— Stephan Ribaud n'a jamais rien avoué aux autorités, c'est un dur à cuire.

— Il est visitable, au moins ?

— Par moi oui, pas par vous. La longueur de votre casier vous ferait refouler par n'importe quelle maison d'arrêt…

Léon grogna son ressentiment vis-à-vis des lois et des règlements, puis il se félicita de ne pas avoir à pénétrer dans une prison.

— Le pire, c'est quand vous en ressortez, et que les autres restent, ne put-il s'empêcher de marmonner.

— Bolchevique, va !

— Vous pouvez plaisanter avec beaucoup de choses, monsieur le juge, mais pas avec ces salopards ! Je conchie les communistes plus encore que tous les autres réunis, vous voyez le tableau ?!

— Pas vraiment, mais avec vous, je ne peux qu'imaginer le pire.

— Tenez, dit Léon en détachant les clés Fichet de son trousseau. Emportez-les, ça pourrait peut-être aider. Peut-être que Ribaud les aura vues chez les Raspail. Puisque les deux se connaissaient depuis un bail et qu'ils ont l'air aussi tordus l'un que l'autre…

Léon vida sa tasse de café d'un trait, se leva de table et attrapa le fusil de chasse.

— Pendant que vous irez distraire les méchants en prison, moi, j'attends la visite de monsieur Lieras de pied ferme.

106

— Tu restes ici, Mouchou, tu te balades mais pas sur la route, expliqua **Hervé Marin** sur un ton des plus sérieux.

Le postérieur de Guernica remua et son museau se prolongea d'une langue toute rose.

— Pas de bisous, tu pues.

Le doberman geignit et se coucha sur l'enchevêtrement de racines qui couvraient le sol de l'épais bosquet.

— J'les couillonne et je reviens te voir ! Attendsmoi là.

En quittant l'abri des arbustes, Hervé vérifia que Guernica n'avait pas bougé, puis récupéra ses affaires et gagna l'allée centrale de l'hôpital de Ravenel. La veille, il avait traîné dans le parc en attendant le bus. À Saint-Junien, il avait longé les murs, peu désireux de croiser Rémy Lagrange et s'était barricadé chez Léon. Après une courte nuit passée à ruminer devant la télévision, il avait préparé un bagage léger. Il avait eu Léon en ligne juste avant de sortir.

« Mais qu'est-ce que tu fabriquais ? J'ai essayé de te joindre hier ! T'étais pas à la maison ? Et pourquoi tu ne réponds pas sur ton portable ?

— Ben, j'ai pas besoin de l'allumer puisque t'appelles chez toi.

— Alors à quoi ça sert d'avoir un portable, bougre d'abruti ? avait râlé Léon. Je veux pouvoir te joindre n'importe quand, sinon, j'appelle ton tuteur et je te renvoie chez toi. C'est clair ? Bon, comment ça va ? avait ajouté Léon en s'adoucissant.

— Ça va ça va, avait répondu Hervé, imperturbable. Guernica est sage, il reste des croquettes et moi, je vais me balader. »

Puis il avait raccroché au nez de Léon et pris le premier bus pour retourner à Ravenel.

Il n'était pas encore 10 heures et la température déjà élevée couvrait Hervé d'une sueur malodorante. Instinctivement, il laissa le bâtiment administratif sur sa droite et prit la direction du pavillon où il avait effectué plusieurs séjours. Il hâta le pas, conscient qu'il serait fâcheux de croiser l'hôtesse de la veille.

— Je me sens pas bien. Je me sens pas bien du tout.

Voilà quel fut son sésame. Il suffit à Hervé Marin d'afficher sa tête des mauvais jours pour que l'équipe soignante l'accueille, l'ausculte, modifie sa prescription médicamenteuse, et l'installe dans une chambre du rez-de-chaussée, dans le service des courts séjours.

Quand il fut seul, Hervé rangea ses affaires et déposa soigneusement sa brosse à dents, un gant de toilette, un savon et son tube de dentifrice sur la tablette de la salle de douche. Puis il s'allongea sur le lit.

Hervé Marin connaissait le fonctionnement de Ravenel. Il ne fallait pas crier, encore moins hurler, il ne fallait pas se montrer impoli avec le personnel, ne jamais être agressif, et rester propre. Si l'on respectait ces règles de base, le séjour pouvait être agréable. À lui de ne pas trop frayer avec les autres patients, car si Hervé se méfiait des gens dehors, adultes, adolescents et enfants, tous regroupés sous le vocable « les autres », il avait à son désavantage expérimenté la fourberie des désaxés.

Évidemment, il aurait des obligations : recevoir la visite quotidienne du personnel, prendre ses médicaments, participer à des ateliers de parole et se laver une fois par jour. C'était sans doute ce dernier point qui lui pesait le plus.

En dehors de ces contraintes, Hervé pourrait circuler librement dans l'enceinte de l'établissement. Le parc de Ravenel était vaste, ce qui était idéal pour Guernica. Il pourrait lui apprendre à attraper des lapins. Si la chienne ne savait pas faire, il trouverait de quoi fabriquer des collets. Son frère lui avait appris à les poser. Ça remontait à loin, si loin qu'Hervé en eut le tournis.

Un sourire heureux aux lèvres, Hervé ferma les yeux et cala sa tête sur l'oreiller. En dehors de « je me sens pas bien », il avait précisé qu'il était fatigué et qu'il avait des idées bizarres dans la tête depuis que des gars du village l'avaient molesté. Il avait montré son œil au beurre noir avec des mimiques, ce qui avait achevé de convaincre l'équipe médicale qu'il avait besoin de rester à l'écart quelques jours.

— Quand on est fatigué, on dort, marmonna-t-il en croisant ses mains sur son ventre rebondi.

Il fallait bien donner le change, Guernica attendrait. Et comme, en plus d'être perpétuellement affamé, Hervé Marin possédait la capacité de s'endormir à toute heure du jour et de la nuit, il bascula très vite dans le sommeil, emportant avec lui l'image de la jolie Sookie. Jolie comme cette héroïne du feuilleton *Racines* dont la frimousse avait hanté ses rêveries pendant des mois.

107

Jo Lieras arriva peu de temps après le départ de Rodolphe Craven.

Léon brûlait de lui demander comment il l'avait retrouvé aussi rapidement, mais son orgueil l'en dissuada. Au lieu de ça, Léon l'invita poliment à faire le tour des lieux pendant qu'il passerait quelques coups de fil depuis son combi.

Le policier inspecta la maison et le combi, puis il se porta à la hauteur de Léon qui s'était installé derrière le volant. Il regardait droit devant lui, les yeux dans le vague.

— Une petite promenade vous fera du bien ! annonça Jo Lieras en montant à côté de lui. Votre ami juge n'est pas dans le coin ?

— Il est parti faire un tour à la maison d'arrêt. Un type à voir.

— Qui ?

— J'en sais rien, grogna Léon en démarrant. Je ne me mêle pas de ce que fabrique le juge quand il n'est pas avec moi.

Jo Lieras haussa les épaules.

— Je pensais que ça concernait notre affaire.

— Écoutez, râla Léon, si ça vous intéresse, demandez-le-lui.

— Vous ne devriez pas me cacher des éléments, vous savez. Des types sont après vous, ne mettez pas autant de mauvaise volonté à collaborer.

— Ne m'obligez pas à vous dire ce que je pense des flics et des juges. Je vais dans quelle direction ?

— Prenez la première à droite, ça ira.

Un court silence sépara les deux hommes.

— Des types ont collé un mouchard sur votre camionnette, lâcha subitement Jo Lieras en posant le dispositif sur le tableau de bord.

— Je ne comprends pas bien, s'ils pouvaient nous pister, pourquoi avoir attendu notre retour ?

— Vos agresseurs n'ont probablement aucun rapport avec ça. Il semblerait que vous ayez beaucoup d'ennemis. Avez-vous des ennemis, monsieur Castel ?

— Depuis le temps que j'emmerde le monde, pas mal, admit Léon, mais personne qui utiliserait des hommes de main déguisés en commando ou mettrait un mouchard sur ma caisse !

— C'est le moment de parler franchement, déclara Jo Lieras. Vous n'avez pas reçu les photographies de la médaille de baptême de Charlène par la poste, n'est-ce pas ?

— Non.

— Et vous n'avez pas balancé le nom de Léopold Raspail par hasard…

— Non plus.

— Votre fille, qu'est-ce qu'elle a découvert ?

Léon soupira. Décidément, il ne pouvait pas cacher grand-chose à ce flic.

— Vous êtes des RG ou quoi ?

Jo Lieras se mit à rire.

542

— Une chose est certaine, vous avez de l'imagination !

Léon songea qu'il valait mieux avoir ce long type osseux de son côté.

— Vous connaissez déjà la réponse, non ?

— Je sais qu'elle a trouvé le corps des Raspail un peu par hasard, répondit Jo Lieras, mais je ne sais rien de plus.

— Sookie a découvert qu'un monstre se cachait chez ces gens, lâcha Léon en se garant sur le bas-côté.

Il raconta les photos des bijoux étiquetés, l'appartement de Sookie visité, les découvertes faites sur Léopold Raspail, son séjour en HP, le portrait dressé par le directeur de son lycée, l'affaire de viol étouffée, la complicité d'un certain Stephan Ribaud, le type que Rodolphe Craven était parti visiter à la maison d'arrêt de Rennes.

Il le fit sans quitter Jo Lieras du regard. À la fin de son exposé, Léon ne put rien conclure sur la sincérité du flic, mais il aurait juré avoir vu luire des braises dans ses yeux à l'évocation de Stephan Ribaud.

— Bien, bien, répéta Jo Lieras, tout ça me semble parfaitement logique.

— Et ça l'est ! s'exclama Léon en redémarrant. Par contre, ce qui est dingue, c'est d'imaginer avoir autant de tarés aux trousses !

— C'est pas plus dingue que votre acharnement à sortir votre fille de la panade ! Je dois avouer que je suis admiratif. Bon, nous allons vous prendre un second portable, ils en vendent au tabac du village. Si j'ai pu vous pister jusqu'ici, ajouta-t-il en souriant, je ne serai pas le seul. Après, nous irons faire un tour chez Sookie.

Quelques kilomètres plus loin, Léon se garait devant le bureau de tabac et s'extirpait du combi.

— Je vous prends quelque chose ?

— Un paquet de Lucky brun, je veux bien, merci.

Joseph Lieras regarda Léon s'engouffrer dans la boutique, et attrapa son téléphone. Il y glissa avec dextérité une carte SIM qu'il détruisit et jeta dans le caniveau aussitôt après avoir envoyé le SMS.

« Slt Ike. Ça se corse. Va falloir que tu rappliques. »

Puis il alluma une cigarette qu'il fuma sur le trottoir en attendant Léon, accoudé à son combi.

108

La porte du parloir privé s'ouvrit sur deux gardiens encadrant un homme au visage fermé, dont l'œil droit et l'épaisse chevelure rousse étaient recouverts d'un bandage. **Rodolphe Craven** ferma le dossier qu'il parcourait et le posa devant lui.

Le hasard du découpage administratif avait voulu que Stephan Ribaud commette les faits que lui reprochait la justice dans la juridiction de la juge Fabienne Damaze, une amie de longue date. Ainsi avait-il obtenu la permission de visiter le prévenu, en échange de quelques confidences à l'issue de leur entretien.

— Il joue très bien l'abruti, avait ajouté la juge, mais je te garantis qu'il gère parfaitement ses affaires et qu'il est loin d'être aussi taré qu'il en a l'air. Je parle du QI, bien sûr. Parce que taré, il l'est !

Stephan Ribaud s'assit en face de Rodolphe Craven.

— On se connaît vous et moi ? demanda-t-il avec agressivité. Parce que j'ai pas que ça à foutre.

— Nous sommes ici pour faire connaissance, répondit le magistrat avec tout le calme dont il était capable. Je suis le juge Rodolphe Craven.

— Ça ne m'étonne pas, vous avez une gueule de gros con de juge.

— Alors, ça fait de moi un gros con de juge, et de vous, un gros con de prévenu.

— Il m'a insulté ! s'exclama Ribaud en se retournant vers les gardiens. Vous êtes témoins, le juge m'a insulté !

Rodolphe Craven fit un signe de tête aux gardiens qui quittèrent aussitôt la pièce.

— Voilà, soupira-t-il. Nous allons pouvoir passer aux choses sérieuses. Depuis quand exactement connaissez-vous Léopold Raspail ?

Stephan Ribaud siffla entre ses dents.

— Vous êtes venu avec vos questions à la con, mais désolé, je suis venu sans les réponses.

— Léopold Raspail. Vous étiez ensemble à l'école.

— Puisque vous le dites. Mais je ne vois pas très bien ce que j'ai à gagner à discuter avec vous. J'ai déjà été jugé. Je vais purger ma peine. Vous pouvez vous tirer de là.

— À quand remonte votre dernier contact avec Léopold Raspail, monsieur Ribaud ?

— Vous êtes sourd ou quoi ?

— C'est lui qui vous a fait ça ? demanda le magistrat en désignant l'œil crevé du détenu.

Stephan Ribaud eut un petit sourire.

— Vous avez raison, Raspail est un putain de zombie !

— Touché. Mais vous avouez donc que vous le connaissiez !

— L'annonce de sa mort était dans tous les journaux. Bien tenté.

— Vous devez sacrément en vouloir à celui qui vous a défiguré, n'est-ce pas ? C'est moche.

Rodolphe Craven entrelaça ses doigts puis enchaîna :

546

— Si ce n'est pas Raspail, alors qui?

— Vous devriez plutôt me demander quoi, vous qui êtes si malin!

— Dites toujours.

— Je me suis pris une branche, ça vous va?

— Plutôt une des prostituées que vous filmez, non? Où ont lieu ces tournages?

— Vous êtes malade ou quoi? Ça fait un bail que j'y touche plus.

— C'est pour ça que vous avez été condamné? Parce que vous n'y touchez plus?

— Va te faire foutre.

— C'est vrai qu'il y a beaucoup de branches dans le coin, s'amusa Rodolphe Craven. Vous pouvez peut-être me dire de quel arbre il s'agit? Je pourrais peut-être l'auditionner?

— Va te faire foutre, répéta Stephan Ribaud, l'œil haineux.

— Vous affirmez n'être jamais allé à la Malhornière?

— La quoi?

Rodolphe Craven sortit de sa poche de veste une série de clichés qu'il étala sur la table.

— Nous allons essayer autre chose. Avez-vous déjà vu ces bijoux?

— Non.

— Et ces jeunes filles?

Le juge ajouta aux photos des bijoux, les avis de recherche des disparues repérées par Sookie Castel.

— Connaissez-vous Charlène Bonnet?

— Non.

— Petra Seipel?

— Non.

— Anita Bergson ?

— Non.

Impassible, Rodolphe Craven agita les clés Fichet devant le nez de Stephan Ribaud.

— Et ces clés, ça ne vous dit rien ?

— Non.

Le juge Craven nota un léger frémissement sur les lèvres du détenu.

— Qu'est-ce que ça ouvre ? C'est là que vous filmez les filles ? Là que vous les enfermez ?

— Non.

— Quoi, non ? Là que vous les tuez, peut-être ? Ou alors vous n'étiez que le chienchien de Léopold Raspail ? Vous faisiez le ménage ?

— Je ne sais même pas de quoi vous parlez, conclut Stephan Ribaud avec un mauvais sourire. Mais à votre place, monsieur le juge, je me méfierais des raccourcis.

109

L'appartement de Sookie sentait le renfermé.

Sans un mot, **Léon Castel** déposa sur la table du salon le courrier qu'il venait de ramasser dans la boîte aux lettres, puis il ouvrit les fenêtres en grand.

Jo Lieras l'avait briefé durant le trajet. « Pour ce qui concerne l'affaire, vous utilisez le second téléphone, pour le reste, continuez avec le vôtre pour ne pas éveiller les soupçons. Quand nous serons chez Sookie, ne dites pas un mot, je ne suis pas là, c'est bien entendu ? »

Le policier se glissa dans l'appartement, équipé d'un appareillage électronique, et dans chaque pièce, il découvrit des micros miniaturisés cachés derrière des meubles, des voilages, ou collés sur la tuyauterie.

Pendant ce temps, Léon s'intéressa au courrier. Des publicités en pagaille, trois factures de téléphone et d'Internet, un relevé bancaire mensuel, et une enveloppe en provenance d'un laboratoire d'analyses.

Léon les ouvrit toutes, en commençant par les factures, se demandant s'il devait les régler. Le compte de Sookie était créditeur, le loyer de l'appartement avait été débité au 1er juillet.

Dès qu'il eut parcouru le courrier du laboratoire, il partit retrouver Jo Lieras, qui traquait les mouchards dans la chambre de Sookie, et lui tendit la lettre manuscrite.

« Le pansement que tu m'as confié présente deux ADN d'origines différentes, sang et salive. En l'absence d'analyses plus approfondies, je peux seulement te dire que le sang présent sur le tissu appartient à un homme, et la salive à une femme. Dernière chose, la forme et les incrustations indiquent que ce pansement a servi à couvrir une plaie consécutive à une morsure. Passe me voir si tu as besoin. C'est à toi de payer l'apéro. Milan Canda. »

Léon et Jo Lieras n'eurent pas à jouer aux fins limiers pour retrouver ce Milan Canda. L'adresse du laboratoire figurait sur l'enveloppe, et il en était le médecin responsable. De leur entretien avec lui, ils apprirent que Sookie lui avait confié le pansement le lendemain de la découverte des trois pendus.

— Avec Sookie, je m'attends à tout ! avait confié Milan Canda.

Et c'est justement ce qui chagrinait Jo Lieras tandis qu'il rejoignait sa voiture.

— Votre fille m'a tout l'air d'une forte tête, tempêtait-il, on dirait qu'elle fait tout pour saborder cette enquête.

— Ça doit être de famille, plaisanta Léon.

— Mais il n'y a pas matière à rire, monsieur Castel ! s'agaça Jo Lieras en s'immobilisant sur le trottoir. Ça fait un an que Mathilde attend de savoir ce qui est arrivé à Charlène ! Et avec cette fichue manie qu'a Sookie de bosser en douce, on ne pourra jamais monter d'enquête officielle ! Je ne peux rien en faire de ce pansement. Autant le balancer à la benne tout de suite !

— C'est un peu fort de café, tout de même, rétorqua Léon en haussant le ton. Si Sookie n'avait pas été la fille brillante que je connais, alors, ces bijoux à la noix, personne ne les aurait trouvés. Et tous vos flics, tous vos bataillons de bras cassés n'y auraient pas suffi. Les Raspail seraient toujours en train de pourrir au bout de leur corde ! Alors, vos commentaires navrants sur les qualités d'enquêtrice de ma fille, vous pouvez vous les carrer dans l'oignon !

110

La salle du Bar des Sports était à peu près vide. Au comptoir, **Valentin Mendès** et son ami d'enfance, Gaultier, jouaient au 421. Gaultier menait largement au score. À ce rythme, la quatrième tournée serait pour Valentin, comme la première et la troisième l'avaient été.

— Tu es vraiment tricard ce soir ! s'exclama Gaultier en reprenant les dés.

— Je vais surtout me faire plumer.

Plus petit que son ami et râblé, Gaultier jouait deuxième ligne dans l'équipe de rugby. En trois coups, il emporta la partie.

Valentin commanda une nouvelle tournée, puis se massa les tempes. Le Picon bière lui montait à la tête et c'était agréable. L'alcool amoindrissait ses tensions.

— On a décidé de s'occuper de tes 18 ans, dit Gaultier en attrapant les deux grands verres des mains du patron.

— J'ai pas trop la tête à ça, rétorqua Valentin.

Il était d'humeur sombre. Solange répondait à ses SMS mais le jeune homme sentait bien qu'elle faisait tout pour garder ses distances. Il se sentait con et impuissant.

T'es trop naze, songea-t-il amèrement. *Qu'est-ce que tu veux qu'elle fasse d'un puceau ? Tu vas jamais réussir à la pécho et elle doit bien se foutre de ta gueule !*

— Val, merde, tu écoutes ?

— Quoi ?

— Je te disais qu'on va te mettre à l'envers pour que tu te remettes d'aplomb !

— C'est con comme idée.

— Tu t'attendais à quoi ? Un défilé de gueules d'enterrement ?

Valentin avait retrouvé ses coéquipiers plus tôt dans l'après-midi. Tous avaient regretté de ne pas s'être trouvés à La Réole au moment où des journalistes rôdaient autour de la mémé. Lui qui avait attendu leur retour avec impatience se demandait s'il n'aurait pas préféré rester seul. Entre l'indifférence de Solange et l'absence de Lara, il n'en pouvait plus.

— Picole à donf, gonzesses dans un gâteau, on va te faire la totale !

— T'es taré.

Au cinquième Picon bière, Valentin s'isola dans les toilettes, et envoya un SMS à Solange pour lui demander de le rappeler. Il attendit quelques minutes puis revint dans la salle, la mine sombre.

— Qu'est-ce que t'as ? T'as pissé sur tes pompes ou quoi ?

Valentin haussa les épaules et commanda une nouvelle tournée. Au sixième Picon, il composa le numéro de Lara et écouta sa voix sur le répondeur.

— Qu'est-ce que tu fabriques ? le prévint Gaultier. Ça ne va pas arranger tes affaires !

— M'en fous, j'ai plus que ça.

L'instant coïncida avec l'entrée d'un homme qui s'avança jusqu'au comptoir pour demander s'il trouverait un hôtel à proximité. Impeccablement vêtu d'un costume en lin, il avait une figure amène, et un grand sourire illuminait son visage. Il encaissa sans broncher qu'il lui faudrait pousser jusqu'à Langon, à quelques kilomètres de là. Après quoi, il commanda une bière et se tourna vers les joueurs de dés.

— Mince ! s'exclama-t-il. C'est mon jour de chance ! Bonsoir, je m'appelle Corentin Ruedler, ajouta-t-il en s'approchant de Valentin, je travaille pour *Le Nouvel Obs,* et c'est justement vous que je voulais voir.

— Ouh là ! C'est pas vraiment le moment, grinça Gaultier en lui faisant signe de s'éloigner.

Mais l'homme l'ignora et tendit sa main à Valentin, qui le regarda de la tête aux pieds.

— Vous êtes gonflé de vous pointer dans le coin, vous ! Envoyer ma grand-mère à l'hosto, c'était pas suffisant ?

— Je n'y suis pour rien, s'expliqua le journaliste en glissant dans sa poche la main que Valentin avait ignorée. La presse écrite et les chaînes d'info ne travaillent pas de la même manière.

— Ah oui ? Vous êtes tous des enculés de première. Vous imaginiez quoi ? Que j'allais répondre à vos questions à deux balles ? Vous ne croyez pas que vous nous avez assez foutus dans la merde ?

Le visage de Valentin était devenu cramoisi. Il descendit du tabouret et se planta devant le journaliste qu'il dominait d'une tête.

— T'es petit ou t'es loin, connard ? se moqua-t-il, une pointe de méchanceté dans le regard.

— Doucement, les gamins, glissa le patron du bistrot, vous avez picolé comme des outres, alors on se calme. Et vous, monsieur, vous feriez bien de ne pas traîner là.

— Laissez, laissez, opposa Corentin Ruedler avec calme. Les situations de crise, ça me connaît.

— Peut-être, argumenta le patron, mais j'ai pas envie d'avoir du grabuge dans mon établissement.

— Il n'y aura pas de mal, assura Valentin, monsieur va nous quitter, tout de suite. Hein, journaleux de mes deux !

— Valentin, on ne peut pas parler calmement ? Je n'ai pas l'intention de causer du tort à Lara, je vous assure.

— Alors quoi ? Qu'est-ce que tu veux ? Tu viens pas de dire y'a deux minutes que c'est moi que tu voulais voir ?

— J'ai entendu dire que vous aviez passé les derniers jours avec Egon Zeller, c'est exact ?

— Et alors, s'énerva Valentin, tu veux quoi, un autographe ?

— Non, je veux juste savoir s'il est vraiment gay. Et lui donner...

Corentin Ruedler n'eut pas le temps d'achever sa phrase. La main de Valentin jaillit sur sa nuque, l'obligeant à ployer vers l'avant.

— Tu es une ordure comme les autres, aboya le jeune homme, ivre de colère. Et comme les ordures, tu vas finir à la poubelle !

Forcé par la poigne implacable de Valentin, le journaliste tituba jusqu'au trottoir, puis traversa la rue en direction des berges de la Garonne.

Atterré, le patron du bar se retourna vers Gaultier qui observait la scène d'un œil goguenard.

— Arrête de te marrer, couillon! Et fais quelque chose, ou il va nous le noyer!

Gaultier consentit à descendre de son tabouret à contrecœur.

— Il a dit qu'il allait le flanquer à la poubelle. Où t'as vu qu'on se noyait dans une poubelle?

— Vas-y je te dis, ou tu ne mettras plus jamais les pieds ici!

Avec un haussement d'épaules, Gaultier grimaça un « fait chier » à l'attention du patron avant de rejoindre tranquillement Valentin qui maintenait toujours fermement Corentin Ruedler par le col en l'entraînant vers une rangée de containers.

— Par ici le colis! dit Gaultier en soulevant un grand couvercle maculé d'une quantité de coulures d'origines inconnues.

Il jeta un regard à l'intérieur, constata que le fond disparaissait sous une vingtaine de centimètres d'eau marronnasse.

— Ben dis donc, c'est pas Byzance!

Insensibles aux cris et aux ruades du journaliste, les deux amis hissèrent leur victime au-dessus de la benne à ordures, Valentin tenant le haut du corps et Gaultier les jambes.

— Ho hisse la saucisse! braillèrent-ils en lâchant leur proie.

La chute de Corentin Ruedler fut suivie d'un cri et d'un plouf. Gaultier éclata de rire tandis que Valentin se penchait vers l'intérieur du container.

— Tu vois, le journaleux, t'as trouvé ta place finale-ment ! C'est pas donné à tout le monde ! Allez, tchao !

Valentin rabattit le couvercle et s'éloigna sur le par-king d'un pas léger, Gaultier sur ses talons. Jeter ce fichu journaliste à la poubelle l'avait rendu gai.

— Viens, on va boire un coup pour fêter ça, proposa-t-il. Ça pue dans le coin.

— Alors, faut qu'on bouge fissa, t'as pas payé les tournées !

Les jeunes gens éclatèrent de rire.

— On n'a qu'à aller chez la mémé. Il reste de la gnôle du grand-père.

— Celle qui te fout la casquette en tôle ?

— Ouais, mais quel kif, avant !

111

« Journal de **Lara Mendès**. Dernière partie ». La 7e, je crois.

Mon petit frère,

Voilà, je suis arrivée au bout du bout. Plus de bières, plus de lait, plus de boîtes de pâté. Plus de céréales.

Sans manger, en ne buvant que l'eau du système d'aération du quatrième sous-sol, je pourrais tenir encore quelques jours, une semaine peut-être.

Je ne le ferai pas. Pourquoi, te demanderas-tu ! Pourquoi cette Lara qui voulait jouer aux vengeresses décide de rendre les armes ?

Je ne rends pas les armes, petit frère. C'est juste que j'ai fini par ouvrir les yeux. Et je suis fatiguée. Fatiguée d'attendre ceux qui ne viendront pas.

Le pire, c'est que je n'étais pas seule dans cet énorme bunker où je suis prisonnière. Il y a quelque temps, j'ai découvert qu'une fillette était enfermée, elle aussi. Cette enfant n'a pas 12 ans, elle a survécu en mangeant des croquettes pour chien et en buvant de la bière et des sodas. Si tu voyais comme elle est maigre. À présent, elle aussi a épuisé ses réserves. Nous en sommes au même point, elle et moi, obligées d'attendre la mort.

Ce qui me désespère, c'est que je ne parviens pas à nouer le contact. J'aurais aimé lui donner un peu de chaleur humaine, tenter de la rassurer, mais ce qu'elle a subi ici l'a transformée en sauvageonne.

Tu vois, même consoler une fillette, je n'arrive pas à le faire.

Je suis fatiguée, Valentin. Fatiguée d'attendre que cette enfant sorte de la bouche d'aération, fatiguée à l'idée de ne pouvoir rien lui donner, même pas un peu d'espoir.

Si tu savais comme je m'en veux. J'ai tant tardé à ouvrir cette foutue porte. Si j'avais su, j'aurais gardé plus de nourriture.

Comment pouvais-je deviner ?

J'abandonne, mais sache que ce n'est pas sans regrets. J'aurais aimé être une vraie journaliste, j'aurais aimé être le pot de terre qui éclate de pot de fer, j'aurais aimé ne pas me planter, regarder les choses en face au lieu de me perdre dans la facilité par orgueil.

J'aurais aimé rendre à leur famille tous ces enfants morts, ici avec moi.

J'aurais aimé sauver cette fillette, au lieu de ça, je vais devoir la regarder mourir.

J'aurais aimé achever le rouquin de mes propres mains.

J'aurais aimé être enceinte, une fois.

J'aurais aimé me blottir dans les bras de Bruno.

J'aurais aimé te voir grandir, faire un discours naze à ton mariage, devenir tata de tous tes enfants.

Au lieu de ça, je t'abandonne, comme nos parents nous ont abandonnés. C'est ce qui est le plus dur. Ne pas avoir la possibilité de te dire au revoir, de te dire combien je regrette de n'avoir pas été là pour toi.

Valentin, je sais que tu as tout fait pour me retrouver. Sache que je n'ai pas souffert, que j'ai tout le temps pensé à toi. La lecture de ces quelques pages te fera mal, mais je sais aussi combien il est mieux de savoir. Je veillerai sur toi de là-haut. Ne rigole pas, il y a forcément un là-haut, sinon, avoue que ce serait trop con. Je t'aime. Embrasse la mémé pour moi. Ta crevette.

PETRA

CHARLÈNE

LARA

МИЛЕНА

Entre samedi 16 juin et mardi 19 juin

Entre mercredi 20 juin et vendredi 22 juin

Entre samedi 23 juin et lundi 25 juin

Mardi 26 juin

Mercredi 27 juin

Entre jeudi 28 juin et samedi 30 juin

Entre dimanche 1ᵉʳ juillet et lundi 2 juillet

Entre mardi 3 juillet et jeudi 5 juillet

Vendredi 6 juillet

Entre samedi 7 juillet et dimanche 8 juillet

Lundi 9 juillet

Mardi 10 juillet

Mercredi 11 juillet

Jeudi 12 juillet

Vendredi 13 juillet

Entre samedi 14 juillet et lundi 23 juillet

112

La berline noire dépassa les derniers blocs d'immeubles décrépits et emprunta la route qui menait à la frontière. Maintenant le volant d'une main, **Ilya Kalinine** se pencha vers la boîte à gants pour y attraper deux passeports. Il se rangea sur le bas-côté, à cinq cents mètres de la douane russe.

— Mémorise bien ce nom, dit-il à la fillette assise sur la banquette arrière. Si on te le demande, tu t'appelles Natalia Erinenko.

La fillette acquiesça d'un signe de tête.

— Répète-le.

— Natalia Erinenko, dit-elle d'une petite voix.

— C'est bien. Tu ne parles que si on t'adresse la parole, c'est compris ?

— Oui.

Tissia gardait de la tragédie à laquelle elle avait survécu une dizaine de jours plus tôt, une ombre ténue sur le visage, vestige des coups portés par le capitaine du porte-containers. Et le deuil de sa jumelle.

Avant de redémarrer, Ilya Kalinine déboîta un pan du tableau de bord, déposa son automatique dans une cache située derrière, où se trouvait déjà une demi-douzaine de chargeurs garnis de munitions, et replaça la plaque dans son logement.

Il ralentit son allure et franchit le poste de douane au pas. Le militaire lui adressa un signe de tête, puis abaissa la barrière derrière le véhicule.

Quitter l'oblast n'était jamais un problème. C'est après que la situation pouvait devenir gênante, au-delà du no man's land, du côté polonais.

Ilya Kalinine respecta la limitation de vitesse à 30 km/h puis il stoppa devant le premier bâtiment. Un homme en chemisette kaki en sortit, une main posée sur la crosse de son arme de service rangée dans un holster de ceinture.

Par la vitre ouverte, Ilya Kalinine tendit les deux passeports.

— Vous êtes français ? demanda le factionnaire en ouvrant les documents.

— C'est ce que dit mon passeport, se contenta-t-il de rétorquer.

— C'est une longue route pour une gamine, remarqua le douanier en se penchant vers Tissia. C'est votre fille ?

Ilya Kalinine secoua la tête.

— Une nièce.

— Tu es bien de la famille de ce monsieur ?

La petite Tissia hocha la tête.

Imperturbable, l'homme scruta longuement son visage, puis fit le tour de la voiture.

— Des marchandises à déclarer ? demanda-t-il quand il fut revenu à hauteur d'Ilya Kalinine.

— Non, rien à déclarer, articula Ilya Kalinine en fixant le factionnaire droit dans les yeux.

Pas un muscle de son visage ne bougeait.

Les deux hommes se jaugèrent en silence pendant d'interminables secondes.

Un second douanier sortit alors du bâtiment. Il échangea quelques mots avec le premier qui lui tendit les passeports et retourna se protéger du soleil dans le poste-frontière.

Le nouvel arrivant jeta un regard sur les papiers d'identité, puis il les referma et les rendit à Ilya Kalinine. Quelques billets de cent euros changèrent de main au passage.

— Bon séjour dans l'espace Schengen, monsieur Obolanski. Désolé pour le petit contretemps, ajouta-t-il un ton plus bas. C'est un nouveau...

Ilya Kalinine esquissa un sourire.

Quelques secondes plus tard, il pénétrait en Pologne.

113

Au nom de sa carrière d'acteur, **Egon Zeller** avait sacrifié ce qui comptait dans la vie d'un homme, ses relations avec les gens, biaisées par la notoriété, des histoires d'amour qu'il avait dû cacher, ses anciens amis, ses relations avec son fils.

C'est pourquoi les révélations sur son homosexualité l'atteignaient tant. À son âge, il avait du mal à admettre qu'il avait perdu l'essentiel pour du vent.

Sur les réseaux sociaux, les gens s'en donnèrent à cœur joie. Le tombeur de ces dames était de la jaquette ! D'autres le soutinrent, Egon Zeller était comédien et à ce titre il n'était en rien tenu de vivre dans l'intimité ce qu'il affichait à l'écran. Ces mots-là auraient dû l'apaiser, mais ce ne fut pas le cas. La nouvelle enfla, les mauvaises blagues se multiplièrent, les montages photos fleurirent sur la Toile, tous plus avilissants les uns que les autres, il y eut l'apothéose, avec un débat télé qui s'acheva en bagarre générale. Qu'on soit pour ou contre, l'homosexualité d'Egon Zeller déclencha les passions. Mais la baudruche médiatique se dégonfla aussi rapidement qu'elle avait enflé quand on annonça que la compagne du président avait encore twitté.

Au matin du quatrième jour, un samedi annoncé rouge sur les routes des vacances, Arnault de Battz passa chercher Egon Zeller à son appartement dans le 18ᵉ arrondissement. Les deux amants ne s'étaient pas revus depuis l'annonce faite dans la presse.

— C'est nous ! s'écria le producteur en accompagnant son annonce de grands moulinets de bras.

Mais la rue déserte lui renvoya sa fanfaronnade.

— Voyons le bon côté des choses, gloussa-t-il en chargeant les bagages d'Egon dans le coffre de son Audi, maintenant, les vieux pédés ne sont plus obligés de se cacher.

Devant le silence buté d'Egon, il renchérit :

— On a de l'argent devant nous, on a des amis, on n'est pas trop cons. Si avec ça on échoue, c'est qu'on est des branquignols ! Tu en dis quoi, chéri ?

Chéri ne commenta pas. Au terme de sa crise existentielle, il avait fait un tri rigoureux entre ce qui importait vraiment, l'ego, la superficialité et le consumérisme. Les événements tragiques qui touchaient la fratrie Mendès lui avaient ouvert les yeux. Seule la vie comptait. Depuis la mort d'Aymon, son fils, il aurait dû le savoir, mais il avait oublié, s'était égaré pour ne pas souffrir.

Egon Zeller ne connaissait pas Lara Mendès, mais elle était la sœur de Valentin et cela suffisait à lui donner de l'importance. Ce garçon formidable avait besoin d'être épaulé. Que pourrait-il faire pour l'aider ? Sans doute guère plus qu'être présent. Il s'en voulait terriblement de ne pas l'avoir défendu bec et ongles quand il avait été question de le renvoyer chez lui.

— Si tu veux vraiment me rendre heureux, oublie Deauville et conduis-moi à La Réole.

Arnault de Battz, qui débutait sa manœuvre pour quitter sa place de parking, s'interrompit.

— Tu veux vraiment aller à la campagne, chéri ? dit-il l'air dubitatif. J'ai réservé une suite au Normandy et un plat de fruits de mer chez Augusto !

— Si Aymon avait vécu, murmura Egon Zeller, j'aurais aimé qu'il ressemble à Valentin. Tu vois, un gosse sain, intelligent, culotté, inventif, exactement le genre de marmot dont ce pays manque cruellement. Alors oui, je préfère que tu me conduises là-bas.

114

« Une chasse au fauve. » C'est pour répondre à un appel de la direction qu'un nombre conséquent de personnels masculins battaient le domaine de Ravenel depuis une bonne heure. Au début, **Hervé Marin** avait suivi les manœuvres depuis sa chambre, ravi de voir les infirmiers suer sous le soleil implacable de juillet, jusqu'à ce qu'il comprenne qu'on pouvait appeler un chien un fauve et qu'il s'agissait précisément de Guernica. La révélation datait d'une dizaine de minutes au cours desquelles Hervé s'était littéralement caché la tête sous l'oreiller. Quiconque serait passé par là aurait pu le voir sur son lit, le derrière en l'air, le visage enfoui sous sa literie, plus malheureux qu'il était humainement possible de l'être.

À présent, l'affaire s'était tassée. Les infirmiers étaient rentrés dans leurs pavillons. Le chien avait disparu.

Hervé Marin décida qu'il était temps de battre la campagne. Guernica avait sûrement été rouée de coups par ces « couillons », elle avait besoin de lui. Mais il eut beau appeler, le doberman ne pointa pas son museau. Longtemps, Hervé fouina dans les buissons, près des poubelles du réfectoire, sous les voitures du parking,

Guernica demeura invisible. C'est en effectuant un tour complet du périmètre de Ravenel qu'il la trouva enfin, couchée dans un fossé, son corps noir et feu tapi dans l'ombre d'une buse d'écoulement des eaux de ruissellement.

— Mouchou, murmura-t-il en descendant dans le fossé, c'est que des cons et des mal lunés. Faut plus t'inquiéter, je suis là.

La chienne geignit doucement. Hervé voulut la soulever, mais sa peau entra en contact avec un liquide chaud. Il eut un geste de recul et constata que son avant-bras était maculé de sang.

— Ouh! s'écria-t-il en se relevant, affolé. Ouh là là!

Guernica gémit de nouveau, puis elle s'employa à lécher son arrière-train sous le regard horrifié d'Hervé.

Il finit par sortir du fossé et trottina dans le parc jusqu'à tomber nez à nez avec un énergumène errant comme lui, les mains occupées par une boîte de Nescafé.

Hervé Marin reconnut aussitôt « pot de kawa ». Il prit l'air de quelqu'un d'affairé et fit volte-face, mais « pot de kawa » ne se laissa pas berner.

— T'as du kawa? demanda-t-il, aussi sérieux qu'un ministre. J'ai plus de kawa!

Il exhiba son pot de Nescafé, le déboucha et proposa l'incommensurable néant qui en tapissait l'intérieur.

— Je sais, t'as jamais de kawa.

Le kawa, le café, la noirceur, la négritude, les mots se bousculèrent dans l'esprit d'Hervé jusqu'à former un début d'idée.

— T'as vu Sookie?

— Elle a du kawa, Sookie?

572

— Pfff! siffla Hervé. Sookie, c'est le kawa!

« Pot de kawa » fit un effort de concentration. Pour une fois qu'on lui fournissait une piste…

— Elle est où Sookie?

— Ben, justement, lança Hervé, je la cherche. Mais comme j'ai pas le droit de farfouiller, je sais pas. Tu l'as pas vue?

— C'est qui Sookie? Elle a du kawa?

Hervé Marin sut qu'il obtiendrait de l'aide de « pot de kawa », à la condition de lui faire comprendre ce qu'il voulait. Rien n'échappait à ce pensionnaire de Ravenel depuis plus de vingt ans.

— Sookie, c'est la négresse qu'ils ont amenée l'autre jour.

— Elle a du kawa, t'es sûr?

— Sûr de sûr.

« Pot de kawa » tourna les talons et fila vers un bâtiment.

— Elle est là? demanda Hervé. Dans ce bâtiment?

— Il est où mon kawa?

— Ah, mais c'est pas si simple, faut que je la voie d'abord, expliqua Hervé, Après, je te file mon kawa, Je le poserai sur ma fenêtre tous les matins. J'y ai droit moi, au kawa.

Le bonhomme fronça les sourcils et pointa à nouveau le pavillon Camille-Claudel en hochant la tête avant de déguerpir.

À Ravenel, on ne logeait au rez-de-chaussée que les cas mineurs, Hervé Marin le savait. Comme Sookie avait ratatiné JP, elle devait se trouver au premier étage. Le problème, c'est qu'il lui serait impossible d'y accéder par l'intérieur. Outre les bataillons d'infirmiers, il y avait des portes à codes, à clé, des grilles sécurisées et des systèmes d'alarme.

Une échelle ! Il fallait dégoter une échelle pour vérifier à chaque fenêtre si Sookie ne se trouverait pas derrière.

En habitué des lieux, Hervé trouva ladite échelle dans les granges situées aux confins du parc, juste à côté de l'ancienne aire dédiée aux activités sportives. L'échelle mesurait douze mètres d'un seul tenant. Elle était constituée d'un bois très dense partiellement recouvert de mousses et de champignons. Il traversa le domaine avec son échelle sur le dos, et profita de l'heure des repas pour vérifier une à une les fenêtres du premier étage du pavillon Camille-Claudel.

Parce qu'il crevait de chaud, il commença par la façade orientale. C'est donc à la huitième tentative qu'il découvrit, derrière un grillage épais, un corps allongé moins blanc que les autres.

— Sookie ! C'est moi, c'est Hervé ! C'est la police, ajouta-t-il en gloussant.

Comme il n'obtint aucune réaction, il s'enhardit et cessa de murmurer.

— Léon y m'a laissé Guernica et elle saigne du cul !

Sookie était sanglée sur son lit.

À trois mètres de distance, Hervé ne pouvait voir que son profil, un visage transpirant, un front noirci de mèches de cheveux collées.

— Faut pas les écouter, Sookie, reprit-il, si tu les écoutes, tu vas rester.

Désemparé, Hervé redescendit et chercha une cachette pour l'échelle.

Au moment où il s'apprêtait à la dissimuler derrière un massif de fleurs, son téléphone portable émit la musique du générique de *Benny Hill*. C'est un habitué de « Chez Dédé » qui lui avait programmé cette sonnerie. Hervé la trouvait entraînante et l'avait conservée.

— C'est qui ? demanda-t-il en décrochant.

— Qui tu veux que ce soit, le prince des nigauds ? rétorqua la voix de Léon Castel. Le pape ? J'ai appelé à la maison et il y a peau de nib'. T'es où ?

Hervé eut un blanc.

— Ben, je suis à Ravenel, finit-il par lâcher.

— Mais qu'est-ce que t'as foutu pour te retrouver là-bas, bougre d'abruti ?

— Je surveille Guernica et Sookie. La pauvre, elle saigne du cul !

— Qu'est-ce que tu racontes ? s'étrangla Léon.

— Je l'ai trouvée comme ça, elle arrête pas de se lécher !

— Tu parles de la chienne ? (Léon poussa un profond soupir.) Elle a ses règles, tu comprends ? Ses règles ! Fous-lui la paix, et dis-moi plutôt si tu as vu Sookie ?

— Ben, oui, elle a pas l'air très fraîche, répondit Hervé, en expliquant la situation.

— Tu remontes sur ta putain d'échelle, ordonna Léon. Tout de suite !

Hervé s'exécuta, malgré le téléphone qui embarrassait ses gestes. Quand il fut arrivé au niveau de la fenêtre, il cala ses coudes contre les montants et reprit la communication.

— Gueule pas comme ça, Léon, elle dort.

— Tu sais mettre le haut-parleur sur ton bigophone ?

— Euh… oui.

— Alors fais-le et tends l'appareil vers elle.

Perché à six mètres au-dessus d'un parterre de pensées, Hervé concentra toute son attention sur son téléphone. Après quelques manipulations infructueuses, il accéda à la demande de Léon.

— Tu m'entends ? demanda Hervé.

— C'est pas moi qui dois t'entendre, c'est Sookie. Elle m'entend là ?

— Je sais pas, elle bouge pas.

— Tu vas me mettre les hormones dans le chignon, Hervé ! vitupéra Léon. Oriente ton téléphone vers Sookie et lâche-moi la grappe !

Hervé fit exactement ce qu'il lui ordonnait et bientôt, la voix de Léon résonna dans la chambre.

— Sookinette, chérie, c'est papa. Tu m'entends ? Écoute, on avance, j'ai vu Mathilde Bonnet et j'ai rencontré son pote flic. Je suis avec le juge Craven. Tu m'entends Sookie ? On a un lien entre tes trois pendus, les Raspail, et un pervers en taule. C'est pas beau, ça ? On va la retrouver, ta petite Allemande ! Et tu sais pourquoi je peux dire ça ? On a des connards au cul, Sookie. Des micros, des mouchards et tutti quanti ! Si ça veut pas dire qu'on est sur une piste, je bouffe un balai ! Tu vas bientôt pouvoir effacer tes barreaux. T'entends Sookie ? Les barreaux, ils ne servent plus à rien.

La voix de Léon s'éteignit. Puis elle reprit.

— Hervé, elle a réagi ? Dis-moi qu'elle a réagi.

Hervé scruta la forme de Sookie allongée sur le lit.

— Ben, c'est pas facile à dire.

— Fais un effort, mon gars, c'est important.

Hervé écarquilla les yeux et se rendit compte que le visage de Sookie se tournait vers lui, très lentement. Ses traits étaient déformés par la peur.

— Tu vois quelque chose ?

— Oui, répondit Hervé après une hésitation, on dirait qu'elle rigole, ta Sookie !

115

On va la retrouver, ta petite Allemande !

Debout, les pieds dans le sable chaud, Sookie Castel regardait la fillette courir vers elle sans parvenir à se rappeler où elle l'avait déjà vue.

Quelque part au-dessus d'elle, la voix de son père résonnait d'une étrange façon.

Si ça veut pas dire qu'on est sur une piste, je bouffe un balai ! Tu vas bientôt pouvoir effacer tes barreaux.

De loin, l'enfant avait un air heureux, elle arborait un grand sourire…

T'entends Sookie ? Les barreaux, ils ne servent plus à rien !

Sookie remua d'aise. La fillette gambadait sur la plage, sautait dans les mouvements du ressac en riant aux éclats.

Sookie se mit à rire.

Soudain, elle plissa les yeux.

Plus l'enfant s'approchait, plus Sookie voyait la terreur déformer ses traits, et plus la sensation de déjà-vu se renforçait.

Un homme la poursuivait. Dans sa main, un long coupe-coupe cisaillait l'air, de plus en plus près du dos de la gamine, si près, trop près.

La natte de l'enfant tomba sur le sol au moment où Sookie la prenait dans ses bras, où l'enfant se mélangeait à sa propre chair, et qu'elle clignait des yeux sur le plafond vert d'une chambre éclaboussée de lumière.

Sookie se réveilla, les membres en coton, incapable de comprendre où elle se trouvait, ou pourquoi elle était ligotée à un lit.

Une drôle de tête à moustache s'encadrait derrière sa fenêtre.

Prise de panique, elle se mit à hurler.

Le plafond s'ouvrit alors, déversant des milliers de boîtes et de visages inconnus qui fondirent sur elle.

— Maman !

Sookie tira sur les sangles et tenta de se redresser, en vain. Elle ferma les paupières et chercha dans le déluge de boîtes où elle se noyait, celle de sa mère. Elle repoussa les boîtes inconnues, celle de Nuremberg, celle des Antiquaires, celle de la petite Allemande qui attendait qu'on la libère et trouva enfin la boîte de Valie.

Sookie l'ouvrit avec précaution.

Mais alors qu'elle cherchait un sourire ou un câlin partagé, elle ne trouva qu'un sentier dans la forêt, l'écho des aboiements, des cris de tous ceux qui cherchaient Valie.

La battue avait duré des jours avant qu'on découvre enfin le gouffre où sa mère avait agonisé. Sookie matérialisa une carte, traça des chemins, reconstitua les groupes de personnes participant aux recherches, et situa leurs positions dans la battue.

De nouvelles boîtes s'entrouvrirent : celle de Jackie Berroyer dans *Calvaire*, où elle rangeait Rémy Lagrange, celle de Dominique Pinon pour Pierrot, son acolyte, et enfin celle de Pierce Brosnan-JP, et ces trois boîtes fusionnèrent avec celle de Valie, et du gouffre.

Sookie comprit alors ce qu'elle n'avait pas voulu voir.

— Maman !

Quelqu'un frappa de violents coups sur la porte, lui intimant de se taire. Alors Sookie se tut.

T'es mort, mon pote. Vous êtes tous morts.

Elle se concentra, ôta ces trois boîtes de celle de sa mère et les rangea dans un recoin de son esprit. Puis elle se souvint de Valie, de la blondeur de ses cheveux et de l'odeur de sa peau qui sentait la vanille. Elle s'accrocha à ces sensations, et regarda la montagne de boîtes en vrac qui lui faisait face.

Va falloir que tu ranges ce merdier si tu veux sortir de là, ma vieille.

Ce qu'elle commença à faire.

116

Valentin Mendès se maudit d'avoir laissé l'alcool décider à sa place une bonne partie de la soirée de la veille. Un gant de fer fouillait l'intérieur de son crâne et poussait ses yeux vers l'extérieur. Son estomac paraissait également peu enclin à conserver la boîte de raviolis qu'il avait ingurgitée sur les coups de 4 heures du matin, quand Gaultier était parti de chez la mémé. En plus, il était si bourré qu'il avait raté un appel de Solange, et il s'en voulait terriblement.

— T'es vraiment qu'un connard ! s'apostropha-t-il en massant ses tempes et ses paupières.

Des mouches bourdonnaient au plafond. Valentin observa leur vol zigzagant, l'esprit au ralenti.

— Je picolerai plus jamais la gnôle de pépé, parole !

À moins de quitter sa région, ses amis, Valentin savait que cette promesse resterait un vœu pieux. Il se remémora sa soirée par bribes, et se revit en train de malmener le journaliste.

— Tu l'as pas volé, sale con, tenta-t-il de se persuader. *T'es dans la merde !*

— Fais pas chier !

La mine grimaçante, les cheveux ébouriffés, Valentin se traîna jusqu'à la cuisine. Il avala un grand verre de jus d'orange, puis s'attabla devant un bol de céréales. Par la fenêtre, il voyait le dos de sa grand-mère courbé au-dessus de ses rangs de salades.

Un long coup de sonnette résonna dans la maison.

— Bouge pas, mémé, j'y vais ! cria Valentin par la fenêtre.

Il traversa la cuisine en priant pour ne pas se trouver nez à nez avec un gendarme et découvrit avec stupeur Egon Zeller et Arnault de Battz sur le perron.

— Bah, merde alors ! bredouilla-t-il, vous vous êtes perdus ou quoi ? Putain, c'est Lara, c'est ça ? ajouta-t-il en se tenant au chambranle.

— Mais non. Ne t'affole pas ! Tu vois, avec tes idées de lui faire une surprise, on va le faire mourir de peur !

— Salut, le petit, dit Egon Zeller en l'étreignant chaleureusement. Dis donc, tu as une mine de papier mâché.

— Tu comptes nous laisser sur le perron toute la journée, Apollon ?

— Non, bien sûr, s'excusa Valentin en s'effaçant. Entrez, j'suis au petit déj. Vous voulez un café ?

— À midi ? Tu perds le sens commun, râla Arnault de Battz en entrant dans la cuisine. Il n'y aurait pas une goutte de champagne à la place ?

— Mémé tape dans le mousseux. C'est pas dégueu, mais ça ruine les intestins.

— Va pour un mousseux. Ta grand-mère est là ?

— Putain ! s'exclama Valentin comme s'il venait de recevoir la foudre. Qu'est-ce que je vais lui dire ?!

— Qu'elle a des invités, conseilla Egon Zeller en apercevant l'aïeule affairée dans son potager, et qu'il serait plus raisonnable de se reposer au frais par une chaleur pareille.

D'un haussement d'épaules, Valentin exprima ce qu'il pensait du conseil.

— Tu es Egon Zeller, expliqua-t-il en sortant une bouteille de mousseux du frigo, puis quatre verres colorés et ciselés de dorures. Toi, tu l'oublies peut-être, mais la mémé, qu'est-ce qu'elle va dire quand elle va te trouver dans sa cuisine ? Tu as pensé à ça ? Il manquerait plus qu'elle nous fasse une nouvelle attaque !

Valentin arrangea les verres sur la table, déboucha la bouteille et disparut par l'escalier de la cave.

— Le petit a raison. On s'oublie.

— Surtout ces temps derniers.

— Comment elle s'appelle la mémé ? C'est la grand-mère maternelle ou paternelle ? Mcrde, Battz, tu te rends compte à quel point nous ne savons rien des gens qui nous entourent ?!

— Ne sois pas grossier, Zeller, gloussa Arnault en attrapant une enveloppe qui traînait sur le plan de travail, juste à côté d'un magazine people où Egon Zeller et lui-même occupaient la première place. Carmela Mendès, voilà comment elle s'appelle la mémé. Je peux donc te dire qu'elle est la grand-mère paternelle des gosses et probablement veuve depuis perpète.

Dans le jardin, Valentin rejoignit Carmela, occupée à tailler un laurier.

— Aide-moi, plutôt que de battre de la goule, émit la vieille dame quand elle perçut sa présence, j'ai les reins en compote.

— Écoute, mémé, j'ai quelque chose à te dire.

— Tu me le diras aussi bien en ramassant les branches.

— Je les mets où ?

— Je les mets où ?! Tu les mets sur le tas derrière.

La mémé sur les talons, Valentin fit une grande brassée de branches et les porta sur le compost.

— Alors, qu'est-ce qu'il y a de si urgent ?

— Qu'est-ce que tu dirais si Egon Zeller s'invitait à prendre une coupe de mousseux dans ta cuisine ?

Carmela Mendès observa Valentin d'un air désabusé.

— Je dirais que tu ferais mieux de penser à ton avenir plutôt que de me poser des questions idiotes.

— Non, non, insista le jeune homme. Dis-moi. Imagine qu'il est dans ta cuisine ! Tu fais quoi ?

— Tu deviens fada, Valentin, sourit Carmela. En ce moment, on devient tous un peu fada, hein ? Tu veux manger quoi à midi ?

Valentin soupira.

— Ce n'est pas la question, mémé, je viens de petit-déjeuner. Je vais te le dire autrement : Egon Zeller est dans ta cuisine avec son ami, et ils t'attendent. Alors tu ne me fais pas un malaise.

Le sourire se figea sur le visage de Carmela. Valentin ne lui parlait jamais ainsi.

— Pourquoi Egon Zeller serait dans ma cuisine ? Tu peux m'expliquer ça ? Est-ce que moi, je m'invite chez le président de la République ?

— Le producteur de Lara, raconta Valentin, eh bien c'est l'ami d'Egon. Et ils m'ont aidé à la chercher.

Le visage de Carmela Mendès blanchissait à vue d'œil. Valentin se précipita vers elle et l'enveloppa dans ses grands bras.

— Ils aimeraient te rencontrer, dit-il doucement. Ils veulent connaître celle qui a élevé deux loupiots comme nous.

La grosse berline immatriculée dans le 92 stationnée devant chez elle avait ébranlé la méfiance de Carmela, l'attroupement de ses voisins sur le trottoir en face de son portail la fissura. À moitié en panique, Carmela Mendès rentra dans sa maison au bras de Valentin.

— Je ne suis pas coiffée, ne cessait-elle de répéter.

Ce à quoi Valentin lui répondit qu'elle était très bien et qu'elle n'avait pas à s'en faire.

Dans le hall, la mémé rectifia ses cheveux blancs et s'avança jusqu'à la cuisine, les yeux brillants d'émotion.

— Madame Mendès, dit Egon Zeller en se levant, pardonnez-nous cette arrivée cavalière. Nous aurions dû prévenir, mais nous voulions faire la surprise au petit.

— C'est mieux comme ça, répondit Carmela Mendès avec un ton timide que Valentin ne lui connaissait pas. Si j'avais su, je me serais retourné les sangs toute la nuit.

Les présentations effectuées, ils s'attablèrent devant une coupe de mousseux. Arnault de Battz prit sur lui pour ne pas grimacer quand le breuvage acide glissa dans son gosier, et Egon Zeller complimenta la mémé sur sa jolie maison et son jardin magnifiquement entretenu.

— Merci, Egon, dit la mémé en rougissant. Permettez-moi de vous dire que je ne suis pas fâchée. Vous êtes bien trop beau pour être l'homme d'une seule femme, ajouta-t-elle en saisissant les doigts du comédien entre les siens. Et ça a dû être bien embarrassant. Alors, comme vous ne pouviez pas les combler toutes !

Egon Zeller saisit les mains de la vieille dame entre les siennes et y déposa un baiser.

— Ah, murmura Carmela les larmes aux yeux, si ma petite Lara était là, ce serait le plus beau jour de ma vie.

117

Pour la dixième fois, **Lara Mendès** relut ses écrits. Puis elle plia les feuilles de son journal et les glissa dans la poche de son loden. Elle n'aimait pas s'en séparer, quoi qu'elle fasse.

— C'est le moment des épitaphes, crevette.

Sa voix était rauque, désagréable. Sa gorge était si sèche, sa langue épaississait. Le peu d'eau qu'elle avait récoltée la veille n'avait pas réussi à étancher sa soif. En bas, la source s'était tarie. Il n'y avait plus qu'à espérer un orage. Mais Lara n'espérait plus. Les réserves de nourriture étaient épuisées, l'eau manquait, l'issue se rapprochait.

Lara ouvrit la porte de la chambre froide et s'approcha du corps de Petra.

— Au revoir, petite sœur, murmura-t-elle, un sanglot dans la voix. On se retrouve bientôt.

Elle posa un baiser sur le front glacé, puis elle attrapa son fusil posé contre une chaise de la cuisine et récupéra un des pots de peinture qui traînaient sous les patères du couloir d'accès.

Connard de borgne. Au moins, je t'aurai empêché de lui faire encore plus de mal.

En emportant la peinture vers le deuxième sous-sol, Lara se dit qu'elle ne saurait jamais ce qu'il était devenu, et que plus grand-chose n'avait d'importance.

— Je vais faire du barbouillage, ça te dit de venir avec moi ?

Lara déposa ce qui lui restait d'eau devant le conduit puis agita les pinceaux en direction de la petite silhouette recroquevillée.

— Si tu changes d'avis, soupira-t-elle, je serai tout en bas.

Lara récupéra son pot de peinture et descendit au quatrième sous-sol.

Sa torche à la main, une dernière en réserve, la jeune femme se rendit au plus près de la fosse. Où écrit-on le nom des morts, si ce n'est au-dessus de leurs ossements ?

Lara alluma une nouvelle torche aux flammes de la première et l'accrocha à un anneau scellé dans le béton, posa le pot de peinture au sol et l'ouvrit. Ses doigts effleurèrent la surface bleutée puis elle se lança, le pot coincé sous son bras gauche. Pour commencer, elle réalisa une grande croix sur le mur, puis elle écrivit de part et d'autre de cette croix les noms figurant sur les passeports.

Lara achevait d'écrire le sien quand elle découvrit la fillette, à la limite de la clarté dispensée par la torche.

— Viens, proposa-t-elle en lui tendant son pinceau, tu es la seule à pouvoir le faire.

La gamine ignora le pinceau et plongea sa main dans la peinture avant de tracer quelques lettres sur le mur.

МИЛЕНА

— C'est bien notre veine, hein ! Comment ça se prononce ?

Lara fixa les caractères en fronçant les sourcils.

— Que dirais-tu de Mia ?

Le visage de la petite se fendit d'un timide sourire.

— OK pour Mia, ça te va bien. Moi, c'est Lara. Lara.

Elle se laissa tomber sur la cuve. Son corps tremblait de fatigue.

— Viens, Mia, on sera plus fortes à deux.

Sa main demeura tendue un long moment, jusqu'à ce que celle de la fillette, toujours brûlante, vienne s'y glisser. Lara l'attira alors à ses côtés. Elle observa le visage de sa petite compagne, ses lèvres desséchées, son regard fiévreux, ses yeux cernés. Délicatement, elle déposa un baiser sur sa tempe.

Lara s'appliqua alors à énoncer les noms de toutes les malheureuses qui figuraient sur le mur, de part et d'autre de la croix.

Anita Bergson, Antonietta Fernandez, Marlène Benvenuto, Charlène Bonnet, Petra Seipel, Ursula Brückner...

Le temps que la torche se consume, elle les avait tous prononcés à voix haute.

Mia.

Lara Mendès.

La torche grésilla et s'éteignit.

Il ne resta plus pour quelques instants que des morceaux de tissus incandescents.

Puis ce fut la nuit noire.

118

Valentin Mendès détestait s'excuser. Pourtant, il se tenait bien là, depuis une dizaine de minutes déjà, sur le parking de l'hôtel où Corentin Ruedler était descendu.

Le journaliste le faisait poireauter. À une cinquantaine de mètres dans son dos, Arnault de Battz et Egon Zeller patientaient dans la voiture. C'est le comédien qui avait forcé la main à Valentin quand celui-ci leur avait avoué son forfait de la veille.

— Jeter un homme dans une poubelle n'est pas digne de toi. Alors, j'aimerais que tu retrouves ta victime pour lui présenter des excuses !

Valentin n'avait pas vraiment eu d'autre alternative. La mémé s'en était mêlée, et quand Carmela Mendès se fichait une idée en tête, personne ne pouvait résister. Le jeune homme était donc retourné au Bar des Sports pour régler sa note et apprendre de la bouche du patron comment il avait sorti le journaliste de la poubelle.

— Plus de peur que de mal, mais il était furax.

Corentin Ruedler avait laissé sa carte de visite au patron du bistrot, ce qui avait permis à Valentin de le contacter.

— T'as plutôt intérêt à ce qu'il soit encore là, j'ai pas envie qu'il me fasse de la mauvaise pub dans son canard, merde alors ! Petit con, va !

À l'évocation de la tronche ébahie du journaliste quand il l'avait collé dans la benne à ordures, Valentin ne put s'empêcher de sourire.

Même tout seul, je lui colle la raclée de sa vie ! pensa-t-il en apercevant le journaliste qui sortait de l'hôtel. *Font chier les vieux et leur morale à deux balles.*

Corentin Ruedler était grand et mince, assez bien bâti dans un costume, mais vêtu d'un jean et d'une chemise, il ressemblait à un freluquet.

— Bonjour, monsieur Mendès, dit-il sur un ton peu amène, alors, vous êtes seul aujourd'hui ? Pas de pote pour rire de vos bonnes blagues ?

Ne me tente pas, manqua rétorquer Valentin.

— Écoutez, je suis désolé pour ce qui s'est passé hier soir. J'avais trop picolé.

— Ça peut être aussi simple ?

— À vous de le dire. Vous n'avez qu'à me donner la note du pressing et on n'en parle plus. Je me suis excusé, non ?

— C'est qui les « men in black » ? interrogea Corentin Ruedler en désignant l'Audi aux vitres teintées.

Le parking de l'hôtel donnait sur la place de la mairie, quasiment déserte. La berline sombre d'Arnault de Battz ne passait pas inaperçue.

— Des amis.

— Ce sont eux qui vous ont forcé à vous excuser ? Ils ont peur de payer pour vos conneries, c'est ça ?

— Je ne sais pas de quoi vous parlez.

Le journaliste eut un petit sourire qui montrait qu'il n'était pas dupe.

— Désolé, vous avez pris pour les autres, s'expliqua Valentin. Toute cette merde dans la presse sur ma sœur et son mec, ma grand-mère qui était à l'hosto, ça me chauffe vite.

— Je m'en suis aperçu.

— Vous allez porter plainte ?

— Ça dépend de vous.

Valentin s'attendait à parlementer, Arnault de Battz et Egon Zeller l'avaient prévenu que le journaliste tenterait de tirer profit de la situation.

— Vous voulez quoi ?

— Arrêtez de m'agresser ou d'agresser mes confrères. Ils font leur boulot.

— Gâcher la vie des gens, j'appelle ça un boulot de merde.

— Vous n'y connaissez rien, rétorqua Corentin Ruedler. Vous vous comportez comme la plupart des gens. Sachez seulement que vous vous êtes planté en vous en prenant à moi. Je n'avais pas l'intention de dégommer Egon Zeller, mais de lui proposer une tribune pour se défendre.

— Ah ouais ?

— Oui. C'est un homme que je respecte énormément.

— Fallait le dire tout te suite, alors !

— Vous ne m'en avez pas laissé le temps.

— Mouais.

— Il y a des cons partout, Valentin. Dans la police, dans la presse, autour de nous. Il faut vous y faire.

— Vous allez me sortir le coup du : on est toujours le con d'un autre, c'est ça ?

Le journaliste esquissa un sourire.

— J'ai été votre con hier soir. Un jour, vous serez peut-être le mien, qui sait ?

— Ah ah ! C'est à se tordre de rire ! Alors, vous voulez quoi ? Je suis en train de prendre racine, là !

— Ce que je veux ? Mais c'est simple : que vous ne vous contentiez pas d'être désolé, et que vous réfléchissiez à vos actes. Je n'ai pas l'intention de vous emmerder, Valentin. Sachez simplement que si un jour, vous avez besoin d'un journaliste intègre, vous pourrez compter sur moi.

Corentin Ruedler inscrivit le numéro de son mobile personnel au dos de sa carte et il la tendit à Valentin qui l'empocha.

— À bientôt, peut-être, ajouta le journaliste en tendant la main au jeune homme qui répondit mollement au salut. Et cessez de sauter à la gueule de tout ce qui bouge, ça pourrait vous créer de vrais ennuis.

Rêve toujours, songea amèrement Valentin en regardant Corentin Ruedler retourner à son hôtel. *Je suis pas près de la revoir, ta gueule de con.*

119

22 h 30 s'affichèrent sur l'horloge du tableau de bord. **Ilya Kalinine** réveilla la petite fille endormie sur la banquette arrière qui se redressa et frotta ses yeux encore ensommeillés.

— C'est l'heure, Natalia, viens.

Il descendit de la voiture et en fit le tour pour ouvrir sa portière. Tissia glissa sur la banquette, attrapa sa peluche qu'elle fourra dans son petit sac à dos et rejoignit Ilya Kalinine.

Sa main serrée sur celle de la fillette, Kalinine verrouilla la voiture et s'éloigna vers la grande structure de verre qui enchâssait la façade de la gare de Strasbourg. Le ciel bariolé des couleurs du soleil couchant s'y reflétait, décoloré par la teinte du verre.

Le nez en l'air, Tissia l'accompagnait comme un petit animal. Ses yeux s'arrondirent d'émerveillement devant la double explosion de couleurs puis s'arrêtèrent sur un groupe de jeunes gens qui faisaient des figures en skate.

— Tu veux y aller ?

Tissia lâcha aussitôt la main d'Ilya Kalinine et s'élança sur les allées du parvis, noires de monde. L'homme la suivit du regard puis s'attarda sur le flot de voyageurs qui sortait du hall de la gare.

Celui qu'il attendait apparut lorsque la foule se fut éclipsée. Pas plus de 1,60 mètre, les épaules larges, un cou de taureau, des mains épaisses et toujours puissantes, et deux yeux d'un bleu irréel qui brillaient au milieu d'un visage rond strié de rides.

— Innokenty, c'est bon de te voir, apprécia Ilya Kalinine en ouvrant ses bras.

Les deux hommes s'étreignirent, puis le nouvel arrivant s'écarta pour regarder aux alentours.

— Où est-elle ?

D'un geste du menton, Kalinine lui indiqua la fillette qui bondissait joyeusement autour du groupe de skateurs.

— Elle est comment ?

— Pas bavarde, mais elle obéit.

— Tant mieux.

D'un même élan, les deux hommes s'approchèrent de Tissia qui s'élança vers eux, dès qu'elle remarqua leur présence. Elle se planta devant Innokenty et lui sourit. Il lui manquait une incisive.

— On réparera ça, murmura Innokenty en caressant sa joue.

— Elle s'appelle Natalia Erinenko. Son passeport est dans son sac. Tu auras le reste des papiers à Bordeaux. L'avocat s'appelle maître Ségur, il descend de Paris par le train de 13 heures. Tu devras l'attendre un peu. Ségur est loyal envers nous, tu peux lui faire confiance.

— *Da svidaniya*, mon ami, voyons-nous plus longtemps la prochaine fois. Tu rentres pour de bon ?

Devant le silence de son interlocuteur, Innokenty le salua brièvement et prit la main de Natalia dans la sienne. Le vieil homme l'entraîna vers le hall de la gare sans que la fillette oppose la moindre résistance.

Impassible, Ilya Kalinine regarda le duo s'éloigner et disparaître sous le dôme en verre, puis il rejoignit sa voiture garée à deux rues de là. Dix minutes plus tard, il roulait à vive allure sur l'autoroute en direction de l'ouest.

Entre samedi 16 juin et mardi 19 juin

Entre mercredi 20 juin et vendredi 22 juin

Entre samedi 23 juin et lundi 25 juin

Mardi 26 juin

Mercredi 27 juin

Entre jeudi 28 juin et samedi 30 juin

Entre dimanche 1ᵉʳ juillet et lundi 2 juillet

Entre mardi 3 juillet et jeudi 5 juillet

Vendredi 6 juillet

Entre samedi 7 juillet et dimanche 8 juillet

Lundi 9 juillet

Mardi 10 juillet

Mercredi 11 juillet

Jeudi 12 juillet

Vendredi 13 juillet

Entre samedi 14 juillet et lundi 23 juillet

120

À 8 h 30 précises, **Léon Castel** et Rodolphe Craven traversèrent le hall du palais de justice de Rennes. Ils empruntèrent une série d'escaliers et de couloirs qui les menèrent à proximité du bureau du juge Damaze, puis peinèrent à trouver deux places assises sur les bancs de la salle d'attente, tant il y avait de monde.

— Vous ne vous offusquerez pas si je rentre seul dans son bureau, prévint Rodolphe Craven à l'oreille de Léon. Entre gens du métier, elle aura la langue plus libre.

— N'ayez aucune inquiétude. Vous irez avec le juge et moi je resterai avec les « zivas » et leurs avocats. Ainsi, chacun à sa place, les troupeaux seront bien gardés.

Rodolphe Craven se recula pour observer le visage de Léon.

— Vous n'êtes pas toujours facile à suivre, mon vieux !

— Ma femme disait que ça me donnait du charme. Ma fille, elle, eh bien, je crois qu'elle déteste mon humour.

— Avez-vous des nouvelles ?

— Oui, elle progresse. Il se trouve que j'ai… une sorte d'espion sur place.

— Vous m'étonnerez toujours.

Léon allait embrayer quand la porte du bureau s'ouvrit sur Fabienne Damaze. Il eut le sentiment de voir Dolores Claiborne en chair et en os, tant elle ressemblait à Kathy Bates.

La magistrate lança un regard inquisiteur dans la salle d'attente, aperçut Rodolphe Craven, lui adressa un franc sourire, puis lui fit signe de patienter deux minutes. Elle introduisit un avocat accompagné de son client, un jeune homme au regard fuyant, voûté comme Quasimodo.

— C'est qui, votre espion ?

— Une sorte d'idiot du village qui a pris Sookie en sympathie. Grâce à lui, j'ai pu lui parler. Visiblement, elle réagit à ma voix.

Léon eut à peine le temps de raconter sa conversation avec Hervé Marin que la porte se rouvrait déjà sur le bossu et son avocat.

Fabienne Damaze fit signe à Rodolphe Craven de la rejoindre, et Léon le regarda disparaître dans le bureau, l'esprit accaparé par Sookie.

— Maintenant, tu vas me raconter pourquoi tu tenais tant à rencontrer Ribaud, demanda la magistrate après un court échange de politesses. Tu veux un café ?

— Volontiers, accepta Rodolphe Craven en s'asseyant sur une chaise qu'il jugea inconfortable. Noir, sans sucre, s'il te plaît.

— Je t'écoute.

Le juge raconta toute l'histoire depuis la perquisition illégale de Sookie Castel au domicile des Raspail. Il n'omit aucune information, présenta les maigres éléments qu'il possédait encore, et acheva son explication en déclinant l'identité de Petra Seipel, que Sookie Castel pensait vivante au moment où elle avait commencé à enquêter.

— Tu sais comme moi que ton dossier est vide, objecta Fabienne Damaze, même si je comprends parfaitement l'enchaînement des faits. Rien n'est utilisable dans cette histoire. Ribaud fait état de plusieurs condamnations pour proxénétisme et trafics de vidéos pornographiques, mais ça n'est pas le criminel de l'année. Je t'ai raconté qu'il a été trouvé inconscient après un accident de voiture. C'est comme ça que les gendarmes de Vannes l'ont interpellé. Son domicile a été perquisitionné, son véhicule également. Une liste partielle de ses clients sur Internet a été récupérée sur le disque dur de son ordinateur, et recoupée avec les contacts de son mobile. Son téléphone a aussi livré l'adresse de la planque qu'il utilisait depuis quelque temps. Les enquêteurs y sont allés, et ils ont fait chou blanc. Voilà où nous en sommes, Rodolphe, c'est-à-dire nulle part. On rame autant ici qu'ailleurs. En plus on est en pleine période de vacances, et en sous-effectifs. J'ai près de deux cents dossiers en souffrance, tu vois ?

— Nous savons qu'il y avait un lien entre Stephan Ribaud et Léopold Raspail, relança Rodolphe Craven. Ça m'aiderait vraiment si…

— Non, la réalité ne se pliera pas à tes désirs, pas cette fois, désolée. Si tu n'as rien obtenu de lui, il ne me parlera pas. Je ne peux malheureusement pas faire grand-chose de plus.

Le visage de Rodolphe Craven se crispa.

— Tu me laisserais jeter un œil à ses effets personnels ?

— Tu plaisantes ?

Rodolphe Craven secoua la tête avec une moue.

— Il ne nous reste que ça.

— Laisse tomber, tu n'y trouveras rien. Je te dis que les enquêteurs ont déjà tout passé au peigne fin.

Quelques coups frappés à la porte les interrompirent. Deux secondes plus tard, la tête de Léon Castel apparaissait entre le vantail et le chambranle.

— Bonjour, madame le juge, dit-il en se glissant dans la pièce. Je peux ?

— Le grand Léon Castel, soupira la magistrate. Fabienne Damaze. Enchantée.

— Je me demande si je ne fréquente pas un peu trop de juges ces temps derniers, répondit Léon en serrant la main tendue avant de s'asseoir.

— Intéressant ! En forçant ma porte, vous restez dans votre personnage. Au fait, laissez-moi vous dire que vous avez bien fait avec Courtois, mon collègue d'Épinal. Je l'ai eu comme élève à l'école de la magistrature, eh bien, c'était un vrai trou du cul.

— Vous voici vengée, apprécia Léon.

— Oh, n'allons pas jusqu'à employer les grands mots, mais je ne peux qu'imaginer son manque d'humour et sa tête quand vous êtes passé dans son bureau. Que puis-je faire pour vous ?

— Pardon, je vous ai interrompus. Mais je vous soupçonne de vous apprêter à refuser notre requête.

Le regard que Rodolphe Craven lança à Léon lui donna raison.

— Je ne peux pas vous laisser voir les scellés. C'est juste impossible !

— Vraiment, insista Rodolphe Craven, nous ne serions pas là si ça n'était pas important.

— Nous avons été agressés, on a posé des mouchards sur ma camionnette, et chez ma fille. Nous sommes sur la bonne piste, c'est sûr !

Fabienne Damaze fronça les sourcils.

— Quand comptais-tu m'en parler, Rodolphe ?

— Il faut croire que Léon est le plus rapide !

— Tu as prévenu la police ?

— Pour me retrouver avec le proc sur le dos ? râla Rodolphe Craven. Mais tu plaisantes ? On appellera la cavalerie quand on aura trouvé ce qu'on cherche.

— Ne vous inquiétez pas. Joseph Lieras est notre ange gardien, ajouta Léon. Ce type est fiable, non ?

— C'est une forte tête, il a changé de service plusieurs fois, mais oui, c'est quelqu'un de bien.

— Puisqu'on ne peut pas aller aux scellés, insista Rodolphe Craven, ne peuvent-ils pas venir à nous ?

— N'oubliez pas que je vous ai vengée, pour Courtois, glissa malicieusement Léon. Ça vaut bien un petit geste.

La magistrate leva les yeux au ciel, et attrapa son téléphone.

Quelques minutes plus tard, le carton estampillé d'un numéro de dossier était sur son bureau, et les deux hommes surent qu'ils tenaient quelque chose dès que Fabienne Damaze en étala le contenu.

— Le voilà, le lien avec Raspail ! s'exclama Léon.

Deux clés de la marque Fichet, dont les numéros de série avaient été effacés, partageaient un anneau d'acier avec une troisième clé, de facture ancienne, et qui portait une croix gammée gravée dans sa partie pleine.

Elles avaient exactement la même apparence que celles qui traînaient au fond de sa poche, solidarisées avec les clés de son combi.

— Bingo ! s'écria-t-il en agitant le trousseau sous le nez de la juge. Reste plus qu'à trouver ce que ça ouvre !

Fabienne Damaze saisit l'iPhone de Stephan Ribaud et l'alluma. Rapidement, l'appareil livra plusieurs vidéos à caractère pornographique. La dernière en date montrait une jeune femme aux cheveux courts qui pratiquait une fellation forcée. Une jeune femme dont le visage n'était pas totalement étranger à Léon, sans qu'il parvienne à se souvenir où il l'avait vu.

— Je vous avais prévenus, murmura la magistrate. Ribaud est un vrai pervers.

— On peut localiser l'endroit où ont été tournés ces trucs, suggéra Rodolphe Craven. Pour peu qu'il n'ait pas désactivé l'application.

Après quelques manipulations simples, le logiciel donna l'emplacement, précis à quelques mètres : un endroit dans la forêt bretonne, à plusieurs dizaines de kilomètres à l'ouest de Rennes.

— C'est l'endroit de sa planque, expliqua Fabienne Damaze. Un mobile home. Vous ne trouverez rien là-bas. Les enquêteurs ont déjà ratissé le coin.

— Regardez attentivement la vidéo, argua Léon, ça ne ressemble pas à l'intérieur d'un mobile home, la salle est bien plus vaste.

La magistrate saisit l'iPhone et se repassa la vidéo. Léon nota que ses traits restaient impassibles devant la cruauté des images.

— Laisse-nous en juger, Fabienne, dit Rodolphe Craven en se levant. Léon a raison. C'est beaucoup plus grand qu'un mobile home. Pourtant, si on en croit le téléphone de Ribaud, ça a été tourné là-bas.

Léon bondit sur ses pieds, l'air grave.

— OK, j'appelle Jo Lieras, proposa Fabienne Damaze en joignant le geste à la parole. Je préfère qu'il vous rejoigne.

121

Ranger, il n'y avait rien d'autre à faire, aucune solution miracle. **Sookie Castel** devait trier l'invraisemblable quantité de visages où ses jambes s'enfonçaient comme dans des sables mouvants.

C'était une montagne de billes qu'elle devrait gravir, glissant de trois pas là où elle en gagnait chichement un. Recommencer, recommencer jusqu'à ce qu'elle maîtrise la technique. S'échiner, s'obséder, ne jamais céder à la fatigue, un visage à la fois par boîte, il serait toujours temps de les nommer ensuite.

Un visage, une boîte.

Un visage, une boîte.

Un visage, une boîte.

Ce travail titanesque était ralenti par l'extrême lenteur de ses facultés intellectuelles.

Plusieurs fois par jour, des gens visitaient Sookie. Parfois, des mains la touchaient, elle pouvait sentir un liquide froid sur sa peau, une étoffe la frotter, des poignes la retourner, des aiguilles la pénétrer.

Sookie rangeait les visages dans les boîtes correspondantes et oubliait aussitôt : le psychiatre, boîte Jean Dujardin, l'infirmier-chef, même boîte que Stephan Ribaud, sous-boîte obsédés sexuels à enchrister.

L'extérieur n'existait plus. Rien ne comptait en dehors de ces boîtes et de ces visages. Il n'y avait pas d'explication à donner, pas d'enquête à boucler, pas de père à aimer, seulement ces boîtes à remplir, puis à entreposer.

De temps en temps, Sookie entrouvrait la boîte de Valie, se rassérénait entre les bras de sa mère, toute petite fille, puis elle la refermait et poursuivait son invraisemblable tri.

D'abord ranger, pour sortir de Ravenel. Blouser le médecin, le juge et les flics. Achever JP et sa clique, plus tard.

À qui appartenaient ces milliers de visages ? Sookie s'en fichait. Tout comme elle se fichait de leur aspect. Certains appartenaient à des gens, mais d'autres provenaient de tableaux, de films, de BD. Rien ne la rebutait dans sa tâche.

Sookie voulait juste ranger.

Un visage, une boîte.

122

Pendant qu'il conduisait, **Léon Castel** fulmina contre les gendarmes qui avaient interpellé Stephan Ribaud, la juge Damaze qui avait autorisé les perquisitions de son domicile et de sa voiture, puis ceux, flics ou gendarmes, qui avaient fouiné dans son téléphone.

— C'est quand même pas compliqué de piger qu'il y a un truc qui cloche, grommela-t-il pour lui-même. Troupeau de branleurs !

À côté de lui, Rodolphe Craven tenait la carte routière, qu'il examinait avec une attention quasi scolaire.

— Il n'y a vraiment rien à l'endroit où nous nous rendons, commenta-t-il. À part un menhir !

— Vous feriez mieux d'utiliser Google Map.

— J'aime les cartes en papier.

— Vous êtes aussi un fan du Minitel, non ?

— Et vous d'une humeur massacrante, apparemment.

— Pire que ça. Je vous préviens, si jamais on retrouve Petra Seipel morte, je me farcis un ou deux flics, et puis deux ou trois gendarmes, et votre copine juge, aussi.

— Ah, vous pensez les surprendre en flagrant délit d'incompétence, et vous voudriez vous en prendre à la terre entière, je me trompe ?

— Parce que ça ne vous met pas hors de vous ?

— Peut-être, je ne sais pas. En tout cas je me méfie de mes colères. Non seulement elles ne servent à rien, mais elles faussent la perception.

— Discours de faux cul ! gronda Léon.

— Contre un discours d'imbécile ! Je préfère encore le mien.

Léon se renfrogna.

— On ne trouve pas ce qu'on ne cherche pas ! renchérit Rodolphe Craven. Et comme vous faites mine de ne pas comprendre ce que je vous dis : imaginez que nous n'ayons eu ni les photos des bijoux, ni les clés que votre fille a subtilisées chez les Raspail. Nous n'aurions alors vu dans les affaires de Ribaud qu'un trousseau de clés et un téléphone contenant des vidéos porno. La belle affaire !

— Vous oubliez l'arrière-plan des vidéos. Je vous dis que c'est pas un mobile home.

— Tout le monde ne passe pas ses vacances au camping !

Il fallut quitter la route nationale à quatre voies qui ralliait Rennes à Brest, emprunter une route secondaire à travers champs et villages, puis s'enfoncer dans une région couverte de forêt, avant que Léon envisage qu'il ait pu avoir peut-être tort. Et encore, peut-être !

Le soleil atteignait le zénith quand le combi se rangea le long d'un talus, à l'intersection de routes forestières balisées où ils avaient rendez-vous.

Pour s'occuper, Léon fit défiler sur son smartphone la carte satellite vers l'ouest, et l'immobilisa au-dessus de la zone où ils se rendaient. La couverture d'arbres était dense. On ne voyait que les chemins de cailloux blancs au milieu de la verdure. À l'endroit où avait été enregistrée l'une des vidéos, il n'y avait que des arbres. La vue satellite était plus déprimante encore que la carte, et Léon commença à douter.

Où un homme trouve-t-il refuge dans les bois ? Dans une caravane, une cabane, une grotte… une carrière de pierres.

Une longue traînée de poussière blanche annonça l'arrivée du véhicule de Jo Lieras. Le policier était accompagné d'un homme.

Il ralentit le long du combi et fit signe à Léon de le suivre.

Quelques minutes plus tard, ils découvrirent ce que Google ne pouvait montrer. Un grillage fermait tout un côté du chemin forestier. Cent mètres plus loin, les véhicules se garèrent devant un portail métallique piqué d'avertissements à l'intention d'éventuels rôdeurs.

Les quatre hommes se rejoignirent devant le portail.

— Juge Rodolphe Craven, Léon, je vous présente le commandant Demian Obolanski, de la BRP.

Ce dernier, un grand type bien bâti, tendit une main franche à Léon et à Rodolphe Craven. Il portait son arme à la ceinture et un sac en bandoulière d'où dépassaient les antennes de deux talkies-walkies.

— Messieurs.

Espèce de cow-boy, songea Léon.

Jo Lieras poussa le montant du portail d'un coup d'épaule, et les quatre hommes s'introduisirent dans la propriété. Un chemin s'enfonçait dans les bois en zigzaguant entre des chênes. À un jet de pierre, ils découvrirent un mobile home bardé de renforts métalliques.

— On a peur du vol, ricana Léon, nerveux.

L'unique porte du mobile home disposait d'une serrure trois points. L'une des deux clés Fichet de Léon s'introduisait parfaitement dans la serrure.

— Bingo! le félicita Rodolphe Craven.

Léon reprit son souffle, puis poussa la porte.

— Police! émit Jo Lieras en pénétrant en premier dans la place. Il y a quelqu'un?

L'endroit était désert. Un deuxième mobile home, invisible depuis l'extérieur parce que perpendiculaire au premier, étendait la superficie de l'ensemble à une centaine de mètres carrés. Un parquet en grosses lattes de bois teint remplaçait le revêtement plastique qui équipait habituellement ce type d'habitat. L'air sentait le moisi.

En vain, Léon chercha une deuxième porte avec serrure Fichet. Il bouillonnait intérieurement.

Il doit y avoir autre chose sur ce terrain! explosa-t-il. Je vais jeter un coup d'œil.

Il ressortit, plus pour fuir cette atmosphère humide qui sentait le renfermé, que pour chercher vraiment. Le ciel lui tombait sur la tête. Qu'allait-il raconter à Sookie s'il rentrait bredouille?

— Tu es un gentil garçon, se fustigea Léon en donnant des coups de pied dans les feuilles du précédent automne, mais maintenant, réveil, on redescend sur terre, et on arrête de faire le con!

— Léon, on a besoin de vos clés! héla la voix de Rodolphe Craven derrière lui.

Léon se retourna. Le juge se tenait à trente mètres de lui et même à cette distance, il pouvait apprécier son air bonhomme.

— Ils ont trouvé quoi?

— Voyez par vous-même ! J'ai le sentiment que cet Obolanski est un cador. J'aurais pu passer à côté des milliers de fois sans rien voir.

Léon se précipita dans le mobile home. Il traversa le premier, et rejoignit les deux policiers dans le second, occupés à scruter avec leurs lampes torches la volée de marches dissimulée derrière un panneau amovible. L'escalier en béton descendait dans la pénombre, puis se perdait dans l'obscurité. Mais dans le faisceau des lampes, une porte en métal dessinait ses contours.

— À vous l'honneur, proposa Jo Lieras.

Cette fois, c'est la longue clé de facture ancienne qui servit de sésame, révélant un couloir de quelques mètres aboutissant à une nouvelle porte. La seconde clé Fichet entra alors en service.

123

L'ouverture de la porte blindée provoqua un léger appel d'air. La main de **Jo Lieras** se posa sur l'épaule de Léon qui s'effaça devant le policier. Avant que la porte ne s'ouvre complètement, il y eut un bruit assourdissant juste derrière.

Sous les néons blafards, le policier découvrit les restes d'un système d'alarme rudimentaire, observa le stratagème, et fronça les sourcils.

— Si je vous demande de rester ici, c'est peine perdue ? hasarda-t-il en se tournant vers Rodolphe Craven et Léon.

— Vous êtes perspicace pour un flic, grogna ce dernier.

— Je m'en doutais, alors restez derrière moi.

Jo Lieras précéda Léon et Rodolphe Craven, et Demian Obolanski ferma la marche.

— Attendez !

Les trois hommes de tête se retournèrent en même temps pour voir Obolanski donner un coup de crosse dans le système électronique de fermeture de la porte.

— Je n'ai pas envie de moisir ici, expliqua le policier.

Sa voix rocailleuse recelait un léger accent de l'Est.

— On peut y aller.

Léon et Rodolphe Craven sur les talons, Jo Lieras emprunta les escaliers et descendit vers le premier sous-sol, tandis qu'Obolanski s'enfonçait vers les niveaux inférieurs.

Les trois hommes aboutirent à une vaste salle desservie par plusieurs couloirs, éclairée par des néons blafards. Leurs déplacements faisaient craquer des morceaux de verre jonchant le sol.

— On dirait que quelqu'un n'avait pas envie qu'on le trouve, chuchota Rodolphe Craven à Léon.

Mais celui-ci ne répondit pas, bien trop accaparé par la peur qui lui tenaillait les tripes. Jamais il n'avait eu envie de se coller aussi près du dos d'un flic.

Dans le fond de la salle, de grands pans de matériaux de construction étaient entreposés. Jo Lieras se dirigea vers le couloir le plus proche et déboucha dans une pièce dont le sol était recouvert de débris.

Écrans fracassés, ordinateurs désossés, des milliers d'éclats de DVD, des morceaux de cartons, armoires renversées, ce qui avait été un bureau semblait avoir été dévasté par une tornade.

— Je crois que nous sommes au bon endroit, murmura Jo Lieras en pénétrant dans ce qui restait de la salle de tournage.

— Je vais appeler la cavalerie, proposa Rodolphe Craven. Il ne s'agirait pas de se foutre le proc à dos.

Le juge fit volte-face tandis que Léon et Jo Lieras poursuivaient leur inspection des lieux.

— Je vous trouve bien silencieux.

Léon poussa un profond soupir.

— J'ai bien peur que cet endroit soit un tombeau.

— Venez.

Ils visitèrent chacune des pièces et parvinrent jusque dans la cuisine. La porte de la chambre froide vibrait doucement. Jo Lieras l'ouvrit précautionneusement, et peu à peu, la buée s'évapora pour révéler le corps recroquevillé d'une jeune fille.

Bouleversé, Léon se précipita vers elle.

— C'est elle, murmura-t-il. Bon Dieu, c'est la gamine que Sookie voulait que je retrouve, Petra Seipel.

— Ne touchez à rien, lui intima la voix de Jo Lieras dans son dos.

Léon se redressa en chancelant et s'effondra sur une chaise de la cuisine.

— Continuez sans moi, dit-il la voix brisée. Je n'en peux plus.

Jo Lieras passa une main rassurante sur les épaules de Léon et s'engouffra dans les escaliers, où il retrouva Demian Obolanski.

— J'ai rien au troisième niveau. Et toi ?

— Une gamine, répondit Jo Lieras. Et un tas de preuves détruites. On a sacrément merdé, Ike, ajouta-t-il dans un souffle.

— Remonte avec eux, ordonna Demian Obolanski en s'enfonçant vers le dernier sous-sol. Je te rejoins.

Le policier braqua sa Maglight devant lui et dévala les marches. Dans la cage d'escalier, une odeur d'excréments monta à ses narines. Il traversa rapidement le sas qui le séparait du reste du niveau et leva sa lampe devant lui. À cet endroit, le sol descendait en pente douce et quelques mètres plus loin, de gros tuyaux en fonte se coudaient dans le béton.

Demian Obolanski s'avança de quelques pas et soudain, une forte détonation vrilla le silence. L'éclair l'aveugla un instant mais la fumée qui s'échappait des panneaux posés contre le mur du fond de la salle trahit la position du tireur embusqué.

Silencieux comme une ombre, le policier rasa la paroi. Sur sa gauche, la cuve posée dans la fosse mesurait une dizaine de mètres. La puanteur provenait de là.

Son regard acéré repéra rapidement la mince silhouette d'une femme allongée entre deux morceaux de carton, devant un mur recouvert d'inscriptions. Sa main droite tenait un fusil de chasse dont le double canon reposait contre le sol. Il rengaina son arme et s'approcha de la forme étendue.

Sans hésiter, il bondit vers elle, puis écarta le fusil de la pointe du pied. La jeune femme, en piteux état, tenta une maigre résistance. Son visage était creusé et une puissante odeur fétide montait de ses vêtements faits de bric et de broc.

Ses lèvres craquelées remuèrent quand le policier se pencha vers elle.

— Fils de pute, souffla-t-elle avant de s'évanouir.

Avec un petit sourire, Demian Obolanski glissa doucement sa main sous le loden de Lara pour la fouiller. Il empocha aussitôt les feuilles roulées de son journal et sa clé USB en forme de cœur. Puis il passa son bras dans son dos et la serra contre lui, les yeux rivés sur les inscriptions qui recouvraient le mur derrière elle.

— Bonjour, Lara Mendès, murmura-t-il après un court instant. Moi aussi, je suis ravi de faire votre connaissance.

C'est alors que le policier aperçut, accroupie à un mètre de là, une gamine maigrichonne qui brandissait en tremblant un éclat de DVD en forme de lame.

124

À 77 ans bientôt révolus, **Carmela Mendès** avait connu bien des bouleversements. Le régime de Vichy alors qu'elle était enfant, la reconstruction du pays, le plan Marshall, la guerre froide, la montée du communisme, les Trente Glorieuses, la guerre d'Algérie, Mai 68, le premier choc pétrolier, les suivants, la crise économique, les crises économiques, la disparition de son fils et de sa bru, la mort de son époux, l'éducation de ses petits-enfants, les canicules qui avaient emporté certaines de ses amies.

À présent, la vieille femme ne craignait plus grand-chose, en dehors de la fin du christianisme. Carmela Mendès avait tout connu, tout enduré, même la disparition de sa petite-fille Lara, qu'elle abordait avec cet égoïsme que seuls les vieux savent ériger autour d'eux. Pourtant, il y avait un événement que Carmela Mendès n'avait pas envisagé, la veille : elle n'avait pas rôti le poulet du dimanche qui avait ravi tant de papilles au cours des cinquante dernières années.

Egon Zeller et Arnault de Battz l'avaient accompagnée au marché, ce qui avait créé un très gros événement pour la localité si tranquille. « Pensez, on n'a pas une vedette tous les jours ! Oui, mais on dit des choses pas correctes sur cet homme. Il est si beau. Il était. Regardez-le parader avec son amant. C'est collagène et compagnie ! Les chochottes, on n'en veut pas par chez nous. »

Carmela Mendès était rentrée des courses dominicales complètement déboussolée. Trop d'imprévus, trop d'émotions, elle n'avait pu se résoudre à plumer le poulet, vider ses tripes et l'embrocher.

Non, elle n'avait pu se résoudre à plumer la bête. Ils avaient mangé une salade à la place.

Carmela Mendès s'octroya une pause.

— Le poulet du lundi, quelle blague ! soupira-t-elle.

Ses doigts la faisaient souffrir. Elle n'en disait rien, bien sûr, mais l'épluchage des pommes de terre et des aulx attisait ses rhumatismes.

Elle dénicha une bouteille de porto derrière le vinaigrier et s'en versa un verre. Par la fenêtre ouverte lui parvenaient les éclats de voix de ses invités. Il y avait celle de Valentin, celle d'Arnault, qui partait souvent vers les aigus, et celle d'Egon, qui l'avait tant de fois fait rêver.

Où était Lara, que faisait-elle, respirait-elle encore ? Le temps d'un lundi de juillet sur cette terre du Sud-Ouest, plus personne ne semblait s'en soucier. Et c'était normal. Il fallait bien vivre, continuer malgré les tragédies.

La vie reprenait ses droits.

La vie reprenait toujours ses droits. Carmela Mendès avait traversé trop de tempêtes pour l'ignorer.

Le porto glissa dans le gosier de la septuagénaire avec une rapidité surprenante. Carmela Mendès s'en resservit un verre. Jamais elle n'aurait admis son alcoolisme. Il n'aurait plus manqué que ça ! Mais à trois bouteilles de porto par semaine, tout thérapeute digne de ce nom aurait diagnostiqué une addiction, et qui plus est vieille de deux décennies. Pour sa part, Carmela Mendès considérait que le porto l'aidait à supporter l'existence. Elle buvait modérément, comme d'autres ingurgitaient des médicaments.

Au prix où elle payait ses bouteilles, il aurait mieux valu se faire livrer une barrique au 1er janvier de chaque année. Valentin l'aurait calée dans la cave et mise en perce. Valentin possédait la force de deux hommes. Son « pitchounet », comme elle le nommait, serait un jour appelé à un destin hors du commun. Il en allait ainsi des herbes livrées à elles-mêmes. Soit elles retombaient au moment de la floraison, soit elles envahissaient le monde. Valentin emprunterait la deuxième voie, et pourquoi pas une troisième qu'il inventerait, et qu'elle n'était pas capable d'imaginer.

Le second verre de porto glissa plus rapidement que le premier. Dans le four, le poulet de deux kilos dorait à point. Les pommes de terre à la croustillade embaumaient l'aillé et les graines de cumin. Dans quelques minutes, il serait temps de rameuter la troupe. Chez Carmela, on déjeunait dans la cuisine. Et la présence d'Egon Zeller ne changerait rien à une tradition plus ancienne que les rhumatismes de la mémé.

L'oreille de Carmela Mendès l'alerta. Dans le jardin, les voix s'étaient tues subitement. Puis il y eut des cris, de joie, pensa-t-elle. « Où, où ça ? Je t'emmène tout de suite, va prévenir ta grand-mère ! » Il s'ensuivit un nouveau silence, puis des pas précipités firent grincer les marches de l'escalier.

Valentin fit irruption dans la cuisine. « Pitchounet » avait l'air bouleversé. Ses yeux brillaient fort, mais c'est un sentiment de joie qui triomphait sur ses traits.

— Ils ont trouvé Lara ! dit-il en s'approchant d'elle. Elle est vivante !

Carmela Mendès se leva de sa chaise, toute tremblante d'émotion. En deux enjambées, Valentin la rejoignit. Il la souleva dans ses bras et fourra son nez dans son cou.

Qu'il était grand ce petit !

— J'y ai toujours cru, mémé ! Lara ne peut pas mourir, tu sais. Lara n'est pas faite pour ça.

— Tu me fais mal, pitchounet, chevrota Carmela.

Une pensée incongrue traversa son esprit. Elle sut que son poulet était mort pour rien, et qu'elle aurait des pommes de terre pour une semaine avec son appétit d'oiseau.

Son rire se mêla à celui de son petit-fils, un rire fêlé qui avait connu tant de chagrins : Lara était saine et sauve.

125

— Lara, essayez de garder les yeux ouverts ! murmura **Léon Castel**, Valentin sera là dans la journée, alors vous devez vous accrocher. Et ne buvez pas trop, ajouta-t-il, pas vraiment certain qu'on pouvait se faire du mal avec ce jus d'orange longue conservation provenant des réserves du mobile home.

— J'ai faim…

Agenouillé au chevet de la jeune femme, Léon épongea son visage et lissa ses cheveux crasseux.

— Putain, ils foutent quoi les secours ?! marmonna-t-il. C'est avec des branlos pareils qu'on s'est pris la déculottée en 40.

Dès qu'ils avaient reçu l'appel par talkie de Demian Obolanski, Léon avait rejoint le quatrième sous-sol tandis qu'en surface, Rodolphe Craven se démenait au téléphone avec le procureur et la juge Damaze, alors que Jo Lieras contactait les pompiers.

À l'arrivée de Léon, Obolanski s'était éloigné de la fosse. Agenouillé près d'une bouche d'aération, il tentait d'amadouer la fillette, retranchée dans le conduit.

Léon veilla Lara durant un bon quart d'heure avant qu'une cavalcade résonne dans les escaliers du blockhaus. La bande fluorescente de l'uniforme des pompiers et le halo de leurs lampes s'approchèrent rapidement.

— Putain, mais qu'est-ce que vous foutiez ! Elle est au bout du rouleau !

Léon fut soulagé de reconnaître le visage d'Erwan Guenarec et sa haute silhouette athlétique.

— Capitaine Guenarec, ne put-il s'empêcher de bougonner, vous en avez mis du temps !

— Bonjour Léon, dit Erwan en posant sa main sur l'épaule du père de Sookie. On va s'occuper d'elle maintenant. Vous pouvez remonter.

— J'ai fait le boulot, répéta Léon en se relevant, putain, ouais, on a fait le boulot !

Léon songea que Sookie espérait sauver Petra Seipel et que, de ce point de vue, il avait échoué. La différence serait peut-être de taille pour sa fille. Il n'avait pas retrouvé Petra à temps. Mais il avait sauvé une jeune femme et une fillette, et il pouvait souffler un peu avant de s'inquiéter. Car l'avenir ne serait pas simple, de ça, Léon était certain.

Malgré les conseils d'Erwan Guenarec, il demeura auprès des secouristes jusqu'à ce qu'ils chargent Lara sur un brancard. La jeune femme geignit doucement au moment de la manœuvre. Elle ouvrit les yeux. Un sentiment de panique déforma ses traits.

— Où est-elle ? coassa-t-elle. N'oubliez pas la petite !

— Mes hommes sont en train de la récupérer, ne vous inquiétez pas. Elle s'est planquée dans une bouche d'aération.

Une grosse larme roula sur la joue de Lara.

— Pierre ! Je veux Pierre !

— Qui est Pierre ?

— Là, Pierre, là…

D'une main tremblante, Lara désigna le balai qui gisait au sol. Erwan Guenarec fronça les sourcils.

— Je m'en charge ! proposa Léon en fonçant sur l'objet.

Il le ramassa et retourna près de Lara.

— Pensez à vous maintenant, je m'occupe de Pierre.

La tête de Lara dodelina. Un pauvre sourire illumina ses traits un instant, puis sa conscience vacilla à nouveau.

Quand les portes du camion des pompiers se refermèrent, Léon éprouva un pincement aigu au fin fond de ses entrailles. Une jeune femme et une fillette allaient vivre grâce à l'acharnement de Sookie. Erwan Guenarec était un médecin compétent, tout allait pour le mieux. Et pourtant, Léon gardait un sentiment d'inaccompli… On ne sauve pourtant pas une vie tous les jours.

L'arrivée de Jo Lieras l'extirpa de ses pensées. Le policier avait une mine sombre.

— C'est pire que tout ce qu'on pouvait imaginer, dit-il à Léon. Il y en a près d'une trentaine.

Il tenait dans sa main gantée une liasse de passeports et de cartes d'identité.

— Et il y a celui de Charlène.

— Je suis désolé, bafouilla Léon.

— Je sais.

— Léon, on file sur Vannes, lâcha Erwan Guenarec, qui venait de contourner le véhicule, je voulais vous dire…

— Sookie avait raison, c'est un fait. Mais ne vous reprochez rien, vous ne pouviez pas le deviner.

— Non, mais j'aurais pu l'écouter.

— Arrêtez, mon vieux, j'ai essayé d'écouter Sookie et de décoder ses délires pendant une quinzaine d'années. Je vais mieux depuis que j'ai renoncé.

Erwan Guenarec réussit à sourire.

— Je vais probablement finir cette journée à l'hosto de Vannes, dit Léon, on se croisera là-bas, je suppose.

— Pas sûr. On est en sous-effectifs. Une dernière chose. Vous avez pu lui parler au téléphone ? demanda Erwan Guenarec. Parce que moi, non.

— Je vais passer un coup de bigo à cet enfoiré de Mariani, glissa Léon. On ne sait jamais.

— Je pourrai y retourner dans une quinzaine de jours, pas avant, précisa Erwan Guenarec. Embrassez-la pour moi.

Puis il salua Léon et grimpa dans le camion, qui démarra aussitôt.

Léon demeura seul avec ses idées noires, planté sur le côté du mobile home pour laisser passer les policiers et les pompiers dont le nombre grandissait de minute en minute. Assis sur une chaise de jardin, Rodolphe Craven regardait ses pieds.

— Vous avez entendu ? demanda Léon en s'approchant du magistrat. Toutes ces jeunes femmes sont mortes parce que le proc n'a pas fait son boulot il y a dix ans quand Ribaud et Raspail ont violé cette gamine à l'école !

Rodolphe Craven releva la tête. Un air de gamin perdu transformait son visage habituellement si sérieux.

— On en a sauvé deux, dit-il simplement.

— On aurait dû les sauver toutes, gronda Léon. Ces salopards auraient dû être pendus par les couilles au premier écart. Au lieu de ça, on s'apitoie sur les criminels et on oublie les victimes. C'est comme ça que tourne ce monde, Rodolphe. Et ça ne peut plus durer !

— Arrêtez, Léon, s'il vous plaît. Pour une fois, arrêtez.

— C'est quoi votre idée ? observa la voix rocailleuse de Demian Obolanski dans le dos de Léon. Reprendre le flambeau des Sanson[1] ?

— Et pourquoi pas ! attaqua Léon. La République est une couille molle et les Français lui cirent la couenne. Vous ne dites rien, Rodolphe ?

— On ne peut pas toujours être d'accord avec vous !

— Fou que vous êtes ! s'écria Léon. Ça vous rajouterait un trou de balle d'admettre que votre justice est totalement inefficace !

Un instant décontenancé par les propos de Léon, Rodolphe fixa son interlocuteur. L'air sombre qui tendait les traits de Léon disparut peu à peu, remplacé par un sourire inquiétant, qui se mua en rire.

— Vous allez tourner chèvre si vous continuez, mon vieux, lâcha le juge.

— À tout prendre, opposa Léon, je préférerais le rôle du loup, si on me laissait le choix.

Demian Obolanski plissa les yeux en fixant Léon avec un sourire ironique.

---

1. Sanson, famille célèbre de bourreaux français.

— Vraiment ? Je serais curieux de vous voir une arme à la main.

— Croyez-moi, rétorqua Léon vexé par le ton ironique de son interlocuteur, il existe d'autres armes, bien plus efficaces qu'un flingue, pour dégommer quelqu'un. Excusez-moi, ajouta-t-il en tournant les talons, je dois téléphoner.

Léon s'éloigna de quelques mètres et composa le numéro du pavillon Camille-Claudel à Ravenel. Rodolphe Craven, qui ne l'avait pas quitté des yeux, tendit l'oreille.

— Bonjour, vous pouvez me passer Sookie Castel ? Oui, son père. Comment ça, quelle intervention ? Des électrochocs ? Quand ? Mais je ne vous autorise pas à lui faire des électrochocs ! Vous êtes malades ou quoi ? Passez-moi ce salopard de Mariani !

126

La chambre baignait dans une lumière douce de fin du jour.

Allongée sur le lit, le bras relié à une perfusion, **Lara Mendès** fixait le ciel derrière la fenêtre. Son visage avait repris quelques couleurs mais elle flottait dans un jogging écru. Les restes d'une compote de pommes et un petit pot de glace vide traînaient sur la tablette à côté d'elle et « Pierre » le balai reposait dans un angle, à un mètre de la jeune femme.

— Je ne m'en lasserai jamais, dit Lara sans quitter la fenêtre des yeux. La lumière du jour…

Jo Lieras referma la porte tandis que Rodolphe Craven avançait jusqu'au pied du lit.

— Non, jamais, répéta Lara.

Quand elle tourna enfin son visage vers ses visiteurs, ses yeux brillaient.

— Je ne connais même pas vos noms, j'ai besoin de savoir. Vous comprenez ? Ça a l'air idiot, ajouta-t-elle avec un sourire désarmant, mais vous êtes mes héros.

— Je m'appelle Rodolphe Craven, et voici Joseph Lieras. Je suis juge et il est flic.

— Où… où sont les autres ?

— Mon collègue répond aux questions du capitaine Budzinski, quant à celui qui vous cherche depuis des jours, Léon Castel, il n'a pas pu rester.

— Léon, c'est le monsieur ronchon ? J'aimerais le remercier.

— Il est rentré chez lui. Une urgence. Mais ne vous inquiétez pas, ajouta Rodolphe Craven, il va devoir lui aussi passer à la moulinette Budzinski, il n'y a pas de raison.

— Comment avez-vous fait ? Je veux dire, pour me retrouver ?

Jo Lieras fit glisser deux chaises vers le lit, côté fenêtre, de telle sorte que Lara put continuer à offrir son visage à la lumière du soleil tout en faisant face aux deux hommes.

— C'est avec Léon que tout commence, et plus exactement avec Sookie, sa fille, qui est brigadier de police à Vannes.

Pendant une quinzaine de minutes, Rodolphe Craven et Jo Lieras se relayèrent pour raconter comment un doberman traversant la route devant une voiture de flics avait finalement permis le sauvetage de Lara.

— Sans la pugnacité de Sookie Castel, nous n'aurions pas cette conversation, constata Rodolphe Craven quand ils eurent terminé.

Lara ne les avait pas interrompus. À présent, elle réfléchissait dans un silence à peine troublé par des bruits en provenance du couloir.

— Mais… si je vous ai bien compris, murmura enfin Lara, ce n'est pas moi ni la petite que vous cherchiez ? C'est Petra, n'est-ce pas ?

— Oui, répondit Jo Lieras, c'est elle.

— J'ai jamais touché quelqu'un d'aussi froid. Hein Pierre ? ajouta-t-elle en lançant un bref regard vers le balai. Elle était vraiment glacée. Plus gelée que gelée. Vous croyez que c'est possible ?

Un trouble passa dans le regard de Lara quand elle se tourna vers le juge et le policier.

— Ça s'est joué à un cheveu, glissa Jo Lieras, qui eut droit à un regard courroucé de Rodolphe Craven. Si votre agresseur ne s'était pas planté en voiture, il serait revenu dans le bunker.

— Ce n'est pas le moment, tenta de l'interrompre le juge.

— Si, laissez-le, protesta Lara, je ne suis pas une petite chose fragile. Je sais que j'ai eu beaucoup de chance.

— Vous avez aussi été courageuse… et ingénieuse, la félicita Jo Lieras. Vos pièges ont fonctionné à merveille.

— J'aurais pu tous vous tuer, mon Dieu, je n'ai pensé qu'à piéger ce porc…

— Vous n'avez plus rien à craindre de lui, expliqua Rodolphe Craven. Je l'ai vu il y a quelques jours, et je peux vous affirmer qu'il est bien entre quatre murs.

Lara retint un sanglot.

— Comment va la petite ?

— Elle a été admise en réa à Necker. La pauvre gamine était complètement déshydratée. On lui a diagnostiqué une anémie et une infection rénale.

— Elle va… ?

— Tout ira bien, la rassura Rodolphe Craven. Heureusement que vous lui avez ouvert la porte, sinon, elle ne survivait pas.

— Elle a parlé ? On sait qui elle est ?

Jo Lieras hocha la tête.

— Nous ferons venir un interprète quand elle ira mieux. Pour l'instant, elle a vraiment besoin de repos.

— Joseph ? demanda la jeune femme d'une voix tremblante. Vous mettrez un policier devant la porte, cette nuit ?

— Jusqu'à votre retour chez vous. Ne vous inquiétez pas. Nous allons vous laisser, maintenant.

— Attendez ! s'écria Lara alors que les deux hommes se levaient pour prendre congé. Il y a encore une chose que j'ai besoin de savoir. Pourquoi moi ? Est-ce qu'il y a un rapport avec mon travail ?

— Nous l'ignorons, Lara, répondit Jo Lieras. Je reviendrai demain matin, et vous me parlerez de tout ça, d'accord ?

— Reposez-vous, dit Rodolphe Craven, je vais appeler Léon pour lui donner de vos nouvelles. Ça lui mettra du baume au cœur.

— Transmettez-lui tout mon soutien, assura Lara. Et dites-lui que je viendrai le voir dès que possible.

— C'est le monde à l'envers ! s'esclaffa Rodolphe Craven de sa grosse voix caverneuse. Dire que je me suis inquiété pour vous !

On frappa, et la porte s'ouvrit sur deux hommes.

L'un était jeune, le cheveu en bataille, et l'autre plus petit, le visage masqué par des lunettes de soleil dignes d'être exhibées sur le port de Saint-Tropez.

— Valentin ! s'exclama Lara en bondissant hors de son lit. Arnault !

— Attention, votre perfusion ! prévint Jo Lieras.

631

Lara s'arrêta à temps, la canule tirait sur le spara-drap qui la maintenait en position. Elle fixa les nouveaux arrivants avec un sourire radieux et leur tendit les bras.

— Lara chérie ! émit la voix d'Arnault, viens ici, vilaine, que je te mette une fessée pour m'avoir fait mourir d'inquiétude !

En comprenant qu'ils assistaient à des retrouvailles familiales, le juge et le policier s'éclipsèrent. Quand ils furent sortis, Valentin se précipita vers sa sœur, et les deux se cramponnèrent l'un à l'autre, sans un mot, sous le regard déjà larmoyant d'Arnault de Battz.

127

Le salon de **Carmela Mendès** ressemblait à un magasin de porcelaine. Sur un long bahut trônaient une quinzaine d'assiettes artisanales. Au-dessus, sur des étagères en bois verni, il y avait des poupées installées dans de petits décors. Ils étaient de la main de son père et elle-même avait confectionné les robes de ses « petites chéries ». Lara, qui avait passé d'innombrables heures à les admirer, en avait même reçu une en cadeau pour son dixième anniversaire.

Carmela Mendès était attablée à côté d'Egon Zeller qui avait décidé de passer quelques heures avec elle avant de partir s'aérer sur la côte landaise, le temps que Lara aille mieux. Grâce à son iPad, la mémé avait pu voir sa petite-fille et échanger quelques mots avec elle. Il était convenu que la vieille dame ne bougerait pas de La Réole, mais que Lara viendrait passer quelques jours dès qu'elle irait mieux.

« Tu as bonne mine, ma chérie, avait commencé Carmela, la voix tremblante. Je me suis fait un sang d'encre.

— Tout va bien, mémé. J'ai eu peur, j'ai eu faim, mais personne ne m'a fait de mal. Je t'assure. »

Carmela Mendès avait avalé le mensonge de Lara sans rien dire, mais Egon Zeller qui était à ses côtés avait compris qu'elle n'était pas dupe.

« Je vois que tu es en excellente compagnie, avait ajouté Lara, taquine. Bonjour, monsieur Zeller !

— Lara, je vous verrai bientôt. »

La conversation avait duré, Carmela Mendès avait tant de choses à raconter, son attaque, l'arrivée surprise de son acteur fétiche, les cancans du village, et Lara avait ri avec elle, blottie contre la confortable épaule de son jeune frère qui ne l'avait pas quittée depuis leurs retrouvailles.

À présent, l'iPad était rangé dans son étui, et les mains gonflées d'arthrose de Carmela Mendès sortaient des photos de vieilles boîtes en métal et les passaient à Egon Zeller. Ouvert sur la table, un classeur contenait des dizaines d'articles sur la vie et la carrière du comédien.

— Le jour de la fête de l'école de Valentin, il était déguisé en Louis XIV. Ce qu'on a ri ! Sa perruque le démangeait et il ne tenait pas en place.

— Dites-moi, Carmela, demanda Egon Zeller, vous m'avez montré beaucoup de photos de Lara et ses parents quand elle était petite, mais il n'y en a pour ainsi dire pas avec Valentin. Il ne les a pas connus ?

Un sourire triste passa sur le visage de la mémé.

— Il n'en parle jamais, se navra-t-elle. Le pitchounet. Mais il faut le comprendre. De quoi pourrait-il parler ? Quand Rose et René ont disparu, il avait un an et demi.

— Comment ça, disparu ?

Carmela Mendès abandonna la photo sur le tas. Ses ongles grattèrent machinalement le couvercle de la boîte.

— Mon fils et sa femme sont partis pour un voyage d'affaires ; René avait une belle carrière. Ils n'en sont jamais revenus.

— Que leur est-il arrivé ?

La main d'Egon Zeller se posa sur celle de Carmela Mendès et la serra.

— Cela remonte à loin, mais mon fils me manque toujours autant.

— Je sais de quoi vous parlez, l'encouragea-t-il. J'ai moi aussi perdu le mien.

Le regard de la vieille dame glissa sur le classeur.

— Je sais. Les journaux en ont parlé. J'ai eu beaucoup de peine pour vous.

— C'est à mon tour de partager la vôtre, assura Egon Zeller.

— Ne m'en voulez pas, Egon, mais c'est impossible. Une disparition, c'est pire que la mort. Chaque matin et chaque soir, je me pose les mêmes questions : Sont-ils vivants ? Heureux ? En danger ? Ou tout simplement morts depuis le premier jour ?

— Où étaient-ils partis ?

— À Madrid, pour une conférence sur les hydrocarbures.

— Votre fils travaillait dans le pétrole ?

— Tout ce que touchait René se transformait en or. Quand il était petit, il bricolait des moteurs avec son père. Valentin tient ça de lui. Il aime comprendre comment les choses fonctionnent.

— C'est un jeune homme brillant, il ira loin.

— S'il ne reste pas avec ses amis à faire la fête, marmotta Carmela. Je n'ai jamais réussi à le gronder vraiment. C'est le dernier Mendès, c'est lui qui transmettra le nom, alors vous comprenez...

— Vous disiez qu'ils étaient partis à Madrid, relança Egon Zeller, qui se permettait d'insister malgré les tergiversations de la mémé.

— Oui, et c'est tout ce qu'on a su. Nous étions montés à Paris pour nous occuper des petits. On a reçu un appel de la police espagnole. On nous a dit que René et Rose n'étaient jamais arrivés à leur hôtel, et c'est tout.

— Mais on ne disparaît pas comme ça ! s'indigna Egon Zeller, qui comprit à cet instant à quel point la disparition de Lara avait pu affecter Valentin.

— Si, la preuve. Mon mari est allé en Espagne, plusieurs fois. Nous avons fait des appels à témoin, proposé une récompense, et en dehors de dizaines de lettres de déséquilibrés, nous n'avons jamais eu de nouvelles. C'est ainsi, émit Carmela Mendès avec un geste las. Parlons d'autre chose, voulez-vous ?

— Bien sûr, excusez-moi.

— Maintenant que nous nous connaissons un peu mieux, glissa la mémé avec un sourire taquin, me raconterez-vous votre histoire avec monsieur de Battz ? Je ne dirai rien.

Egon Zeller regarda la vieille dame avec tendresse.

— Vous allez être déçue, je crois. Je connais Arnault depuis que j'ai 20 ans, et je suis tombé amoureux au premier regard.

— Mais alors, pourquoi vous êtes-vous marié ?

— Ma carrière venait d'être lancée, tout simplement. Croyez-moi, j'ai tout fait pour combattre ces sentiments. Oh ! Nous avons eu très vite une aventure. Une aventure dont j'ai eu honte pendant des années. Honte parce que j'avais aimé ça.

— Alors vous vous êtes marié, je comprends.

— Deux fois, puis j'ai eu Aymon. Et je faisais toujours en sorte d'éviter de croiser Arnault. Mais à chaque fois, c'était plus fort que moi, que nous. Nous avons eu quelque chose comme une dizaine d'aventures. Elles ne duraient jamais longtemps, j'étais trop terrifié à l'idée qu'on nous surprenne. Et puis il y a eu une longue période sans. Quand mon fils est mort, au lieu de me tourner vers Arnault, j'ai épousé une troisième bécasse qui a bien failli me ruiner.

— Vous auriez dû passer par La Réole ! J'ai peut-être dix ans de plus que vous, allons, quinze ans, mais je n'ai jamais été une bécasse !

— Vous n'étiez pas Arnault non plus, sourit Egon Zeller en prenant la main de la mémé. Après mon divorce, j'ai décidé de ne plus jamais le quitter.

— Vous avez de la chance qu'il vous ait attendu, je trouve ! Trente-cinq ans, quand même !

— Il ne m'a pas attendu, mais il a toujours été là, c'est différent.

— Moi, je n'ai connu que mon mari, avoua la mémé. Mais j'ai bien souvent rêvé de vous !

Un bruit de moteur s'amplifia dans la rue. Puis une voiture s'arrêta au milieu de la chaussée.

— C'est mon taxi, soupira Egon Zeller.

— Il y a des fois où on les préférerait en retard. J'ai été bien contente de vous avoir. Je vous aime beaucoup.

— Et moi de vous rencontrer.

— Vous reviendrez ?

— Je reviendrai.

— Allez, filez, ne le faites pas attendre.

Egon Zeller se pencha pour embrasser Carmela Mendès. Quatre bises claquèrent dans le silence du salon.

— Egon, dit la vieille dame sur le pas de la porte, pensez à vous. Vous avez fait rêver beaucoup de gens. Maintenant, c'est à votre tour.

128

Quand **Léon Castel** rallia les Vosges, après neuf heures de route éprouvantes passées à se faufiler dans le flot hétérogène des camions et des camping-cars, il buta contre porte close à l'hôpital de Ravenel.

Les visites s'achevaient à 17 heures, il était inutile d'insister, Puisqu'on ne le laissait pas entrer par la grande porte, il s'introduirait nuitamment par la petite.

Il remonta dans son combi, s'engagea dans les faubourgs de Mirecourt et contourna le domaine hospitalier par une route de campagne.

Tu ne me connais pas, mon con ! éructa-t-il à l'attention du gardien qui l'avait refoulé. Le dernier qui a empêché Léon Castel de boire est mort de soif !

Il se gara sous l'ombre d'un bosquet, et fit le point. De l'endroit où il se tenait, son regard embrassait la quasi-totalité des pavillons de soins, plus l'arrière du bâtiment administratif. Dans son dos, des champs s'étendaient à perte de vue. La campagne était couverte de fleurs, des vaches paissaient tranquillement, l'air vibrait de la chaleur du jour.

Décidé à attendre le milieu de la nuit avant de lancer l'opération « merde aux cons », Léon déroula l'auvent qu'il avait lui-même bricolé, planta dans le sol les piquets de soutien et fouilla dans les rangements à la recherche du nécessaire de cuisine. Quand le réchaud fut dressé sur la table pliante, il hésita. Cassoulet de canard ou bœuf cuisiné aux petits légumes ?

— Je peux pas vous faire ça, critiqua-t-il en regardant la demi-douzaine de vaches qui s'étaient approchées du bosquet pour l'observer.

Il s'installa sur une des chaises appareillées avec la table. La seconde était celle de Valie. Léon la sortait par superstition, parce que dans une autre vie, sa femme reviendrait peut-être du sous-bois où elle serait allée se soulager et s'occuperait de servir une bière pendant que Léon cuisinerait.

Le regard fixé sur la chaise vide, il ferma les yeux, puis les rouvrit.

— De toute façon, il n'y a pas de bière.

Il se servit un verre d'eau tiédie par le voyage et le leva vers l'effigie d'Ange Lebœuf, le maire de Saint-Junien, collée sur le hayon arrière de son combi.

— À la tienne, sale con !

Une poignée de minutes suffit à réchauffer la conserve. C'est au moment de manger qu'il vit un museau noir jaillir des fourrés.

— Ah, te voilà, la Pomponnette, s'écria Léon. Ben ma garce, tu es dans un bel état !

Guernica remua de la tête à la queue tandis qu'elle avançait vers Léon en émettant de petits couinements.

— Tu as le nez fin et la reconnaissance du ventre, railla Léon en versant un tiers de sa boîte dans une assiette en plastique. Et si tu es là, monsieur Marin ne doit pas être loin.

— T'es pas un peu fou de parler tout seul ? dit une voix en provenance du bosquet d'où Guernica sortait. Ils vont te garder si tu continues.

La tête hirsute d'Hervé émergea de la végétation.

— Tu vas être plein de tiques à traîner comme ça, et après tu vas choper des maladies. Mais qu'est-ce que t'as à l'œil ?

— J'ai rien à l'œil et les tics, c'est sur la figure.

— Comme tu voudras.

— Tu manges quoi ?

— Ah non, le clébard ça va, mais toi tu bouffes à la charge du contribuable, de sorte que je t'ai déjà invité, tu piges ?

— Ça sent bon, ton mijot.

— Ça sent bon ton mijot ! singea Léon. Tu vas pas me dire que je suis un vrai petit cordon-bleu par-dessus le marché !

— Ben, on mange bien chez toi.

Hervé Marin se laissa tomber sur la chaise de Valie. Léon ne fit aucun commentaire. Pour une raison qui lui échappait, la présence d'Hervé le soulageait.

— Tu as vu Sookie ?

— Elle bouge pas de sa piaule.

— T'es sûr, ils l'ont pas sortie de la journée ?

Hervé hocha vigoureusement la tête.

— Elle est toujours sanglée ?

— Mmmh, mmmh.

— Alors c'est normal qu'elle bouge pas, banane.

— Toi-même, banane ! Dis donc, tu me donnerais pas à manger ? J'ai drôlement faim. Ici, on mange de la merde.

— Hervé… râla Léon.

Il sembla réfléchir quelques instants, puis plissa les yeux en poussant l'assiette. Lorsque Hervé voulut la tirer à lui, Léon la retint.

— Je te donne mon cassoulet si tu me racontes ce qui s'est passé, le soir où Sookie est allée chez JP.

Hervé roula des yeux affolés et leva le nez vers le ciel.

— J'ai rien fait.

— Je sais bien, murmura Léon en soupirant. Je te demande juste de me dire ce qui s'est passé. Je ne répéterai rien à personne.

Devant la moue dubitative d'Hervé, Léon éclata de rire et avala une cuiller de cassoulet.

— C'est drôlement bon, ces trucs en boîte.

— J'ai rien fait, couina Hervé en s'agitant sur sa chaise.

— J'ai besoin de comprendre. Elle ne s'est pas mise à péter les plombs toute seule ! Elle avait bu ? Ou reçu un coup de fil de JP, c'est ça, hein ?

— Mmmh, grogna Hervé en secouant la tête.

— Alors quoi ? s'agaça Léon. Réponds, ou t'auras rien à béqueter, c'est clair ?

— J'ai rien fait, je te dis.

— Où elle était, Sookie, avant de partir ?

— Dans le bureau. Mais j'ai touché à rien !

— Où dans le bureau ? insista Léon.

— Ben, dans le bureau…

— Qu'est-ce qu'elle faisait ?

— J'ai rangé, gémit Hervé. J'ai tout bien rangé.

— Qu'est-ce que tu as rangé ?

Hervé Marin leva vers Léon une mine butée. Ce dernier comprit alors qu'il ne tirerait plus rien de l'énergumène. Du moins, pas cette fois.

— OK, lâcha-t-il en lui rendant son assiette. Allez mange, va.

Aussitôt, Hervé se mit à boulotter le cassoulet à grand renfort de claquements de bouche.

— Tu pourrais manger proprement, au moins.

— C'était bien, ton voyage ? demanda Hervé lorsqu'il eut achevé son plat. Y'avait du cassoulet là où t'étais ?

Léon se mit à rire.

— Non, y'avait pas de cassoulet. Et grâce à toi, il n'y en a même plus ici. Dis-moi, toi qui connais bien le coin, tu crois que je peux voir Sookie si j'y vais maintenant ?

— T'es pas fou ! s'étrangla Hervé, faut pas faire ça.

— Pourquoi ?

— Parce que !

— Avec ce genre d'arguments, c'est sûr que tu vas me persuader.

— Tu peux pas je te dis. Il y a des flics partout.

— Des vigiles tu veux dire ?

— Je sais pas, mais après 10 heures, on ne peut plus se balader.

La nuit, un service de sécurité effectuait des rondes dans le domaine dès l'extinction des feux pour les résidents. Interdiction de sortie après 22 heures, verrouillage des pavillons, Léon n'avait aucune chance de voir Sookie sans se faire pincer, ce qu'il finit par accepter.

Le mieux, c'était d'y aller à la première heure le lendemain.

Lorsque Hervé fut parti, Léon lut quelques pages de l'essai de Jonathan Safran Foer intitulé *Faut-il manger les animaux ?*

Il se rendit compte que son estomac contenait de la chair morte depuis des années et cette révélation l'écœura. Quand les dernières lueurs du jour disparurent du ciel, Léon décida de dormir. Il apprécia la présence de Guernica dans le combi, malgré l'odeur de bouc qu'elle dégageait.

Un doberman valait bien un flingue.

129

— Putain d'algues à la con, ragea **Yanna Jezequel** en se hissant sur un rocher, je vais encore en foutre partout !

S'aidant de son pull, la jeune femme débarrassa le sable qui collait à ses pieds. Puis elle enfila ses baskets et quitta la plage pour rejoindre à petites foulées la maison de Bettie Henriot.

Durant les premiers jours passés en compagnie de la vieille dame, Yanna Jezequel avait continué de jouer la rebelle. Elle mangea salement et foula aux pieds les règles élémentaires de la vie en communauté. Puis il y avait eu un déclic, initié par Bettie Henriot, le troisième soir, après le dîner, quand Yanna Jezequel s'était vautrée devant la télévision pour se régaler d'une émission de téléréalité, abandonnant à la vieille dame les vestiges du repas. Bettie Henriot avait débarrassé sans une critique, puis, de sa voix fluette, avait lâché cette petite phrase, l'air de rien :

— Comme aurait dit mon regretté mari, vous vous tirez une balle dans le pied, ma chère. Vous pouvez bêtifier devant ces âneries une vie entière, vous n'en tirerez pas un souvenir.

Après quoi Bettie Henriot s'était installée dans son jardin pour apprécier le coucher du soleil sur le golfe avec une tisane à la bergamote et un roman d'Henri Vincenot dont elle adorait le verbe.

Yanna Jezequel avait tenu une demi-heure.

— Vous proposez quoi ?! avait-elle ragé en la rejoignant. C'est trop simple de sortir des phrases à la con. Mais moi, je n'ai pas votre chance. Je n'habite pas dans un foutu manoir à deux millions d'euros, je ne touche pas la retraite de mon foutu mari et je ne vais pas passer ma vie à regarder le soleil se coucher !

— Non, sans doute. À quoi allez-vous la passer dans ce cas ?

Yanna Jezequel lui aurait volontiers collé une beigne. Mais elle préféra s'enfermer dans sa chambre pour y bouder copieusement. Jusqu'au lendemain matin où, après une nuit blanche, elle s'était levée, mâchée et éreintée, mais pleine d'une résolution qui pouvait se traduire par cette simple expression : « Bouge ton cul, ma grande, ou tu finiras comme les frangins. »

Depuis, leurs relations roulaient sur des accords harmonieux.

Chaque soir après le dîner, Yanna Jezequel se promenait sur la plage. Il y traînait des jeunes gens avec lesquels elle n'aurait jamais imaginé sympathiser. Quinze jours plus tôt, ces mêmes jeunes gens auraient été catalogués de « putain de cathos » ou de « gosses de bourges », au choix.

La nuit envahissait le littoral. Yanna Jezequel accéléra sa course. Le « contrat de confiance » qu'elle avait passé avec Bettie Henriot stipulait qu'elle devait être rentrée avant le coucher du soleil. Mais les jours raccourcissant, la jeune femme songea qu'elle allait rediscuter les termes avec celle qu'elle surnommait affectueusement « mamie Darty ».

Après dix minutes de course, Yanna Jezequel s'immobilisa sur le bord de la route, hors d'haleine et subitement inquiète. Une BMW stationnait le long du mur de la maison. Elle connaissait cette voiture, et sa présence ne pouvait être que source d'ennuis. Elle appartenait à Boubal, le receleur de ses frères.

Silhouette sombre dans la nuit tombante, Yanna Jezequel s'approcha. La voiture était vide. Un coup d'œil par-dessus la clôture lui montra que deux hommes s'agitaient dans le salon. L'un d'eux était Boubal.

— Qu'est-ce que tu me veux, fumier ! vitupéra Yanna Jezequel entre ses dents. Qu'est-ce que t'as raconté à mamie Darty pour qu'elle te laisse entrer ?

Le cœur battant à tout rompre, la jeune femme fit demi-tour et sauta par-dessus le mur, sur le côté de la maison. Courbée derrière la rangée de tournesols, que Bettie Henriot ne plantait que pour l'agrément, Yanna Jezequel gagna le pied de la demeure.

Puis, en une poignée de secondes, s'aidant d'un tuyau de gouttière, elle passa sur le toit de la pergola. De là, marchant à pas feutrés sur les ardoises, Yanna Jezequel atteignit le rebord de la fenêtre de sa chambre, heureusement ouverte.

La maison était plongée dans le silence. En rasant les murs pour ne pas faire craquer le plancher, elle s'approcha de la porte.

— Putain, fais chier ! cria une voix grave depuis le rez-de-chaussée.

C'était celle de Boubal, à laquelle répondit une autre, plus aiguë.

Il s'ensuivit un nouveau silence. Quelques claquements de talons résonnèrent sur le carrelage de la cuisine, puis dans le vestibule. Dissimulée derrière la porte, Yanna Jezequel n'était obsédée que par une question. Où était passée mamie Darty ?

Pendant une dizaine de minutes, il y eut des bruits de vaisselle, de tiroirs renversés et de meubles poussés. Puis la porte d'entrée claqua et la maison retourna au silence et à l'obscurité.

En dévalant l'escalier, la jeune femme se raccrocha à l'espoir que Bettie s'était absentée. Mais Bettie Henriot ne sortait jamais le soir. Et pas plus ce soir-là qu'un autre.

Yanna Jezequel trouva la malheureuse sur le parquet du salon où régnait un désordre indescriptible. Elle gisait dans une position inconvenante, une joue contre les lattes de bois qu'elle avait briquées toute sa vie, sa robe relevée jusqu'à mi-cuisses. Son front portait la marque d'un coup, et ses cheveux blancs étaient poisseux de sang.

La jeune femme se précipita vers elle et prit son visage entre ses mains.

— Mamie ! répéta-t-elle plusieurs fois. Mamie, réponds s'il te plaît ! S'il te plaît, Mamie, me fais pas ça !

Elle déposa la tête de Bettie Henriot sur sa cuisse et caressa ses cheveux. Ses mains tremblaient et une sensation de froid la glaçait de la tête aux pieds.

— Mamie ? balbutia-t-elle en esquissant un mouvement de bercement. Mamie ?

La pendule sonna 11 heures. Yanna Jezequel sursauta.

Elle scruta le visage de Bettie Henriot, s'aperçut que ses paupières étaient closes, et ne se souvint pas les avoir fermées. Une bulle de salive éclata entre les lèvres de la vieille dame qui gémit.

— Mamie ?

— Ya… na.

— Mamie, je suis désolée… bafouilla-t-elle, en posant son oreille contre les lèvres de la vieille dame. Je suis si désolée.

— Sauve-toi…

— Non…

Doucement, Yanna Jezequel posa la tête de Bettie sur le parquet et se précipita sur le téléphone pour composer le numéro des pompiers.

— Vous avez demandé les urgences, veuillez ne pas quitter… Bonsoir, que puis-je faire pour vous ?

— C'est ma grand-mère, hoqueta Yanna Jezequel, elle a pris un coup sur la tête, elle ne bouge plus !

— Pouvez-vous me dire si elle respire ?

Je suis pas, venez, vite !

— Calmez-vous, mademoiselle, et dites-moi si elle a encore un pouls.

— Merde !

Totalement perdue, Yanna posa le combiné à côté d'elle, et mit sa tête sur la poitrine de la vieille dame. Celle-ci ne se soulevait plus.

— Non, s'affola-t-elle en reprenant le téléphone, non, je ne crois pas, je…

— Je vous envoie quelqu'un tout de suite. Donnez-moi votre nom et votre adresse.

— Mon nom ?

Yanna Jezequel lâcha brutalement le téléphone.

— Je suis tellement désolée, geignit-elle en regardant autour d'elle, tellement désolée !

La jeune femme recouvrit les jambes de Bettie Henriot et fila dans sa chambre pour ramasser ses affaires. Quand elle redescendit, ses yeux se posèrent sur le sac à main de la vieille dame. Il était beau ce sac, un peu vieillot peut-être, mais Bettie Henriot y tenait beaucoup. C'était le dernier cadeau de son mari.

Alors elle vida son contenu dans une corbeille, empocha les deux cents euros du porte-monnaie et disparut dans la nuit.

Entre samedi 16 juin et mardi 19 juin

Entre mercredi 20 juin et vendredi 22 juin

Entre samedi 23 juin et lundi 25 juin

Mardi 26 juin

Mercredi 27 juin

Entre jeudi 28 juin et samedi 30 juin

Entre dimanche 1er juillet et lundi 2 juillet

Entre mardi 3 juillet et jeudi 5 juillet

Vendredi 6 juillet

Entre samedi 7 juillet et dimanche 8 juillet

Lundi 9 juillet

Mardi 10 juillet

Mercredi 11 juillet

Jeudi 12 juillet

Vendredi 13 juillet

Entre samedi 14 juillet et lundi 23 juillet

130

Indifférente à ce qui l'entourait, **Sookie Castel** laissa des mains étrangères la transporter de son lit sur un brancard. C'est dans le couloir du service qu'elle ouvrit les paupières, la pupille stimulée par les lumières clignotantes des plafonniers. À ses côtés se tenait le docteur Mariani et, à la limite de son champ de vision, elle apercevait la silhouette du brancardier.

Sookie fit un effort pour articuler.

— Valie… réussit-elle à dire.

— Nous vous emmenons au bloc pour procéder à une séance d'électrochocs, mademoiselle Castel, lui expliqua le médecin en serrant la main de sa patiente. Vous verrez, vous vous sentirez bien mieux ensuite.

Le visage de Sookie se crispa.

— Les boîtes… dit-elle dans un murmure. Pas besoin, j'ai rangé mes boîtes.

— Ne vous inquiétez pas, tout ira bien.

— Docteur, vous pouvez venir, on a un problème ? demanda une voix.

Mariani lâcha la main de Sookie et accéléra le pas.

— Je vous rejoins au bloc, dit-il en s'éloignant.

Sookie le perdit de vue. Son univers s'immobilisa dans une cabine d'ascenseur. Au plafond, il y avait une grille bardée de LED. Un nouveau plafond défila, de nouvelles lumières passèrent comme des flashes, puis on la poussa dans le bloc opératoire. Un visage partiellement masqué s'encadra au-dessus d'elle.

— Tout va bien se passer.

Sookie tenta de repousser l'intrus, mais son bras retomba mollement. Des mains la soulevèrent, puis on la déshabilla. On badigeonna son torse de gel et on lui posa des ventouses, un tensiomètre autour du bras et une pince étrange au bout de l'index.

Des électrodes furent ensuite installées sur son front.

Sookie assista à toutes ces manipulations, plongée dans une sorte de brouillard visuel et auditif.

Elle sentit à peine l'aiguille perforer la peau de sa main.

— Respirez, et comptez jusqu'à dix.

Un masque se posa sur son visage, et Sookie ferma les yeux.

— Notez qu'il est 7 h 30, émit la voix du docteur Mariani, mardi 10 juillet, et que nous allons procéder à une première séance d'électrochocs sur la patiente Sookie Castel, née le…

Le gaz anesthésique l'emportait déjà.

Elle ne sentit pas qu'on lui ouvrait la bouche pour coincer des compresses entre ses dents, elle n'entendit pas la fin de la phrase du docteur Mariani, pas plus que les braillements de Léon qui retentissaient dans le couloir, le cri des infirmiers qui le ceinturaient et le claquement de la cellule qui se refermait sur lui.

131

— Une chambre de contention ! Jamais on ne m'a fait ce coup-là. Putain d'enfoiré de psy, quand je vais t'attraper, mon petit mec, je vais te…

Assis dans un angle de la pièce, **Léon Castel** ferma les yeux. Il devait se calmer. C'est lui qui était dans son tort, lui qui avait forcé les portes de Ravenel pour sauver sa fille d'on ne savait trop quelle intervention chirurgicale.

Et lui qu'on avait placé en chambre capitonnée le temps qu'il se calme. Le cliquetis de la serrure tinta. La porte s'ouvrit sur la silhouette du docteur Mariani.

— Vous êtes en mesure de discuter ou je dois revenir plus tard ? demanda-t-il, une main posée sur le chambranle.

Léon se releva et essuya ses paumes poussiéreuses sur un pan de sa chemise qui sortait de son pantalon.

— Qu'est-ce que vous avez fait à Sookie ? grinça-t-il entre ses dents.

— Une séance d'ECT, répondit calmement Mariani. En langage courant, des électrochocs.

— Mais putain, ma fille n'est pas folle !

— Non, Sookie n'est pas folle. Sookie est en errance psychique et je fais mon possible pour la ramener.

— Je peux partir ?

— Si vous êtes calmé.

— Je ne suis jamais calmé.

— Vous m'avez largement emmerdé il y a quelques années, monsieur Castel, mais je suis un médecin, pas un vengeur en blouse blanche. Votre fille avait besoin de ce traitement, et je le lui ai prescrit en accord avec tous les membres de mon staff.

Le discours et le ton apaisé du médecin désappointèrent Léon. Lui qui envisageait la vie comme un combat permanent, dans le jeu ou dans la lutte ouverte, ne disposait pas d'arme devant une attitude neutre.

— Les ECT sont conseillés dans les cas graves de dépression de type mélancolique, de schizophrénie et de bipolarité, exposa le docteur Mariani. Oubliez Nicholson dans *Vol au-dessus d'un nid de coucou*, on n'en est plus là. Sookie n'a pas souffert, et ce traitement a de fortes chances de la guérir.

Léon se laissa amadouer par les explications. Il se raccrocha même aux termes techniques comme à une bouée de sauvetage.

— Est-ce que je peux la voir ?

— Je vais faire une exception, mais parce que c'est vous, et que j'ai bien compris que vous ne lâcherez pas. Venez avec moi.

Léon emboîta le pas du médecin.

Un couloir plus loin, il entra dans la salle de réveil où un infirmier surveillait Sookie, toujours inconsciente.

— Grandidier, je vous présente Léon Castel, le père de Sookie.

— On s'est déjà rencontrés, ajouta Léon en adressant un signe de tête à l'infirmier. Elle n'a pas souffert, vous en êtes certain ?

— Absolument, le tranquillisa Mariani. L'impulsion électrique dure moins d'une seconde. C'est très bien maîtrisé. Sookie ne sert pas de cobaye, je vous le garantis.

Doucement, la main de Léon essuya les fines gouttelettes de sueur qui perlaient sur le front de sa fille. Puis il se pencha vers son oreille et glissa :

— On a réussi, ma Sookinette, on a sauvé une jeune femme et une gosse avec ton juge Craven. Tu avais raison, bordel. C'est toi qui avais raison depuis le début... C'est normal qu'elle ne réagisse pas ? ajouta-t-il en se tournant vers le médecin avec un air inquiet.

— Je vous l'ai dit, monsieur Castel, répondit le docteur Mariani, Sookie a besoin de repos. Je vous préviendrai dès qu'elle sera en mesure de recevoir des visites. Venez, maintenant.

132

— Vous êtes certaine de vouloir quitter l'hôpital aujourd'hui ?

La question venait de **Jo Lieras**, qui se tenait appuyé contre la porte de la salle d'eau. Assise sur le lit défait, Lara s'était habillée avec les vêtements que Valentin et Arnault de Battz lui avaient procurés.

— Je ne suis pas malade, rétorqua Lara. J'ai vu les médecins, ils sont d'accord.

La jeune femme songea avec un frisson au pénible entretien qu'elle avait eu avec le chef de service. Malgré ses réticences, il lui avait demandé de se plier à un examen gynécologique et à de multiples analyses, alors que Lara niait avoir été agressée sexuellement.

— Pourquoi le proc a-t-il ouvert une enquête pour viol et séquestration ? demanda subitement Lara. Je n'ai jamais dit que…

— Non, répondit doucement Jo Lieras en s'asseyant à côté de la jeune femme. Vous ne l'avez pas dit, mais Ribaud a filmé votre agression.

Lara retint un sanglot.

— Il doit rendre des comptes pour ce qu'il a fait, Lara. Et puis nier ce qui est arrivé ne vous aidera pas à le surmonter, au contraire.

— Je n'ai pas menti pour moi. J'ai eu le temps d'y penser, dans ma cage. Mais pour ma grand-mère, pour Valentin. Pour mon mec, aussi. Comment il va me regarder, maintenant ?

— Comme la merveilleuse jeune femme que vous êtes, Lara. Vous vous en sortirez, et vos proches aussi.

Lara scruta le visage du policier. Ses traits légèrement asiatiques et sa silhouette dégingandée le rendaient sympathique, et ses yeux d'un noir profond la fixaient avec bienveillance.

— Je m'en suis déjà sortie, dit-elle. Mais la petite Mia ?

— C'est le nom que vous lui avez donné ?

— Elle l'a inscrit sur le mur du quatrième sous-sol, là où vous m'avez retrouvée, mais je ne connais pas le cyrillique, alors oui, je l'ai appelée Mia. Elle me faisait penser à l'héroïne d'un vieux dessin animé. Ce qu'elle a écrit, ça pourra peut-être vous aider.

— La petite se nomme en réalité Milena. Mais elle est encore trop faible pour parler.

— Vous pensez que je pourrai la voir ?

— J'en parlerai à son médecin.

— Comment allez-vous l'identifier ?

— Franchement, aucune idée. Cette enfant ne fait l'objet d'aucun avis de recherche, tout du moins sur le continent. Mais je doute qu'elle vienne d'Asie ou d'Amérique.

— Elle ne va quand même pas atterrir à la DDASS, si ?

— Quand elle sera rétablie, Milena sera placée dans une famille d'accueil en attendant qu'on l'identifie et qu'on la rende à ses proches.

— Quelle connerie… Le juge Craven m'a dit que vous connaissiez une des victimes ?

— Charlène, oui. Mathilde, sa mère, est une amie. Lara, ajouta le policier après un silence, pouvez-vous me parler de votre entretien avec Herman Stalker, le jour de l'enlèvement ?

— J'ai découvert que Stalker était un client de Moreau, l'avocat assassiné il y a dix ans. Je voulais juste en savoir un peu plus.

— C'est donc l'affaire Moreau qui vous intéressait ?

— Oui. Vous n'imaginez pas ce que j'ai dû faire pour obtenir ce fichu rendez-vous avec Stalker. Et quand enfin, j'ai pu lui parler de Moreau, il ne m'a balancé qu'un nom : Ilya Kalinine. Et je n'ai pas eu le temps d'en faire grand-chose, comme vous vous en doutez.

— Que vous a-t-il dit à son propos ?

— Que ce fameux Kalinine serait le meurtrier de Moreau. Et qu'il aurait enlevé les fillettes. Et vous, que savez-vous ?

— À peu près la même chose. C'est vrai que ce nom a circulé, après la mort de Moreau. Mais on n'a rien sur lui. Même pas un signalement. Certains sont tellement las de lui courir après, qu'ils disent qu'il s'agit d'une sorte de Keyser Söze[1].

— Ce n'est pas ce qu'en pense Herman Stalker, opposa Lara. Il avait l'air de le croire bien réel. Et puis, si vous vous souvenez du film, c'est aussi le cas de Söze !

— Moreau a probablement été assassiné parce qu'il marchait sur ses plates-bandes.

---

1. Personnage du film *Usual Suspects*.

— Attendez, murmura Lara en fronçant les sourcils. Moreau participait au trafic ? Il ne se contentait pas de consommer ?

— Ce ne sont que des suppositions, Lara. Personne n'a jamais eu aucune preuve de ce que j'avance. On a rapporté à l'époque que Moreau torturait des gamines. Si vous saviez…

Jo Lieras soupira. La jeune femme émit un petit rire.

— Joseph, il faut que je vous dise, les DVD, dans le blockhaus, les ordinateurs et tout ça…

— Oui ?

— C'est moi qui ai tout bousillé. Parce que j'en ai regardé un. Alors oui, je crois que je sais.

— Vous êtes une sacrée nana, dit le policier en souriant. Vous êtes maligne, vous avez du cran, mais croyez-moi, avant de vous lancer dans une enquête sur Ilya Kalinine ou Moreau, vous devriez penser à vous.

Jo Lieras fouilla dans la poche intérieure de sa veste et en sortit une carte qu'il tendit à Lara.

— C'est l'adresse d'une maison de femmes, précisa-t-il, au cas où vous ressentiriez le besoin de vous faire aider.

— Merci, dit-elle en regardant la carte. Dites-moi… Quand je reprendrai mes recherches, je pourrai compter sur votre aide ?

Jo Lieras hocha la tête.

— Évidemment. Je vous dirai ce que je sais sur cette histoire. Mais promettez-moi d'être prudente et discrète. L'affaire Moreau n'a jamais porté chance à ceux qui ont tenté de percer le mystère.

Le téléphone du policier vibra dans sa poche.

— Excusez-moi, dit-il en décrochant. Le capitaine Budzinski est arrivé avec le procureur, annonça-t-il après avoir raccroché, la conférence de presse va commencer. Je dois y aller, Lara. Mais je ne serai pas loin. Nous vous escorterons à votre sortie, comme ça, aucun journaliste ne vous importunera.

— J'avais un bijou autour du cou, et une liasse de feuilles de papier sur moi, quand on m'a trouvée. Je peux les récupérer ?

— Je m'en occupe.

— Je ne le verrai finalement pas, votre collègue ?

— Non, le commandant Obolanski a été appelé sur une autre affaire. Allez, Lara, je vous laisse maintenant. À tout à l'heure.

Lorsqu'elle fut seule, Lara s'approcha de la fenêtre.

— Putain, Pierre... Si tu les voyais !

Une foule de photographes et de cameramen s'était amassée au pied de l'immeuble, téléobjectifs braqués vers son étage. Instinctivement, elle recula.

Tu fais partie de la meute, Lara. Toi aussi, t'as fouiné, et ça t'est revenu dans la gueule.

Une rémanence des rêves de la nuit dernière surgit alors, lui laissant un goût amer. Une sorte de malaise, d'angoisse impossible à cerner qui formait une boule dans son ventre.

De longues minutes passèrent, puis des coups retentirent contre la porte. Lara sursauta.

— Oui ?

— Lara ?

Bruno Dessay entra dans la chambre, et resta à quelques mètres de Lara, un sourire timide sur les lèvres.

— J'étais à Rome quand j'ai appris, murmura-t-il. J'ai sauté dans le premier avion.

— Entre, dit-elle. Ne reste pas devant la porte.

Lara s'assit sur le bord du lit et fit signe à Bruno de s'installer près d'elle.

— Je ne sais pas comment on fait pour se retrouver, après ce qui t'est arrivé.

— On ne fait rien de spécial. Ça ira, tu sais. Je suis juste un peu fatiguée.

Bruno Dessay l'enlaça tendrement. La jeune femme se raidit sous l'étreinte.

— Je suis idiot, dit-il en s'éloignant. Pardonne-moi.

— J'ai juste besoin d'un peu de temps.

Lara se releva et se planta devant le lit, les bras serrés sous sa poitrine. Le sourire chaleureux de Jo Lieras lui revint en mémoire et elle se dit qu'elle n'aurait pas eu de mal à se laisser aller dans ses bras. Le policier lui apparaissait comme un grand frère protecteur. Avec Bruno, le souvenir de leurs frasques sexuelles lui revenait en pleine face. Et si elles étaient responsables de son viol ?

— Je ne comprends pas ce qu'ils font là en bas, dit-elle après un instant. Je ne suis pas la reine d'Angleterre, merde ! Quand je pense que la majorité d'entre eux ne connaissaient même pas mon nom hier !

— Tu te trompes, Lara. Valentin s'est battu pour te retrouver. Et pour ça, il a mis la presse sens dessus dessous. Je peux t'assurer que chacun de ces mecs, là en bas, sait exactement qui tu es et depuis quand tu as disparu. C'est moi le con de l'histoire, moi qui ai bêtement cru que tu voulais me donner une leçon.

— Parce que tu avais encore annulé notre rendez-vous chez tes parents ?

Bruno Dessay regarda Lara avec insistance.

— Je ne peux pas t'en vouloir, ajouta-t-elle en souriant douloureusement. T'es qu'un vieux garçon qui ne changera pas.

— Justement non, dit Bruno, mes parents et moi avons pensé qu'en attendant que je nous trouve un appart, tu serais bien chez eux. La maison est loin de tout, il y a une entrée séparée pour les invités et…

— Merci, mais j'ai prévu de m'installer chez Arnault, avec Valentin. Et pour l'appart, ne va pas trop vite. On a tout notre temps.

— Tu as changé, lâcha Bruno avec amertume. Tu me diras, c'est bien fait pour ma gueule.

— Tu ne penses pas ce que tu dis, murmura Lara. Ne t'inquiète pas, je ne laisserai pas cette histoire tout gâcher. J'ai juste besoin d'air, c'est tout.

— Tu es incroyable. Je me sens merdeux, si tu savais.

— Désolée, je ne voulais pas…

— Non, Lara, tu ne comprends pas. Je me sens merdeux parce que tu es si forte, et je ne sais pas comment moi, je pourrai oublier tout ça.

Bruno Dessay se leva et ouvrit ses bras. Lara hésita, puis se coula contre lui, posant sa tête sur son torse.

— Tu m'as manqué.

— Toi aussi, tu m'as manqué.

133

Appelé en parloir privé par un avocat venu spécialement de Paris, **Stephan Ribaud** se demandait ce qu'il fichait là. Me Jean-Jacques Ségur n'avait pas encore ouvert la bouche. Il attendait que le gardien sorte, sans doute.

Stephan Ribaud n'aimait pas les avocats, mais il allait bientôt passer à la moulinette policière. Les infos de la veille avaient largement relaté la libération de Lara Mendès. Comment ce gros juge avait pu trouver l'entrée du bunker ? Cet avocat habillé comme un businessman allait sans doute le lui raconter.

— Je vous préviens, lâcha Stephan Ribaud quand le gardien eut quitté la pièce. Je suis à sec ces temps-ci. Au-dessus de quinze euros de l'heure, je ne vous prends pas.

— Ce n'est même pas le prix d'une femme de ménage, rétorqua Me Ségur en s'asseyant.

Stephan Ribaud s'engonça dans la chaise, tandis que l'avocat visait une note à l'intérieur de l'attaché-case ouvert sur la table. On crevait de chaud dans cette pièce aveugle. Des gouttes de sueur perlaient sur son visage, le pansement sur son œil le démangeait. Pour couronner le tout, il souffrait d'une infection urinaire carabinée.

Pour lui, ça ne faisait pas l'ombre d'un doute : cette pute de Lara Mendès lui avait refilé une saloperie !

— Je ne vous demanderai pas un centime, monsieur Ribaud, déclara Me Ségur lorsqu'il fut prêt. Si vous m'acceptez comme défenseur, je me paierai sur le surplus de notoriété médiatique que mon travail engendrera.

— En clair, plus on verra votre gueule à la télé, et plus je vous rapporterai.

— En clair, confirma Me Ségur.

— Et comment vous comptez faire ? On peut pas dire que je sois une célébrité !

— Pas encore, sourit l'avocat. Mais si vous m'écoutez, ça peut venir.

— Ça me paraît correct, glapit Stephan Ribaud, tétanisé par une violente brûlure à l'entrejambe.

— Toutefois, poursuivit l'avocat, il y a une condition.

— Dites toujours.

— Je m'occupe de votre affaire sur la demande d'un client.

— Vous avez des clients sympas.

— Ce client m'a offert de vous proposer d'assurer votre protection.

Stephan Ribaud cessa de remuer sur sa chaise.

— Pour quoi faire ?

— Tant que vous serez dans cette maison d'arrêt vous ne risquerez rien. L'affaire se corsera après votre transfert en centrale. Vous avez déjà une réputation de pointeur et ça va barder pour vous, si vous voyez ce que je veux dire.

— Votre client, c'est qui ?

— Une chose après l'autre, tempéra Me Ségur. Mon client vous propose une protection absolue le temps que durera votre peine.

— C'est le Père Noël? cracha Stephan Ribaud. Parce que moi, ça fait un bail que j'y crois plus.

— En plus de votre mauvaise réputation auprès des autres détenus, il y a une chose dont nous devons nous occuper. Vous venez d'être mis en examen pour séquestration et viol, et vous risquez gros, monsieur Ribaud. Sans compter que si vous n'êtes pas bien représenté, votre dossier va s'alourdir avec celui des trente-deux autres victimes. Et là, ce sera viol, actes de torture et de barbarie, et meurtres.

— C'est pas moi, j'ai rien fait!

— C'est à la justice de décider. Mais je serais vous, je ne compterais pas trop sur sa clémence. Vous avez déjà un casier bien chargé et dehors, l'opinion vous a déjà condamné.

— C'est à voir.

— Revenons-en à notre affaire. En plus d'assurer votre défense, mon client vous versera une rente mensuelle de deux mille euros. Il me semble que vous avez une vieille maman dont vous payez la maison de retraite, je me trompe?

— Putain, grogna Stephan Ribaud en secouant la tête. C'est quoi ce merdier?

— C'est clair, il me semble. En outre, il propose également de déposer sur un compte bancaire la somme de 500 000 euros, qui fructifieront sur des placements de bon père de famille, de telle sorte qu'à votre libération vous disposiez de la somme rondelette d'un million d'euros. C'est plus qu'il n'en faut pour repartir du bon pied. Qu'en dites-vous ?

— J'en dis que votre Père Noël va me demander la lune en échange.

— Bien moins, monsieur Ribaud, plaisanta Me Ségur. Mon client ne vous demandera rien que vous ne puissiez lui fournir.

— Je peux savoir qui c'est au moins ? Je n'aime pas traiter avec des inconnus.

— Je comprends parfaitement votre point de vue.

L'avocat écrivit un nom sur un morceau de papier et le glissa devant Stephan Ribaud qui blêmit en le découvrant.

— Vous vous foutez de ma gueule ?

— J'en ai l'air ?

Le prévenu gigota sur sa chaise.

— Alors, monsieur Ribaud ? J'ai besoin de votre accord avant d'aller plus loin dans cette conversation.

— Si je refuse, vous ne me représenterez pas, et je perds sur les deux tableaux, c'est ça ?

— Vous cernez parfaitement la situation.

— Il faudrait être stupide pour ne pas accepter.

— Et vous n'êtes pas stupide.

— Non, je me suis fait baiser par cette salope de journaliste, mais c'est la faute à pas de chance pour tout le reste.

Stephan Ribaud changea de position, la brûlure revenait en force. À travers l'étoffe de son pantalon, il pinça le bout de sa verge, puis tenta de reprendre une position digne.

— Tout est là, dit Me Ségur en faisant glisser une enveloppe sur la table.

La main de Stephan Ribaud jaillit. Il décacheta l'enveloppe.

— Rien que ça ! siffla-t-il après avoir lu la proposition.

— Vous n'y perdez rien, et vous garantissez votre sécurité.

— Ça demande réflexion, maugréa Stephan Ribaud. Si vous me défendez bien, il n'y a pas de raisons pour que j'en prenne pour vingt ans.

— Sachez que si vous refusez, vous ne serez plus en mesure d'être défendu par qui que ce soit, monsieur Ribaud.

— Ouais. Votre client a le bras long, hein ?

— Sa proposition est valable uniquement jusqu'à midi, et il est... 11 h 46. Vous disposez de quatorze minutes pour prendre votre décision.

— C'est d'accord, lâcha Stephan Ribaud aussitôt. Je prends.

Magnifique ! s'exclama Mᵉ Ségur. Notre ami commun a une dernière exigence que je n'ai pas mentionnée sur ce papier. Il veut savoir toute la vérité sur l'enlèvement de Lara Mendès. Pourquoi elle, si vous avez agi seul, le nom de vos complices dans le cas contraire, tout. C'est OK ?

— Je vous dirai tout.

— Il exige également que vous lui donniez le maximum de renseignements sur la filière qui vous a fourni la fillette qui était retenue avec elle. Vous êtes d'accord là-dessus également ?

— Oui.

— Oui quoi ?

— Je lui donnerai toutes les infos qu'il voudra sur mon réseau.

— Sachez que vous êtes d'ores et déjà sous sa protection, vous n'avez donc plus rien à craindre. Parlez sans contrainte, monsieur Ribaud.

134

L'existence offrait des surprises invraisemblables. C'est ce que se disait **Valentin Mendès** en pestant après une vague migraine qui traînait depuis son réveil. Il commençait à en avoir sa claque de cet hôpital, mais il restait pour Lara. Et pendant que Bruno était avec elle, Valentin attendait dans une salle que la direction de l'établissement avait ouverte spécialement pour la famille de la « miraculée du blockhaus ».

C'était un des titres de la presse du matin, qui relatait avec assez peu de détails le sauvetage *in extremis* de Lara Mendès. La police avait caché l'existence de la fillette inconnue aux journalistes. D'après ce que leur avait expliqué le commandant Lambert, c'était pour la protéger et garder des chances de remonter la filière des proxénètes. De son côté, Valentin trouvait ça totalement illogique. Il était plus judicieux de poster le portrait de la petite inconnue partout sur le Net au cas où quelqu'un la reconnaîtrait ! Valentin avait de plus en plus de mal à comprendre le fonctionnement de la police.

Ils sont complètement à côté de la plaque...

Dans un coin, à trois mètres de lui, Arnault de Battz farfouillait dans ses papiers. Il n'avait pas dit un mot depuis qu'il s'était chamaillé avec Egon Zeller au téléphone, en apprenant que ce dernier partait tout seul sur la côte landaise.

Ils avaient pourtant l'air de bien s'entendre ces deux-là, songea Valentin. *Ça va, ça vient, il faut croire.*

Lara était sauve. Il serait là pour elle si elle flanchait. Après ce qu'elle avait traversé, cela n'aurait rien d'étonnant. Un psychiatre de l'hôpital avait longuement parlé avec le jeune homme pour lui expliquer par quoi passerait sa sœur selon qu'elle consulterait un de ses confrères ou pas. Dans les deux cas, ça n'avait pas l'air folichon.

Valentin s'étira longuement et fit le tour de la pièce pour se dégourdir les jambes. Au passage, il prit deux cafés au distributeur, un pour lui et un pour Arnault qui ne leva même pas la tête pour le remercier.

— Laissez-lui le temps, se risqua-t-il à glisser à l'oreille du producteur. Vous et Egon, vous êtes comme des moitiés inséparables. Faut juste qu'il digère son coming out médiatique !

— T'es mignon, mon Apollon, lâcha Arnault de Battz. Mais je pratique l'énergumène depuis plus de trente ans, et… je sais qu'il va avoir du mal.

— Peut-être que vous devriez le rejoindre ? Peut-être qu'il n'attend que ça ?

— Peut-être, répondit Arnault de Battz, les yeux dans le vague. On verra ça plus tard. D'abord, on s'occupe de Lara.

Valentin aurait aimé que les jours défilent, que Lara soit sortie d'affaire pour qu'il puisse prendre un avion et rejoindre Solange à L.A. Depuis la veille, il n'avait plus que ça en tête.

Quand il s'était trouvé seul dans sa chambre d'hôtel, Valentin avait téléphoné à la jeune femme pour lui annoncer la bonne nouvelle. Il était 14 heures sur la côte ouest des États-Unis et Solange, qui sortait d'un déjeuner d'affaires barbant, n'avait pas eu de mots pour exprimer sa joie de savoir Lara en sécurité. Bloqué par une timidité proportionnelle à son gabarit, Valentin avait alors écourté la conversation.

Puis il s'était fendu d'un SMS.

« Je pense à toi tout le temps. »

Cette fois, la réponse de Solange n'avait pas tardé.

« Moi aussi, je pense souvent à toi. »

« Pour moi, c'est différent. »

« Qu'est-ce qui est différent ? »

« Je suis amoureux. »

« Mais non. »

« Comment ça, mais non ? »

« Aucun homme n'est amoureux de moi. »

« N'importe quoi. Ils sont tous raides dingues de toi. »

« C'est différent. »

« Peut-être, peut-être pas. »

« T'es jaloux ? »

« Je ne sais pas, c'est la première fois. »

« La première fois que quoi ? »

« Que je suis amoureux. Arrête de faire celle qui pige rien. »

« … »

« Ça veut dire quoi… »

« T'as raison, je pige rien. »

« Ou tu veux pas. Tu dois avoir une super carapace. »

« Pas faux. »

« Je veux te voir. »

« Je suis loin. Et Lara a besoin de toi. »

« Quand elle ira mieux, je viendrai. »

« Non. »

« Pourquoi ? »

« Tu le sais. »

« Trop tard. Je t'aime. »

« C'est pas une maladie. »

« Tu ne m'as pas répondu. »

« Tu ne m'as pas posé de question. »

« Pourquoi tu refuses d'admettre ce qui s'est passé entre nous ? »

« Quoi ? »

« Un coup de foudre. »

« C'est ce que tu crois ? »

« Tu ne réponds toujours pas. »

« Je sais l'effet que je fais aux hommes. Je ne veux pas de ça pour toi. »

« Ah ! Tu vois que toi aussi, tu m'aimes ! »

« … »

« Solange ? Je suis pas un gamin. »

« … »

« T'es naze… Tu m'allumes et tu me jettes. »

« Ton petit cinéma ne marche pas avec moi. »

« Je veux te voir. »

« Alors attends d'avoir 18 ans, et on en reparlera. »

L'échange s'était étalé sur plus d'une heure, et depuis qu'il poireautait dans cette salle d'attente, Valentin ne cessait de relire ses messages.

Elle n'avait pas dit non, elle n'avait pas dit oui.

Plus tard au cours de la nuit, le sommeil ne venant plus, Valentin s'était connecté pour regarder des photos de Solange Durieux. Sur un site people, elle apparaissait à Cannes, vêtue d'une robe de soirée en lamé. Mais sur les recherches Google, il y avait aussi Serena, son visage éclaboussé de sperme, une verge dans chaque main, ou Serena à quatre pattes, transpercée par deux types.

Valentin avait alors vidé le minibar et trouvé dans l'ivresse ce sommeil qui ne voulait pas venir.

De ses excès nocturnes, il lui restait cette légère migraine, un sentiment de gêne, et ces messages qui le rendaient heureux.

135

À 13 heures, **Lara Mendès** était prête à quitter l'hôpital. Après trois semaines passées dans le blockhaus, elle ne rêvait que d'une chose ; un bain de soleil.

Ses yeux erraient à la surface des journaux que son frère lui avait apportés dans la matinée.

— C'est que des nazes, tes potes ! avait ronchonné Valentin. Ils savent rien, et ils en font tout une tartine. Regarde ça, deux pages sur toi avec rien à l'intérieur. C'est pas du foutage de gueule ?

Lara savourait les paroles de son cadet. Si elle ignorait précisément ce dont elle avait besoin, elle redoutait l'hypocrisie d'un entourage compatissant. Avec Valentin, elle ne risquait rien de ce côté.

Le téléphone de la chambre sonna, la sortant de ses rêveries.

— Bonjour Lara, c'est Pascale. Je voulais t'apporter mon soutien.

— Merci. Je ne m'attendais pas à t'entendre, enfin, pas aussi vite.

Depuis qu'elle avait appris sa relation avec Bruno Dessay, Pascale Faulx s'était montrée plus distante et cela avait inquiété Lara, qui redoutait qu'elle refuse de publier son article. De son côté, Bruno prenait les choses avec sérénité, et avait minimisé l'importance de cette réaction avec une phrase : « Quand elle aura trouvé un autre mec à mettre dans son lit, elle redeviendra tout miel. »

Il semblait à Lara que ce jour était arrivé.

— On doit se serrer les coudes, reprit Pascale Faulx. Tout le monde à la rédaction m'a chargée de te saluer. Nous nous sommes beaucoup inquiétés.

— C'est gentil de me le dire, acquiesça Lara en s'asseyant sur le bord de son lit. Ça ira. Je n'ai pas été torturée, j'avais de quoi manger, et surtout, j'en suis bien sortie.

— N'empêche ! D'ailleurs, si tu as besoin d'en parler…

— Je le ferai certainement, mais plus tard.

— Je comprends.

— Ça va, je t'assure… Par contre, ajouta Lara après une hésitation, je ne reprendrai pas le docu sexe et société. J'étais à côté de la plaque avec ce thème. Je ne suis pas si ça intéresse Bruno, mais…

— Pour Bruno, laisse tomber. Il vient de signer avec l'émission de Robert Rondelate sur l'Afrique en guerre, et il risque d'être pas mal absent.

Lara déglutit avec difficulté, et tenta de masquer son trouble.

— Oui, je sais, mentit-elle avec aplomb, mais on avait pas mal bossé sur le sujet, alors…

— Quoi qu'il en soit, tu as le temps d'y penser et de changer d'avis. Tu auras toujours de la place chez *Century*. Au fait, je t'ai envoyé un mail avec les coordonnées d'un psychiatre spécialisé dans les chocs posttraumatiques, tu risques d'en avoir besoin.

— C'est ça, lâcha Lara, je vais d'abord penser à moi.

— Bruno est avec toi? Je dois lui dire deux mots.

— Il est allé m'acheter des lunettes de soleil pour m'éviter l'humiliation de ma tronche en pleine page. On ne peut pas dire que j'aie l'air… glamour.

— C'est un type formidable. Encore une chose, Lara, j'ai eu Arnault de Battz en ligne tout à l'heure, c'est lui qui m'a donné le numéro de ta chambre. Il m'a dit que tu t'installais chez lui?

— Oui, les parents de Bruno ont proposé de m'accueillir avant qu'on trouve un appart, mais je préfère rester sur Paris.

— OK, répondit Pascale Faulx après un court silence. Si tu as besoin, n'hésite pas.

La tête de Jo Lieras passa dans l'entrebâillement de la porte.

— Je dois te laisser, s'excusa Lara. Merci pour ton appel.

Lara raccrocha et rejoignit le policier. Au passage, elle attrapa son sac et son balai.

— Juste encore un peu, Pierre. Après, promis, je te ficherai la paix.

Pauvre folle, tu te balades avec un balai, maintenant.

— Tu es prête, Lara? lui demanda Bruno Dessay qui l'attendait dans le couloir.

— Prête? Est-ce que je suis prête pour quelque chose?

Ça te dirait, un balai dans le cul?

— Vieux fou… souffla Lara entre ses dents.

— Qu'est-ce que tu dis? demanda Bruno Dessay en lui tendant un étui à lunettes Dolce & Gabana.

Lara secoua la tête et posa les lunettes de soleil sur son nez.

— Je suis comment ?

— Tu es très belle, répondit Bruno Dessay en l'enlaçant.

— Merci, murmura-t-elle à son oreille. Tu n'es pas mal non plus.

136

Depuis que Lara avait raccroché, **Pascale Faulx** s'était retranchée dans son bureau. La consigne avait été passée à son secrétariat. Pas un appel et annulation de ses rendez-vous de la journée.

Assise dans le sofa où elle recevait habituellement ses invités, Pascale Faulx tentait d'éteindre la jalousie qui ravageait son cœur. Cette fois, ce n'était pas une déception à la petite semaine, non, mais une véritable, palpable, irraisonnable trahison.

Ses succès, sa réussite, les grands de ce monde qu'elle avait côtoyés et dont les rencontres étaient immortalisées sur ses murs, tout ça volait en éclats parce que Bruno Dessay lui échappait.

Bruno, elle l'avait dans la peau. Depuis dix-sept ans, quand ensemble ils avaient couvert l'offensive serbe sur la ville de Srebrenica, et s'étaient trouvés sous le feu des bombes. Ils n'avaient jamais été un couple, que la vie et les appétits de Bruno se seraient employés à déliter. Et c'était justement ça, leur force. Jusque-là, personne n'était parvenu à les séparer.

Pascale Faulx se leva pour contempler son reflet dans le miroir. À 45 ans, elle était plus belle que jamais. Certes, elle y mettait le prix, mais elle pouvait sans rougir supporter la comparaison avec des filles plus jeunes.

Des filles comme Lara Mendès.

Depuis toujours, Bruno vivait dans une peur atroce de mourir. C'est pour cette raison qu'il vivait à cent à l'heure, sautait d'avion en avion pour assurer ses reportages, ne s'offrait jamais de congés, ne se fixait jamais nulle part. C'est aussi pour cette raison qu'il voulait côtoyer des gamines de 20 ans, pour puiser à leur contact cette énergie vitale qui filait entre les doigts.

Il y en avait eu beaucoup. Pascale Faulx avait fermé les yeux, connu elle aussi des aventures, mais jamais Bruno n'était totalement sorti de son cœur. Et jamais une autre femme ne l'avait supplantée dans celui de Bruno. Ils étaient le havre l'un de l'autre, l'habitude sans routine. L'amour sans le dire.

Et puis elle avait accepté de lui présenter Lara Mendès. Il avait tellement insisté. Pascale savait que cette petite journaliste serait une proie facile pour Bruno. Jeune, pétillante, sexy, et admirative du baroudeur qui couvrait les conflits de la planète.

— Pauvre conne! cracha Pascale Faulx vers son reflet.

Quand Lara avait disparu et que Bruno était venu pleurer dans son giron, Pascale Faulx avait espéré. Le temps passant, elle s'était surprise à nourrir des idées malsaines. Car oui, elle devait bien se l'avouer : elle avait souhaité que Lara ne reparaisse jamais, qu'elle soit morte, pourrissante, et alors, on aurait bien vu qui des deux était la plus belle.

Pour la première fois depuis qu'il fréquentait Lara, Bruno et Pascale avaient passé la nuit ensemble. Ils avaient parlé de Lara, et Pascale ne pouvait s'empêcher de songer que c'était peut-être une victoire par abandon, mais que c'était une victoire quand même. Sauf que son triomphe éphémère laissait Pascale Faulx sur le carreau.

A fortiori depuis qu'elle avait eu Lara au téléphone.

Lara, qui lui avait appris que les parents de Bruno l'avaient invitée à vivre chez eux quelque temps, en attendant de prendre un appartement plus grand.

Cette nouvelle l'avait anéantie.

Pascale Faulx retourna s'asseoir derrière son ordinateur et sélectionna trois fichiers où Lara Mendès apparaissait clairement. Des fichiers tirés des rushes que Bruno avait mis en sécurité ici même, dans son bureau, et qu'elle avait déjà visionnés plusieurs fois.

Pascale Faulx se demanda si elle ne souffrait pas de masochisme car elle se repassa encore les images. Bruno dans Lara, Lara qui se caresse devant la caméra, et puis devant d'autres gens. Après quelques hésitations, elle fit un court montage qu'elle intitula : « Au pays des oies pas si blanches que ça ». Puis elle ouvrit sa boîte mail.

Lara Mendès ne serait jamais une héroïne. Pascale Faulx s'y emploierait. Du pouvoir, elle en avait, des amis aussi, beaucoup d'amis ou d'alliés dans les rédactions des mensuels, des hebdos et des quotidiens de tout poil.

Bientôt, Lara Mendès ne vaudrait pas mieux que les mouchoirs en papier avec lesquels Pascale essuyait ses larmes.

137

— Mon client a décidé de collaborer, annonça Me Jean-Jacques Ségur au capitaine **Pierre Budzinski**.

— Voilà qui va nous simplifier la tâche, se félicita le policier.

La salle mise à disposition par l'administration pénitentiaire ne disposait que de fenêtres étroites et grillagées, trop hautes pour qu'on puisse y voir autre chose que le ciel. Des cartons encombraient tout un mur. On y avait installé une table et quatre chaises. D'un côté se tenait le chef de la cellule d'enquête, Pierre Budzinski, l'un de ses subalternes, et de l'autre, Stephan Ribaud et son avocat.

Le capitaine Budzinski posa un enregistreur numérique sur la table, puis il énonça : « Mardi 10 juillet, premier interrogatoire de Stephan Ribaud dans l'enquête concernant l'enlèvement et la séquestration de Lara Mendès. »

— Monsieur Ribaud, poursuivit le policier, décrivez-moi dans quelles circonstances vous avez rencontré mademoiselle Mendès.

La lèvre inférieure pincée entre son index et son pouce droits, Ribaud interrogea Me Ségur du regard. Ce dernier lui indiqua d'un signe de tête qu'il pouvait commencer.

— Ouais, ben j'ai enlevé la journaliste parce qu'elle me faisait kiffer.

— Où l'avez-vous rencontrée ?

— À la soirée Stalker. Elle faisait son émission à la con.

— Que faisiez-vous là-bas ?

— Mon marché. Vous n'avez pas idée du nombre de salopes qui sont d'accord pour se faire du fric avec leur cul.

— Précisez.

Stephan Ribaud lança un nouveau coup d'œil vers son avocat.

— Expliquez au capitaine pourquoi vous aviez besoin de recruter des filles.

— Je vends des films, vous voyez, c'est ma spécialité. Mais c'est tout. Je donne pas dans le snuff. Moi, c'est juste des vidéos où les filles se font un peu secouer, mais elles sont bien payées pour ça.

— OK, nous verrons ça plus tard. Mais pourquoi Lara Mendès ?

— Je la trouvais bandante. Des bruits dans le milieu disaient qu'elle aimait bien se faire tringler en public. Ça m'a excité, voilà tout. En plus, ce soir-là, après son émission à la con, elle a fait le tour des tentes, elle matait les mecs si vous voyez ce que je veux dire. On aurait dit qu'elle s'en cherchait un pour la bagatelle. Alors je l'ai suivie et voilà. Je l'ai chopée sur un parking et ramenée au bunker.

— Donc, vous la suivez quand elle quitte la soirée Stalker. Racontez-moi.

— Ouais, elle est d'abord passée dans Paris, je peux vous filer l'adresse si vous voulez. Là, j'ai failli la perdre, mais je l'ai reconnue quand elle est sortie de l'immeuble avec sa Mini à la con. Après, on a fait un petit tour par la nationale, et elle s'est arrêtée pour pisser dans une station. Là, elle a discuté avec des gus, mais comme c'était fermé, elle a fait un nouvel arrêt un peu plus loin.

Pendant que Stephan Ribaud parlait, le capitaine Budzinski vérifiait si le témoignage coïncidait avec les informations glanées auprès des témoins. Tout collait.

— Vous étiez seul ?

— L'idée que je me fais d'une partouze, c'est moi et dix chattes, répondit Stephan Ribaud avec un sourire aux lèvres. Voir la bite d'un autre mec, ça m'a jamais excité.

— Vous a-t-on demandé d'enlever mademoiselle Mendès ?

— Vous êtes lourd, vous, s'agaça Stephan Ribaud. Je vous dis que j'ai flashé sur cette petite conne. C'est pas la peine d'aller chercher des complications ! Ce soir-là, j'avais les boules parce qu'aucune fille n'était intéressée par le boulot et j'avais envie de me faire sucer.

— Pardonnez-moi, mais pourquoi enlever une femme ? Il y a plus simple…

— Putain, vous avez entendu ! s'exclama Stephan Ribaud en se tournant vers Me Ségur. Le flic, il me demande pourquoi je vais pas aux putes !

— Poursuivez, lui conseilla l'avocat.

— Je vous l'ai dit. Cette salope, il paraît qu'elle aime bien les grosses bites. C'était prévu que je la garde pendant quelques jours et que je la relâche dans la nature. Elle n'a pas vu ma tronche une seule fois. Juste ma queue. Vous faites des identifications de queues ?

s'esclaffa-t-il. Parce que la mienne, elle si grosse qu'on la reconnaît à des kilomètres !

— Qu'envisagiez-vous exactement avec mademoiselle Mendès ?

— Il faut vraiment que je vous fasse un dessin ? Lui fourrer ma bite dans la bouche une fois ou deux et basta. Si cette petite conne ne m'avait pas planté un poinçon dans l'œil, elle serait sortie depuis un bout de temps.

— Vous l'avez séquestrée et filmée pendant le viol. Et vous comptez me faire croire que vous n'alliez pas vous en débarrasser, comme de toutes les autres ?

Stephan Ribaud gigota sur sa chaise, et Me Ségur lui fit signe de poursuivre.

— Je vous ai dit que je ne faisais pas dans le snuff. Les autres, c'est pas moi.

— Et la petite alors ! Ce n'est pas vous non plus ?

— La gosse ? Je sais pas qui c'est, je sais pas d'où elle vient. Je me contentais juste de lui filer à bouffer.

— Si ce n'est pas vous, alors qui ? Vous venez de dire que vous n'aviez pas de complice !

— J'ai pas dit ça. J'ai dit que j'avais pas besoin d'un autre gars pour m'amuser avec Mendès. Et puis, les filles que je filme, elles sont toujours sorties vivantes de là. Je peux vous donner des noms, si vous voulez.

— D'où viennent les cadavres du bunker ?

— C'est comme pour la petite, j'en sais rien, s'énerva Stephan Ribaud. C'est ce fils de pute de Léopold Raspail. Il avait les clés, lui aussi, et il venait souvent. Moi, je ne passe pas ma vie sous terre. Ça me mine, vous voyez ? C'est parfait pour tourner des vidéos, mais le reste du temps, je voyage. Je visite ma clientèle. Ce genre de choses. J'ai compris ce qu'il trafiquait dans mon dos quand j'ai découvert la petite dans le congélo. Ce jour-là, j'étais pas censé être là. Pas de bol pour lui.

— Continuez.

— Comme je vous l'ai dit, y'a que lui qui possède un double des clés. Quand j'ai vu le merdier, je suis allé le voir pour qu'il s'explique, mais lui et son cinglé de père, ils m'ont reçu les flingues à la main. Le colonel Raspail, c'était un ancien flic, alors je me suis barré. Pas question de me faire baiser par ces connards ! C'est ça que je me suis dit. Parce que c'était facile pour un flic de me faire porter le chapeau. Vous voyez le tableau ? Le cadavre, il était dans le bunker où je fais du porno, et j'ai déjà pris pour des histoires de proxénétisme, c'était radical. Putain, je savais pas moi, qu'il y en avait des tas d'autres dans la fosse. J'y vais jamais, en bas.

— Comment avez-vous compris, alors ?

— C'est quand j'ai voulu récupérer mes DVD dans le bunker, y'en avait des tas qui ne m'appartenaient pas. Alors j'ai décidé d'en mater un ou deux, et j'ai vu que Léopold, il avait complètement pété les plombs ! Il se filmait en train de zigouiller les nanas ! Là, j'ai compris que si je ne faisais rien, ce serait pas une morte pour ma pomme, mais un tas ! Alors, j'ai décidé de le fumer vite fait, lui et son père, avant qu'ils me collent tout sur le dos.

— Quand les avez-vous tués ?

— Je sais plus exactement l'heure. Mais ce doit être dans la nuit du mercredi 13, ou le jeudi 14 juin.

— Comment avez-vous procédé pour maîtriser deux hommes robustes ?

— Le plus dur, ça a été ce putain de doberman. C'est fourbe, ces clébards. Mais je connais bien la baraque. J'ai utilisé un gaz, comme les romanos quand ils dépouillent des touristes en camping-car. Après, je les ai pendus.

— Et pourquoi avoir assassiné madame Raspail ?

— Je pouvais pas garder de témoin, rétorqua Stephan Ribaud. Et puis, c'était loin d'être une sainte, Sabrina. En plus, ça faisait suicide en famille, vous voyez ? J'ai pensé que c'était plus cool.

— Vous confirmez donc l'assassinat de monsieur Olivier Raspail, de sa femme et de son fils. Mais vous niez être responsable du meurtre des jeunes filles découvertes dans le bunker, c'est ça ?

— C'est pas difficile de vérifier. Y'a qu'à voir les DVD. On voit bien que c'est pas moi qui bute les filles.

— Il y a pourtant un détail qui m'échappe, murmura le capitaine Budzinski. Je dois avouer que votre histoire tient la route jusque-là, mais c'est le timing qui me dérange. Vous avez enlevé Lara Mendès le samedi 16 juin, trois jours après avoir assassiné les Raspail. Pourquoi êtes-vous resté dans le coin ?

— Pour régler quelques affaires, j'avais besoin de thune pour me tirer. J'ai bien vendu sa carte bleue et son code, mais ça ne suffisait pas.

— Lara Mendès vous a donné le code de sa carte bleue ?

— Ouais, quand elle n'avait pas la bouche pleine.

Le policier leva les yeux au plafond.

— Et ça ne suffisait pas pour vous faire la belle ?

— Tu parles. Je l'ai vendue cinq cents euros !

— À qui l'avez-vous revendue ?

— Un contact, sur Internet. Ne vous fatiguez pas, c'est tout ce que vous saurez.

— Mais ce contact a utilisé la carte bleue de Lara Mendès pour faire croire aux autorités qu'elle était partie en Espagne.

— Ouais. C'était le deal.

— C'est pas un peu bancal votre histoire ? critiqua Pierre Budzinski, sceptique.

— N'allez pas chercher la petite bête. C'est comme ça que n'importe quel gars malin qui enlève une gonzesse opère pour pas se faire choper, vous voyez ?

— Pourquoi n'avez-vous pas revendu les films qui étaient dans le bunker ? Ça vous aurait rapporté bien plus, non ?

— Les DVD là, en dehors des films de Raspail, c'est mes invendus. Impossible de les caser ! En fait, c'est pour ça que je suis allé chez Stalker. Je pensais trouver une fille pour en tourner un nouveau. Il se trouve que je suis rentré avec Mendès. Au début, j'étais contrarié. Mais après je me suis dit que c'était encore mieux qu'une pute ! Parce qu'une animatrice télé qui taille une pipe, ça pouvait me rapporter un max.

— Et les bijoux ?

— Quels bijoux ?

— Ceux que les Raspail planquaient sous le pool house de la Malhornière.

— Y'avait des bijoux, là ? Si j'avais su, je les aurais revendus pour acheter de la bouffe à la petite. Le jour où Mendès m'a crevé l'œil, j'étais prêt à me tirer loin d'ici avec la gamine. Il faut croire que j'ai un mauvais karma.

— Vous vouliez faire quoi de cette enfant ?

— Je sais pas, moi, je suis pas mère Teresa. Je l'aurais laissée sur une aire de parking. J'aime bien les parkings.

— Bien, monsieur Ribaud, reprit le capitaine Budzinski, nous allons revoir tout ça point par point et dans les moindres détails. Avant tout, je voudrais m'assurer que personne n'a fait pression sur vous.

— Et j'aurais quoi à y gagner ? Je suis pas une lopette, moi. On devrait me donner la Légion d'honneur pour avoir zigouillé les Raspail. C'est un sacré service que j'ai rendu à la nation.

— Je ne sais pas si nous avons la même notion du service rendu, monsieur Ribaud.

— Bah, en tout cas, tu reviendras avec tes questions une autre fois, parce que j'en ai ma claque, là.

138

Pour **Rodolphe Craven**, l'aventure était terminée, et elle s'achevait idéalement. À présent, il n'aspirait qu'à quitter Rennes et rentrer dans sa ferme pour retrouver sa chère solitude. Il paya sa course au taxi, récupéra son bagage et se dirigea vers les terrasses ensoleillées. Une vingtaine de secondes plus tard, il isola la silhouette de Joseph Licras au milieu de la foule.

— Un juge n'est jamais en retard, dit Rodolphe Craven en prenant place en face du policier, il arrive à point nommé.

— Vous ne manquez pas d'air. Des nouvelles de Léon Castel ?

— Pas encore. Et vous, l'enquête avance ?

— Les restes de dix-sept jeunes femmes ont été exhumés du blockhaus, et ce n'est pas fini.

— Les bijoux bien sûr, vous cherchez vingt-trois cadavres.

— Au minimum. Sur place il y avait une trentaine de passeports, plus la petite Milena.

— Toujours rien sur elle ?

— Non. On soupçonne une filière d'Europe de l'Est. C'est la BRP qui va s'en charger.

— Et Lara Mendès, comment réagit-elle ?

— Paradoxalement, ce qui est compliqué à gérer pour elle, c'est qu'elle s'est accrochée tout le temps de son incarcération à l'idée que des gens remontaient sa piste.

— Et elle ne doit la vie sauve qu'au hasard.

Jo Lieras opina d'un signe de tête.

— C'est le cas pour tout le monde en permanence. Sauf qu'elle a éprouvé cette idée plus que quiconque. Et puis il y a du nouveau. Lara l'ignore encore, mais Ribaud est passé aux aveux.

Comme Jo Lieras baissait la voix, Rodolphe Craven fit glisser sa chaise pour s'avancer vers le policier.

— Ribaud a parlé ? Mais quand je l'ai vu, il était arrogant et peu loquace. Qu'est-ce qui a pu le faire changer d'avis ?

— La trouille de prendre pour toutes les gamines, je pense. Stephan Ribaud a avoué le triple meurtre des Raspail. Il prétend que le fils est responsable des assassinats et que le père savait et fermait les yeux. Ribaud prêtait le bunker à Léopold Raspail quand il partait en déplacement. C'est à ces occasions que les crimes auraient eu lieu. Quoi qu'il en soit, il écopera de la peine maximale pour ce triple meurtre.

— La justice ne doit pas s'égarer dans des résolutions simplistes, argua Rodolphe Craven. Ribaud ne pouvait pas ignorer les cadavres entassés au sous-sol, et les passeports des victimes, le corps de Petra Seipel ! Sans compter qu'il nourrissait cette petite étrangère... comment va-t-elle à propos ?

— Ses jours ne sont pas en danger. Elle sera prise en charge par la DDASS jusqu'à ce qu'on l'identifie.

— Je suis certain que Ribaud ment !

— En tout cas, c'est la version qu'il nous sert et j'ai lu sa déposition, on peut dire qu'il a réponse à tout. Mais je sais aussi que le capitaine Budzinski ne le lâchera sur aucun détail.

Un tic d'agacement souleva la lèvre supérieure de Rodolphe Craven.

— C'est un peu court, tout de même. On sait à qui appartient le bunker ?

— Oui, à un agriculteur du coin, qui jouit d'une concession emphytéotique, arrivée à son terme depuis une dizaine d'années. Personne au ministère n'a réclamé la restitution du terrain, si bien que le paysan le louait à Ribaud en toute illégalité.

— Et concernant Lara Mendès, a-t-il parlé à ce sujet ?

— Enlèvement de circonstance. Il ne la connaissait pas. Je sais que certains éléments de son histoire ont du mal à passer, mais le puzzle tient la route. Quant à savoir s'il a participé aux autres meurtres, ce sera difficile à établir.

— J'ai eu Léon hier soir, mais il était sur la route. Il a promis de me donner des nouvelles de Sookie. Il y a trois derniers éléments à éclaircir : qui a volé les bijoux sous le pool house, qui a truffé l'appartement de Sookie Castel de micros espions, et qui est venu fouiner chez moi pour n'emporter que des pièces liées à la pendaison des Raspail ? Une chose est certaine, ça n'est pas Ribaud…

— Le matériel que j'ai récupéré est intraçable. On a affaire à des pros. Vous devrez vous montrer prudent.

Je suis un vieux juge sans affaire à juger, répondit Rodolphe Craven. Ce n'est pas moi qui intéressais les cambrioleurs, mais les affaires de Léon Castel. Léon parti, je ne crains plus rien.

— Je vous le souhaite.

— Par contre, je ne suis pas certain que Léon soit sorti d'affaire.

— Nos services veillent sur lui.

— Alors, tout est dit. Les cafés sont pour moi, conclut le juge en se levant. Mon train ne va plus tarder. Monsieur Lieras, j'ai eu grand plaisir à jouer les enquêteurs en votre compagnie. J'imagine que nos chemins se recroiseront.

— Je le pense aussi, acquiesça le policier. Vous avez mon numéro, en cas de besoin, n'hésitez pas.

139

Le capitaine **Pierre Budzinski** passa chercher Lara à Neuilly vers 17 heures. Brièvement accueilli par Arnault de Battz qui travaillait à l'intérieur, il trouva la jeune femme sur un transat au bord de la piscine. Son frère Valentin était allongé auprès d'elle.

— Je suis désolé d'interrompre un moment de repos, mademoiselle Mendès. Mais nous devons y aller.

Lara ouvrit les yeux et bondit sur ses pieds.

— Capitaine, dit-elle en lui serrant la main, c'est OK, j'ai tout le temps d'en profiter plus tard.

Pierre Budzinski répondit au geste amical de Valentin.

— Ça ira, crevette ?

— Ça ira.

Lara embrassa son frère, attrapa son sac et suivit le capitaine jusque dans sa voiture. Elle s'installa à ses côtés, son sac à main serré contre elle.

— On en a pour longtemps ?

Je vous conduis à Necker auprès de Milena. À cette heure-ci, on en aura pour un petit quart d'heure.

— C'est Jo Lieras qui vous a dit ?

— Oui. Et j'ai pensé que ce serait aussi l'occasion de voir un petit détail qui coince.

Lara s'enfonça dans le siège de la berline quand le policier démarra et se tourna vers lui. Il était de taille modeste, ses cheveux poivre et sel étaient coupés ras, et son sourire dévoilait de longues dents blanches.

— Quel genre de détail? demanda Lara alors que Budzinski se faufilait habilement dans la circulation de la porte Maillot.

— Stephan Ribaud prétend avoir revendu votre carte bleue à un contact, payé pour nous faire croire que vous étiez en Espagne.

Lara se tendit.

— Oui?

— La question est : lui avez-vous fourni le code secret, comme il l'affirme?

— Jamais! Il ne me l'a même pas demandé!

— Pouvait-il le trouver dans votre sac à main?

— Non, bien sûr!

Le capitaine Budzinski poussa un profond soupir.

— Bien.

— Qu'est-ce que ça signifie? s'inquiéta Lara. Comment a-t-il procédé pour avoir ce code? Il m'aurait vu le faire quand j'ai pris de l'essence, juste avant qu'il ne…

— C'est possible. Stephan Ribaud parlera, c'est une question de temps.

Lara laissa son regard errer dans les rues de Paris.

Cela ne finira donc jamais?

— Tais-toi, Pierre, râla-t-elle, c'est pas le moment.

— Vous disiez?

— Pardon, lâcha Lara en rougissant. J'ai pris de drôles d'habitudes ces dernières semaines. Entre autres, celle de parler toute seule. En fait, Pierre, c'était aussi mon arrière-grand-père. Désolée.

Le capitaine Budzinski se gara rue de Sèvres et accompagna Lara jusque devant la porte du service de réanimation.

— Je vous attends en bas, quelques coups de fil à passer.

— Merci.

Lara poussa la porte du service en frissonnant et avança vers le bureau des infirmières.

— Bonjour ? La réa, s'il vous plaît ?

— Au fond, la double porte. Vous sonnez, je les préviens. Vous venez voir qui ?

— Milena.

— Allez-y, je préviens le professeur Nicoud, proposa l'infirmière en décrochant son téléphone.

Lara fut accueillie par une femme d'une cinquantaine d'années, aux cheveux blonds et aux yeux d'un brun profond.

— Bonjour, mademoiselle Mendès. Je suis le professeur Catherine Nicoud. Veuillez me suivre, il faut vous changer.

Tendue, Lara laissa ses affaires dans un vestiaire et enfila une blouse, un calot et des chaussons en papier.

— Vous ne pourrez pas l'approcher, lui précisa le médecin. Milena souffre d'une grave infection que nous peinons à enrayer. Mais vous pourrez la voir.

Lara suivit Catherine Nicoud jusqu'au box où Milena était hospitalisée. La chambre, étroite, était ouverte sur le couloir par une large vitre. La petite respirait seule, mais son bras était relié à une perfusion et des électrodes surveillaient son activité cardiaque.

— Elle va bientôt aller mieux ? demanda Lara d'une voix étranglée.

— Je l'ignore. Elle souffre d'une pyélonéphrite probablement consécutive aux maltraitances qu'elle a subies.

— Vous voulez dire que celui qui l'a violée lui a filé cette saloperie ?

— Je ne peux pas être formelle. Avant d'être agressée, Milena présentait déjà un terrain fragile. Elle souffre d'une malformation vésicale qui n'a jamais été traitée et qui favorise les infections urinaires. C'est le viol, la déshydratation et la fatigue qui ont aggravé l'infection. La petite a eu beaucoup de chance que vous lui permettiez de boire…

— La chance n'a rien à voir là-dedans, je crois, murmura Lara, les yeux rivés sur le petit visage aux yeux clos. Si elle avait eu de la chance, elle ne se serait jamais retrouvée dans cet enfer. Merci, professeur, ajouta Lara. Je peux rester seule un instant ?

— Je vous en prie. Si vous avez besoin de moi, je suis au bureau des infirmières.

Lara sourit au médecin sans quitter Milena des yeux.

La petite n'avait pas bougé depuis qu'elle était arrivée. Son visage était assombri par de larges cernes sombres et ses doigts serrés sur un morceau de tissu que Lara reconnut aussitôt. Il s'agissait d'un lambeau de la doublure du loden que Milena avait emporté dans le conduit d'aération.

— Je te vengerai, souffla Lara. Toi, Petra et toutes les autres. Je clouerai Ribaud au pilori, je ferai tout pour que jamais, jamais il ne s'en sorte.

Pas de chance, Lara. Le méchant est en taule !

— Je m'en fous, Pierre. Tu peux dire ce que tu veux, ce porc de borgne paiera. Et je traquerai chaque salopard qui commandait ces films, tranquillement assis dans son canapé. Et j'inscrirai son nom en grosses lettres sur les murs de sa maison, sur sa bagnole, sur sa tronche s'il le faut. Pour que sa vie de pervers devienne un enfer. Je le jure.

C'est ça. Zorro est arrivé !

— Ouais, Zorro est arrivé, Pierre. De toute façon, je n'ai que ça. Stephan Ribaud en ligne de mire pour ne pas crever.

Le hurlement d'une sirène, au pied de l'immeuble, réveilla Milena.

Son regard clair accrocha celui de Lara, qui colla la paume de sa main contre la vitre. La petite fille lui sourit. Un maigre sourire qui fit fondre son cœur.

140

— Oh, putain, pas lui !

Léon Castel soupira en descendant de son combi. Romain Walter avait jailli de chez lui dès qu'il avait entendu le bruit du moteur.

— Léon, on s'est fait un sang d'encre, tu aurais pu donner des nouvelles, quand même !

T'avais pas l'air si inquiet l'autre jour devant le maire, songea Léon.

— Écoute, je suis vanné, s'excusa-t-il en se dirigeant vers sa maison. Je te vois plus tard, pour le moment, j'ai besoin de calme.

— Il faut au moins que tu entendes ça, insista Romain Walter. On raconte que maintenant qu'il est sorti d'affaires, JP va porter plainte contre Sookie. Ça date de quelques jours, tu savais ?

Léon avait presque la main sur la poignée de sa porte. Il se retourna, son sang recommençait à bouillir.

— Tu te délectes, là, mon con, hein ? Tu n'en as rien à cirer de ce que je suis parti faire. Tu m'attendais pour pouvoir cancaner. Ça te fait bander d'annoncer les malheurs ! Ça t'a toujours fait bander, c'est ce que Valie me disait, et je te trouvais des excuses.

— Tu n'es pas dans ton état normal, Léon, alors je vais faire comme si je n'avais rien entendu. Va te reposer et calme-toi. Sache quand même qu'à cause des conneries de Sookie, JP risque d'être cloué dans un fauteuil pour le restant de ses jours.

Sur quoi, Romain Walter se drapa dans son mépris et retourna chez lui, laissant Léon ébranlé par la nouvelle.

Il n'avait jamais fréquenté JP, juste quelques mots lorsqu'ils se croisaient, des banalités du quotidien, et il n'aurait pas pu dire qu'il le trouvait sympathique. JP, c'était le type trop beau, trop bien fait de sa personne et qui le savait. Le genre d'individu qui agace facilement et qui attire les filles comme les mouches sur une belle grosse merde.

— Exactement, dit Léon en s'ébrouant, comme une belle grosse merde dans un fauteuil ! Là, Sookie, t'as touché le gros lot !

La maison était plongée dans la pénombre. Hervé Marin avait clos tous les volets et, Léon le comprit à l'odeur, oublié de sortir la poubelle. Il s'occupa de la ficeler et de la jeter dans le container, puis revint dans le salon où il avait laissé son sac. Il n'y avait pas un bruit et ce silence l'angoissait. Il brancha le téléviseur.

L'image de BFM TV s'afficha au beau milieu des déclarations du procureur de la République et du capitaine Budzinski qui jetaient à une foule de journalistes les dernières nouvelles concernant la santé de Lara Mendès, et ce qu'ils pouvaient dire sur son ravisseur. Léon nota qu'ils n'évoquèrent pas une fois la fillette. Visiblement, cette information était bien gardée.

Une vignette en bas à gauche de l'écran annonçait l'importance de l'affaire : « Lara Mendès vivante », et des dépêches défilaient sous l'image : Stephan Ribaud entendu dans le cadre de l'affaire Mendès ; Affaire Mendès, le prévenu mis en examen, etc.

Au lieu de ce cirque, Léon aurait préféré voir la jeune femme, entendre sa voix, rencontrer sa famille. Et puis il y avait des parents à réconforter. Léon possédait cette expérience. Il aurait pu en faire profiter ces gens. À la place, il ne pouvait même pas aider sa propre fille, et se trouvait seul dans cette baraque où tant de souvenirs lui donnaient envie de prendre ses jambes à son cou.

— Qu'est-ce que je vais foutre, bordel ! jura-t-il, hésitant à s'avachir devant la télévision. Si tu t'assois Castel, t'es bon pour la lobotomie !

Léon fila vers son bureau, alluma son ordinateur et se connecta à sa messagerie. Plusieurs dizaines de nouveaux messages s'affichèrent. Léon les ignora et adressa un mail à Quentin X, pour le prévenir de son retour et lui annoncer qu'ils se verraient sous peu. Il acheva son message par ces mots : « Courage et mort aux cons ! On a toujours besoin d'un plus stupide que soi. Je suis là pour le prouver. »

Quand il eut terminé, il s'adossa dans son fauteuil et ferma les yeux.

La question qui l'avait paniqué un peu plus tôt revint :

— Qu'est-ce que je vais foutre de mes journées ?

Avant, Sookie se trouvait à des centaines de kilomètres de lui et la situation lui pesait. À présent, elle était internée à côté de Saint-Junien et il éprouvait l'envie de foutre le camp à l'autre bout du pays.

— Qu'est-ce qui a changé ?

Il conclut tout d'abord qu'en dehors de l'internement de Sookie, rien n'avait vraiment changé. Puis il décida d'arrêter de se mentir. Lara Mendès, voilà ce qui l'avait changé.

En sauvant cette jeune femme et cette gamine d'une mort atroce, il s'était senti plus utile en une semaine qu'au cours des dernières années passées à se battre contre le système judiciaire.

— Tu me fais une drôle de crise de la soixantaine, Castel, émit-il à voix haute. Tu veux faire quoi maintenant ? Te lancer sur les routes pour traquer tous les pervers ? Ben putain, tu vas te salir les mains !

Soudain, son regard fut attiré par un morceau de papier qui dépassait d'un endroit où il n'y avait pas d'ouverture sur le secrétaire de Valie. Et il se remémora sa dernière conversation avec Hervé, dans le parc de Ravenel.

Léon sentit son cœur accélérer quand il s'approcha du meuble. Les doigts tremblants, il palpa la surface sous l'étagère, ses doigts glissèrent dans le renfoncement et déclenchèrent le mécanisme. Il s'empara de la liasse de feuillets dissimulée dans le tiroir secret et retourna s'asseoir.

Il découvrit alors la copie de photographies de Valie en compagnie de JP, divers documents administratifs et une lettre de la main de sa femme.

« Sookie chérie,
Peut-être trouveras-tu que je manque courage, en lisant cette lettre. Je t'en supplie pardonne-moi. Mais je ne sais plus vers qui me tourner et je t'avoue qu'il m'est plus easy d'écrire que de parler.

J'ai eu il y a quelque temps un aventure avec JP Dardelin. J'ai no excuse, mais je me sentais seule, nous avons bu pour fêter l'extension du centre des 3 vallées et je craqué. J'ai sincèrement cru que cette aventure serait sans lendemain, JP a séduit toutes les femmes du coin mais je me trompais. Les choses ont mal tourné. JP avait gardé quelques souvenirs enregistrés et a commencé à me demander de lui rendre des services. Il a exigé ce permis de construire pour sa nouvelle maison, il y a eu d'autres demandes pour ses amis. Il me menace mais ne laisse pas de preuves, pas de messages, pas de mails. Je ne sais plus comment m'en sortir. Sookie, si ton père apprend que je l'ai trompé, il ne me le pardonnera pas, et je suis perdue. Mais ce n'est pas le plus grave. Je me compromets au conseil municipal et la situation devient intenable.

Aide-moi, sweety.
Love you
Mom.
Je te joins des papiers qui pourront te servir. »

Le besoin impérieux d'avaler une boisson forte poussa Léon jusque dans la cuisine, où il mit la main sur une bouteille de cognac intacte, cadeau des Walter qui remontait à cinq ou six ans.

Il but une rasade au goulot, grimaça et avala une deuxième gorgée. Cette fois, il crut qu'il allait vomir. Il posa la bouteille et cala ses reins contre le plan de travail.

— Tu aurais pu m'en parler, merde, hurla-t-il dans le silence de sa maison, j'aurais même pu comprendre, tu sais !

Léon chercha dans sa mémoire. Peut-être était-il passé à côté de signes évidents. Son comportement, ses mensonges, ses regrets.

Des souvenirs affluèrent. Et parmi eux le dernier.

Le matin de la mort de sa femme, il se tenait dans l'exacte position qu'il occupait à présent, sauf qu'à la place d'une bouteille de cognac, il avait une poêle en main, prêt à faire glisser des tranches de bacon dans l'assiette de Valie.

— Je ne comprends pas comment tu peux manger du bacon avec une gorgée de chocolat hyper sucré. J'avoue que ça me dépasse. Ça doit être ton côté rosbif qui ressort.

Valie avait observé Léon par-dessus son bol, et secoué la tête sans répondre.

— Voilà trente ans que tu habites en France et tu n'as toujours pas perdu tes sales habitudes de néo-Normande, avait poursuivi Léon, c'est donc pire qu'un atavisme !

Il aimait la regarder manger. Il aimait la dévorer des yeux quand elle se faisait plaisir avec les petits riens de la vie. Et comme Valie jouissait d'un naturel épicurien, Léon se régalait souvent.

— Tu as le syndrome Waterloo de bon matin, contra Valie, la bouche pleine de cet accent d'outre-Manche qui continuait, après toutes ces années, de faire fondre Léon.

Cette fois, Léon se retourna, spatule en main, un sourire gourmand accroché aux lèvres.

— Tu penses vraiment qu'un type comme moi se préoccupe d'une défaite militaire ?

Le petit déjeuner appartenait à ces instants privilégiés dont Léon ne se serait passé pour rien au monde. Ou presque rien. Il œuvrait en cuisine, tablier à l'effigie d'Omer Simpson passé par-dessus son pyjama rayé façon bagnard, tandis que Valie avalait tranquillement ce qu'il venait de cuisiner.

— Ce n'était pas une défaite, mon chou, précisa-t-elle en passant sa serviette sur le pourtour de la bouche. C'était un raclée.

— On dit « une », corrigea Léon.

— Une quoi ?

— Une raclée. Et ça s'est joué à pas grand-chose, figure-toi.

Léon fondit de plus belle en voyant Valie sourire à pleines dents. De petites dents de porcelaine, translucides sur les côtés comme chez les enfants, parfaitement alignées, qu'il avait dès le premier regard jugées parfaites.

— Pourquoi tu te marres comme une idiote ? On dirait BB dans *Le Mépris*.

— J'aimerais avoir ses fesses, chuchota Valie en se levant pour enlacer Léon.

— Les fesses du *Mépris* ? Je ne te suis plus là… merde, tu me fais rater les œufs brouillés !

— Faut que je file, glissa Valie. Je ne rentre pas à midi, il y a le pot pour fêter l'extension des « 3 vallées ». Tu vas devoir t'occuper de la cuisine toi-même.

— C'est ce que doit faire tout Français sain d'esprit marié à une rosbif.

Valie déposa un baiser sur les lèvres de son mari et fila vers le vestibule.

— Qu'est-ce que je fais de mes œufs ?

— Ils ont la même tête que ton empereur après Trafalgar. Abrège leurs souffrances !

Léon vit la porte se refermer, la silhouette de Valie s'évanouir dans l'air. Il s'accrocha un instant à ce souvenir, puis avala une nouvelle goulée de cognac.

Comment fait-on pour en vouloir à une morte ? Et si on n'arrive pas à avaler la pilule, si on décide de travailler sur soi et de passer l'éponge, comment fait-on pour pardonner à une morte ?

141

Lara Mendès s'était installée dans la maison d'amis, qu'elle partageait avec Valentin. Il n'y avait qu'un lit et ça lui convenait. Elle dormirait avec son frère, se blottirait dans ses grands bras, y trouverait un refuge où ses cauchemars lui ficheraient la paix.

Pour le moment, elle se prélassait dans un bain. Son âme se sentirait salie pendant des années, jusqu'à la fin de sa vie probablement, mais son corps était lessivable. Malgré les produits qu'elle avait utilisés à l'hôpital puis ici, Lara sentait toujours une odeur d'urine et de fèces émaner de sa peau.

— Crevette, on va becqueter, dit la voix de Valentin derrière la porte de la salle de bains. Tu sèches ton petit cul et tu rappliques.

— J'arrive ! Et surveille ton vocabulaire.

— Dans tes rêves.

Lara entendit le rire de son producteur, puis celui de Valentin. Ces deux-là partageaient une belle complicité.

Depuis qu'elle était arrivée à Neuilly, Arnault de Battz avait reçu de nombreux appels de journalistes qui cherchaient à entrer en contact avec Lara. Il filtrait, exposait la décision de Lara de garder le silence, et

promettait d'y réfléchir. Quoi qu'il dise, cela n'empê-
cherait pas les médias de revenir à la charge. Des
équipes des chaînes d'infos campaient toujours devant
la maison, avec envoyés spéciaux et camions équipés
pour le direct.

Lara sortit du bain et se sécha. Elle enfila un jean, un
tee-shirt et décida de rester pieds nus. Avant de rejoindre
Arnault et Valentin, elle chercha son balai dans le petit
salon et ne le trouva nulle part.

Décontenancée, elle hésita à sortir, puis se moqua
d'elle-même.

— Il va falloir t'en passer. Imagine ce que tes gosses
diraient si…

Cette idée la tétanisa. Avoir des enfants, oui, elle en
avait toujours rêvé. Maintenant, elle n'en était plus aussi
certaine. Un jour, elle devrait accepter qu'un homme la
touche de nouveau. Un jour. Bruno y arriverait, Lara y
croyait. Mais quand ? Dans cette maison, il n'y avait
que Valentin et Arnault et c'est pour cette raison qu'elle
n'envisageait pas de se trouver ailleurs.

Lara quitta la fraîcheur de la maison d'amis. Le jar-
din profitait de la belle luminosité de la fin du jour.
Il allait être 21 h 30 et Lara mourait de faim. Elle vit
Arnault de Battz s'affairer auprès d'un barbecue, puis
Valentin sortir de la maison principale.

— Y'a Bruno aux infos ! s'exclama-t-il. Il paraît que
Lara se repose et reprend des forces après cette terrible
épreuve. Ah, Lara, t'as mis le temps. C'est un sacré las-
car que t'as trouvé là.

— Au moins, il va au feu à ma place.

— Escargots de chez Picard en entrée, annonça
Arnault de Battz, lard grillé, tomates à la provençale

dans la foulée et mangue au dessert. Qu'est-ce que tu dis de ça ?

— Je dis que tu es merveilleux, mon petit producteur chéri, répondit Lara en s'approchant de la table de jardin dressée pour le dîner.

Valentin la rejoignit et l'enlaça.

— Tu me refais plus jamais un coup pareil ! Hein, crevette ?

— Mais laisse-la respirer, Apollon ! Tu ne vois pas que tu l'étouffes ?

— Elle a passé sa vie à jouer le rôle de ma mère, argumenta Valentin, à moi de faire chier le monde. Installe-toi et laisse-nous faire, Lara.

Il entraîna sa sœur jusqu'à la table et la fit s'asseoir.

— On attend quelqu'un ? demanda Lara en désignant les quatre couverts.

— J'ai invité ton balai à se joindre à nous, dit Valentin en sortant l'objet de sous la table, tu nous présentes ?

Lara eut un rire gêné.

— C'est stupide, mais j'ai besoin de le garder.

— Sans rire, c'est quoi ton balai ?

— Je n'avais personne à qui parler…

— Tu l'as appelé comment ? poursuivit Valentin.

— … Pierre.

— Salut Pierre, dit le jeune homme en tapotant l'extrémité de la brosse, bienvenue dans la famille Mendès. Je te préviens, il n'y a que des branques !

Il se moque ? Ce trou du cul se moque !

— Arrête Val, c'est ton arrière-grand-père !

— Tu rigoles ?

Valentin s'esclaffa, ce qui déclencha le rire de Lara, puis celui d'Arnault de Battz.

— Va chercher les escargots, Apollon, je suis prêt à lancer les grillades. Dis donc, Honey, poursuivit-il dès que Valentin eut disparu dans la maison, tu n'es pas obligée d'en parler, et on s'est entendu avec Val pour ne pas te poser de questions.

— Merci. Là, tout de suite, j'ai besoin d'oublier. Sers-moi du vin s'il te plaît.

Le repas terminé, les trois convives restèrent dehors pour boire du champagne. Il faisait encore chaud. Lara se sentait bien, en confiance, légèrement soûle.

— Moi, je dis qu'on n'est jamais mieux servi que par soi-même, déclara Valentin en réponse à l'épineuse question sur l'attitude à adopter vis-à-vis des médias. Si tu réponds à des interviews, Lara, tu sais parfaitement que tes paroles seront déformées au montage.

— À moins de passer en direct.

— T'en as envie de passer sur BFM en direct? s'insurgea Valentin. Tu sais quel genre de questions ils vont te poser. Tu le sais, non?

— Doucement, tempéra Arnault de Battz. Mais ton frère a raison. Si on veut qu'ils te lâchent, tu dois leur donner un biscuit. Ce qu'il faut, c'est choisir avec qui tu te sentiras suffisamment en confiance. Tu as une idée, Honey?

Lara réfléchit quelques secondes.

— Pascale Faulx publierait mon interview sans rechigner, mais je ne la sens pas trop, Bruno, pas question… Non, je ne sais pas.

— Corentin Ruedler, lâcha alors Valentin, je lui en dois une, et Arnault m'a dit que c'était un type bien.

— Le journaliste du *Nouvel Obs* ? s'étonna Lara. Tu le connais depuis quand ?

— Depuis que ce cher enfant l'a balancé dans une poubelle.

— Quoi !

— Ça crée des liens, plaisanta Valentin.

En quelques mots, Lara se fit raconter l'entrevue musclée entre son frère et le journaliste.

— Je me suis excusé, bordel, on ne va pas en faire un drame ! Mais c'est un bon client pour toi. Demain, tu fais ton interview avec ce journaliste, et moi je mets la vidéo sur YouTube. Enfin, s'il est d'accord. Mais je vois pas très bien pourquoi il refuserait. Comme ça, on maîtrise le contenu et le contenant, de A à Z. T'en dis quoi ?

— J'en dis que je peux pas te laisser seul une seconde.

— Peut-être, mais j'ai raison. Regarde-les, tous ces tricards ! Ils commencent à raconter tout et n'importe quoi sur les vrais motifs de ton enlèvement. Si tu tardes, ils fouineront dans ta vie, ils sortiront tes photos de majorette, ils iront voir tes ex. Tiens, même Bruno risque d'être emmerdé !

142

Quand **Yanna Jezequel** descendit de la cabine du poids lourd, elle n'eut qu'à traverser la route pour passer devant l'arrêt de bus de Saint-Junien. À cette heure tardive, l'endroit était désert, d'aspect peu engageant, voire sinistre.

— Ça peut pas être pire que chez moi, grimaçat-elle en s'engageant dans la rue qui remontait vers le haut du village.

Pour rallier les Vosges en auto-stop, elle avait dû emprunter deux voitures et trois camions, quatre hommes et une femme. Pour avoir utilisé ce mode de transport assez souvent, Yanna Jezequel estimait qu'elle s'en sortait assez bien.

Cette fois, c'est un automobiliste, un quadragénaire en costume-cravate, avec siège bébé sur la banquette arrière, qui lui avait ouvertement proposé la botte. Yanna Jezequel lui avait rétorqué que sa séropositivité lui interdisait de faire courir des risques aux autres, même couverts. L'argument fonctionnait bien en général. Pour ce type, cela avait été plus efficace qu'une douche froide.

À son passage, des chiens aboyèrent, mais il n'y eut rien de plus, et Yanna Jezequel arriva en quelques minutes devant la maison de Léon Castel.

À l'intérieur, des lumières brillaient. La jeune femme ignorait s'il s'agissait de Léon, s'il vivait seul ou était marié, mais ce serait un Castel, et c'était suffisant.

Elle posa son doigt sur le bouton de la sonnette et arrêta son geste. Elle se contenterait de frapper, ce serait plus discret. À 2 heures du matin, un carillon risquait de faire un boucan du diable.

Comme personne ne se montrait, Yanna Jezequel tourna la poignée. La porte s'ouvrit sur une maison silencieuse. La jeune femme se glissa à l'intérieur et referma derrière elle, soulagée d'être enfin arrivée quelque part.

Au cours de son voyage, elle avait écouté les informations. Apparemment, le corps de Bettie Henriot n'avait pas encore été découvert. Mais si ce n'était ce mercredi, ce serait pour le lendemain. Bettie Henriot recevait la visite de sa femme de ménage tous les jeudis à 16 heures précises.

— Monsieur Castel ? appela-t-elle doucement, c'est Yanna.

Un instant, la jeune femme douta que Léon se souvienne de son nom, alors elle tenta une autre approche.

— Je suis la fille qui fait pousser de la beuh chez Bettie Henriot.

L'oreille tendue, Yanna Jezequel attendit une réponse, et se surprit à n'entendre que les battements de son cœur. En entrant dans le salon, elle trouva le poste de télévision allumé, le son en sourdine, un sac de voyage posé sur le sol.

— Monsieur Castel ? répéta-t-elle en se dirigeant vers une autre pièce éclairée au bout d'un couloir. Vous êtes là ?

Léon était allongé sur le carrelage, la main en sang. En un coup d'œil, Yanna Jezequel vit la bouteille de cognac vide sur la table, une autre de vin dans le même état, le verre explosé, la bouche baveuse de Léon, ses lèvres et son nez déformés par la pression contre le sol.

Elle le fit rouler sur le dos et lui appliqua des gifles carabinées. Léon grogna. Ce n'était pas grand-chose, mais il réagissait.

Yanna Jezequel remplit une bassine d'eau froide et la déversa sur Léon, puis elle l'aida à s'adosser contre la machine à laver et le força à boire un verre d'eau salée. Léon vomit aussitôt un liquide marron qui puait l'alcool et la bile dans la bassine que Yanna lui tendait.

— Jlueuu ! cracha Léon entre deux hoquets.

— C'est pas le moment des confidences. Elle est où votre chambre ?

Les paupières de Léon restaient entrouvertes, ses pupilles roulaient de droite et de gauche.

— Venez, l'encouragea-t-elle en le forçant à se lever. Vous serez très bien dans le canapé.

Quand Léon fut allongé, Yanna Jezequel partit à la recherche de la salle de bains. Elle y trouva un produit désinfectant et de la gaze. À son retour, Léon dormait déjà. Ses ronflements de sonneur tranquillisèrent la jeune femme qui s'occupa alors de la plaie à la main, peu profonde. Elle demeura au chevet de Léon jusqu'à ce qu'elle estime son rythme respiratoire satisfaisant. Seulement après, elle s'intéressa à la lettre et aux photos étalées sur la table de la cuisine.

La silhouette sombre d'**Ilya Kalinine** jaillit du balcon du deuxième étage d'un immeuble récent du quartier des Batignolles. Ses mains gantées attrapèrent la rambarde du balcon supérieur. Un instant suspendu au-dessus du vide, le monte-en-l'air se hissa à la force des bras et bascula sur la petite plate-forme encombrée de pots de fleurs.

Il demeura quelques secondes à l'abri des regards, puis il posa son sac à dos et en sortit un coupe-verre. Dans la minute, il pratiqua une ouverture dans le double vitrage à hauteur de la poignée intérieure et s'introduisit dans l'appartement du commandant Lambert.

L'intérieur sentait un mélange de tabac à pipe et de cuisine mal aérée. Ilya Kalinine tira les rideaux devant chaque fenêtre puis alluma le plafonnier. Deux lampes basse consommation sortirent de la nuit un salon en désordre. Poussé dans un recoin, le plateau d'une longue table en verre disparaissait pratiquement sous des papiers. Les deux murs les plus proches offraient le même spectacle.

Des feuilles de format A4 y étaient punaisées à côté de photocopies d'articles de journaux. Ilya Kalinine s'en approcha pour parcourir les notes de Lambert.

Le commandant travaillait sur les carnets de l'avocat Moreau. Les originaux se trouvaient sur la table, protégés dans des chemises plastifiées. À côté, des articles de presse relataient le meurtre de Moreau, la disparition de Lara Mendès, des affaires de proxénétisme remontant à une décennie et plus et enfin, la triple pendaison des Raspail.

Méthodiquement, Ilya Kalinine décrocha les feuillets, en fit des piles et les fourra dans son sac. Ce n'est qu'une fois ce ménage entièrement fait qu'il s'intéressa à l'ordinateur installé sur une autre table. L'appareil sortit de sa veille. Sur le bureau virtuel, Ilya Kalinine trouva les enregistrements des conversations entre Moreau et ses clients. Lambert les avait impeccablement rangés, datés, répertoriés. Un dernier fichier crypté attira particulièrement l'attention d'Ilya Kalinine. Visiblement, Lambert n'avait pas encore trouvé la clé de décryptage. L'opération suivante consista à récupérer tous ces fichiers sur une clé USB et à démonter le disque dur. Dans les tiroirs du bureau, il mit la main sur les DVD sources des enregistrements. Après quoi, Ilya Kalinine éteignit la lumière et s'installa dans un fauteuil.

À 1 heure, son téléphone vibra.

— Il arrive, dit une voix dans l'écouteur.

Ilya Kalinine se leva pour se dissimuler derrière la cloison séparant le salon de l'entrée. Moins de cinq minutes plus tard, la porte claqua, la lampe du couloir s'alluma et des pas résonnèrent sur le carrelage.

— Salcté de canicule, tempêta la voix de Lambert. Merde, la poubelle ! Qu'est-ce que…

Tournée vers les murs dénudés, la silhouette de Lambert s'immobilisa à deux mètres d'Ilya Kalinine.

— Nom de Dieu ! dit encore le commandant en faisant demi-tour.

La main droite de Kalinine l'attrapa à la gorge et le fit basculer tandis que son autre main se plaquait sur sa bouche. Le commandant Lambert se trouva écrasé par quatre-vingt-dix kilos de muscles.

— Est-ce qu'il y a des copies ? chuchota Ilya Kalinine à son oreille.

Incapable de parler, Lambert secoua la tête.

— Si tu as fait des copies et que tu ne me le dis pas, je reviendrai te tuer, toi et tous les tiens.

Lambert tenta de ruer, ce qui ne fit que resserrer l'étau autour de sa nuque.

— Est-ce qu'il y a des copies ?

La tête de Lambert répondit par l'affirmative.

— Où ?

La main d'Ilya Kalinine s'écarta d'un demi-centimètre du visage de Lambert.

— La bibliothèque, souffla-t-il, derrière les dictionnaires.

Kalinine enfonça son genou dans les reins de Lambert, qui gémit de douleur.

— Ne bouge pas ! ordonna-t-il en exhibant un long couteau de chasse devant les yeux écarquillés de Lambert.

En deux enjambées, il gagna l'endroit indiqué, trouva huit DVD rangés dans une pochette souple, les glissa dans sa poche et revint auprès du commandant.

— Il y en a d'autres ?

— Non, je vous le jure, chevrota Lambert.

— Tu les as écoutés ?

Le commandant Lambert hocha la tête.

— Quelqu'un d'autre ?

— Non, personne.

— Tu en es vraiment certain ?

— Oui.

Ilya Kalinine se pencha alors vers le policier et lui trancha la gorge.

Entre samedi 16 juin et mardi 19 juin

Entre mercredi 20 juin et vendredi 22 juin

Entre samedi 23 juin et lundi 25 juin

Mardi 26 juin

Mercredi 27 juin

Entre jeudi 28 juin et samedi 30 juin

Entre dimanche 1er juillet et lundi 2 juillet

Entre mardi 3 juillet et jeudi 5 juillet

Vendredi 6 juillet

Entre samedi 7 juillet et dimanche 8 juillet

Lundi 9 juillet

Mardi 10 juillet

Mercredi 11 juillet

Jeudi 12 juillet

Vendredi 13 juillet

Entre samedi 14 juillet et lundi 23 juillet

L'air béat qui illuminait le visage d'**Hervé Marin** trouvait sa source dans sa décision de rendre visite à Sookie Castel. Une demi-heure plus tôt, il avait caché l'échelle dans les massifs et à présent, il attendait un signe de « pot de kawa », qui guettait à l'angle du bâtiment contre la promesse de café.

Quand il reçut le feu vert, Hervé se jeta sur l'échelle, la plaqua contre le mur, et se hissa jusqu'à la fenêtre de la chambre de Sookie.

Ce qu'il découvrit alors lui fit tourner les sangs.

L'infirmier en chef se tenait devant le lit et se masturbait à renfort de mots salaces qu'il éructait à voix basse.

Hervé faillit en lâcher l'échelle. Sur le point de hurler, il se ravisa et redescendit à toute vitesse. Puis il courut vers « pot de kawa ».

— Tu gardes l'échelle, je reviens, expliqua-t-il, rougeaud de colère et d'effort.

— Et mon kawa ? demanda l'autre. J'ai pas de kawa ?

— T'en auras si tu gardes l'échelle, répondit Hervé Marin, qui repartit à toutes jambes vers l'entrée du pavillon.

Il s'affala sur le comptoir de l'hôtesse d'accueil, hors d'haleine.

— Baptiste fait des cochonneries avec Sookie ! aboya-t-il à l'adresse de Candice.

— Allons Hervé, ne criez pas comme ça, lui dit-elle. Que se passe-t-il ?

— L'autre là, dit-il d'une voix tremblante, il fait des cochonneries !

— Calmez-vous, je vais appeler l'infirmier.

— Non ! Pas lui !

Alors que Candice saisissait le combiné, Hervé détala jusque dans les escaliers qu'il grimpa quatre à quatre vers l'étage administratif, interdit aux résidents. Il n'était pas question qu'il se retrouve face à ce vilain bonhomme en vert qui faisait du mal à Sookie, et que celui-ci l'enferme dans une chambre capitonnée. Hervé avait déjà expérimenté la mise à l'isolement, et il ne voulait pas être coincé à l'étage des fous.

Il arriva en nage devant la porte du secrétariat du docteur Mariani, et tambourina à la porte vitrée.

— Au secours !

La secrétaire, une grande femme d'une cinquantaine d'années serrée dans sa blouse, l'invita à entrer, et Hervé se précipita vers elle.

— Où il est, le docteur ?

Mariani sortit de son bureau, visiblement contrarié.

— Qu'est-ce que c'est que tout ce raffut !

— Il fait du mal à Sookie, brailla Hervé. Je l'ai vu !

— Je m'en occupe, annonça le médecin à sa secrétaire. Qui fait du mal à qui ? ajouta-t-il en entraînant Hervé dans le couloir.

— Le Baptiste, il fait des cochonneries. Et Sookie, elle peut même pas se défendre vu qu'elle dort !

Le ton d'Hervé était devenu suppliant.

— Je veux pas être enfermé, s'il vous plaît.

— Suivez-moi, ordonna Mariani devant l'air ahuri de son patient. On va vérifier ça ensemble.

Le psychiatre précéda Hervé, qui n'en menait pas large, dans l'escalier jusqu'à l'étage inférieur où se trouvait la chambre de Sookie.

— Restez derrière moi, ordonna-t-il. Et cessez de vous agiter comme ça, je ne vais pas vous enfermer.

Le docteur Mariani glissa sa clé dans la serrure, et ouvrit la porte d'un coup sec. L'infirmier était penché sur Sookie, et lui prenait la tension.

— C'est lui ! ânonna Hervé. Je l'ai vu !

— Que se passe-t-il ? demanda Baptiste Grandidier. Un problème avec un patient ?

— C'est ça, grogna le médecin.

— Mais non ! Je l'ai vu, il faisait des cochonneries !

Les cris d'Hervé réveillèrent Sookie qui découvrit la scène, le visage inexpressif, et firent jaillir dans le couloir infirmières et patients.

— Dans mon bureau, tous les deux !

Baptiste Grandidier leva les yeux au ciel et s'éloigna vers l'escalier tandis que le docteur Mariani demandait au personnel de reprendre le travail et de calmer les pensionnaires dont certains voyaient dans cette agitation l'occasion de se défouler.

Lorsque le calme fut revenu, le médecin s'approcha du lit de Sookie qui le regardait sans le voir.

— Mademoiselle Castel, toutes mes excuses pour le bruit. Soyez certaine que cela ne se reproduira pas.

725

Dans mon bureau, j'ai dit, répéta-t-il en attrapant le bras d'Hervé qui grommelait, les bras ballants.

— Ben quoi, j'ai rien fait de mal, protesta-t-il.

Il se laissa entraîner jusque dans le bureau du psychiatre où les attendait déjà l'infirmier en chef.

Le docteur Mariani prit place derrière son bureau.

— Asseyez-vous tous les deux.

— Je ne sais pas ce qui lui prend, commença Baptiste Grandidier. Il faudrait peut-être le garder en quartier fermé.

— Que s'est-il passé, monsieur Marin ? demanda le docteur Mariani. Dites-moi ce que vous avez vu.

— C'est à cause de l'échelle, répondit Hervé en baissant la voix.

— L'échelle ? Vous grimpez à l'échelle pour regarder Sookie Castel par la fenêtre, c'est ça ?

Hervé hocha misérablement la tête.

— Et c'est moi le vicelard, murmura l'infirmier avec un petit sourire.

— Où avez-vous trouvé cette échelle ?

— C'est « pot de kawa ». Il me l'a montrée dans la réserve, il y a longtemps.

— Depuis combien de temps faites-vous ça tous les deux ?

— Je sais pas.

— Alors, demanda le médecin d'une voix douce, vous pourrez peut-être me dire pourquoi vous le faites ?

— Parce que Léon, c'est mon copain.

— Vous connaissez monsieur Castel ?

— C'est le seul qui soit pas vache à Saint-Junien.

— Je vois, acquiesça le docteur Mariani. Vous surveillez Sookie pour son père.

— Il sait pas, se défendit Hervé, je m'emmerdais chez lui. Alors je suis venu.

— L'hôpital de Ravenel n'est pas un hôtel, le sermonna le psychiatre. Et regarder les gens par la fenêtre, ce n'est pas correct.

— Tu m'étonnes ! lâcha l'infirmier.

— Monsieur Grandidier, merci de garder vos commentaires pour vous. Ce n'est pas le moment. Dites-moi exactement ce que vous avez vu tout à l'heure, ajouta-t-il à l'adresse d'Hervé. Et je veux la vérité. C'est important, on n'accuse pas les gens comme ça.

Hervé fronça les sourcils et hocha la tête. De grosses gouttes de sueur roulaient sur son front et sur ses joues. Il savait qu'il avait intérêt d'être le plus clair possible dans ses explications, sous peine de finir sanglé à un lit comme Sookie.

— Je veux pas de piqûres.

— Vous ne risquez rien, monsieur Marin. Rien, si vous me dites la vérité.

— Tu parles, souffla l'infirmier. Il est complètement à l'ouest.

— Je suis pas à l'ouest, cracha Hervé, les yeux rivés sur ses chaussures. Et je sais ce que j'ai vu.

— Dites-le, insista Mariani, toujours avec beaucoup de calme.

— L'autre là, il avait sorti son truc, et il le secouait au-dessus de Sookie.

— N'importe quoi ! bondit l'infirmier. Putain, mais c'est pas vrai !

— Asseyez-vous, monsieur Grandidier, monsieur Marin n'a pas terminé. Allez-y, Hervé.

— Il disait aussi des choses dégoûtantes.

— Vous n'inventez pas ça pour vous venger de l'infirmier ? C'est bien monsieur Grandidier qui vous a fait interner la dernière fois, non ?

— Je sais plus. Ils sont tous pareils.

— Mais là, c'est bien cet homme que vous avez vu dans la chambre de Sookie ?

Hervé hocha vigoureusement la tête tout en évitant le regard du médecin.

— Et c'est bien lui qui avait « son truc » dans la main ?

— Il le secouait, il faisait des cochonneries. C'était vraiment dégoûtant.

— Bien, je vous remercie, monsieur Marin. Venez, je vous raccompagne. Ne bougez pas, Grandidier, ajouta-t-il à l'adresse de l'infirmier, je vous rejoins d'ici deux minutes.

Le docteur Mariani referma la porte derrière lui et entraîna Hervé jusqu'au secrétariat.

— Je tenais à vous remercier. Je peux vous assurer que Sookie Castel est en sécurité, vous allez pouvoir rentrer tranquillement chez vous. Par contre, je devrai informer monsieur Verdier, votre tuteur, de votre séjour ici.

— M'en fous, il me prend tous mes sous.

Hervé eut un air désolé.

— J'ai pas envie de partir, ajouta-t-il avec la moue d'un gosse contrarié. J'ai pas menti.

— Je vous l'ai dit, Hervé. Ce centre n'est pas un hôtel. Et vous n'avez pas besoin de soins. Je vous promets que vous pourrez visiter Sookie quand vous le voudrez, je laisserai des consignes à l'accueil. C'est bon ?

— Je peux la voir maintenant ? minauda Hervé.

728

— D'accord. Laissez-moi un quart d'heure et je vous accompagne auprès d'elle. Mais juste pour dire bonjour, elle est encore très fatiguée.

Hervé plissa le front. Puis son visage se détendit.

— « Pot de kawa », il m'a aidé, il a tenu l'échelle. Je pourrais avoir du café pour lui ?

— Il n'a pas droit aux excitants, je suis désolé.

— Mais celui-là, contra Hervé en désignant un pot de café lyophilisé décaféiné posé près d'une bouilloire. Il a droit à celui-là, non ?

La secrétaire hocha la tête et tendit le pot à Hervé.

— Si le docteur est d'accord, dit-elle en souriant.

— T'es gentil, docteur, glissa Hervé. Et toi aussi, Christine. Vous bilez pas, je lui dirai d'y aller mollo.

— Très bien. Allez m'attendre auprès de Candice à l'accueil, Hervé, je vous y retrouve dans dix minutes.

Lorsque le docteur Mariani retourna dans son bureau, l'infirmier arpentait la pièce comme un fauve en cage.

— En vingt ans de carrière, c'est la première fois que ça m'arrive. Je suggère qu'on le change de traitement. Il est en train de vriller, le pauvre vieux.

— Ne vous inquiétez pas, je m'en occupe, dit le docteur Mariani en s'installant derrière son bureau.

Le médecin posa ses lunettes sur le bout de son nez et se mit à taper sur son clavier.

— Incroyable, poursuivit l'infirmer. Un truc à foutre une carrière en l'air. J'ai jamais vu ça. Non seulement ils sont dingues, mais en plus ils sont pervers.

— Monsieur Grandidier, murmura le médecin lorsqu'il eut imprimé le courrier, asseyez-vous et signez-moi ça.

— Qu'est-ce que c'est ?

Le docteur Mariani tendit la lettre à l'infirmier en chef.

— Votre démission. Vous serez assez aimable de la porter au directeur immédiatement.

— Vous plaisantez?

— Est-ce que j'en ai l'air? demanda le docteur Mariani en se levant. Vous préférez peut-être que je demande une enquête administrative et que je découvre que c'est une pratique courante chez vous?

— Mais comment pouvez-vous croire une chose pareille?

— Ne me prenez pas pour un imbécile. Je connais Hervé Marin depuis qu'il est môme. Et il y a une chose que je sais de lui. Il est incapable de mentir sur un sujet aussi grave.

Après sa séance d'électrochocs sous anesthésie, Sookie Castel avait beaucoup dormi. Et depuis, vingt-quatre heures s'étaient écoulées. Sookie était toujours allongée sur son lit, le dos tourné vers la porte de sa chambre. Elle observait le mur, les yeux mi-clos, et réalisait enfin à quel point elle avait frôlé le gouffre. Certains moments semblaient comprimés dans sa mémoire, comme notamment lorsque, après son arrivée à Ravenel, elle avait réalisé ces dessins avec ses excréments. Elle ne se souvenait que d'une partie, et encore celle-ci ne lui apparaissait que sous forme de flashes d'images figées où elle se voyait en train d'agir.

Ben dis donc, Blanche-Neige, t'as frisé la correctionnelle !

Les boîtes ne la menaçaient plus. Il restait du travail de rangement, cela prendrait du temps sans doute, mais Sookie sentait qu'elle pourrait le faire sans peur. Elle ne mourrait pas comme elle l'avait cru, pas avant bien longtemps.

Avec le retour de la raison vint une nouvelle perception des emmerdes à venir. En toute logique, Sookie savait qu'elle serait sous peu approchée par un enquêteur ou un juge. Un flic ne massacre pas un homme, quoi qu'il ait fait, sans payer les conséquences de ses actes au prix fort. À moins que le psychiatre protège Sookie tant qu'il la jugerait incapable de répondre à un interrogatoire.

Tu dois gagner du temps, Sook, tu dois apprendre comment va JP, la suite dépendra de son état... Tu vas être virée de la police, tu verras plus Tommy Lee et ses boules tours Eiffel à la noix... Qu'est-ce que tu vas faire dehors ? Qu'est-ce que tu sais faire ?

Sookie décida d'avancer pas à pas. D'abord, elle donnerait le change aux psy et aux infirmiers. Ils la voulaient neuneu, eh bien, ils l'auraient comme ils la souhaitaient. Gagner du temps lui permettrait de se reposer, elle en avait besoin, et d'affronter un interrogatoire avec quelques chances de s'en tirer à moindre frais. Ensuite elle penserait à l'avenir.

1 : jouer la débile, 2 : arrêter d'avaler leurs fichues pilules, 3 : commencer à réfléchir au plan B.

Dans son dos, la porte s'ouvrit.

— Sookie, vous avez de la visite, dit la voix du docteur Mariani. Hervé, je vous laisse deux ou trois minutes, Sookie est encore faible.

Sookie entendit la porte se refermer, une respiration quelque part dans la chambre, des pas, la fenêtre s'ouvrir, puis des pas de nouveau. Le visage d'Hervé Marin fit irruption dans le champ de vision de Sookie.

Boîte idiot du village. Ami, pas ennemi.

— Tu dors ou tu fais semblant ? Je dis ça, parce que sinon ils t'emmerdent avec leurs activités et tout le pataquès. Moi aussi, je fais semblant de dormir des fois.

Sookie ne bougea pas.

— Dis à Léon de rappliquer, Hervé, murmura-t-elle, je vais avoir besoin de lui.

Un instant, Hervé Marin ne sut comment réagir. Puis il décida qu'il était content. Sookie se souvenait de son prénom.

— OK, répondit-il sur un ton de comploteur, il faut que je rentre à Saint-Junien de toute façon. Ils m'ont viré à cause de l'autre dégoûtant.

146

La bouche pâteuse, un goût de bile dans la bouche, une migraine comme il n'en avait plus eu depuis des lustres, **Léon Castel** se réveilla sur le canapé. La lumière du soleil l'éblouit, perçant son crâne d'une douleur supplémentaire. Il bascula sur l'assise et tenta de se lever. L'univers tanguait tant qu'il s'affala.

Des bribes de sa soirée crevèrent alors la surface de sa conscience. Les lettres, les photos, la trahison de Valie. Léon eut le sentiment de vivre de nouveau cette découverte. Il se souvint d'avoir pleuré sur son sort dans la cuisine puis, quand l'alcool l'avait rendu plus fort, d'avoir fomenté le meurtre de JP. La suite ne valait pas qu'il la cherche. Il avait bu au-delà du raisonnable et s'était effondré.

C'est en se massant les tempes qu'il découvrit le pansement sur sa main.

— Qu'est-ce que ?…

Il réussit à se lever et vacilla jusqu'à la cuisine, qu'il trouva impeccablement rangée. Dans l'évier, une bassine séchait. Léon vérifia la poubelle, qu'il trouva occupée par des bouteilles et des débris de verre.

— Saperlipopette ! grogna-t-il en se laissant tomber sur une chaise.

Le mot le fit sourire puis, goguenard, il éclata de rire. C'est alors qu'il découvrit les lignes écrites sur le tableau Velléda.

« J'ai pris la chambre à l'étage. Je dors tard. »

Le mot lapidaire était signé : « Yanna, la semeuse de cannabis ».

— Oh putain, j'ai des hallu, grogna Léon. Et je suis encore bourré comme un coing.

Il tenta de se souvenir de cette Yanna et renonça.

Dans les parages, en dehors des Walter et d'Hervé Marin, personne ne lui rendait visite. Et vu ce qu'il avait raconté à Romain la veille, il n'était pas près de le revoir. Léon le savait, il ne serait bon à rien tant qu'il n'aurait pas mangé et bu un café. Alors il glissa coup sur coup deux capsules dans la machine à expresso, et mit la main sur une boîte de riz au lait. Ce serait parfait pour plâtrer son estomac malmené.

Il achevait son petit déjeuner quand il entendit des pas.

— Salut, dit Yanna Jezequel en pénétrant dans la cuisine.

Le nom inscrit sur le tableau cadra avec le visage et les souvenirs de Léon. Yanna Jezequel, la fille que Sookie avait placée chez cette vieille dame de Vannes.

— Salut, répondit Léon. Je peux savoir ce que vous fichez là ?

Yanna Jezequel portait ses cheveux mi-longs en pétard. Ses yeux embrumés de sommeil laissaient augurer de sa bonne humeur.

— J'ai fait du stop, dit-elle en se préparant un café.

— Y'a du riz au lait dans le placard.

— Je mange pas le matin.

— Vous devriez, rétorqua Léon.

« Le petit déjeuner, c'est le repas le plus important de la journée. » C'est ce qu'il aurait ajouté en temps normal.

— Ça ne m'explique pas ce que vous fichez ici, relança Léon. Vous n'étiez pas bien chez cette dame ?

— J'ai dû partir, répondit laconiquement Yanna Jezequel.

— Quand tu aimes il faut partir, chantonna Léon.

Un air d'incompréhension s'afficha sur le visage de la jeune femme.

— C'est vous qui m'avez soigné ?

— Ouais.

— Vous me faites penser à une bête traquée, argua Léon. Et pourtant, vous êtes venue ici de votre plein gré. Les bêtes traquées, ça ne se jette pas dans une cage, d'habitude.

— Je ne suis pas en cage.

— Vous êtes toujours aussi aimable, le matin ? Je vous le demande, parce que si vous restez, autant que je sois au courant.

— Bettie Henriot a été assassinée.

La dernière bouchée de riz au lait eut du mal à passer.

— Le receleur de mes frères. Il me cherchait. Enfin, il me cherche.

La voix de Yanna Jezequel se lézardait d'émotions confuses.

— Racontez-moi, mon petit, l'encouragea Léon.

— Je suis pas votre petit.

— OK, mais vous devez me raconter ce qui s'est passé. Vous êtes là pour que je vous vienne en aide, non ?

Léon vit des larmes monter aux yeux de Yanna Jezequel. Il songea que chez cette jeune femme élevée à la dure, ce ne devait pas être fréquent.

— Avant d'être au zonzon à cause de Sookie, mes frangins trafiquaient pour Boubal, commença-t-elle. On visitait des baraques. Moi je m'occupais d'ouvrir par les toits, je suis assez douée, vous voyez. Quand c'était fait, on lui livrait la came.

— Quel est le rapport avec cette dame qui vous hébergeait?

— Il est venu me chercher chez elle, et comme je n'étais pas là, ils l'ont frappée et dévalisée. Elle est morte dans mes bras, ajouta-t-elle d'un air sinistre.

— Vu votre passé, vous auriez été la première suspecte. Alors vous vous êtes fait la belle.

Yanna Jezequel hocha la tête. Léon était parvenu à la seule conclusion logique.

— Vous devez contacter le chef de Sookie, le lieutenant Cochin.

— Je parle pas aux flics, opposa Yanna Jezequel, le visage aussi buté que lors de leur première rencontre.

— Il n'est pas question de savoir si vous êtes d'accord, exposa Léon. Cette dame est morte, et vous êtes le seul témoin, c'est suffisant. Je l'appelle, je lui explique la situation, et vous lui racontez les détails, ça marche?

— Non.

— Alors, lâcha Léon, vous prenez vos affaires et vous dégagez immédiatement.

Yanna Jezequel tergiversa longtemps, puis elle accepta, à la condition qu'elle puisse rester à Saint-Junien. Pas question de témoigner. Elle donnerait Boubal, l'endroit où on pouvait le trouver, mais elle passerait sous silence la planque de ses frères. Livrer cette information était contraire à sa nature profonde. Le stock, c'était son magot, sa solution en cas de malheur. Yanna Jezequel avait été élevée ainsi et il aurait fallu la brutaliser pour qu'elle agisse autrement.

Avant de contacter le lieutenant Cochin, Léon partit s'aérer dans le jardin. La conversation qu'il allait tenir nécessitait une relative clarté d'esprit. Yanna Jezequel le regarda passer entre les arbres. Elle déposait son devenir entre les mains de cet homme dont elle ignorait tout, et pourtant, elle n'éprouvait aucune inquiétude. Sookie avait assuré, Léon allait assurer, elle en était certaine. Il émanait de lui une force tranquille que Yanna Jezequel n'avait jamais rencontrée auparavant.

Quand il eut arpenté son jardin pendant près d'une demi-heure, Léon revint vers la jeune femme.

— Vous êtes prête ?

Elle acquiesça sans un mot.

— Alors je me lance, et après ce sera à vous.

Léon s'exécuta. S'occuper de quelqu'un, voilà qui lui faisait du bien.

Il composa le numéro du commissariat de Vannes, et finit par obtenir son interlocuteur. Pendant une quinzaine de minutes, il exposa ce qu'il savait de l'affaire, comprit que Yanna Jezequel était déjà recherchée – son appel aux secours avait été tracé et le corps de Bettie Henriot découvert –, puis il tendit l'appareil à Yanna Jezequel.

— Bonjour, lieutenant, dit-elle poliment.

Elle écouta le policier, expliqua ce qui s'était passé le soir de la mort de Bettie Henriot et les raisons de sa fuite.

— Non, dit-elle soudain. Je ne reviendrai pas. Et pas la peine d'envoyer quelqu'un, je serai en Suisse dans quelques heures. Pour moi, rentrer, ça signifie terminer comme Bettie. Par contre, ajouta-t-elle en s'éloignant de Léon, si vous me lâchez les basques, je vous donnerai peut-être un tuyau sur « les Antiquaires ». Il paraît qu'ils ont changé de coin.

Léon devina sans mal la réaction du lieutenant Cochin à cette annonce. Un blanc, puis une salve de questions. Il tendit la main vers la jeune femme qui lui donna le combiné.

— Lieutenant, dit-il. Je crois que là, vous avez la possibilité d'avoir un sacré tuyau. Par contre, non, écoutez-moi, vous. La gamine ne parlera que contre la garantie qu'elle ne sera pas inquiétée. Démerdez-vous. Considérez-la comme une indic, et ça ira. Voilà, rappelez-moi quand ce sera fait. Rassurée ? demanda Léon après avoir raccroché.

Sans répondre, Yanna Jezequel partit dans la cuisine, d'où elle revint avec des bières fraîches. En la suivant des yeux, Léon songea qu'elle valait bien qu'il prenne des risques. Et puis cette jeune femme qui débarquait chez lui avec ses problèmes était comme une bouée de sauvetage, une arche de Noé dont il espérait endosser le rôle de capitaine.

— J'ai assez donné hier soir, déclina Léon quand elle lui tendit une bouteille.

Yanna Jezequel lui en colla une d'autorité entre les mains, puis elle alluma un joint.

— Y'a pas mieux contre la gueule de bois. Vous buvez une bière ou deux, vous fumez un pétard, et hop ! au lit. Ça fait perdre une journée, mais qu'est-ce qu'on en a à foutre ?

Vu sous cet angle, Léon n'eut pas d'argument. Il avala une première gorgée de bière et aspira une bouffée de cannabis. Aussitôt, la tête lui tourna agréablement.

— J'ai lu votre courrier pendant que vous dormiez, confia Yanna Jezequel. Elle est où votre femme ?

— Valie est morte depuis deux ans.

— Ah ! Ça va être dur de vous battre contre des fantômes.

Piqué à l'endroit le plus douloureux de son être, Léon tira sur le joint et acheva sa bière avant de répondre :

— Les derniers temps, je négligeais Valie. Et puis, ajouta-t-il en souriant, je ne suis plus un bon coup depuis longtemps. Je ne sais même pas si j'ai été un bon coup.

Yanna Jezequel lui lança un regard par en dessous et Léon se sentit stupide.

— Que s'est-il réellement passé entre vous et Sookie, à Vannes ?

— Elle m'en a collé une. Mais j'avais merdé, avoua Yanna Jezequel. J'ai cru qu'elle était comme les autres.

Léon eut un petit sourire.

— On peut dire beaucoup de choses sur elle, mais pas qu'elle est comme les autres.

— Elle est dans la merde, hein ?

— On peut dire ça…

— C'est naze.

— Oui, c'est naze.

— Normalement, vous devriez vous sentir déjà un peu plus cool, glissa Yanna Jezequel après un temps de silence. C'est le moment d'aller vous reposer.

C'était vrai. Le cannabis et la bière atténuaient l'angoisse. Léon avait l'impression d'évoluer dans une ambiance cotonneuse qui n'appelait plus qu'une chose : son lit.

— Vous serez encore là à mon réveil ? demanda-t-il en se levant.

— Compte là-dessus.

— Alors, bonne… bonne je ne sais pas quoi. Tout ce que vous voulez, je n'en peux plus. Faites comme chez vous.

Léon fit une révérence et disparut dans la maison. Il passa par les toilettes, après quoi il gagna sa chambre, où il se dévêtit avant de se glisser au lit.

Quelques minutes plus tard, Léon sentit un corps se faufiler entre les draps pour se coller contre lui.

— Qu'est-ce que vous faites ?

— Viens ! intima la voix de Yanna Jezequel. Laisse-toi aller et viens.

Léon se raidit. Son âge, leur différence d'âge, le souvenir de Valie, ses principes moraux, une foule d'impossibilités se dressait entre lui et le corps de cette jeune femme.

Devant son manque de réaction, la main de Yanna Jezequel glissa sur les cuisses de Léon et remonta jusqu'à son entrejambe, où elle s'empara de son sexe.

À cet instant, Léon sentit les seins de Yanna effleurer son poitrail. La sensation était si douce. Le vieil ours qu'il était devenu ignorait qu'il connaîtrait encore la

741

chance, l'audace, d'approcher un être humain de cette façon. Alors il se laissa aller, et sentit avec bonheur sa verge enfler dans la main de Yanna. La jeune femme le plaqua alors sur le dos et le chevaucha pour s'empaler sur lui.

— Tu es beau, pour un vieux, murmura-t-elle en mordillant ses lèvres. Et sacrément bien monté !

Léon oublia la différence d'âge, Valie et sa trahison. Il oublia tout. Son cerveau se concentra sur cet endroit du corps qui ressent la jouissance. Et contre toute attente, en ces jours où Léon ne vivait que frustration et douleurs, il fut heureux.

Arnault de Battz se gara devant chez lui en catastrophe. Il envoya promener les équipes de reporters
qui continuaient de faire le pied de grue devant sa grille
et fonça vers la maison d'amis.

— Valentin, Lara, suivez-moi ! dit-il sur un ton sans
appel aux deux jeunes gens qui discutaient devant les
reliefs de leur petit déjeuner.

— Qu'est-ce qui lui prend ? s'interrogea Valentin.

— Ne discutez pas et venez ! répondit sèchement
Arnault de Battz.

— Il est speed comme ça avant les émissions, éclaira
Lara. Allons-y, on saura.

Arnault de Battz les entraîna au fond du jardin, au
plus près d'un massif de lauriers, à l'exact opposé de
la grille d'entrée.

— Qu'est-ce qu'il se passe ? s'inquiéta Lara devant
le visage grave de leur hôte.

— Le commandant Lambert a été assassiné cette
nuit à son domicile, déclara-t-il en chuchotant presque.
La police m'a contacté en faisant le bis sur son téléphone…

— Oh, putain ! s'exclama Valentin, les enregistrements ?…

— Disparus, acheva Arnault, les carnets aussi, tout.

— Oh, putain ! répéta Valentin. Ça craint !

— Je peux savoir de quoi vous parlez ? intervint Lara. Qui est ce commandant Lambert ?

— Moins fort, intima Arnault de Battz.

— On va pas être parano, glissa Valentin.

— Si justement, on va décider qu'on est surveillé, mon chou. Si Lambert a été assassiné, c'est parce qu'il détenait ce que tu sais. Et donc, c'est lié à nous.

— Temps mort ! demanda Lara. Vous allez m'expliquer à la fin ?

Le producteur se rapprocha de la jeune femme.

— On ne t'a pas tout raconté, Honey, parce que tu en as assez bavé. Quand je te disais que l'affaire Moreau est maudite !

— Quoi ? s'impatienta Lara. Qu'est-ce qui se passe ?

— En gros, Valentin et Kipling, le garde du corps de Solange, ont rendu visite à monsieur Laval. Disons que ça a été une rencontre virile, tu vois. Le genre « on est des tas de muscles et tu vas en prendre plein la gueule ». Laval a finalement avoué qu'il détenait les bandes de surveillance audio de la résidence Moreau. Et ton frère et Kipling les ont récupérées.

— Mon Dieu ! Mais vous êtes complètements tarés !

— Plus les carnets de la clientèle de Moreau, précisa Valentin avec fierté. La clientèle off. Ce qui prouve que Moreau n'était pas seulement un client, mais surtout un taré de proxénète !

— Mais… mais… ne sut que répéter Lara.

— Après avoir écouté une partie des fichiers, on les a confiés au commandant Lambert pour qu'il les analyse, et je suppose qu'il a été assassiné pour ça.

— On doit tout de suite prévenir la police, s'affola Lara.

— Non, mon chou, opposa Arnault de Battz, j'y ai pensé aussi, mais ça enverrait ton frère au gnouf, et nous serions tous inquiétés de près ou de loin. Ces enregistrements prouvent que Moreau trempait dans la traite des femmes, tu vois ? Mais le pire, c'est que dans sa liste de clients, il y a forcément des flics du haut du panier, des juges ou des politiques. Non, Lambert nous avait conseillé de faire profil bas et c'est ce qu'on va faire.

— Jo Lieras, insista Lara, lui saura comment nous sortir de cette merde. Les meurtriers de Lambert ne vont certainement pas en rester là ! Qui nous dit qu'il n'a pas tout raconté avant de mourir ? Oh merde !

— Personne ne sait que Valentin et moi avons écouté les fichiers. Et si c'était le cas, on aurait déjà eu de leurs nouvelles. Non, on ne bouge pas. On ne sait rien, et on passe une belle journée au soleil. Et toi, Valentin, terminées les âneries, mon grand. Ôte-moi d'un doute, tu n'avais pas gardé de double des enregistrements ?

— Non, évidemment, mentit Valentin qui avait conservé la copie intégrale des fichiers sur une micro-carte SD, vous m'avez assez emmerdé avec ça.

— Tu en es absolument certain ?

— Sûr de chez sûr ! Lambert m'avait même demandé de nettoyer mon disque dur. Remarque, je peux rechercher les fichiers écrasés…

— Ça suffit ! explosa Lara. Valentin, t'es complètement à la rue ou quoi ? J'ai été enlevée et violée, avec Kipling vous avez torturé un homme, ce policier a été assassiné et tu veux continuer ?

La voix de Lara était montée crescendo dans les aigus. À présent, elle se tenait tremblante, les poings serrés, les yeux brillants. Face à elle, Valentin et Arnault de Battz la regardaient l'air ahuri.

— Putain crevette, pourquoi t'as rien dit?

Valentin fut le premier à esquisser un geste vers la jeune femme, qui repoussa sa main avec énergie.

— Non, ça suffit! cria-t-elle en partant vers la maison d'amis, vous êtes tous complètement cons!

Deux heures durant, Lara resta enfermée dans la petite maison. Elle pleura longuement sous la douche, frotta son corps et ses cheveux plusieurs fois avant de s'allonger en peignoir sur le lit, la tête enfouie sous l'oreiller. Il était 13 heures quand on cogna à la porte.

— Fichez le camp! répondit sèchement Lara, je veux être tranquille.

La porte s'ouvrit lentement sur la haute silhouette de Jo Lieras.

— Je ne vous importunerai pas longtemps, dit le policier, je suis venu vous rapporter ceci.

Pendant que Lara s'asseyait sur le lit en refermant son peignoir, Jo Lieras sortit de sa poche les feuillets de son journal ainsi que sa clé USB en forme de cœur.

— Merci, murmura Lara en saisissant les objets. Je l'ai écrit au cas où…

Elle n'acheva pas sa phrase.

— Je comprends.

— Vous avez des nouvelles du porc qui m'a fait ça? Je sais que le capitaine Budzinski l'a interrogé, mais il n'est pas du genre loquace.

— Oui, Lara. Ribaud est passé aux aveux. Il avoue votre enlèvement mais nie toute implication dans la mort des jeunes filles. En fait, il se prend pour un héros !

— Comment ça ? s'étrangla Lara.

— D'après lui, il a débarrassé la région d'un duo de tueurs en série. Ce qui s'est passé dans le bunker serait l'œuvre de Léopold Raspail, peut-être également de son père.

— Mais… c'est impossible !

— Ribaud affirme qu'il se contentait de faire du porno.

Le policier tendit un mouchoir à Lara qui s'essuya les yeux et se moucha.

— Il ment ! Je l'ai vu, avec sa cagoule, je suis sûre que c'était lui et…

Lara eut un haut-le-cœur.

— Pourquoi est-ce que je les ai détruits ? Je suis si stupide ! Si stupide !

— Les prélèvements ADN sur les dépouilles devraient apporter des réponses. Et puis il reste les disques durs. Il semblerait qu'avec un peu de patience, on puisse en tirer quelque chose.

— Vous dites que ce porc a avoué mon enlèvement. Vous a-t-il dit pourquoi ?

— Je suis désolé, mais il vous aurait tout simplement repérée au cours de la soirée Stalker. Il affirme que vous dévisagiez les hommes…

— C'est vrai. Je portais une mini-caméra, je crois qu'Arnault a déjà tout remis à la cellule d'enquête. Je travaillais sur l'affaire Moreau. Vous êtes sûr qu'il n'a rien dit à ce sujet ?

— Non, pas un mot. Ribaud est un petit trafiquant, il n'est en rien mêlé à des réseaux mafieux. Et lui et Herman Stalker n'ont pas de relation particulière, rien qui pourrait nous faire penser qu'il vous a enlevée sur son ordre.

Un instant, Lara pensa à déballer tout ce qu'elle venait d'apprendre sur l'assassinat du commandant Lambert, puis elle s'abstint. Valentin avait mis la main sur les enregistrements après son enlèvement, les deux ne pouvaient être liés.

— Alors, reprit-elle, Ribaud m'a enlevée parce que je lui avais tapé dans l'œil, c'est tout ?

— Oui, il semblerait bien que ce soit juste le hasard. Vous étiez au mauvais endroit, au mauvais moment.

— La vache, soupira-t-elle.

— Comment vous sentez-vous, Lara ?

— Avec des hauts et des bas, mais je crois que ça va aller en s'améliorant. J'ai gardé votre carte pour cette maison de femmes, si c'est ce que vous voulez savoir. Des nouvelles de l'identité de Milena ?

— Toujours rien. À croire que cette enfant n'a jamais existé.

— Comment expliquez-vous ça ? Avec les moyens actuels, Interpol, je ne comprends pas.

— Vous savez, Lara, soupira Jo Lieras, il est possible que Milena ait été vendue par sa famille. Auquel cas, il n'y a pas d'avis de recherche et là, les choses vont être compliquées.

Lara eut un haut-le-cœur.

— C'est pas vrai... Elle est malade, elle va avoir besoin de soutien. Je pourrais peut-être...

— J'en parlerai au juge qui s'occupe d'elle, promis. En attendant, prenez d'abord soin de vous, OK ?

— Vous avez raison. Je vous retrouve dans le jardin, il faut que je passe quelque chose d'abord. Mon frère nous préparera un verre, il me doit une décennie de services.

— Avec plaisir.

Tandis que Jo Lieras sortait, Lara enfila un jean et un tee-shirt. Elle le rejoignit au bord de la piscine.

— Qu'allez-vous faire à présent ? demanda le policier en s'attablant.

— Une chose est certaine, je ne reprendrai pas mon travail de chroniqueuse pour Canal 9, l'émission n'est pas reconduite en septembre. Je suis au chômage.

— Qu'envisagez-vous ?

— Quand tout se sera calmé, je reviendrai à mes premières amours, le journalisme. Enfin, si j'ai de la chance. Mais si vous voulez parler d'aujourd'hui, je vais répondre à une interview sur ma séquestration.

— Vous vous sentirez sans doute mieux après, l'encouragea Jo Lieras. Parler est libérateur. Il faut juste bien choisir son confident.

La sonnette de la grille retentit à cet instant. Ils entendirent Valentin parler dans l'interphone, puis le déclenchement électrique de l'ouverture de la porte.

Bruno Dessay avança vers eux, un casque et un journal en main. Valentin dévala l'escalier de la demeure pour aller à sa rencontre.

— Val ! le héla Lara.

Valentin s'arrêta net et fit quelques pas en direction de sa sœur. Il avait une mine contrite.

— Tu nous sers quelque chose à boire ? Des bières fraîches s'il y a, ce sera parfait.

Le jeune homme repartit sans broncher et remonta les marches quatre à quatre.

— Un contentieux ? hasarda Jo Lieras.

— Trois fois rien, plaisanta Lara, mon petit frère est du genre facétieux. Il paye ses fautes.

— Bonjour, dit Bruno Dessay en posant son casque sur l'une des chaises inoccupées. Je peux vous emprunter Lara une minute ?

Jo Lieras se contenta de sourire en regardant le journaliste entraîner Lara à quelques mètres. Sur la une de l'exemplaire de *Century*, qu'il avait abandonné sur la table, on pouvait lire en première page : « Le colonel Raspail était-il un monstre ? Un ancien du ministère de l'Intérieur soupçonné de crimes abjects ».

— Je peux t'embrasser ?

Lara se hissa sur la pointe des pieds et posa elle-même un baiser sur les lèvres de Bruno Dessay.

— Tu as l'air bizarre, dit-elle. On dirait un gamin pris en faute.

— Ça fait quelques jours déjà que ça barde au Sahel et...

— Je sais, le coupa Lara. Ta nouvelle émission.

— Comment ?

— Pascale Faulx a vendu la mèche, je crois même qu'elle s'est délectée de mon ignorance, tu vois ?

— Je suis désolé, Lara. C'est venu si vite, c'est une telle occase...

— Bruno, tu as toujours aimé barouder, et c'est ce qui me plaît chez toi. Si tu n'y vas pas à cause de moi, tu me transformes en victime, et je t'avoue que n'ai pas besoin de ça en plus. Si on inversait les rôles, moi j'irais, ajouta Lara. Et puis j'ai besoin de temps, on le sait tous les deux. Tu ne vas pas jouer au chevalier servant jusqu'à ce que j'aille mieux. Le Sahel, c'est l'occasion de nous libérer de ce poids. Vas-y.

— Tu es certaine ?

— Catégorique. De toute façon, je vais avoir besoin de temps pour… oublier tout ça. Et je ne serai pas forcément de bonne compagnie.

Bruno fronça les sourcils avec une moue d'incompréhension.

— Je ne me sens pas la force d'être une super petite amie, c'est tout. Mais ça va aller, ne t'en fais pas. Tu pars quand ?

— J'ai un avion ce soir.

Pendant que Bruno Dessay et Lara discutaient, Valentin était revenu avec les bières demandées, les avait posées sur la table et décapsulées.

— Alors comme ça, vous avez fait des bêtises ? demanda Jo Lieras à brûle-pourpoint.

Valentin crut que son cœur s'arrêtait.

— Les problèmes viennent à moi, parvint-il à dire. Vous devez connaître. Vous êtes plutôt du genre costaud, vous aussi.

Jo Lieras avala une gorgée de bière sans quitter Valentin des yeux.

— Vous ne m'avez pas répondu.

— Vous parlez de quoi exactement ? Du jour où j'ai balancé le journaliste dans la benne à ordures ou de celui où j'ai caillassé le clébard des voisins ?

— Je vous taquine, mais vous m'en direz plus sur ce journaliste.

— Oh, on s'est réconciliés.

La sonnette de l'entrée sauva Valentin de cette mauvaise posture.

— D'ailleurs, ce doit être lui, s'écria-t-il en se levant, excusez-moi.

En s'éloignant vers la grille, Valentin croisa Bruno Dessay et Lara qui revenaient vers la table. Il adressa à sa sœur un regard chargé de reproches, et passa son chemin.

— Je vais vous laisser, déclara Jo Lieras en se levant. Lara, n'hésitez pas à me contacter. Monsieur Dessay, ce fut un plaisir.

— C'est un drôle de flic, observa Bruno Dessay quand Jo Lieras fut parti. Il serait pas des RG par hasard ?

— C'est surtout une drôle d'histoire, répondit Lara en haussant les épaules. Enfin, drôle, ce n'est pas le bon mot, mais tu vois ce que je veux dire.

— Tiens, c'est Corentin Ruedler, s'étonna Bruno Dessay. Qu'est-ce qu'il fait là ?

— Ce sera ma seule interview.

— Bon choix. Salut Corentin, dit Bruno Dessay en lui serrant la main. Ça fait un bail.

— Pas tant que ça. On s'est vus à Marseille l'année dernière. Bonjour, mademoiselle Mendès, je voulais vous témoigner toute ma sympathie, et vous remercier de m'accorder cette interview. Vous êtes prête ?

— Je ne le serai jamais, alors oui, pourquoi pas.

— J'ai installé le matériel de prise de vues dans le bureau d'Arnault, les informa Valentin qui venait de les rejoindre.

— Nous sommes bien d'accord que vous ne balancez pas le film sur le Net avant que mon article soit publié ?

— J'attends votre parution, pas de problème.

— Bruno, tu veux bien rester ? s'inquiéta Lara.

— Bien sûr, ma chérie.

— Valentin, tu peux aller chercher mon balai ?

Corentin Ruedler lança un regard d'incompréhension à Bruno Dessay.

— Tu veux ta pelle et ta balayette avec ? ironisa Valentin.

— Allons-y, soupira Lara, avant que je change d'avis.

148

À cette heure où le soleil quittait tout juste le zénith, la plage vibrait de chaleur. Au loin, les gens semblaient marcher à un mètre au-dessus du sable. Depuis la terrasse de sa suite, **Egon Zeller** observait le spectacle des familles en vacances. La veille, il avait profité d'un moment où la plage était déserte pour se faire malmener dans les vagues.

Une heure durant, il avait joué comme un gosse, et était ressorti de l'eau épuisé, vidé de ses tracas. À croire qu'il s'en était délesté dans l'océan. Évidemment, ils étaient revenus, mais amoindris, ou alors était-ce lui qui reprenait du poil de la bête?

Depuis deux jours, Egon Zeller n'avait fait que manger, dormir, lire et se prélasser dans le jacuzzi. Pour le moment, il hésitait à reprendre l'une de ces quatre activités. Il n'avait pas vraiment envie de retourner dans le bain à remous, il venait de manger et avait achevé la lecture de la presse du jour.

— Qui n'a pas ses petits soucis! se railla-t-il. De gros problèmes de riches!

Son téléphone sonna. Il gagna la table et vérifia le numéro. Il s'agissait d'un appel provenant de l'étranger, probablement un de ses agents.

— Egon Zeller, répondit-il.

— Bonjour, monsieur Zeller, dit une voix aux accents germaniques. Herman Stalker à l'appareil.

— Je ne vois pas très bien…

— Nous n'allons pas tourner autour du pot, monsieur Zeller, le coupa Herman Stalker, nous sommes des gens trop pressés pour ça.

— Que me voulez-vous ?

— Que vous fassiez pression sur votre petit ami pour qu'il me rende ce qui m'appartient, rien de plus. Voyez-vous, monsieur Zeller, votre camarade de jeu ne m'a pas pris au sérieux quand je l'ai menacé de révéler vos petits penchants. Mais il ne réagit toujours pas. On ne refuse pas la main tendue d'Herman Stalker, pas deux fois.

L'esprit d'Egon Zeller fonctionnait à pleine vitesse.

— Vous allez révéler que je baise des animaux !

— Non, même si je trouve la proposition intéressante, mais je peux en revanche livrer les images de ce film érotique que vous avez tenté de faire disparaître, oh, un péché de jeunesse j'en conviens, il faut bien manger, n'est-ce pas ? Je réaliserai un petit montage avec d'autres images, pas pour les enfants celles-là, où l'on verra votre petite cochonne attitrée se faire enculer dans une backroom. Ce sera très… underground et tendance, je pense. Qu'en dites-vous, monsieur Zeller ?

Egon Zeller raccrocha et abattit son poing sur la table. Soudain, cette suite magnifique, ses hésitations sur son emploi du temps, tout cela lui fit horreur. Il fallait qu'il bouge, disparaisse, au moins pour un temps. Il songea que la fuite n'était peut-être pas une attitude très courageuse, mais c'était la seule envisageable de son point de vue. Il se savait incapable d'affronter Arnault, pour le moment.

Ce dernier ne l'avait pas protégé. Comment pourrait-il jamais lui pardonner ?

— Impossible, murmura-t-il dans le vent léger. Jamais !

En dix minutes, Egon Zeller s'habilla et fit ses bagages. Il récupéra son téléphone, puis il écrivit un SMS à Arnault : « Je sais que tu m'as trahi, j'ai parlé à Herman Stalker. »

Après ça, il n'y aurait plus grand-chose à dire.

149

L'interview de **Lara Mendès** dura un peu moins d'une heure. Corentin Ruedler était satisfait, Lara soulagée et Valentin, déjà parti dans la maison d'amis pour monter les images. Arnault de Battz et Bruno Dessay attendaient Lara et le journaliste dans le grand salon.

— Vous veillerez bien sur elle, n'est-ce pas ? Vous vous êtes toujours bien occupé de Lara.

— Vous pouvez jouer au petit soldat tranquille, mon cœur, rétorqua Arnault de Battz. Cette maison est la sienne, au moins jusqu'au retour de mon amant.

Le producteur allait ajouter quelque chose, mais son téléphone vibra au fond de sa poche.

— Excusez-moi, dit-il en ouvrant le SMS. Justement, c'est lui. Oh, mon Dieu ! s'écria-t-il d'une voix aiguë. Oh, mon Dieu !

Il abandonna Bruno Dessay sur place, et disparut dans les étages.

— Qu'est-ce qui lui prend ? s'inquiéta Lara, qui arrivait du bureau.

— Je ne sais pas, on parlait de toi, il a reçu un SMS et il est parti en vrille. Je vais y aller, chérie. J'ai beaucoup de choses à préparer avant mon avion de ce soir.

— Je sais. Viens, je t'accompagne jusqu'à la porte. Mais je ne sors pas.

— Tu l'aurais voulu, je t'en aurais empêchée. Corentin, au plaisir.

— La même chose pour moi, rétorqua le journaliste depuis le bureau. On va faire un bel article.

— C'est sûr. Ah, mon casque.

Accompagné de Lara, Bruno Dessay récupéra son casque dans le jardin. Puis ils marchèrent ensemble jusqu'à la grille.

— Je risque de ne pas pouvoir t'appeler avant des jours, regretta Bruno. Le Sahel n'est pas réputé pour sa couverture réseaux.

— Tu pars faire ce que tu aimes par-dessus tout, le tranquillisa Lara, ça me suffit. Allez, va vite.

— Je t'aime, Lara.

Ils échangèrent un baiser tendre, puis Bruno Dessay quitta la propriété. Il agita la main en direction des journalistes pour leur faire comprendre qu'il ne répondrait pas à leurs questions, et gagna la rue où il avait laissé son scooter. Après de nombreuses tentatives pour le démarrer, Bruno Dessay comprit qu'il n'arriverait à rien.

— Putain, c'est pas le jour ! ragea-t-il en flanquant un coup de pied dans le pneu avant.

Un taxi stationna à trente mètres de lui, au beau milieu de la chaussée. La porte s'ouvrit sur un client qui arrivait à destination. Bruno Dessay sauta sur l'occasion.

— Mon scooter est en rade, expliqua-t-il, vous pouvez m'emmener à Montparnasse ?

— Montez, répondit sobrement le chauffeur.

Bruno Dessay s'installa. En chemin, il envoya un SMS à Valentin, en lui demandant s'il pouvait ranger son scooter dans le jardin d'Arnault de Battz. Puis il sortit son iPad et s'intéressa aux infos de l'AFP concernant les événements au Sahel. Depuis l'intervention de l'Onu, les prises d'otages de ressortissants occidentaux se multipliaient dans les pays africains, et de nombreux gouvernements déconseillaient à leurs journalistes de s'aventurer dans certaines zones dangereuses. Il y avait de quoi faire un gros coup.

— Je prends par le bois, indiqua le taxi, c'est le bordel par la porte Maillot, à cause des travaux.

— Allez-y, répondit Bruno Dessay, pourvu que vous arriviez à temps.

150

— C'est pas une bonne idée, je suis sûr que c'est pas une bonne idée !

Ainsi **Léon Castel** se préparait au pire tandis qu'il se dirigeait vers le bistrot de Saint-Junien accompagné de Yanna Jezequel.

— J'ai juste envie d'un café serré, le tien est dégueulasse. C'est pas le bout du monde !

— Si, aller dans ce rade avec vous, c'est le bout du monde.

— C'est pour ça que t'as l'air tendu ?

— Je ne suis vraiment plus en odeur de sainteté dans ce bar. Si je l'ai été un jour...

Yanna Jezequel regarda Léon, l'air de dire « tu ne me la fais pas celle-là », mais elle garda pour elle ses commentaires. Quand ils atteignirent les marches du bistrot, Léon se demanda si la culpabilité ne se lisait pas sur son visage.

— On s'installe dehors, proposa-t-il.

— Vas-y, je vais commander.

Léon regarda Yanna Jezequel monter le court escalier. Elle portait un short qui la moulait assez. Avec ça elle avait mis un tee-shirt que Léon qualifiait de ras-du-bide. Son ventre doré de soleil couvert d'une fine pilosité donnait envie d'y mettre la main. Léon n'aurait pas su dire si Yanna Jezequel était sexy. Elle était très tonique et complètement naturelle. Sexy à la mode scandinave.

N'importe quel mec digne de ce nom aurait envie de la prendre dans ses bras, songea Léon tandis qu'elle disparaissait dans la salle du bar.

Réveillé en fin de matinée par un coup de fil du lieutenant Cochin qui s'impatientait, Léon s'était levé le premier. Il n'avait ainsi pas eu à affronter le regard de Yanna Jezequel au réveil.

Tu vires vieux cochon avec cette gamine. Elle a quoi, 20, 25 piges à tout casser ? Putain, si Valie te voyait.

Valie est morte, et toi, pas encore.

Résolu à lui parler dès qu'elle serait sortie du lit, Léon s'était fait déborder par l'attitude insouciante de la jeune femme.

— Mmmmh… ça sent bon, c'est quoi ? avait-elle dit en l'étreignant.

Puis, sans écouter sa réponse, elle s'était servi un jus d'orange et était sortie le boire sur la terrasse.

C'est une femme, tu es un homme, c'est tout. Personne n'a été contraint, alors va pas chercher plus loin. Maintenant, si tu es devenu un vieux con moralisateur, flanque tout par terre avec tes discours de repentance. Baiser Yanna, c'est pas trahir Valie. Valie n'est plus là.

Léon avait alors rejoint la jeune femme sur la terrasse et lui avait tendu le téléphone pour qu'elle appelle le commissariat de Vannes. En échange de l'adresse de la planque de Boubal et de quelques tuyaux sur « les Antiquaires », Yanna Jezequel avait obtenu de Cochin le statut d'indic, et l'assurance de ne pas être inquiétée dans la mort de Bettie Henriot.

L'arrivée de Dédé, les bras chargé d'un plateau, extirpa Léon de ses pensées.

— T'as de la famille en vacances ? lança le patron.

— Ouais, en tout cas, c'est pas le pape, rétorqua Léon mal à l'aise.

Il n'aurait trop su dire pourquoi il était gêné, étant donné ce que la plupart pensaient déjà de lui. Cela avait certainement un rapport avec la mémoire de Valie, l'idée qu'il nourrissait lui-même de ce qu'ils avaient été, et qui la veille, avait pris un sérieux coup derrière les étiquettes.

— Elle est mignonne, la gosse, reprit Dédé, c'est de ton côté ou de celui de Valie ? Moi, je pencherais pour Valie. Elle a une peau bronzée de blonde. Et je m'y connais.

Tu lui as surtout reluqué le cul.

Quand Yanna Jezequel revint, elle s'assit à côté de Léon et posa sa main sur sa cuisse.

— Alors comme ça, mademoiselle, vous êtes de la famille de Valie ?

— Ouais, je suis sa nièce.

— Je vois ça.

— Qu'est-ce que tu insinues ? demanda Léon.

— Rien du tout. Pourquoi ?

— Parce que tu es lourdingue. Tu peux nous lâcher ?

— Ben, se dandina Dédé, je voulais te parler d'autre chose.

— Vas-y.

— Ça dérange pas si…

— Je te dis qu'elle est de la famille !

— C'est un type du nom de Verdier qui cherche à joindre le débile. C'est son tuteur il paraît, il faut que tu le rappelles.

— Débile toi-même, souffla Yanna Jezequel.

— Mouais, on verra ça.

— On dirait que t'es dans les ennuis, mon pauvre Léon, continua Dédé. Le gendarme Lagrange m'a dit qu'avec la plainte de JP sur le dos, Sookie allait sûrement perdre son boulot. Et que si le médecin lui permet de voir un juge, elle va aller en taule. Tu te rends compte, ta fille en taule ?

— Et alors ? gronda Léon.

— Mais c'est que non seulement c'est un flic, mais en plus elle est noire !

— Putain ! s'exclama Yanna Jezequel, mais qu'est-ce que ça peut vous foutre !

La jeune femme se leva brusquement, faisant tomber sa chaise derrière elle. Elle balaya d'un geste rageur les tasses et le petit pot de sucre qui explosèrent en mille morceaux.

— Hey ! s'exclama Dédé éclaboussé par le café, faites attention !

— Viens chéri, dit-elle en plantant un baiser sur les lèvres de Léon. Tirons-nous de ce merdier. Pour la casse, connard !

Yanna Jezequel jeta trois euros sur la table, et agrippa le bras de Léon.

— Qu'est-ce qu'ils sont cons, ici ! asséna-t-elle. Bon, le mieux, c'est qu'on s'achète un perco, la Nespresso, c'est de la daube. T'en dis quoi ?

J'en dis que j'ai pas l'intention de t'épouser.

— T'es drôle, toi ! Dis voir, c'est quoi l'idée de taguer ta baraque ? demanda Yanna Jezequel en s'arrêtant devant la façade. Je vois pas bien le truc !

— Oh, c'est une longue histoire. Pour le moment, il faut que je passe deux coups de fil : un au tuteur d'Hervé et l'autre à un gamin avant qu'il fasse une connerie.

— Tu parles du type qui peut pas rentrer chez lui parce que le juge préfère l'assassin de sa mère ?

— J'ai parlé de ça ?

— Ouais, chez Bettie. Qu'est-ce que tu vas faire ?

— Cambrioler la maison à sa place. Ce serait dramatique s'il se faisait choper, précisa Léon en refermant la porte.

À ces mots, Yanna Jezequel eut un sourire béat, puis elle éclata de rire.

— Charmant ! bouda Léon. Je ne fais pas l'affaire, c'est ça ?

— Si, tu fais très bien l'affaire, dit Yanna Jezequel en l'enlaçant, mais tu ferais mieux de demander à une pro comme moi. Ce serait pas dans tes projets par hasard ?

Yanna Jezequel glissa ses mains sous la chemise de Léon et remonta jusqu'à son poitrail, toutes griffes dehors, la respiration déjà plus courte.

— Justement, je voudrais vous parler de ce que nous avons fait tout à l'heure…

— Tu n'as pas aimé ?

— Si, bien sûr, ce n'est pas la question.

— Alors c'est quoi la question ?

Léon se fustigea. Il détestait parler de sexe, c'était son tabou personnel, sa gêne inexplicable.

Les mains de Yanna Jezequel étaient redescendues vers le pantalon de Léon et s'attaquaient à sa boutonnière. Le visage de la jeune femme était plaqué contre son cou.

— Il y a que je suis beaucoup plus âgé que vous.

— Ah, je savais pas qu'il fallait baiser dans la même tranche d'âge.

Pendant ce temps, les mains de la jeune femme continuaient d'agir. Le pantalon tomba sur les pieds de Léon.

— Et puis je n'ai pas votre santé, se plaignit Léon.

— On ne dirait pas.

— Yanna !…

Mais la jeune femme ne l'écoutait plus. Agenouillée devant lui, elle mordillait sa verge à travers son slip.

— Putain, c'est le diable qu'on m'envoie, abdiqua Léon en posant ses mains sur les cheveux de Yanna.

Le slip glissa à son tour. Yanna Jezequel suça lentement le sexe raide, les yeux relevés vers Léon.

— Ôte-moi tes oripeaux, gronda-t-il au bout de quelques minutes.

— Ah, ça y est, t'abandonnes le vous ! Il était temps, Léon Castel.

Yanna Jezequel fit glisser son short le long de ses jambes et Léon l'aida à enlever son tee-shirt. Il l'embrassa puis la souleva dans ses bras, et la plaqua contre le mur.

Ils firent l'amour debout, en s'embrassant à pleine bouche. Puis, quand ils jouirent, Léon eut tout juste la force de porter sa partenaire jusqu'au canapé où ils s'écroulèrent, enlacés.

C'est dans cette position qu'Hervé Marin les trouva, alors qu'il rentrait avec Guernica de l'hôpital de Ravenel.

Le pauvre fut pris au dépourvu, bien plus que Léon, réveillé par le bruit de la porte. Hervé avait déjà fait un mètre dans l'entrée. Il ne sut que se tourner vers le mur en émettant d'interminables « Ooooh ! ».

— Mais bougre d'andouille, l'engueula Léon en chuchotant. On frappe avant d'entrer chez les gens. Ça t'apprendra. Et arrête de tournoyer comme un derviche. Va donc faire un tour et reviens dans dix minutes !

Lara Mendès enfila un jogging et se mit au lit après avoir avalé un somnifère. Il était près de minuit et la maison d'amis était la dernière habitation du quartier encore illuminée. Dans la partie de la pièce unique réservée au salon, Valentin travaillait toujours. Le montage de l'interview était terminé. À présent, l'ordinateur encodait le fichier dans un format assez léger pour Internet.

— Qui est-ce qui ne répond pas à tes SMS ? demanda Lara après avoir observé son frère pendant un long moment.

— Hein ?

— Ne fais pas le malin, tu vérifies ton téléphone toutes les trente secondes.

— Ça doit être un réflexe, mentit Valentin. Bon, j'ai fini, l'ordi va mouliner quelque temps, mais il n'a pas besoin de moi et je suis claqué.

— Tu es claqué quand je te pose des questions sur ta chérie ? se moqua Lara.

— Pousse tes grosses fesses et boucle-la, la gronda faussement Valentin en se mettant au lit à son tour.

— Change de tee-shirt. Tu as transpiré dedans toute la journée.

— Non, madame savonnette, rétorqua Valentin, j'ai pris une douche vers 8 heures.

— Bon, mais je saurai si tu m'as menti.

Valentin s'allongea à côté de sa sœur. Il lui tourna le dos et aussitôt Lara se serra contre lui.

— Ça va, dit-elle tout bas, tu sens bon.

— Je te l'ai dit et tu ne me croies jamais.

— Il faut dire que ces temps derniers, tu fais fort.

Valentin tendit une main et éteignit la lumière.

La maison s'évanouit dans l'obscurité. Seule une diode verte clignotait, signalant la présence de l'ordinateur. De temps à autre, les ventilateurs de la machine se déclenchaient, rompant le silence.

— Je l'aurais tué ce type pour te retrouver, dit tout à coup Valentin. Il n'en avait rien à cirer de toi. On lui a fait cracher le morceau avec Kipling, et si c'était à refaire, je le referais.

Lara étreignit son frère tendrement.

— Ça se voit que tu n'as pas une grande sœur, crevette, poursuivit Valentin, tu irais loin toi aussi pour la retrouver, si t'en avais une.

— Un homme est mort à cause de tout ça, dit enfin Lara. C'est grave, tu sais.

— Je sais. En plus, c'était un type bien, le commandant Lambert. Il y avait peu de personnes au courant pour les enregistrements de Moreau : lui, Kipling, Egon, Arnault, Solange Durieux et monsieur Laval. Il va falloir s'en méfier de celui-là.

Valentin sentit que la main de sa sœur lui attrapait l'oreille et tirait dessus.

— On ne va rien faire du tout, s'énerva Lara, tu as écouté les infos cet après-midi, le commandant

Lambert a été égorgé. Égorgé. Ça ne te rappelle rien ? Le policier qui travaillait sur les enregistrements privés de Moreau a été égorgé, exactement comme la femme de Moreau l'a été et Moreau lui-même, éventré au couteau à dépecer. Tu vois de quoi je parle ? La mafia de l'Est, Valentin. À côté, Laval est un enfant de chœur ! Et puis tu oublies un truc. Qui te dit qu'il ne s'en servait pas pour faire chanter des gens ? Ou qu'il avait un complice ?

Le frère et la sœur se turent un long moment. Chacun réfléchissait de son côté. Valentin fut le premier à rompre le silence.

— Le pire, c'est que trouver ces enregistrements, ça n'a servi à rien.

— Je sais, cette idée risque de me faire trembler jusqu'à la fin de mes jours.

— J'aimerais bien l'embrasser, ce Léon Castel. Ça a l'air d'être un type bien, un grand baratineur. Ça serait cool de se voir.

Un autre silence s'installa. Des sirènes de police retentirent tout près, puis diminuèrent jusqu'à s'éteindre.

C'est vrai ce que t'as dit ce matin ? demanda Valentin.

— Quoi ?

— Il t'a violée, cet enculé ?

Valentin sentit le corps de sa sœur se crisper.

— Laisse tomber, s'empressa-t-il de lui dire, c'était une question con.

Alors, Zorro, t'es moins fière, hein ?

Ta gueule Pierre.

Oui, réussit à répondre Lara, plusieurs fois.

— Putain, j'espère qu'il va se faire mettre par tous les trous en taule, gronda Valentin, incapable de se retenir.

— Il a fait du mal à Milena aussi. Je n'arrive pas à comprendre comment on peut s'en prendre à une aussi petite fille.

— Faudrait leur couper les couilles, à tous !

— Val, on peut parler d'autre chose ?

Valentin se retourna pour masser les épaules de Lara, et lentement, la tension qui raidissait son corps se relâcha.

— Confidence pour confidence, murmura-t-elle près de l'oreille de son frère, c'est qui les SMS ?

— C'est Solange.

— Quoi ?

— Y'a rien de mal, on s'apprécie.

— Putain…

— Quoi putain ?

— Tu ne me mens pas, Val ? dit-elle en se redressant. Tu n'as pas couché avec Solange ? C'est quand même un peu…

Valentin serra les poings.

— Putain, j'ai jamais couché avec personne, alors fais pas chier, crevette.

— Oups, je suis désolée, j'imagine que ça doit te peser.

— Ça gratte et c'est un peu vexant vis-à-vis des autres, surtout les beaufs.

Lara éclata de rire. Valentin sentit le corps menu de sa sœur vibrer contre son dos.

L'entendre rire ! Quelques jours plus tôt, il aurait payé si cher pour être sûr qu'il vivrait cet instant. Lara ne pouvait quoi qu'il en soit se moquer méchamment de lui. Comme le rire de sa sœur se poursuivait, il se joignit à elle.

— Qu'est-ce que tu vas faire maintenant ? demanda Valentin quand ils se furent calmés.

— Réapprendre à croire que la vie est cool.

— OK, et après ?

— Partir quelques jours en vacances avec Bruno.

— Je te parle de ton taf, Lara, tu vas faire quoi ?

— Ah, ça, je n'en sais rien.

Moi, j'ai réfléchi. Ton interview en ligne demain pourrait être une sorte de test, mais si ça marche, tu dirais quoi si on lançait un site dédié aux infos vraies.

— Tu entends quoi par « vraies » ?

— Sans le baratin des autres. Cette année, j'ai regardé les chaînes d'infos trop souvent, c'est étonnant ce que leurs journalistes arrivent à parler pour ne rien dire.

— Pourquoi tu veux te lancer dans un barnum pareil ?

— Parce que ça serait cool de faire ça ensemble. Et puis il y a Arnault. Il va bien falloir l'occuper le petit père maintenant qu'il n'a plus d'émission, et qu'Egon s'est fait la malle. Toi aussi d'ailleurs, je te ferais remarquer que t'es au chômage.

— Tu sais pourquoi Egon est parti ?

— Non, Arnault n'a rien voulu dire. Et j'ai pas l'intention de lui tirer les vers du nez. Alors, cette idée ?

— Je ne sais pas, Valentin, c'est un travail gigantesque, et il faut des moyens importants pour lancer une web TV.

— Mais on les a. Arnault, tu vas pas me dire qu'il est fauché, non ? T'en dis quoi ?

— Qu'il est tard pour ce genre de discussion.

— Tu vas y penser ?

— Oui, mais chut, maintenant, je dors.

152

Au moment où **Lara Mendès** basculait dans le sommeil, Léon Castel quittait son lit pour échapper à la fringale de Yanna Jezequel.

— Cette petite va me ruiner la santé! grommelat-il pour lui-même en enfilant ses mules et sa robe de chambre.

Il descendit au salon où la télévision était toujours allumée et trouva Hervé Marin pelotonné sur le canapé, un air bienheureux figé sur ses traits, Guernica enroulée à ses pieds. Les deux ronflaient en cadence.

— Putain, c'est l'arche de Noé, cette baraque! grinça Léon en se réfugiant dans son bureau. Qu'est-ce que je vais pouvoir foutre à une heure pareille?

À la vue du secrétaire, il eut un pincement au cœur. Les lettres s'y trouvaient de nouveau, bien rangées cette fois. Le tiroir secret avait repris sa fonction. Léon s'en approcha, effleura le bois du bout des doigts et décida qu'il allait faire comme s'il ignorait l'existence de la cachette. Il n'était pas question de fournir aux flics la preuve que Sookie avait de quoi casser la gueule à JP. En tout cas pas dans l'immédiat. Tout dépendrait de la tronche du juge qui s'occupait du dossier de sa fille et surtout, quel type de défense elle choisirait.

Léon tourna dans son bureau comme une âme en peine. Il y avait tant à faire. Depuis une dizaine de jours, Léon avait tout laissé de côté. Répondre aux e-mails, ouvrir son courrier, faire acte de présence sur les sites d'aide aux victimes, sur son blog, réfléchir à ses prochaines actions militantes, payer les factures, faire les virements de l'assurance-vie sur le compte courant, décider de ce qu'il allait faire dans un avenir proche, à moyen terme, lointain…

Ouvrir le courrier, voilà à quoi il allait s'occuper. Il s'installa dans son fauteuil et s'empara du coupe-papier. Au bout d'une demi-heure, Léon avait pratiquement achevé sa besogne. Les papiers s'empilaient en trois tas : factures, publicités et courriers pour l'association.

Il ne lui restait plus qu'un paquet à ouvrir, de la taille d'un coffret de CD. Il le détailla. L'envoi avait été effectué la veille depuis la poste du Louvre, et ne portait aucune indication. Le coupe-papier trancha les adhésifs qui maintenaient l'ensemble.

La boîte en carton contenait huit DVD, une enveloppe, et une feuille de format A4.

« Monsieur Castel, quand vous aurez pris connaissance de ces pièces, vous ne serez plus tranquille, où que vous alliez. Mais vous êtes le seul qui saura les utiliser. Ilya Kalinine. »

— Encore un de ces barges qui croit détenir la vérité absolue, se dit Léon en repliant la feuille. Connais pas de Kalinine.

Il prit chaque boîte de DVD, les ouvrit, retira les disques, les replaça. Ils ne comportaient aucune inscription supplémentaire.

— Va savoir, mon gars, formula-t-il tout haut, c'est peut-être la résolution de l'affaire Boulin, ou Ben Barka, ou encore Bérégovoy.

Alors qu'il démarrait son ordinateur, il ouvrit l'enveloppe. À l'intérieur, la présence d'une photo et de mèches de cheveux lui firent proférer plusieurs jurons.

Les mains tremblantes, Léon rangea le tout et glissa un premier DVD dans le lecteur.

Aussitôt, l'écran afficha une liste de noms qu'il parcourut rapidement, partagé entre doute et excitation. Il était en train de visionner le dernier disque quand la porte s'ouvrit sur Hervé.

— Guernica a faim, émit ce dernier.

— Tu lui donnes des boulettes et tu me fiches la paix.

— Mais, elle préfère ton omelette à ma façon !

— Bougre de… gourmand ! Va dans la cuisine, j'arrive ! soupira Léon en éteignant son ordinateur après avoir rangé les DVD et le paquet qu'il dissimula avec les lettres de Valie. T'as raison, dit-il en rejoignant Hervé qui était en train de casser les œufs dans un saladier. Manger, ça occupe. Après, je t'apprends à jouer aux échecs.

— D'accord, mais d'abord, il faut que je te dise…

— Quoi ?

— Sookie, elle a dit qu'il fallait que tu rappliques.

Entre samedi 16 juin et mardi 19 juin

Entre mercredi 20 juin et vendredi 22 juin

Entre samedi 23 juin et lundi 25 juin

Mardi 26 juin

Mercredi 27 juin

Entre jeudi 28 juin et samedi 30 juin

Entre dimanche 1er juillet et lundi 2 juillet

Entre mardi 3 juillet et jeudi 5 juillet

Vendredi 6 juillet

Entre samedi 7 juillet et dimanche 8 juillet

Lundi 9 juillet

Mardi 10 juillet

Mercredi 11 juillet

Jeudi 12 juillet

Vendredi 13 juillet

Entre samedi 14 juillet et lundi 23 juillet

153

Valentin Mendès se leva à l'aube, impatient à l'idée de lancer l'interview de Lara sur son compte YouTube. Quand il connecta son téléphone au réseau, il reçut huit messages. Le premier datait du jour même à 1 heure. Il provenait de Corentin Ruedler, qui annonçait d'une voix caverneuse que son article ne serait pas publié, et que sa rédaction avait préféré le remplacer par quelque chose de beaucoup plus sulfureux. Le journaliste ne disait pas de quoi il s'agissait, préférant en parler de vive voix avec Lara. Dans un deuxième message, il regrettait de ne pas avoir pu parler avec Lara ou Valentin. Des inconnus avaient balancé une vidéo porno amateur sur un site hébergé en Ukraine où Lara apparaissait. La presse relaierait l'info, les chaines de la TNT aussi, tous se jetteraient en pâture sur un sujet pareil.

Valentin se précipita sur Google et mit quelques secondes seulement avant de trouver un blog qui affichait l'URL du site porno, avec en page d'accueil la vidéo de Lara. Il fit ensuite une rapide revue de presse et découvrit que certains journalistes avançaient l'hypothèse que Lara connaissait parfaitement Stephan Ribaud, et n'avait jamais été enlevée. Celui-ci aurait enfermé Lara malgré lui, à cause d'un accident de voiture.

Quand Valentin s'aperçut que sa sœur regardait par-dessus son épaule, il était déjà trop tard. La une d'un hebdo prenait tout l'écran. On pouvait y lire : « Ce qu'on ne vous a pas dit sur Lara Mendès ».

Il fallut une heure pour que Lara se calme. Après quoi, la jeune femme n'eut plus qu'une idée en tête : partir se cacher au fond d'un trou, dans un pays non francophone, et de préférence sans aucun être humain à cent kilomètres à la ronde. Valentin eut beau essayer de la raisonner, Lara ne voulut rien entendre.

— Je ne resterai pas une seconde de plus dans ce pays de merde, lui dit-elle tout en bouclant son sac de voyage. Et je sais répondre à ta question d'hier à présent, je ne travaillerai plus dans le journalisme. Je ne donnerai pas ma voix à cette chienlit qui se déchaîne sur tout et n'importe quoi, et qui cherche à faire la pluie et le beau temps dans ce pays de merde !

— Tu l'as déjà dit, la reprit Valentin.

— Il n'y a vraiment pas de quoi rire. Qu'est-ce que tu veux que je fasse maintenant ? Que j'anime la soirée des Hots d'or ? Je suis grillée à vie. Je me casse. C'est un pays de merde, habité par une nation de merde qui a les politiques et les médias qu'elle mérite !

— Ce que tu as à faire, c'est quoi au juste ? demanda Valentin. Parce que j'entends d'ici la mémé. « Pitchounet, tu as encore perdu ta sœur alors que je t'avais demandé de veiller sur elle. » Elle va me lancer un sort si tu ne me dis rien.

Lara, qui faisait entrer une paire de baskets dans le sac un peu trop petit, s'arrêta dans son geste.

— Je suis désolée, Val, lâcha-t-elle en se jetant dans les bras de son frère, je ne voulais pas que tu assistes à tout ça.

— Quand je tiendrai l'enfoiré qui a fait circuler ça… répondit Valentin en enlaçant sa sœur.

— J'ai fréquenté un grand nombre d'endroits pas clean pour mon reportage. Ça peut être n'importe qui.

— Quoi, c'était pour ton reportage ?

— Val… arrête s'il te plaît.

— Pardon, Lara. Je ne voulais pas… Tu vas où ?

— Chez Léon Castel.

— Le roi des emmerdeurs ! Cool…

— Cool, comme tu dis, s'agaça Lara. Et puis peut-être aussi rencontrer les parents de Petra Seipel. Là ce sera certainement moins cool…

Le téléphone de Valentin vibra sur la table.

— Ça y est, Jo Lieras est là, informa-t-il sa sœur. Oui, elle arrive.

Il raccrocha et attrapa le sac.

— Tu n'as même pas de téléphone, Lara. Comment on fait pour se parler ?

— J'en achète un en sortant et je t'appelle. Viens, ne le faisons pas attendre.

— Qu'est-ce que je fais avec ton interview ? demanda encore Valentin en refermant la porte de la maison d'amis.

— Ce que tu veux, je m'en fous.

— Mais… et ton balai, tu veux pas emporter Pierre ?

— Je m'en fous aussi ! siffla Lara, les yeux brillants de larmes. À bientôt, frérot, je t'appelle tout à l'heure. Embrasse Arnault pour moi.

Valentin ouvrit la grille et se trouva nez à nez avec Jo Lieras. Le nombre de reporters et de caméras avait augmenté depuis la veille.

— J'aurais pu m'en charger, vous savez, dit Valentin en lançant un regard noir vers l'attroupement.

— Oh que non ! l'arrêta le policier, vous avez bien fait de m'appeler sinon vous en auriez massacré trois ou quatre, et vous seriez en garde à vue à l'heure qu'il est. Venez, Lara, il n'y a qu'un trottoir à traverser et vous serez à l'abri.

Lara étreignit longuement Valentin, puis elle récupéra son sac et s'engouffra dans une berline aux vitres teintées.

— Monsieur Mendès, où se rend votre sœur, que pouvez-vous dire sur cette vidéo qui tourne actuellement sur le Net, avez-vous…

Ce fut un effort titanesque pour Valentin, mais il réussit à refermer la grille sans cracher son venin ou balancer son poing.

Il erra dans le jardin, désemparé. Qu'allait-il devenir avec d'un côté, Lara qui foutait le camp, et de l'autre Arnault qui ne quittait plus sa chambre ?

Pour la première fois depuis longtemps, Valentin se sentit seul. Pourtant, il y avait à faire : cette interview à mettre en ligne, et puis il n'allait pas laisser les salopards emporter la partie.

Valentin prendrait le temps nécessaire, mais il remonterait jusqu'à la source des images porno, il lancerait un SOS à Rabah Malek, son pote de Larafan, il solliciterait les communautés et pourquoi pas des Anonymous. Toute aide serait bonne, même en utilisant des moyens illégaux, pourvu qu'il parvienne à ses fins.

154

C'est le moment de la grande scène ! À toi de jouer, ma fille. Fais comme les autres, bave un coup et tout ira bien.

La salle de réunion du personnel sentait le tabac froid et le café brûlé. Cette odeur rappela à **Sookie Castel** une autre salle, au commissariat de Vannes, où ses collègues prenaient leurs pauses, qu'elle avait dès son arrivée rangée dans la boîte wagon fumeurs inaugurée lors d'un voyage effectué à 15 ans avec Léon.

Ça pue la mort.

Sookie garda la bouche entrouverte et veilla à conserver un regard absent. À ses côtés se tenait le docteur Mariani. Il avait comme souvent sa main droite plongée dans sa poche de blouse, où il rangeait ses cigarettes. Il ne sortait jamais son paquet, mais une cigarette à la fois, qu'il tenait cachée dans sa paume, comme un adolescent bravant un interdit.

En face d'elle, de l'autre côté de la table, il y avait un policier d'Épinal, ventre rebondi, crâne quasi chauve, joues tombantes, poches sous les yeux.

Boîte Bernard Blier flirtant avec celle de Mister Magoo.

*Le temps où l'on s'aperçoit qu'on ne peut pas comp-
ter sur l'élasticité des tissus, c'est sûr !...*

Quelques notes d'une chanson d'Alain Souchon
trottèrent dans la tête de Sookie tandis que le policier
se présentait. Sookie enferma son interlocuteur dans la
boîte Blier.

*Xavier Ansi, ça ne lui va pas du tout. Je lui dis ?
Chiche !*

— Jusqu'à présent, dit le policier, nous n'avons que
la version de monsieur Dardelin et de sa mère. Ce que
nous aimerions connaître, c'est la vôtre, mademoiselle
Castel.

*Très mauvais, ça ! C'est qui ce « nous » ? Il a pas
l'intention de la jouer collègues, sale con. Il est où mon
avocat ? Tu déconnes pas, Sook, tu ne parles pas d'avocat, sinon t'es marron chocolat.*

— Ce que je veux comprendre, c'est l'élément
déclencheur. Vous arriviez tout droit de Vannes, vous
passez l'après-midi au domicile de votre père et tout
à coup, vous décidez de vous rendre chez monsieur
Dardelin. Pourquoi ?

Le regard de Sookie quitta la surface de la table pour
passer sur le visage de son interlocuteur avant de se
perdre au-delà de la fenêtre.

*T'as pas l'accent du pays, t'es bizarre, Blier. On dirait
que tu t'en fous de tes questions ! Moi, si j'étais sur ton
enquête, c'est pas ces questions que je poserais.*

— Je ne me souviens pas, répondit-elle, la voix
pâteuse, c'est… je ne sais plus.

Après la deuxième séance d'électrochocs, l'ordre
était enfin revenu dans l'esprit de Sookie Castel. Ses
boîtes avaient retrouvé leurs emplacements, et dans les

boîtes, les gens. Il demeurait encore quelques inclassables, mais Sookie avait pallié cette lacune en ouvrant une énième boîte intitulée irréductibles.

À présent que la tempête s'éloignait, Sookie rongeait son frein et feignait l'andouille trop fortement dosée en neuroleptiques.

— Essayez de faire un effort, mademoiselle Castel, reprit Xavier Ansi. Vous êtes allée chez monsieur Dardelin, c'est là que les gendarmes vous ont trouvée.

— Les gendarmes…

— Au moment de votre interpellation, monsieur Dardelin gisait inconscient à côté de vous. Vous avez eu une altercation avec cet homme… Quel en était l'objet?

Le regard de Sookie revint sur le policier, mais elle le fixa à quelques centimètres au-dessous de ses yeux, comme s'il n'était pas là.

— Je sais pas, bafouilla-t-elle.

N'en fais pas trop, ça va se voir!

— Avez-vous eu des litiges avec cet homme dans le passé?

— Je sais pas. Non, tout le monde l'aime bien JP. JP, c'est… JP.

Le policier ferma les yeux. Sookie n'aurait pu affirmer si son manège fonctionnait.

— Admettons, poursuivit Xavier Ansi en soupirant comme s'il peinait à garder son calme, vous ne vous souvenez pas pour quelle raison vous vous êtes rendue au domicile de Jean-Paul Dardelin. Vous aurez peut-être meilleure mémoire concernant les Raspail.

Tu vas où mon coco? T'es flic à Épinal ou à Rennes?

— Les Raspail… bafouilla Sookie en s'efforçant de ne pas montrer l'intérêt que suscitait sa question au policier assis face à elle.

— De quoi parlez-vous? questionna le docteur Mariani.

— Des collègues du commissariat où travaille mademoiselle Castel m'ont demandé d'éclaircir un point d'une enquête en cours. Vous permettez?

Mariani acquiesça d'un signe de tête.

— Mademoiselle Castel, vous êtes entrée dans la propriété. Est-ce que vous avez noté la présence d'ordinateurs à la Malhornière?

— Euh… ils s'étaient pendus?

À moi d'être pendue si t'es flic à Épinal!

— Je vous demande si vous avez vu des ordinateurs?

Fais quelque chose ma fille, ce type n'est pas ce qu'il prétend. Qui est-il? Quel rapport avec les Raspail? Tu vas l'avoir dans l'os si tu ne réagis pas.

Le poing droit de Sookie se serra. Elle le frotta contre le plateau de la table, doucement pour commencer, puis de plus en plus vite.

— Vous voulez arrêter cet entretien, Sookie? demanda le docteur Mariani en se penchant vers sa patiente.

— L'ordinateur y bat le beurre! hurla Sookie en forçant sa voix vers les aigus. T'as qu'à demander à Tommy Lee Jones!

— Doucement, Sookie, monsieur Ansi fait son travail.

D'un bond, la jeune femme se leva de sa chaise.

— C'est qu'un gros enculé s'il a dit ça ! éructa-t-elle en se servant de ses bras comme d'un rempart.

Le psychiatre appuya sur son bipeur et dans les cinq secondes, un infirmier fit irruption dans la pièce.

— Raccompagnez mademoiselle Castel dans sa chambre, s'il vous plaît.

Puis il se tourna vers le policier.

— Je vous ai prévenu, c'est encore trop tôt. Mademoiselle Castel a besoin de temps. Sa dépression est profonde. Ici, nous l'aiderons à retrouver le fil de ses souvenirs, son traitement y pourvoira. Elle a besoin d'aide avant de répondre de ses actes devant la justice. Il faut encore l'aider à se nourrir, vous comprenez ?

155

Incapable de s'arrêter sur une aire de l'autoroute, **Lara Mendès** avait roulé d'une traite, écoutant la radio pour passer le temps, changeant de station dès l'annonce des bulletins d'informations.

Ce qu'on pensait d'elle, Lara le savait à présent. La nature humaine se gargarisait d'affaires sordides, surtout quand ces affaires se teintaient de sexe. À 25 ans, Lara Mendès se savait professionnellement grillée pour plusieurs décennies.

Par une indiscrétion dont elle ne soupçonnait pas la source, son tout nouveau numéro de téléphone se baladait déjà sur le Net. Sa messagerie était saturée par des dizaines de malades qui lui proposaient soit la botte, soit les pires sévices quand elle descendrait aux enfers ou au jour du Jugement dernier. Il y avait même des messages de femmes, des saintes nitouches ou des salopes. Lara ne répondait plus à son téléphone. Elle s'assurait d'abord de l'identité de son correspondant et rappelait le cas échéant. Mais en dehors de ses proches, plus grand monde ne la connaissait. Dans son malheur, Lara parvenait à ressortir quelques pensées positives. Le pire, pensait-elle, aurait été que ces vidéos laissent entrevoir le visage de Bruno. Dans ce cas, lui aussi se serait retrouvé dans la tourmente, et Lara aurait en plus eu à essuyer les insultes des coqueluches de Bruno Dessay malades de jalousie.

En chemin, elle avait longuement pensé à Milena, à la façon dont une fillette de son âge pourrait se reconstruire après ça. Son calvaire à elle lui paraissait soudain fade, sans importance. Certes, elle ne dormait pas très bien, mais avec les somnifères, au moins, elle ne se souvenait pas de ses rêves.

— Comment veux-tu aimer la vie après ça ?

Demande à ceux qui ont vécu plusieurs années dans les camps. L'être humain est fort, plein de ressources.

— T'es là, toi ? Tu peux pas me ficher la paix ? Va-t'en, je n'ai plus besoin de toi. Tu entends ? Pierre ?

En entrant dans Saint-Junien, Lara imagina ce qu'elle dirait à Léon Castel, qui ne pouvait ignorer l'actualité. Ce type qui aidait ses semblables en risquant régulièrement des actions en justice ne pouvait être psychorigide.

Pourvu qu'il ne me vire pas de chez lui... Où j'irais, sinon ?

Léon Castel avait des ennemis, à en croire les tags sur la façade de sa maison. Lara se gara derrière un combi Volkswagen à la carrosserie recouverte de portraits. Malgré ses grandes lunettes de soleil et son chapeau de plage, elle eut l'impression que tous les habitants de Saint-Junien guettaient derrière leurs fenêtres, et parlaient d'elle comme de la putain de l'audiovisuel.

L'homme aux cheveux en bataille qui vint lui ouvrir ne ressemblait pas à Léon Castel. Un doberman tournoyait autour de lui, et Lara eut un mouvement de recul quand l'animal vint la renifler.

— C'est pas les pompiers ! brailla Hervé en se tournant vers l'intérieur de la demeure, pourquoi tu veux que les pompiers y passent, j'ai pas d'allumettes ! Bon, ben, c'est pour quoi ? reprit-il un ton plus bas.

— C'est bien ici qu'habite Léon Castel ? demanda Lara, interloquée.

— Léon, brailla de nouveau Hervé, c'est pour toi !

— Évidemment, tonitrua une voix, c'est ma maison. Oui ? Qui me demande ?...

Léon s'arrêta sur le pas de sa porte d'entrée et s'interrompit. Ce visage, même partiellement camouflé, il l'aurait reconnu entre mille.

— Mince alors ! Lara Mendès en chair et en os ! Ne restez pas là, venez. On a plutôt affaire à des rustiques par ici. Il vaudrait mieux pas qu'on vous sache chez l'emmerdeur de service.

Léon referma la porte derrière la jeune femme, qui se tint silencieuse dans le vestibule, en tentant de réfréner l'enthousiasme du doberman, visiblement ravi d'avoir de nouvelles odeurs à renifler.

— Guernica ! râla Léon, va coucher !

— Non, protesta Lara en tapotant la tête de l'animal. Ça ne me dérange pas.

— C'est le chien de ma fille, expliqua Léon. Je ne sais pas où elle l'a déniché, mais faut faire avec.

Lara s'accroupit devant la chienne qui s'assit sagement devant elle en remuant la queue.

— Guernica, murmura la jeune femme. Guernica... C'est bizarre, ajouta-t-elle en se relevant, mais là où j'étais... il y avait une gamelle pour chien avec ce nom-là.

— Quelle histoire ! s'exclama Léon, mais quelle histoire !

— Je me serais passée des deux, acquiesça Lara en souriant, je voulais simplement vous remercier. Vous ne m'en avez pas laissé le temps.

— Me remercier ? Mais c'est le monde à l'envers ! C'est moi qui vous remercie !

Comme Lara ne paraissait pas comprendre, Léon poursuivit.

— Vous m'avez permis de vous sauver la vie. Je suis votre débiteur et non l'inverse. Mais venez, ne restons pas là. Vous arrivez de Paris ?

— Je fuis Paris, pour être honnête, précisa Lara en suivant Léon jusqu'au salon où Yanna Jezequel regardait la télévision.

— Yanna, Lara, annonça Léon. Oui, c'est la jeune femme des infos, précisa Léon en voyant son visage étonné. Vous voulez boire quelque chose de frais ou un café ?

— Un café, ce sera très bien, accepta Lara, vexée que Yanna Jezequel ignore sa main tendue. Bonjour quand même.

— Salut.

Comme Léon disparaissait dans la cuisine, Lara demeura au milieu du salon pendant que Yanna Jezequel concentrait son attention sur le téléviseur.

— Je vous préviens, lança-t-elle, son café est dégueulasse.

— Tu rigoles ! s'écria Léon depuis la cuisine. C'est du Nespresso, cette saleté me coûte un bras ! Prenez vos aises, Lara, faites comme chez vous.

Face à l'attitude hostile de Yanna Jezequel, Lara gagna la cuisine à son tour et tira une chaise pour s'y asseoir. Guernica, qui l'avait suivie tout ce temps, s'allongea à ses pieds.

— Ça a toujours été ma pièce préférée, grogna Léon en chargeant la machine à expresso. Ma femme était anglaise, c'est vous dire si la cuisine était mon territoire.

Il fit couler deux cafés courts, puis prit place en face de Lara.

— Je vous propose de nous accompagner à Ravenel où ma fille Sookie est internée. Nous nous apprêtions à y aller. Je suis certain que vous avez envie de la rencontrer aussi. Après tout, c'est grâce à elle que vous êtes là !

156

Rarement **Lara Mendès** s'était à ce point sentie en harmonie avec un être humain. C'était à croire que Léon Castel devinait ses envies, et surtout le contraire, tout ce dont elle ne voulait pas parler ou même évoquer.

En revanche, le courant ne passait pas du tout entre elle et Yanna Jezequel. Lara aurait voulu la rassurer, lui dire qu'elle n'était pas une rivale, mais Yanna devait garder en mémoire les commentaires explicites des chroniqueurs des chaînes d'infos. « La putain de l'audiovisuel », Lara allait devoir s'habituer à cette appellation dégradante.

Arrivé à Ravenel, le trio dut se séparer. Dans un premier temps, seul Léon fut autorisé à rencontrer Sookie. L'entrevue se déroula dans le jardin clos du pavillon. Deux infirmiers restèrent à proximité, mais le docteur Mariani se retira dès que Sookie fut installée.

— Ma Sookinette, commença Léon, je suis heureux de te voir.

— Moi aussi, papa.

Sa voix traînait, ses yeux ne possédaient pas cette acuité si vive qui la caractérisait d'ordinaire.

— Je suis venu avec Lara Mendès, poursuivit Léon, c'est cette femme que nous avons sauvée grâce à ton enquête. J'ai pensé que tu aimerais la rencontrer. Il y a aussi Yanna Jezequel, tu te souviens d'elle, n'est-ce pas ?

— Tu montes un harem ? plaisanta Sookie en attrapant le journal que son père lui tendait. Jodie tête de Piaf et Natalie Portman façon Twiggy, on peut dire que tu aimes les petits modèles !

Léon exulta. Sa fille était de retour et « Bordel de merde putain que c'était bon ! ».

— « Les Raspail, l'histoire d'une affaire bâclée, lut Sookie. Grâce à l'enquête initiée par sa fille, Sookie, brigadier à Vannes, Léon Castel », bla bla bla. Eh bien ! Voilà que la cinglée est une star dans *Vosges Matin* ! Waouh ! Je ne sais pas quoi dire… pa-pa !

— Dis-moi, dit subitement Léon. Guernica, elle vient d'où ?

— C'était le chien des Raspail. Pourquoi, tu veux l'adopter ?

Léon poussa un profond soupir.

— Sookie, murmura-t-il après un silence, je sais pour JP, j'ai lu les lettres.

Les yeux de Sookie brillèrent de colère. Elle resta silencieuse mais jeta le journal sur une chaise à côté.

— Il faut pardonner, Sookie. Valie n'est plus là pour s'expliquer, alors nous devons pardonner. Je l'ai fait… tu peux y arriver aussi.

— Jamais.

— C'est à toi que tu vas faire du mal…

— Ne joue pas au gentil, Léon, le coupa Sookie.

— Je ne joue pas, tout est devenu trop sérieux. Mais je continuerai à faire le con, ça tu peux en être sûre. Et tu vas m'avoir sur le dos jusqu'à ce que tu sois rétablie, je viendrai te voir tous les jours.

— Non.

— Non quoi ?

Sookie massa lentement sa mâchoire inférieure. Un excès de salive humectait ses lèvres.

— Je ne veux pas te voir tous les jours.

— Comment ça ? demanda Léon, décontenancé.

Sookie remua la tête. Ses yeux bougèrent en même temps.

— Je préfère rester seule, je suis bien ici.

— Mais tu ne peux pas être bien chez les barges ! s'emporta Léon. Ta place est dehors, avec moi, avec Erwan. Tu as pensé à Erwan ?

— Il appelle tous les jours. Sa sollicitude m'emmerde.

Léon laissa son agacement le quitter. Il avait tant de choses à raconter à sa fille, mais toutes avaient un lien avec l'affaire des pendus, ou Erwan Guénarec, ou Valie et JP. Et puis il n'allait pas lui dire qu'il couchait avec une fille dont il pourrait être le grand-père.

— Tu es contente de me voir, quand même ? demanda-t-il après quelques instants de silence.

— Tu radotes, papa.

— Je sais, mais je suis tellement heureux que tu ne…

Que pouvait-il dire ? Que Sookie ne fasse plus sous elle ? Qu'elle ait cessé de couvrir les murs de sa cellule avec ses excréments ?

— Que tu ne sois pas restée neuneu, acheva-t-il.

— Pas pour cette fois, corrigea Sookie. Peut-être en prison.

— On l'empêchera, ma chérie. Je prendrai le meilleur avocat de la planète et on se servira des bugs de la justice pour contrer JP. On fera ça pour nous, pour une fois.

— Tu vas avoir du mal. On m'a déjà envoyé un flic pour me cuisiner.

— Quoi ! brailla Léon. Mais quand, qui ?

— Calme-toi.

— Tu étais assistée d'un avocat au moins ?

Sookie secoua la tête.

— Ah, les fumiers ! Ils se tirent une balle dans le pied. Mais c'est bon, ça. Mes nouveaux potes les juges vont apprécier le vice de procédure ! Quant à JP…

— J'ai pas fini de lui régler son compte à celui-là, le coupa Sookie.

— Qu'est-ce que tu racontes ? Tu ne crois pas que ta réaction est disproportionnée ?

— Tu as de la chance, Léon. Toi, tu ne sais pas ce qu'il a fait.

— Quoi ? De quoi tu parles ?

La porte de la terrasse s'ouvrit sur le docteur Mariani.

— Déjà ? se navra Léon. On n'a pas terminé !

— Si, papa, on a terminé.

— Un peu plus à chaque fois, si possible, expliqua le psychiatre. Sookie se fatigue vite. Vous le voyez bien, monsieur Castel. Et puis j'ai des consignes du juge d'instruction.

Léon abdiqua. C'était déjà beau d'avoir vu Sookie.

— Il y a deux jeunes femmes qui veulent vous saluer, Sookie, poursuivit le docteur Mariani. Vous n'êtes pas obligée.

Sookie accepta d'un signe de tête. Elle eut des difficultés à se relever. Léon voulut l'aider, mais le docteur Mariani le retint d'un geste.

Les deux hommes regardèrent Sookie s'en sortir de justesse. Le maigre sourire qui éclaira le visage de la patiente valut aux yeux de Léon toutes les explications du psychiatre. Naturellement, Sookie prit appui sur le bras du médecin, puis quitta lentement la terrasse à ses côtés. Elle en profita pour lui chiper son paquet de cigarettes.

— Hervé Marin est rentré chez vous ? demanda le docteur Mariani à Léon.

— Vous l'avez chopé en train de grimper à l'échelle, c'est ça ?

— Sacré bonhomme. Vous avez hérité d'un gros bébé, j'ai l'impression qu'il n'a pas l'intention de vous quitter.

— Je n'ai pas non plus l'intention de l'abandonner. Mais son tuteur n'a pas l'air d'être d'accord. Il préfère Hervé seul dans son studio qu'en ma compagnie. Allez comprendre.

Sookie, Léon et Mariani rejoignirent Lara et Yanna Jezequel dans la salle d'attente. Cette dernière grignotait une barre chocolatée achetée au distributeur et lisait un *Gala*, tandis que Lara se tenait devant la fenêtre à l'autre bout de la pièce.

Pendant que Léon et le docteur Mariani discutaient dans le couloir, Sookie entra. Yanna Jezequel se précipita vers elle.

— Salut tête de piaf. Alors, tu t'es trouvé un nouveau mec ?

— Ça va ? s'inquiéta Yanna Jezequel.

— Tu vas rire, mais bientôt, c'est moi qu'on va coller au zonzon. Alors, super Sookie ne pourra plus rien pour toi.

— N'importe quoi !

— Tu as fait une overdose de Margaret ?

— Qui ça ?

— Notre Bettie nationale, précisa Sookie. Elle t'a foutue dehors ou tu t'es barrée toute seule ?

— Léon te racontera, éluda Yanna Jezequel. J'ai pas envie, là.

Lara, qui se sentait invisible, s'approcha lentement.

— Bonjour, mademoiselle Castel. Je suis venue vous remercier, dit-elle. Sans vous, Milena et moi, nous serions mortes à l'heure qu'il est.

Les yeux toujours rivés sur Yanna Jezequel, Sookie hocha la tête avec un sourire crispé.

— Vous voulez que je vous laisse ? demanda Yanna.

— Non, reste, répondit Sookie en s'accrochant à son bras.

Se sentant stupide, Lara fixa les deux jeunes femmes assises quelques secondes, puis comme rien ne se passait, elle quitta la salle d'attente précipitamment et rejoignit Léon dans le couloir.

— Yanna ! tonitrua-t-il, c'est l'heure !

Sookie laissa Yanna Jezequel lui prendre la main et l'embrasser sur la joue.

— Tu comptes rester dans les parages, tête de piaf ?

— J'en sais rien, mais tiens, voilà un petit quelque chose pour voir la vie en rose, murmura Yanna

Jezequel en glissant à Sookie un sachet de cannabis qu'elle empocha avec un sourire. Mais je veux que tu saches un truc. Si t'as besoin de quoi que ce soit, je suis là. Et je t'aide à foutre le camp d'ici. Quand tu veux.

157

— Je me suis sentie si nulle, râla **Lara Mendès**. J'aurais voulu la prendre dans mes bras, l'embrasser, et elle ne m'a même pas vue.

— Ne lui en voulez pas, tenta Léon pour apaiser la jeune femme, Sookie n'est pas comme ça d'habitude.

— C'est à moi que j'en veux. J'aurais dû trouver les mots justes et au lieu de ça je suis restée comme une potiche.

L'après-midi touchait à sa fin. Léon, Yanna Jezequel et Lara avaient regagné Saint-Junien juste avant le déjeuner qu'ils avaient partagé dans un silence lourd. Depuis, Yanna Jezequel avait retrouvé sa place devant le téléviseur tandis que Léon et Lara discutaient sur la terrasse.

— Elle ira bientôt mieux, déclara Léon. Son médecin préfère lui faire quelques séances d'électrochocs plutôt que de la bourrer de médicaments.

— Waouh ! lâcha Lara malgré elle.

— Ne vous inquiétez pas, moi-même, je ne m'en fais pas, alors… Sookie est secouée par ce qu'elle a fait, et je crois qu'elle commence tout juste à percuter. Vous savez, c'était déjà une originale avant tout ça.

Ce « tout ça » embrassait ce que Léon venait de raconter à Lara : les lettres de JP, la trahison de Valie, la vengeance de Sookie. Pour amener Lara à se confier, Léon s'était livré le premier.

— La réaction de Sookie n'est-elle pas…

— Disproportionnée, si, c'est ce que je lui ai dit. Ce qui m'inquiète le plus, c'est qu'elle semble ne pas en avoir fini avec ce fameux JP. Si elle prend conscience de ce qu'elle a fait, j'ai l'impression qu'elle en oublie les conséquences.

— Pas sûr, murmura Lara. Tout à l'heure, avec Yanna, elle a parlé de l'éventualité de finir en prison.

Léon soupira.

— Vous êtes jeune, Lara, reprit-il, qu'allez-vous faire à présent ?

— Vous m'auriez posé cette question il y a vingt-quatre heures, je vous aurais dit : je prends soin de moi, et après on verra. Le champ des possibles est vaste…

— Il est toujours aussi vaste.

— Pas après les vidéos qui tournent sur le Net.

Léon réfléchit un instant.

— Admettons que nous soyons hier soir, que me répondriez-vous ?

Ce fut au tour de Lara de prendre son temps. Elle but une gorgée de citronnade maison concoctée par Léon.

— Monter une web TV, quelque chose dans ce goût-là. Lancer un pavé dans la mare journalistique, et faire en sorte que le contenant recèle un contenu. Médiapart ne peut pas tout faire !

— Fichtre ! Vaste projet.

— C'est une proposition de mon petit frère, Valentin, précisa Lara. Il a la presse en horreur depuis que des journalistes ont failli tuer ma grand-mère.

Lara expliqua rapidement comment mémé Carmela avait fait une attaque après qu'un type de BFM TV lui avait annoncé l'enlèvement de Lara.

— Si je l'avais laissé faire, ajouta-t-elle, Val aurait convaincu mon producteur de financer le projet, et comme il a les moyens techniques et les compétences, ça n'aurait pas été si compliqué.

— Quel âge a-t-il ?

— Bientôt dix-huit, mais c'est encore un gamin.

— Visiblement, c'est un gamin qui en a dans le ciboulot, apprécia Léon. Quelle aurait été la thématique de votre web TV ?

— Oh, nous ne sommes pas allés très loin, j'imagine que ça aurait pu être une tribune ouverte à tous ceux qui n'ont pas la parole d'ordinaire.

— Excellent !

— Ce projet n'a plus lieu d'être.

— Expliquez-vous.

— Quand la France entière vous a vue au milieu d'une partouze, vous n'avez plus aucun crédit.

— La vie n'est pas aussi monolithique que vous semblez le croire, opposa Léon. Aujourd'hui, les Français raffolent des ex-stars du X.

— Ce que je ne suis pas.

— J'en conviens, mais les gens oublient. Ce sont des zappeurs et ils sont passés maîtres dans cet art. Cette idée de web TV me plaît, j'en suis. Je pourrais vous apporter des affaires. Si vous saviez le nombre de gens broyés par une justice qui déraille complètement…

— Franchement, Léon, soupira Lara, je ne sais pas si j'ai la niaque.

— Qu'est-ce que je devrais dire ! Ma femme est morte après deux jours d'agonie dans un fossé, je viens d'apprendre qu'elle couchait avec un tordu qui la faisait chanter, ce même tordu que ma propre fille a massacré. Justement, c'est ce genre de projet qui redonne la niaque, comme vous dites !

— Je suis désolée…

— Arrêtez d'être désolée ! Vous et moi, nous devions nous rencontrer, c'est pas pour rien que vous êtes venue ici. Vous auriez très bien pu aller vous réfugier chez votre grand-mère, non ?

— Je voulais vous remercier. Et remercier Sookie. Maintenant que c'est fait…

— À d'autres ! Vous avez 25 ans ! À votre âge, on ne baisse pas les bras ! Moi, ça fait plus de quinze ans que je milite, vous n'avez pas idée du nombre de dossiers que j'ai sous le pied ! On nous manipule à longueur de journée, ou on ne nous dit rien en nous faisant croire qu'on nous dit tout. Reprenez-vous, Lara, votre web TV, c'est une idée formidable. Enfin un média libre et objectif !

— Pour l'objectivité, il y a mieux que nous deux. Vous considérez la justice de ce pays comme complètement pourrie, et moi, je vois tous les journalistes comme des ordures !

— D'accord, je pousse des gueulantes ! Mais ça ne veut pas dire que je suis stupide ! D'ailleurs, c'est avec un juge et un flic que je vous ai retrouvée.

— Je n'ai pas dit que…

— Lara ! On pourrait comparer le droit français avec celui d'autres pays, et mettre le doigt sur les points particulièrement litigieux. On pourrait sortir des placards des affaires que tout le monde veut voir enterrées ! Mettre un grand coup de pied dans la fourmilière ! L'avenir se fera sur Internet, Lara. N'abandonnez pas, vous n'en avez...

Léon fut interrompu par des exclamations en provenance du salon. Puis Yanna Jezequel débola sur la terrasse.

— Léon, annonça-t-elle très excitée, ça y est ! Cochin a serré Boubal ! Viens voir !

— Venez, Lara, les affaires reprennent !

Ils gagnèrent le salon tous les trois. À l'image, on voyait le lieutenant Cochin expliquer comment il avait enfin fait tomber un des plus gros receleurs de Bretagne. Il savait également, de source sûre, que sans receleur, « les Antiquaires » cesseraient d'écumer la région.

« Ce n'est qu'une question de jours avant qu'on leur mette la main dessus, ajouta-t-il avec un air important. Interpol est sur le coup. »

— C'est pas une demi-molle qu'il doit avoir ce saligaud, se gargarisa Léon. Ils ont dit quelque chose à propos de madame Henriot ?

Yanna Jezequel secoua la tête.

— C'était le deal, Léon. Pas de lien entre elle et eux.

— Vous voyez, Lara, voici une affaire proprement réglée par la justesse d'esprit de cette demoiselle. Elle a intelligemment négocié ses informations avec les flics, et ces derniers ont respecté leur engagement : protéger leur source ! Je vous garantis, Lara. Il y a encore des gens bien. Vous voyez que votre web TV a toute sa raison d'être.

— Qu'est-ce qui vous est arrivé, Yanna ? demanda Lara.

— Rien, il délire. Léon, j'aimerais bien faire un tour, je peux prendre ta caisse ?

— Mon combi ?! s'exclama Léon. Mais… c'est une vieille dame qui ne connaît que mes caresses. Tu veux aller où ?

— M'amuser, quoi ! persifla Yanna Jezequel sans un regard pour Lara. Y'a rien à faire dans ce bled.

Léon hésita, puis il se décida.

— Prends la voiture de Sookie, mais tu la ramènes intacte, c'est clair ?

Yanna Jezequel attrapa la proposition au vol. Dans la minute, elle quittait la maison de Léon.

— Yanna est une âme à dompter, s'excusa Léon en revenant dans le salon. Je crois qu'elle vous considère comme une rivale, et elle vous le fait payer. Vous devez me prendre pour un vieux cochon.

— Vous me prenez pour une salope, après ce que vous avez vu ? Non, Léon, je n'ai pas l'habitude de juger les gens.

— Vous êtes adorable, Lara. Bon, à présent qu'elle est partie, nous allons enfin pouvoir éteindre cette maudite télévision.

— Attendez ! s'écria Lara alors que Léon s'emparait de la télécommande. Mais c'est pas vrai !

Un flash spécial annonçait le meurtre de Stephan Ribaud par Ulrick Seipel, le père de Petra. Les images montraient le crime filmé en direct par les caméras des reporters, devant la maison d'arrêt de Rennes, au moment du transfert de Stephan Ribaud vers Paris.

— Mon Dieu ! s'exclama Lara en s'asseyant sur le canapé.

Ulrick Seipel avait hurlé aux gendarmes de se baisser et tiré à trois reprises sur celui qu'il considérait comme l'assassin de sa fille. Ensuite, il avait lâché son arme et s'était laissé interpeller.

— Cet homme a rendu sa justice, lâcha Léon.

— Mais vous ne comprenez pas, s'apitoya Lara, c'est une catastrophe !

— Je ne vous suis pas bien. Il y a un salopard de moins.

T'aurais préféré le zigouiller toi-même, hein ?

Ferme-la !

— Léon, arrêtez ! Sa fille est morte, et il abandonne sa femme. Ce pauvre monsieur Seipel va finir en prison avec tous les criminels.

— Vous ne vous êtes pas dit que c'était son choix ? Peut-être que sa femme et lui préfèrent savoir Ribaud mort… Vous êtes sûre qu'il n'y a pas autre chose qui vous tourmente ?

Léon coupa le son de la télévision et s'assit à côté de Lara.

Les mains de la jeune femme tremblaient de nervosité.

— Mon petit doigt me dit que vous ne m'avez pas tout raconté.

— Ribaud affirmait qu'il m'avait enlevée par hasard. Mais je n'arrive pas à avaler cette version. D'autant qu'il semblerait que ma carte bleue ait été utilisée en Espagne pour brouiller les pistes, et ce type n'avait aucun moyen de connaître mon code secret. Pourtant, il a affirmé que je le lui avais donné sous la contrainte. Ça ne tient pas la route. Maintenant qu'il est mort, je vais devoir m'en contenter.

— Il y a de nombreuses façons d'obtenir un code secret, quand on est doué…

— Sans doute, mais la vraie question, c'est : Pourquoi a-t-il menti aux flics ? Quel est son intérêt ?

— Comment je le saurais, Lara ? Mais pourquoi vous aurait-il enlevée dans ce cas ?

— Vous vous souvenez de Moreau, l'avocat assassiné il y a une dizaine d'années ?

— Bien sûr, la photo de ses deux fillettes disparues est accrochée dans mon bureau. J'avais rencontré les grands-parents à l'époque. Des gens formidables. Ils se sont battus pour retrouver ces pauvres gosses. Nous nous sommes battus. Mais nous n'avons jamais eu l'ombre d'une piste. Quel est le rapport ?

— Je menais l'enquête sur l'assassinat du couple Moreau, confia-t-elle. J'ai rencontré des personnes qui m'ont raconté des choses que la presse n'a jamais dévoilées. Et puis, le jour de mon enlèvement, Herman Stalker m'a lâché un nom. Ilya Kalinine. D'après lui, cet homme aurait assassiné Moreau, sa femme et enlevé ses filles. Vous ne vous sentez pas bien ?

Le visage de Léon s'était soudain crispé.

— Eh bien quoi ?

— Rien. C'est que je me suis occupé des grands-parents des fillettes Moreau il y a un bail. Par contre… Vous pouvez nous préparer un café ? Je reviens dans deux minutes.

Léon se précipita dans son bureau et referma la porte derrière lui. Il sortit le paquet de DVD du secrétaire, relut la lettre signée Ilya Kalinine et la détruisit.

Puis, son ordinateur portable sous le bras, il rejoignit Lara qui l'attendait dans la cuisine, devant deux cafés.

— Voilà, j'ai reçu ce paquet il y a peu de temps.

— Vous savez ce qu'il y a sur ces DVD ?

— À vrai dire, mentit Léon, je n'ai pris le temps que d'en regarder un. Je reçois tellement de courrier… mais ce qui a fait tilt, c'est ce nom que vous m'avez dit tout à l'heure.

— Ilya Kalinine ? demanda Lara en se dressant sur sa chaise.

— Non, celui-là ne me dit rien. C'est l'autre, Herman Stalker. Il est sur une liste là-dedans.

L'ordinateur sortit de sa veille dans les dix secondes, et dans la minute suivante, le premier DVD tournait dans le lecteur. Apparut alors sur l'écran une silhouette filmée en ombre chinoise, accompagnée d'une voix déformée par un filtre électronique.

« Monsieur Castel, dit le personnage anonyme, vous voici l'unique détenteur des enregistrements effectués au domicile de l'avocat Moreau, durant l'année qui a précédé sa mort. Ces enregistrements, pris à l'insu de la clientèle de Moreau qui agissait pour se prémunir de toute pression ultérieure, étaient détenus par Herman Stalker. Vous trouverez dans ces archives des conversations, mais aussi la copie des carnets codés de Moreau, avec sa clientèle, noms, prénoms, qualité et préférences sexuelles. Nous vous avons joint le code afin de vous permettre de vous faire une idée, certains fichiers vidéo décryptés par nos soins, ainsi qu'une photographie des filles du couple Moreau, prise il y a quelques jours. Monsieur Castel, nous ne vous obligeons à rien. Si d'aventure il vous prenait l'envie de perdre ces informations, de ne pas les utiliser pour une raison qui ne regarde que vous, nous ne donnerions aucune suite à votre décision. Vous êtes seul juge de ce qu'il appartient de faire, ou de ne pas faire. »

La vidéo s'arrêta là, sur une image figée de la silhouette, laissant Lara tétanisée.

— Si ça, c'est pas du lourd pour lancer votre web TV, lâcha Léon, je ne sais pas ce qu'il vous faut !

Lara manqua révéler qu'elle avait déjà entendu parler de ces enregistrements, mais elle jugea plus pertinent de remettre cette précision à plus tard.

— Qui est-ce ?

— Il me semble que cette personne tient à rester anonyme.

Tu m'étonnes. C'est sûrement le type qui a tué le pauvre commandant Lambert !

— Pourquoi vous ?

— Vous allez me vexer, ma chère ! Je joue depuis suffisamment longtemps au chien enragé pour que tout le monde sache que je ne lâche jamais mon os. Je vous l'ai dit, les grands-parents des fillettes enlevées ont trouvé le soutien de notre association quand ils se heurtaient au mutisme de la justice et de la police. Vous devez le savoir aussi, les pièces du dossier Moreau ont eu tendance à disparaître dans les archives des palais de justice. Avec moi, ce mystérieux informateur peut dormir sur ses deux oreilles.

Tandis que Léon chargeait un nouveau DVD, Lara saisit une enveloppe qui était masquée par une des boîtes.

— Vous l'avez déjà ouverte ?

— Non, mentit encore une fois Léon. J'ignore ce qu'elle contient.

Lara fit glisser une photographie et deux mèches de cheveux blonds de l'enveloppe.

— Et c'est ce que je crois ?

Lara et Léon se regardèrent et se précipitèrent dans le bureau, devant les affiches des disparues.

La photographie, récente, montrait deux adolescentes tenant un journal entre les mains, où la libération de Lara par Léon Castel faisait la une. Aucun doute n'était possible. Les jeunes filles étaient Clémence et Juliette Moreau.

158

GSM de **Valentin Mendès**.
12 juillet.
Début de communication. 19.34.55

« Allô, Val ?

— Lara ! J'allais t'appeler ! Écoute, tu ne vas pas le croire, mais ton frère génial a déjà…

— C'est toi qui vas m'écouter. Tu es chez Arnault ?

— Oui, mais laisse-moi…

— Rien du tout. Il est là ?

— Toujours à faire la gueule, enfin je suppose, je ne l'ai pas vu depuis que tu es partie. Qu'est-ce qui se passe ?

— Tu vas le réveiller, ou le dessoûler, c'est comme tu voudras. Tu lui dis qu'on a récupéré les enregistrements de Moreau, et bien plus encore. Tu lui présentes ton projet de web TV et tu lui dis qu'on y va.

— C'est la même Lara qui montait sur ses grands chevaux en disant : Pas touche à l'affaire Moreau, on a égorgé Lambert ?

— C'est elle. Et elle est remontée comme un coucou.

— Y'a des coucous dans les Vosges ?

— Val…

— Ouais, d'accord. Mais c'est cool de t'entendre comme ça. Autre chose ?

— Oui, dis-lui que je rentre demain. Et que je serai accompagnée.

— Ah oui ? Léon Castel ?

— Lui-même.

— Cool !

— Comme tu dis, cool. Tu ne vas pas en revenir.

— Quoi ?

— Pas au téléphone.

— Allez, Lara…

— Non.

— Tu fais iech'.

— Merci. Et toi, ça va ?

— Au petit poil.

— T'as fait quoi, en dehors de passer tes nuits à téléphoner à Solange ?

— T'es lourde, tu sais ?

— Alors ?

— Alors j'ai fait un brin de causette avec pas mal de potes. Et je sais qui a balancé les vidéos.

(Silence)

— Pascale Faulx ?

— Comment t'as deviné ?

— Depuis que Bruno et moi c'est vraiment sérieux, je suis devenue sa pire ennemie. Je l'ai compris quand elle m'a appelée à l'hôpital.

— Eh bien, la bonne nouvelle, c'est que je peux t'affirmer que ça vient bien de la rédaction de *Century*. Pascale Faulx, c'est pas du cent pour cent, mais pour *Century*, si ! Alors on fait quoi ?

— Je lui réserve un chien de ma chienne le moment venu. En attendant, tu me promets de ne pas déconner, Val ?

— Oui, oui.

— Promets !

— OK, c'est promis.

— Bien, maintenant, va sortir tata de sa tanière. Dis-lui que nous partons en guerre, Arnault de Battz est un combattant, ça va le revigorer.

— Le quoi ? Non, je rigole. Je suis content que tu rentres déjà.

— Moi aussi.

— Je t'aime, crevette.

— *Me too.* »

Fin de communication. 12 juillet. 19.36.35

Entre samedi 16 juin et mardi 19 juin

Entre mercredi 20 juin et vendredi 22 juin

Entre samedi 23 juin et lundi 25 juin

Mardi 26 juin

Mercredi 27 juin

Entre jeudi 28 juin et samedi 30 juin

Entre dimanche 1er juillet et lundi 2 juillet

Entre mardi 3 juillet et jeudi 5 juillet

Vendredi 6 juillet

Entre samedi 7 juillet et dimanche 8 juillet

Lundi 9 juillet

Mardi 10 juillet

Mercredi 11 juillet

Jeudi 12 juillet

Vendredi 13 juillet

Entre samedi 14 juillet et lundi 23 juillet

159

— Pas dégueu le quartier, apprécia **Léon Castel** en ralentissant à proximité de la maison d'Arnault de Battz. Il ne connaît pas la crise votre producteur. Par contre, on dirait qu'il intéresse plus la télé que bibi !

— Ils nous lâcheront quand? soupira Lara en apercevant les reporters d'images devant la demeure de Neuilly.

On fait un petit tour du pâté et on avise, proposa Léon en accélérant.

Le combi occupé par Léon, Lara, Yanna Jezequel, Hervé Marin et Guernica prit la première rue à gauche et s'engagea vers le centre-ville.

— Y'a des bois à Paris ! s'étonna Hervé. C'est comme chez nous alors.

— Non, mon colon, va pas te balader dans ces bois-là, ils sont pleins de messieurs habillés en dames avec des gros nichons et des quéquettes longues comme un jour sans pain.

Hervé gloussa à cette idée. À ses côtés, Yanna Jezequel soupira en levant les yeux au ciel.

— Arrête de gigoter, lui lança-t-elle, à cause de toi, j'ai pas pu dormir du voyage.

— Ça vous apprendra à rentrer à des heures indues, mademoiselle Jezequel, commenta Léon en lui jetant un regard rieur dans le rétroviseur central.

— Parfaitement ! s'exclama Hervé en singeant Léon. Des heures indues !

— Au passage, qu'est-ce que tu as foutu toute la nuit ?

— Hé ho ! siffla Yanna Jezequel en se tournant vers la fenêtre. Je t'ai pas demandé de m'épouser, je te signale.

— C'est vrai, on va pas se marier. Bien, retour à la case départ, observa Léon en retrouvant les abords du bois de Boulogne. Lara, appelez votre frère qu'il nous ouvre. Parce que vos camarades journaleux ne vont pas vous lâcher la grappe, si on poireaute devant l'entrée.

— Arrête-toi là ! s'écria soudain Yanna Jezequel alors que le combi dépassait une station de taxis. Moi, je me casse.

— Ah bon…

Léon rangea sa camionnette le long du trottoir.

— C'est donc ici que nos chemins se séparent ? dit-il en se tournant vers la jeune femme.

— Ouais, j'ai jamais vu Paris, moi.

Yanna Jezequel rassembla ses affaires, qu'elle avait étalées entre elle et Hervé, et ouvrit la portière.

— C'était cool, Léon. T'es vraiment un bon coup.

Sous le regard médusé des occupants du combi, Yanna Jezequel embrassa Léon à pleine bouche, puis bondit sur le trottoir. Elle fit un petit signe à Hervé, ignora Lara et remonta la rue vers les taxis.

— Ben dis donc, mon cochon, gloussa Hervé.

— Je ne saurai jamais si cette fille était une calamité ou un bienfait pour moi, soupira Léon en s'engageant dans la voie qui longeait le bois.

— Une bouffée d'air frais, peut-être, suggéra Lara en souriant. C'est toujours bon de se sentir désiré… même au risque de passer pour un vieux cochon! ajouta-t-elle dans un rire.

Le visage souriant, Léon s'arrêta à trois cents mètres du domicile d'Arnault de Battz, moteur au point mort. Ils virent bientôt une grande silhouette jaillir de la propriété et se tourner en tous sens au milieu de la rue.

— C'est Valentin, indiqua Lara, vous pouvez y aller.

Le combi redémarra et se gara juste devant l'entrée, sur le bateau signalé par un panneau d'interdiction de stationner.

— À l'assaut! tonitrua Léon en récupérant un masque de Zorro qui traînait dans la boîte à gants avec d'autres déguisements. On laisse les bagages et on fonce en colonne!

Le temps que tout le monde débarque, les reporters s'étaient approchés du véhicule.

— Lara! dit l'un d'eux, un mot pour BFM TV, comment réagissez-vous aux images diffusées hier sur notre chaîne? Lara, un commentaire.

Valentin entoura sa sœur de son bras et la poussa à l'intérieur de la propriété tandis qu'Hervé observait les cameramen d'un œil torve, Guernica flairant le trottoir à ses pieds. Quant à Léon, il enfila son masque, récupéra un sac dans le coffre et verrouilla le combi manuellement.

— Mademoiselle Mendès, cria un autre journaliste, reconnaissez-vous avoir participé à ces parties fines? Mademoiselle Mendès, profitez de notre tribune ou vous donnez raison à vos détracteurs. Connaissiez-vous Stephan Ribaud?

— Rentre, couillon, dit Léon à Hervé, que ce brouhaha décontenançait. Prends ton clébard et casse-toi!

Puis il se tourna vers la meute.

— J'ai un scoop pour vous, les charognards ! lança-t-il aux journalistes. Vous voulez qu'on vous parle de cul ?

Il se tourna, déboutonna son bermuda et exhiba son postérieur.

— Vous avez le mien en prime, brailla-t-il, le cul du vengeur masqué, pour vous servir !

Puis il se rhabilla et disparut derrière la grille.

160

Dans l'heure qui suivit, quand les uns et les autres se furent présentés autour d'une collation organisée à l'initiative de Valentin, il fut temps de passer aux choses sérieuses. Ils se réunirent dans le bureau d'**Arnault de Battz**, qui portait sur son visage les stigmates du départ d'Egon.

Pendant ce temps, Hervé et Guernica investirent le jardin, malgré les protestations d'Arnault qui ne voulait pas qu'un chien saute dans la piscine. En vain.

— La question, messieurs dames, est de savoir pour quelle raison les carnets de Moreau ont été censurés par notre mystérieux informateur ? Et que risque-t-on à balancer cette bombe sur le Net ?

— Vous résumez bien l'enjeu, abonda Léon. Certains noms ont été rayés, une demi-douzaine au total. On peut supposer que le danger se trouvait là. Pour ceux qui nous manipulent, le reste est de la gnognotte. Mais quelle gnognotte !

— Ça ratisse large, déclara Lara, Moreau avait des clients pour ses filles dans tous les milieux, politiques, capitaines d'industrie, hauts fonctionnaires, showbiz, et j'en passe. On a quand même Hubert Oury, le secrétaire d'État aux Transports, Herman Stalker, Adrien

Danaut, 10ᵉ fortune de France, François Darieux, le chef de l'opposition, sans compter l'autre empaffé de Nestor Zouzou, l'animateur pour tout-petits ! Et tous ont commandé des vierges à Moreau ! Et pas qu'une fois ! Ceux qui nous manipulent, comme le dit si justement Léon, nous ont préparé le terrain. Nous disposons d'un DVD complet d'articles de presse concernant des réseaux de prostitution, des cadavres de jeunes femmes jamais identifiés, un listing d'identités de filles en provenance d'Europe de l'Est principalement, avec trombinoscope et pedigree. Certaines affaires non résolues vont pouvoir être rouvertes à partir de ces pièces. Justice sera rendue à ces femmes ! Tu entends, *Honey* ?

— Je sais, Lara, tempéra Arnault de Battz, tout cela te touche de très près. Mais nous devons rester prudents.

— C'est la prudence et l'immobilité qui nous ont amenés à cette situation.

— Plus les lobbies qui œuvrent dans l'ombre, ajouta Léon.

— J'ignore qui se cache derrière cet envoi mais une chose est certaine : ces personnes veulent que nous montions au créneau.

— C'est clair. Mais vois les choses de façon lucide, Honey. Le jour même de la divulgation de cette bombe, nous aurons dix cabinets d'avocats sur le dos.

— Et alors ? Nous nous contentons de diffuser des informations intentionnellement tenues secrètes depuis des années. Ça s'appelle du journalisme, ni plus ni moins. Et comme Herman Stalker est de la partie et que Ribaud a prétendu m'avoir repérée à sa soirée, on a un angle d'attaque qui me concerne directement.

— Attends, Lara. Pour l'instant, rien ne te relie à l'affaire Moreau. Ne fais pas d'amalgame, tu veux ?

— Maintenant que Ribaud est mort, c'est vrai que ce sera difficile à prouver. Mais ce que j'ai vu dans le bunker, ces fillettes massacrées pour le plaisir de pervers, ça ressemble quand même beaucoup à ce que Moreau proposait à sa clientèle. La petite Milena, c'est exactement le genre de gamine que vendait Moreau. Alors pense ce que tu veux, Arnault, mais je trouve la coïncidence un peu énorme, pas toi ?

— J'ai bien compris, Lara. Mais est-ce que c'est judicieux de parler sans preuves ? Si on veut être pris au sérieux, il faudra être inattaquable !

— Je suis d'accord avec ça, glissa Léon. On va pas tendre le bâton pour se faire battre.

Valentin, resté silencieux jusque-là, mit son grain de sel dans la partie.

— Moi, ce qui me troue le cul, c'est qu'on les avait ces fichiers, sans censure. Lambert est mort pour six noms qui devaient disparaître. Qui est protégé ? On ne le sait pas, et ça doit être les plus gros enculés de la liste !

— Ouh là là ! On se calme, intervint Léon. Valentin, on m'a dit le plus grand bien de toi, mais là, tu racontes des conneries.

Le jeune homme allait se défendre, mais Léon ne lui en laissa pas le temps.

— Notre source a jugé utile de protéger des gens, c'est son choix. Et nous devons accepter ce choix. La protection des informateurs, c'est le pilier du journalisme d'investigation, tu comprends ? Si on ne nous fait pas confiance, on n'aura plus d'informations. De toute façon, la liste est censurée. On ne peut rien y faire.

Le cerveau de Valentin bouillonnait. Il fut sur le point de révéler qu'il avait conservé une copie des enregistrements et des carnets, et que cette copie se trouvait sur une carte micro SD dissimulée dans le bac à produits ménagers, sous l'évier de la maison d'amis. L'intervention de Lara l'arrêta.

— Léon a raison, Val. Si on lance cette web TV, nous aurons besoin de la confiance de nos sources.

— Il faut rester prudent, mon chou. Concentrons-nous sur Moreau. Ensuite, s'il y a un lien, si Lara a vraiment été enlevée parce qu'elle en savait trop…

— C'est ça qui est dingue ! Car en dehors du nom de Kalinine qui n'a d'ailleurs rien donné, lâcha Lara, je ne savais pas grand-chose.

— Tu vois, Honey ! Ignorer les raisons de ton calvaire, ça doit te rendre chèvre mais crois-moi, il vaut mieux traiter une affaire après l'autre. Lara ?

Les lèvres pincées, Lara hocha la tête.

— Bon, les enfants, j'ai rendez-vous avec mes avocats cet après-midi, d'ailleurs, il ne faut pas que je traîne. Alors, maintenant que nous sommes d'accord pour nous concentrer sur Moreau, si nous abordions l'aspect technique ? Valentin ?

— Yep ! C'est du velours, s'exclama ce dernier. Figure-toi, Lara, que ton interview a franchi la barre des 500 000 connexions à 13 heures, donc après moins de vingt-quatre heures d'existence. J'ai imprimé les courbes…

Il retira de sa poche une feuille pliée qu'il déposa sur le bureau.

— Pour ceux que ça intéresse. Je me suis penché sur le lancement du projet et, à la louche, j'ai 350 000 IP. 350 000 contacts possibles pour faire la pub de la web TV avant son lancement, et je travaille sur le contenu.

— Mazette! commenta Léon. Les vieux sont largués, là. Mon blog est loin d'égaler ces performances. Et il a dix ans d'existence!

— C'est une question d'approche, expliqua Valentin. Avec le concours de Larafan – c'est un site amateur modéré par un pote –, j'avais 10 000 followers dans la poche. Ça va vite, Internet. Si on le fait en anglais, on pourrait toucher la terre entière.

— Les affaires internes des Français n'intéressent que les Français, argua Arnault de Battz.

— Si on casse du Français, les Anglais seront friands, opposa Léon.

— Sans compter tous ceux qui en ont plein le cul de la France donneuse de leçons, ajouta Valentin.

— Je n'aurais pas mieux dit, apprécia Léon.

— Ne nous dispersons pas, recentra Arnault de Battz, on verra plus tard comment nourrir une web TV…

— Mais non, parlons-en maintenant! le coupa Léon en s'agitant sur son siège. J'ai de quoi vous alimenter votre bidule pendant les dix années à venir. Et j'aurai le concours des sites amis et de la Guilde des emmerdeurs que j'ai l'honneur de présider.

— OK, ça, c'est l'avenir. Mais aujourd'hui, Lara, comment tu vois le lancement?

— Comme un docu télé. Nous avons les éléments à charge, il nous manque des images, mais avec un ou deux de tes cadreurs free-lance, je me charge de récolter des témoignages.

— Quel genre de témoignage ?

— Oh, les collaborateurs de Stalker, ses relations…

Arnault de Battz souleva ses lunettes de soleil, révélant des yeux cernés.

— Tu retournes dans l'arène, chérie ?

— Non, je ne prendrai plus jamais l'antenne.

— Pourtant, opposa le producteur, une télé, c'est une image, un logo et un visage. Vous avez pensé à ça ? Tu ne regardes pas le journal de la 2, de la 3 ou de la 6 parce que tu es fidèle à la chaîne, mais parce que tu apprécies la mèche en pétard de l'un ou la voix de velours de l'autre ! Il nous faut un visage. Toi, Lara ?

— Non, et ce n'est pas la peine d'insister. On ne ferait que récolter tous les amateurs de porno de l'Hexagone.

— C'est con qu'Egon soit parti, hasarda Valentin, il aurait fait un super présentateur !

— Mon chou, riposta Arnault de Battz en se drapant dans une attitude offensée, je suis persuadé qu'il ne se serait pas prêté à ce petit jeu. Il est bien trop orgueilleux.

— On pourrait quand même lui demander ?

— Hors de question !

— Alors, consentit Valentin, si ce n'est pas Lara ni Egon, qui ? Moi, j'ai un balai dans le derrière dès qu'on veut me prendre en photo.

— Et puis tu as tes études à terminer, glissa Lara. Arnault ?

— Compte là-dessus, ma grande et bois de l'eau fraîche ! Le retour d'Henri Chapier, non merci.

Les traits de Valentin s'affadirent d'une moue d'incompréhension.

— Ah, ma jeunesse perdue, soupira Arnault de Battz.

— Je peux le faire, lâcha Léon. Il faudra me donner quelques conseils de pro, mais je suis partant.

— Minute, mes trognons. Si ces enregistrements sont ceux qu'on imagine, alors notre informateur est un assassin. Et nous, on va révéler l'affaire en montrant la trogne de Léon au monde entier ?

Les mots d'Arnault de Battz jetèrent un froid dans l'assistance.

— C'est vrai, ça, abonda Lara sans remarquer que Léon blêmissait à vue d'œil, rien ne nous oblige à nous afficher publiquement.

— Ouais, comme les Anonymous ! renchérit Valentin.

— D'un autre côté, dit Lara, une web TV sans présentateur, c'est pas terrible. Les gens aiment mettre un visage sur l'info. De toute façon, vu le contenu qu'on s'apprête à balancer, il faudra protéger nos arrières. Léon, vous vous sentez de vous exposer ?

Léon hocha la tête, les dents serrées.

— Je me répète peut-être, insista Arnault de Battz, mais le hic, c'est que protéger nos sources, ça revient à protéger un assassin.

— Se taire, c'est en protéger dix fois plus, argua Lara. Il va falloir faire un choix, *guys* !

— J'ai comme l'impression que vous avez oublié de me préciser une chose, non ? lâcha subitement Léon. C'est quoi cette histoire d'assassin ?

Lara, Arnault de Battz et Valentin se fixèrent d'un air ahuri.

— Merde, Lambert, souffla Lara en se mordant la lèvre inférieure. On n'en est pas sûr, Léon, dit-elle en se tournant vers lui. Mais…

— T'es certaine qu'il faut lui dire ? glissa Valentin.

— Attendez, là ! Je ne vais pas au front sans toutes les infos, c'est clair ? On ne va pas commencer à se faire des cachotteries. Sinon, je reprends mes DVD et je me casse. C'est à moi qu'ils ont été adressés, je me trompe ? Alors crachez le morceau ou bye bye votre web TV !

— OK, OK, Léon. Si nous n'avons pas parlé de Lambert et des fichiers Moreau, c'était pour vous protéger.

— Je me protège tout seul, c'est clair ?

Quand Lara eut achevé de raconter l'histoire des enregistrements à Léon, celui-ci eut un petit rire gêné.

— Si je comprends bien, celui qui a volé les enregistrements vous les a volés pour me les donner. C'est vraiment bizarre, d'autant plus qu'il affirme les avoir volés à Herman Stalker.

— Plutôt, oui. Et inquiétant.

— D'un autre côté, cet informateur ne va pas nous zigouiller pour avoir divulgué des documents qu'il nous a fournis lui-même !

— Évidemment, murmura Arnault de Battz.

— Ma question de l'autre jour n'était pas si bête, alors ! ajouta Lara. Pourquoi vous ?

— Je vous l'ai dit. Ça fait quinze ans que je balance des… j'allais dire bombes, mais au regard de ce qu'on tient là, je dirais plutôt des pétards, mais peu importe. Ceux qui m'ont envoyé ça sont sûrs d'une chose, Léon Castel ne lâche jamais son os ! Et puis il y a un détail important ! Je ne suis pas flic. On peut même dire que je ne les supporte pas ! À part ma fille, évidemment.

— Les journalistes s'exposent, courent des risques et protègent leurs sources. Franchement, Arnault, ajouta Lara en enlaçant tendrement son producteur, on ne peut pas garder ces infos pour nous. Ou on les remet aux autorités, ou on s'en occupe nous-mêmes. Et si on le fait, c'est pas avec une cagoule sur la tête !

— On a qu'à faire un référendum, proposa Valentin.

— J'ai voté ! tonitrua Léon. Je suis pour !

— Moi aussi, s'écria Valentin.

— Et moi, ajouta Lara.

Tous se tournèrent vers Arnault de Battz dont le visage montrait des signes de fatigue et de nervosité.

— Bon, acquiesça-t-il avec un soupir. OK. Une idée de titre pour cette web TV ?

— *Yes !* murmura Valentin.

Le regard d'Arnault de Battz passa sur le visage de Léon, de Lara, qui secouèrent la tête, et arriva enfin sur celui de Valentin.

— J'y ai pensé et je crois que j'ai trouvé un truc sympa : W3. C'est un terme technique du Net. Normalement ça veut dire world wide web.

— Et là, c'est quoi l'idée ? demanda Arnault de Battz.

— World wide wings. On pourrait traduire par les ailes du monde, A-I-L-E-S, mais aussi la lettre L. C'est amusant, mais on en a tous une dans notre prénom.

— C'est une belle idée, W3, papa aurait aimé nous voir faire ça, dit-elle la voix chargée d'émotion.

— Sans doute, crevette, mais je me souviens pas de lui. Par contre, les ailes, c'est aussi pour toi. Des ailes pour aider ma Lara à s'envoler.

— Joli, apprécia Léon. Ça me plaît.

— C'est aussi un vieux souvenir de famille, confia Lara, un souvenir de notre père. Je vote pour.

— D'accord pour moi aussi, accepta Arnault de Battz, il faut que ce soit court et facile à retenir. Bon, je pense qu'on a fait le tour et ça tombe merveilleusement, je dois vraiment y aller.

Arnault de Battz se leva, mais Lara le retint.

— Une dernière chose. L'informateur a envoyé ce qui semble être une photographie récente des filles de Moreau, avec mèches de cheveux. Je me suis demandé si nous allions en parler sur W3 et je crois que non. Les médias se jetteraient comme des chiens sur ces jeunes filles, pour autant que l'on sache où elles se trouvent. Je propose de n'en parler qu'à leur famille. Léon connaît les grands-parents, il a déjà proposé de s'en charger.

— Alors tout est dit, conclut Arnault de Battz en poussant son fauteuil vers le mur. Tu l'as, ton scoop sur Moreau, Honey! On se retrouve ce soir pour le champagne!

161

GSM de Léon Castel.

13 juillet.

Début de communication. 15.52.59

« Mais qu'est-ce que tu fous, mon couillon ?

— Fais pas tout ce tintouin ! Avec Guernica, on fait des tours de garde.

— Nous voilà en sécurité. Où ça ?

— Ben dans les bois !

— T'es sorti tout seul ?

— Je suis pas neuneu.

Bon sang, Hervé ! Je t'ai dit que le bois de Boulogne était plein de mecs avec des nichons, faut pas que tu traînes là-bas.

— M'en fous, j'ai rien vu.

— OK. Maintenant, tu reviens. Il faut qu'on cause.

— T'as qu'à me dire au téléphone. Guernica veut jouer encore un peu. Et puis dépêche-toi, j'ai pas que ça à faire !

— Je vais t'en donner du temps ! Figure-toi que monsieur Verdier te cherche partout. C'est Ravenel qui a cafté, mon vieux. Ils ont dit que t'avais un coquard et que t'étais tout bizarre. Du coup, ton tuteur s'est souvenu qu'il avait mon numéro de portable.

— Je rentre ?

— Oui, Hervé, tu rentres chez toi.

— Je pourrai garder Guernica ?

— C'est prévu. Verdier fait la gueule mais il est OK. Il peut te prendre ton fric, mais pas t'empêcher d'avoir un chien.

— Tu m'emmènes maintenant ?

— Non, tu as le droit de rester encore quelques jours à Paris.

— Alors je peux jouer encore dans les bois.

— Attends !

— Quoi ?

— Tu te souviens comme tu m'as tanné avec ton feu d'artifice quand on était à la maison ?

— Ben, maintenant, c'est râpé.

— Pour celui des Vosges, oui, mais demain soir, on tire le feu de la tour Eiffel et là, ça va pas être deux pétards mouillés et trois feux de Bengale moisis. Je te garantis du grandiose et des coups de tonnerre. Ça te dit ?

— Youpi ! Attends un peu, Mouchou, on va voir le feu d'artifesses !

— Hervé ? Ne rentre pas trop tard. Hervé ? Mais… il a raccroché cet abruti ! »

Fin de communication. 13 juillet. 15.54.20

GSM de Léon Castel.

13 juillet.

Début de communication. 15.50.36

« Léon, qu'est-ce que vous foutez ?! Je vous ai envoyé une vingtaine de requêtes sur le blog et pas de réponse. C'est pas du boulot. Vous avez une responsabilité là. Bon, j'espère que tout va bien avec ces connards de journalistes qui doivent pas vous lâcher les basques. Mettez-leur bien profond de ma part. Ah, au fait, c'est Cerbère ! Allez salut, et mort aux cons ! »

Fin du message. Vendredi 13 juillet. 15.50.58

GSM de Léon Castel.
13 juillet.
Début de communication. 16.44.12
« Salut Léon. C'est Romain. Euh, t'es où là ? Parce qu'on se disait dans le village que quand même, tous ces tags sur ta maison, c'est pas bon pour le voisinage. Tu vois ? Enfin, ça fait sale, t'aurais pu t'en occuper avant de partir, quoi ! Ça met tout le monde mal à l'aise, ici. On voudrait pas que ça donne des idées aux autres. Bon, rappelle-moi, faut qu'on cause. Salut. »

Fin du message. Vendredi 13 juillet. 16.45.02

GSM de Léon Castel.
13 juillet.
Début de communication. 19.34.01
« Bonjour Léon, c'est Quentin. Je voulais vous remercier pour… enfin vous savez pourquoi. Je ne vous avais pas pris au sérieux quand vous m'avez proposé de le faire à ma place, chapeau, j'apprécie beaucoup, sachez-le. Et l'idée de mettre ça sur le dos de la bande des Antiquaires, c'est brillant ! On se voit quand vous rentrez ! Merci encore ! »

Fin du message. Vendredi 13 juillet. 19.34.29

GSM de Léon Castel.

13 juillet.

Début de communication. 19.48.06

« Léon, c'est encore moi, Cerbère. Je voulais vous dire, si vous avez pas le temps de vous occuper du blog, je peux le faire à votre place. C'est pas un problème. Vous avez vu cet enculé de Ribaud, il l'a pas raté le père de la petite, une balle en pleine tête et une autre dans le buffet. Il a pas eu le temps de dire ouf et ces cons de gendarmes ont même pas réagi. On devrait faire la même chose avec les autres, fini le problème de surpopulation dans les prisons, et terminé les impôts qui partent pour que ces messieurs dames aient le confort moderne. Je suis partant pour avancer une caisse de munitions si nécessaire, pas vous ? Si on veut que la France reste propre, il va peut-être falloir qu'on s'en occupe nous-mêmes. C'est pas avec la droite et la gauche qu'on a, qu'on va se sortir les doigts du cul. Bon, je vous ennuie pas plus. Je suppose que vous savez plus où donner de la tête en ce moment. Un petit message, ça prend pas trop longtemps et ça fait plaisir aux fidèles. Réfléchissez aussi à ma proposition. Salut Léon, et mort aux cons ! »

Fin du message. Vendredi 13 juillet. 19.49.23

162

Avec la plupart des médicaments, la solution était simple. **Sookie Castel** les gardait dans un coin de sa bouche jusqu'à ce qu'elle soit seule. Parfois, il lui fallait attendre plusieurs minutes. Les comprimés, transformés en pâte par sa salive, dégageaient un goût amer dont elle peinait à se défaire. Mais c'était supportable. Il lui suffisait de les recracher à la première occasion. Pour d'autres en revanche, ceux qui se présentaient sous forme liquide, il lui fallait bien les avaler, et faire avec. Aussi ressentait-elle malgré ses efforts une forme d'indolence qui ralentissait son travail de mémoire, parasitait son attention tout en l'aidant à parfaire le rôle de la patiente modèle qu'elle jouait à longueur de journée. D'ordinaire si active, Sookie se voyait contrainte à observer une nonchalance, un alanguissement du corps, tout en gommant au maximum toute intelligence de son regard.

Ce travail-là était autrement compliqué. Sookie se savait observée, pas en permanence, mais elle ne pouvait prédire quand un infirmier ou un médecin passerait près d'elle. Et puis il y avait les caméras de surveillance. Dans la salle de détente, dans les jardins clos du pavillon. Elle n'était finalement tranquille que dans sa chambre, allongée sur son lit, mais on lui interdisait d'y séjourner tout son soûl. Sookie devait s'aérer, participer à des activités, progresser dans sa thérapie cognitive, échanger avec le docteur Mariani qui, elle en aurait juré, faisait intentionnellement barrage entre elle et la justice. Pourquoi ? Combien de temps cela durerait-il ? Sookie n'osait répondre.

Il fallait juste donner le change.

Alors elle donnait le change.

Sookie évitait le plus possible tout contact avec les autres patients. Elle ne se sentait pas en état d'ouvrir de nouvelles boîtes, d'autant moins que les pensionnaires de Ravenel échappaient pour beaucoup aux codes habituels des humains en société. Malgré tout, comme elle ne pouvait pas vivre les yeux fermés, les visages et les comportements avaient rejoint des boîtes préexistantes, ou nouvellement créées. Il y avait Luc, le masturbateur frénétique, Linda, l'écervelée, Aristide, le coprophage, Glouton – personne ne l'appelait autrement et lui-même ne se souvenait plus de son nom mais rôdait près des cuisines et des poubelles pour garnir son estomac surdimensionné –, Gus, baveur à temps plein, et tant d'autres.

Pour l'heure, Sookie « s'aérait » dans le jardin du pavillon, assise sur un banc délaissé par les autres en raison de la proximité d'un essaim d'abeilles sauvages. On lui fichait une paix royale. Quelques jours plus tôt, elle avait fait la connaissance d'un vieux chat qui lui rendait sa sympathie en occupant ses « aérations » de longs câlins ensommeillés.

Merde, voilà Luc ! Encore la main dans le slip, ce branleur. Doit avoir une queue dans un état !

Luc passa à un mètre de Sookie, la main enfouie dans son bas de pyjama. Il ne la regarda même pas, trop occupé à agiter son sexe sous le tissu usé.

Sookie fit comme si le monde n'existait pas. Elle demeura prostrée sur son banc, la tête penchée au-dessus du chat.

Ce chat était parfait. Il occupait les cuisses et les mains de Sookie, concentrait son regard, distrayait son ennui. En revanche, il n'aimait pas le docteur Mariani qui approchait.

— Je vais vous raccompagner à votre chambre, Sookie, dit-il en s'asseyant à côté de sa patiente, mais d'abord, parlez-moi de ce policier qui est venu vous interroger l'autre jour. Vous avez réagi violemment.

— Votre infirmier était un pervers ! siffla Sookie entre ses dents. Heureusement pour vous, j'étais trop stoned à cause de vos médocs, sinon, je lui aurais arraché les couilles.

Pris de court, le docteur Mariani tripota le fond de sa poche, extirpa une cigarette et l'alluma. Puis il lança un coup d'œil à Sookie et lui en proposa une qu'elle accepta.

— L'attitude de Grandidier est inqualifiable, s'excusa-t-il, je n'étais pas certain que vous vous en étiez rendu compte.

Sookie renifla bruyamment, ce qui fit déguerpir le chat déjà passablement dérangé par la présence du psy-chiatre.

— Ce type, c'est tout sauf un flic. Et franchement, vous devriez arrêter de fumer, doc.

— Vous aussi.

Sookie écrasa sa cigarette après quelques bouffées et appuya ses paumes contre les lattes du banc pour se lever. Le docteur Mariani l'aida, puis il la fit rentrer dans le pavillon. Dans l'escalier du premier étage, Sookie s'accrocha au bras de son aide et dans le mouvement, subtilisa le portable dans la poche de la blouse du psychiatre, comme elle l'avait déjà fait pour les cigarettes.

Quand elle fut de retour dans sa chambre, Sookie s'isola aussitôt dans la salle d'eau pour téléphoner à son père.

— Sookinette, se réjouit Léon, ils te laissent téléphoner ! C'est que tu vas de mieux en mieux.

— Léon, murmura Sookie, je n'ai pas beaucoup le temps, j'ai piqué ce téléphone. Yanna est avec toi ?

— Non, et je ne sais pas où elle se trouve, répondit Léon sur un ton qui dissimulait mal sa déception.

— File-moi son numéro, vite !

— Ah, putain de téléphone ! s'énerva Léon, j'ai jamais su faire deux choses à la fois. Une seconde…

Il y eut un blanc, puis Léon livra le numéro espéré.

— Tu vas faire quoi avec ? demanda Léon.

— Rien. Merci. À bientôt.

Elle raccrocha et composa aussitôt le numéro de portable de Yanna Jezequel. La messagerie l'accueillit.

— Salut, tête de piaf, dit Sookie tout bas. J'ai besoin de toi. Viens, et ne me rappelle surtout pas sur ce numéro.

Elle effaça les deux dernières entrées du journal avant de quitter la salle d'eau, et s'allongea en laissant le téléphone par terre, bien en évidence.

Le docteur Mariani revint moins de dix minutes plus tard. Il ramassa son mobile, et s'assit sur le bord du lit.

— Je vous laisserai téléphoner si vous me le demandez, précisa-t-il à Sookie. Je peux vous fournir des cigarettes, aussi. Pas besoin de jouer les délinquantes. Par contre, pour les pétards, je préfère que vous les fumiez dans le parc, OK ?

Sookie retint un sourire de gosse espiègle.

— Je vous propose une relation de confiance. Qu'en pensez-vous ? Une pause dans une vie de défiance, c'est peut-être une chance à prendre, non ?

Le docteur Mariani attendit une réponse une poignée de secondes. Comme elle ne venait pas, il poursuivit :

— Vous aviez raison, il n'y a pas de brigadier Ansi au commissariat d'Épinal. Pourtant ce monsieur m'a présenté des papiers tout ce qu'il y a de plus conformes.

Il se leva.

— Vous êtes en sécurité ici. Ce monsieur ne risque pas d'y être admis avant longtemps. Reprenez des forces, nous aviserons ensemble la suite des événements. Ah, une dernière chose. Prenez votre traitement, Sookie. C'est mieux pour vous.

Sookie ne bougea pas jusqu'à ce que le psychiatre quitte la chambre.

Elle ne savait pas encore si elle pouvait lui faire confiance, n'étant pas habituée aux sympathies spontanées et dénuées d'intentions cachées.

T'es qu'une tête de nœud, la noiraude ! C'est comme cette pauvre journaleuse que Léon a sauvée. T'aurais pu la calculer un minimum quand même ! Les gens viennent te dire merci et toi tu les snobes. C'est même pas du racisme anti-Blancs, c'est de la connerie. T'es

*qu'une grosse conne, la noiraude, et tu finiras tes jours
toute seule comme une grosse merde !*

Sookie stoppa ses invectives. Certes, elle devait se
reprendre, mais il n'était pas nécessaire de se brusquer.

*Pas de ma faute si j'aime pas Natalie Portman...
Trop frêle, trop jolie... trop fragile, quoi ! Arrête de
confondre les gens et tes putains de boîtes, Sook !*

Ses boîtes étaient rangées. Et c'était un pas immense
vers la lumière. Il en restait une qui avait survécu à son
accès de rage, une boîte qu'elle avait bien cachée. Une
boîte plus résistante que les autres. À présent, Sookie
ne voyait pratiquement plus qu'elle. Il fallait qu'elle la
rouvre, pour être sûre.

La boîte de la forêt. Du gouffre. De la battue. De tous
ceux qui avaient cherché Valie. Et des trois salauds qui
ne l'avaient pas retrouvée à temps.

Sookie ne saurait qu'en rouvrant cette boîte et en
y décortiquant la moindre information. Même si elle
savait déjà ce qu'elle contenait, il fallait qu'elle soit
sûre, sans quoi cette nouvelle obsession finirait par la
submerger.

Entre samedi 16 juin et mardi 19 juin

Entre mercredi 20 juin et vendredi 22 juin

Entre samedi 23 juin et lundi 25 juin

Mardi 26 juin

Mercredi 27 juin

Entre jeudi 28 juin et samedi 30 juin

Entre dimanche 1er juillet et lundi 2 juillet

Entre mardi 3 juillet et jeudi 5 juillet

Vendredi 6 juillet

Entre samedi 7 juillet et dimanche 8 juillet

Lundi 9 juillet

Mardi 10 juillet

Mercredi 11 juillet

Jeudi 12 juillet

Vendredi 13 juillet

Entre samedi 14 juillet et lundi 23 juillet

163

La 29ᵉ semaine de l'année fut éprouvante pour
l'équipe de W3. Tous donnèrent d'eux-mêmes, sur
tous les fronts. Il fallut évacuer le sous-sol de la maison
d'Arnault de Battz de trois décennies d'objets inutiles
afin d'installer un décor sur fond bleu. Ce serait pro-
visoirement le plateau de W3, en attendant de trouver
un local plus adéquat. Lara, qui s'était une nouvelle
fois heurtée aux refus des anciens clients de Moreau et
des associés de Stalker de parler de l'affaire, se résigna
en s'occupant de la partie image et montage des documents, Valentin s'immergea quinze heures par jour
dans l'élaboration du site, Arnault de Battz se concentra
sur les démarches administratives et légales de l'entreprise. Quant à Hervé, dont le départ était programmé
après le lancement de W3, il fut désigné responsable
du fond bleu, une affaire qui le concentra deux jours
durant, rouleau de peinture à la main. Cette nouvelle
responsabilité le mit dans un état de fierté comme il en
avait rarement connu. Léon, pour sa part, en sa qualité
de future vitrine de la web TV, partit, accompagné d'un
cadreur et d'un preneur de son, récolter des images et
des interviews pour le lancement.

Le mardi, le plateau fut achevé.

Le mercredi, Lara fut satisfaite du montage qui durait une vingtaine de minutes, sans les interventions de Léon.

Le jeudi, Arnault de Battz annonça que les pièces administratives étaient réunies, qu'un cabinet d'avocats se préparait à défendre W3 et que l'hébergeur installé sur les îles anglo-normandes avait encaissé le virement bancaire. W3 existait dorénavant, même si pour le moment, seul Valentin pouvait y accéder.

Ce même jeudi, Léon rallia Nantes, où étaient installés les parents de Moreau.

Prévenus de son arrivée, Alexandre et Geneviève Moreau l'attendaient avec une angoisse rivée au ventre. Léon n'avait rien voulu dire au téléphone.

— Je vous avais promis que vous seriez les premiers prévenus si nous apprenions quelque chose au sujet de vos petites-filles, leur confia-t-il quand ils se furent installés dans le salon où étaient exposées d'innombrables photos des fillettes et de leurs parents.

— Oh, mon Dieu !

Ce fut tout ce que les Moreau purent dire en découvrant la photographie de deux adolescentes posant devant un décor de dunes de bord de mer.

— Je suis presque sûr qu'il s'agit de Clémence et de Juliette, précisa Léon, très remué par le bouleversement de ses hôtes.

— Où sont-elles ? demanda Alexandre Moreau quand il fut capable de parler.

— Je l'ignore, et je n'ai pas le droit de vous expliquer comment ces photos me sont parvenues. Mais je crois que nous apprendrons où elles se trouvent. Cette photo était accompagnée d'une mèche de cheveux. Possédez-vous des cheveux de votre fils ou un objet qui lui aurait appartenu et que personne n'aurait manipulé ?

— Vous voulez faire un test ADN ? s'enquit Alexandre Moreau.

— J'ai mieux ! s'écria Geneviève Moreau. Une dent de lait que Juliette a perdue pendant ses dernières vacances chez nous. Ça vous irait ?

— Je suppose que oui. Si par hasard il vous reste des affaires... On ne sait jamais.

La septuagénaire disparut dans les couloirs de la maison.

— Nous allons faire rouvrir l'enquête sur le meurtre de votre fils et de votre belle-fille, confessa Léon en baissant la voix. Malheureusement, ce que nous avons découvert sur ses activités risque de vous faire beaucoup de mal.

— Que voulez-vous dire ?

— C'est délicat, très délicat même. Je vous conseille, si vous le pouvez, de quitter le pays pour quelques semaines.

Alexandre Moreau fixait Léon avec désespoir.

— Parlez, bon sang !

— Sachez seulement que tout ce qui sera dévoilé est indiscutable. Il ne s'agit pas de calomnier, mais de rétablir la vérité et surtout, de rendre la justice.

— Vous êtes en train d'insinuer que mon fils était un criminel ?

— Je n'insinue rien, comme je vous l'ai dit, il y a des preuves.

— Comment dois-je prendre votre démarche ? Vous venez ici, vous nous donnez de l'espoir et la seconde suivante, vous accusez Éric de…

— Proxénétisme aggravé, lâcha Léon. Je suis navré.

— C'est donc ça…

— Écoutez, je vous demande de vous éloigner quelque temps et de tenir le coup. Votre fils est mort, mais Clémence et Juliette attendent quelque part d'être rendues à leur famille. Dans un souci de les préserver du battage médiatique qui ne manquera pas de s'abattre sur vous, nous ne mentionnerons pas cette photo, nous ne parlerons des fillettes à personne. Mais nous les retrouverons.

— Pourquoi tenez-vous tant à salir la mémoire de mon fils ? Comme vous venez de le dire, il est mort.

— Il avait des complices, des clients, et ceux-là courent toujours. De nombreuses jeunes filles sont mortes, il s'agit de les rendre à leur famille, vous comprenez ? C'est en quelque sorte le prix à payer.

— Si vous possédez vraiment des preuves, pourquoi ne pas prévenir les autorités ?

— C'est la première piste sérieuse en dix ans, monsieur Moreau. Je crains qu'en révélant ces données à la police, nous ne perdions définitivement le contact avec notre informateur, et donc avec Clémence et Juliette. Soyez patients, je sais que je vous en demande beaucoup, mais j'ai la conviction que bientôt, vous reverrez les petites.

— Quand ?

— Bientôt, confirma Léon, très bientôt.

Rentré à Paris, Léon déposa les vêtements et la dent de lait dans un laboratoire privé que lui avait conseillé Jo Lieras pour sa discrétion, puis il se dirigea vers les Grands-Boulevards où il avait rendez-vous pour le dîner avec Rodolphe Craven.

— Sainte mère de Dieu! formula le juge quand Léon lui eut raconté les derniers rebondissements. Et quand va avoir lieu la grand-messe?

— Samedi soir.

— Voilà donc le motif de vos « réquisitions »!

— Le mot est un peu fort, mais il fallait prendre le taureau par les cornes. Vous les avez?

— Avec la complicité du juge Damaze et l'absence des autres pour cause de congés. J'ai pu photocopier les PV les plus intéressants dans l'affaire Charlène Bonnet, Petra Seipel, Stephan Ribaud ainsi que quelques autres. C'est inouï ce que les palais de justice sont ouverts aux quatre vents au mois de juillet.

Les PV partirent par coursier en direction de Neuilly où ils iraient combler les trous dans le dossier de l'affaire Lara Mendès.

— Merci. Vous n'imaginez pas combien ça compte pour Lara. Elle a besoin de comprendre pourquoi Ribaud s'en est pris à elle. C'est un drôle d'animal. Elle serre les dents, je le vois bien, mais elle avance.

— Et Sookie?

— Sookie va mieux. Je l'ai vue récemment. Mais le plus dur est à venir.

— Communiquez-moi le nom du juge d'instruction à l'occasion. Je tâcherai de suivre ça de près.

— Une chance, c'est pas ce connard de Courtois.

— Le trou du cul!

Les deux hommes éclatèrent de rire. Ils dînèrent ensemble, puis Léon regagna le studio de Lara dans le 9e arrondissement, qu'il partageait avec Hervé, privé de Guernica pour un temps. Le doberman avait été jugé plus utile à monter la garde autour du centre névralgique de W3.

Léon eut du mal à s'endormir, et pas seulement à cause des ronflements d'Hervé. Il se sentait comme à la veille d'un examen. Le lendemain, Arnault de Battz l'attendait à 9 heures pour parfaire son comportement face à la caméra.

164

« Salut citoyens, salut à vous les terriens, les infatigables de l'Internet et des moyens de communication non censurés, si vous êtes connectés pour le lancement de W3, c'est que vous n'êtes pas aussi irrécupérables qu'on veut le faire croire !

Pour ceux qui ne me connaîtraient pas, et vous devez être nombreux, je suis **Léon Castel**, agitateur public patenté depuis une quinzaine d'années et membre honoraire de la Guilde des emmerdeurs. Si je me présente devant vous aujourd'hui, c'est pour une raison qui dépasse mon petit nombril, et même le chapelet qu'on pourrait réaliser avec tous les nôtres réunis.

La République, voyez-vous mes chers voyeurs, notre République, ce bien si rare que personne n'a jamais vraiment appréhendé depuis Pline l'Ancien, eh bien notre République est en danger. Les rouages qui font bouger la machine se sont grippés. Qui est responsable ? Vous ? Sans doute avez-vous laissé faire. Moi ? En premier sur la liste car je savais et je n'ai pas gueulé assez fort. Mais les raisons importent peu. Passons aux actes !

Et les actes, les voici : vous avez été témoins, il y a dix ans, de l'affaire Moreau. Si, si, souvenez-vous !

Guylaine Moreau avait été égorgée et son avocat de mari, pendu à son balcon, les tripes à l'air ! Personne n'oublie une chose pareille. Eh bien à l'époque, on a exploré quelques pistes, et très vite, on vous a parlé d'un déséquilibré ! W3 vous propose aujourd'hui de nous intéresser aux véritables tenants et aboutissants de l'affaire Moreau. Aujourd'hui, on arrête de vous prendre pour des imbéciles !

Prenons date, mes chers concitoyens ! Notez au passage que votre qualité de citoyen vous engage, nous engage tous. Être citoyen, ce n'est pas uniquement voter, être citoyen, ça ne se résume pas à consommer, ni à gober benoîtement ce qu'on nous fait ingurgiter à longueur d'année. Citoyen, ça signifie participer à la vie de la cité. Alors si d'aventure certains parmi vous entendaient parler d'un maire qui s'en met plein les poches, d'un député qui vote sous l'influence d'un lobby ou d'un industriel qui utilise ses pouvoirs pour outrepasser la loi, vous trouverez une tribune sur W3.

Ici, aujourd'hui, nous posons la première pierre, non pas de la révolte comme le soutiendront nos détracteurs, mais des fondations de la République à venir. Ici, nous traiterons des injustices cadrées par la loi, des abus autorisés par la loi et de toutes les souffrances humaines que la loi aurait dû empêcher.

Vaste programme ! C'est pour toutes ces raisons que je souhaite, j'en ai peur, "une longue vie" à W3.

Maintenant, en route pour la vérité. Vous allez voir que l'affaire Moreau vous emmènera bien au-delà de ce que vous imaginiez. »

Lara manqua applaudir.

Depuis trois heures, malgré le prompteur, Léon Castel échouait à réciter son texte. Or il venait de le faire. Et personne ne semblait s'en apercevoir. Arnault de Battz avait quitté le sous-sol de sa maison juste avant la prise. Il ne restait qu'elle, le cadreur, qui vérifiait les connexions de sa caméra, et Hervé Marin.

— C'est dans la boîte ! lança-t-elle à Hervé.

— Il est bien mon fond bleu, répondit celui-ci.

— Magnifique !

Lara soupira en consultant ses messages. Elle aurait aimé que Bruno participe aux débuts de l'aventure de W3.

Il aurait adoré, c'est certain.

Depuis qu'il était parti pour couvrir la guerre au Sahel, elle n'avait reçu de sa part que trois SMS et un appel téléphonique, enregistré par sa messagerie à 4 heures du matin deux jours plus tôt. Elle avait tenté de le rappeler à de nombreuses reprises, mais aucun de ses appels n'avait abouti.

« Tu me manques, Bruno, tapa Lara sur son téléphone, je n'aurais pas dû te laisser partir. »

La réponse tomba presque aussitôt.

« J'aime quand tu me dis ça. Je rentre dès que possible, et je serai tout à toi. »

« Tu as plutôt intérêt. »

« C'est ce que je veux. »

— C'était pas mal, lâcha la voix de Léon.

— C'était mieux que ça, rétorqua Lara en empochant son téléphone, c'est dans la boîte !

— Vous croyez ?

— On l'a, Léon, puisque je vous le dis.

— Bah, merde, si on m'avait dit que c'était aussi difficile de faire le chien savant, j'aurais peut-être réfléchi à deux fois avant de proposer ma candidature.

— C'est jamais simple d'essuyer les plâtres !

— À qui le dites-vous !

— J'apporte l'enregistrement à Valentin, annonça Lara, il n'y a plus qu'à le monter et on sera prêt à mettre W3 en ligne.

— Vous voulez récupérer votre balai ? lui demanda Léon.

Lara n'hésita qu'une demi-seconde.

— Non, merci, je n'en ai plus besoin.

Tu es sûre, Lara ? Tu vas abandonner ton seul vrai confident ?

Léon fourra ses mains dans ses poches en regardant Lara disparaître dans l'escalier. Il songea à Yanna Jezequel, qui n'avait plus donné de nouvelles depuis une semaine, espéra que la jeune femme ne s'attirait pas de nouveaux ennuis.

— C'est pas plus mal comme ça, je ne suis qu'un vieux schnock.

— T'es pas vilain en speakerine, gloussa Hervé. Maman, c'est ce qu'elle voulait faire comme métier. Mais elle a jamais pu, parce que les speakerines, ça montre ses genoux.

— Tu m'étonneras toujours, riposta Léon en lançant une tape amicale sur l'épaule d'Hervé. Tu sais quoi ? On devrait se pacser, comme ça on pourrait adopter Guernica. Ça nous ferait toujours une demi-part d'impôts supplémentaire. Bon, mon grand, va préparer ton sac. Après, on boit un coup tous ensemble et je te conduis à la gare.

165

Trois bouteilles de Billecart-Salmon gardaient le frais dans des seaux à glace installés sur la table du salon, avec six coupes retournées sur un plateau et des plats chargés de petits-fours, **Arnault de Battz** déboucha la première, remplit les coupes et les distribua à ses nouveaux partenaires. Lara pour commencer, puis Léon, Rodolphe Craven, arrivé une heure plus tôt, Hervé et enfin Valentin.

— J'ai pas le droit, murmura Hervé à l'oreille de Léon.

— Aujourd'hui, t'as tous les droits, mon couillon, le rassura Léon. Chut, le moment est historique.

— Mes amis, ma chérie, mon Apollon, entama Arnault de Battz en levant son verre et en regardant tour à tour chacun des convives, c'est au pied du mur qu'on reconnaît le maçon. Et c'est à l'usure de sa veste qu'on voit l'opportuniste. Je ne vais pas faire de discours. Portons simplement un toast à W3 !

— Au rétablissement de la vérité ! tonna Léon.

— Au courage de Lara, renchérit Valentin.

— À mon fond bleu, dit Hervé, et à Guernica ! Et à tous mes nouveaux amis. Je suis triste de partir.

— À toi, Hervé, clama Léon.

— Une pensée pour Sookie, proposa Lara. Et pour Milena.

— À la mémoire du commandant Lambert, acheva Arnault.

Ils entrechoquèrent leurs coupes, puis les vidèrent. Valentin jeta un coup d'œil vers sa montre.

— Lara, il sera 18 heures dans… 45 secondes.

Ils gagnèrent le bureau d'Arnault de Battz où ronronnaient deux ordinateurs. Sur les écrans, le logo de W3 tournait lentement. Valentin le fit disparaître. L'interface du site le remplaça.

— Qu'est-ce que je dois faire? demanda Lara en s'asseyant dans le fauteuil.

— Tout est prêt, tu cliques sur « placer sur ordinateur distant » et tu tapes « enter », et après quelques instants de moulinage, W3 sera en ligne!

— Bon, murmura la jeune femme en avançant sa main vers la souris. Quand faut y aller…

Ce qu'ils s'apprêtaient à révéler au public était un cocktail explosif où se mêlaient sexe, prostitution forcée, meurtres et la liste invraisemblable des clients de l'avocat Moreau, avec preuves à l'appui de leur participation à des viols, des actes de torture, le tout relié à des disparitions, des cadavres jamais identifiés jusqu'alors. Un dernier instant, Lara hésita, suspendit son doigt au-dessus du clavier. Leur vie à tous se trouverait transformée, à jamais. Avait-elle le droit d'entraîner Valentin dans cette tourmente? Avait-elle le droit de bouleverser les familles des clients de Moreau, qui elles n'avaient rien à voir avec ces affaires sordides?

Les événements survenus au cours des trente derniers jours lui revinrent en mémoire. Milena branchée

854

à des tuyaux, Petra Seipel… Lara s'accrocha à l'image de la jeune fille gelée dans la chambre froide du bunker. Elle lui avait promis qu'elle ne connaîtrait pas de repos avant de l'avoir vengée. Même si, selon l'avis de tous, rien ne reliait son enlèvement et Moreau, il y avait un point commun entre ces deux affaires. Stephan Ribaud, Léopold Raspail et son père, Éric Moreau et Herman Stalker étaient des monstres capables de vendre, de violer, de torturer et de tuer des femmes pour le plaisir.

Depuis sa promesse devant les vingt-huit noms sur le mur du bunker, Lara leur avait déclaré la guerre. Et W3 serait le premier acte de cette vengeance.

— … faut y aller ! Pour Milena, pour Petra !

L'index de Lara enfonça la touche « enter ».

Dans les minutes qui suivirent, W3 enregistra ses premières connexions, puis des dizaines, des centaines, des milliers.

À 19 heures, le nombre de visiteurs atteignait les 10 000.

À 20 heures, la barre des 50 000 était atteinte.

Valentin était aux anges. Les followers de Larafan avaient mis un compte à rebours annonçant le lancement de W3 sur les blogs, les forums et les réseaux sociaux, et tous se trouvaient au rendez-vous, et avec eux une part appréciable de leurs contacts. Sur les statistiques livrées en direct par l'hébergeur de W3, Valentin pouvait analyser ce que les internautes regardaient. La plupart se contentaient de visionner le documentaire présenté par Léon, mais une minorité de curieux accédaient aux enregistrements sonores des clients de Moreau, à ses carnets, aux PV de disparitions, aux articles de presse et à toutes les pièces fournies par leur informateur. La tempête allait s'abattre sur toutes ces têtes qui s'étaient crues à l'abri de la loi pendant plus de dix ans.

À 21 heures, les premières dépêches de l'AFP tombaient et dans la foulée l'affaire Moreau revenait au devant de la scène sur toutes les chaînes d'infos en continu.

Jo Lieras se présenta au domicile d'Arnault de Battz un peu avant 22 heures, alors que Léon rentrait de la gare où il avait déposé Hervé Marin. Tout heureux de partir avec Guernica, ce dernier n'avait pas pris la peine de leur dire au revoir, et Léon se sentait soulagé. Soulagé de souffler un peu, et de voir qu'Hervé, fidèle à lui-même, était heureux où le vent le portait.

Léon et Jo Lieras trouvèrent les zélateurs de W3 installés dans le jardin arrière de la propriété, où ils achevaient de dîner.

— Vous avez fait fort, dit le policier à Lara.

— Il fallait bien que quelqu'un s'y colle.

— Le ministère ne censurera pas W3, j'en suis certain. Ça ferait plus de mal que de bien. Et puis, ce que vous révélez circule dans toutes les rédactions. Il est déjà trop tard.

— Et le père de Petra Seipel? demanda Lara.

— La justice suivra son cours. Le juge Craven vous répondrait plus justement que moi, mais je suppose qu'il bénéficiera de circonstances atténuantes. Quoi qu'il en soit, il ira en prison, de ce côté-ci du Rhin ou de l'autre, à voir. J'ai aussi vu passer pas mal de notes internes. Beaucoup de gens vont être entendus par nos services dans les jours qui viennent.

— C'est un minimum.

— Herman Stalker est sur la liste, mais il a quitté le sol français depuis une semaine.

— Où est-il allé ?

— En Allemagne, pour commencer. Ensuite, il a pris un vol à destination de l'Algérie. Il va être difficile à suivre. J'ai également la confirmation que les parents Moreau sont aux Canaries où ils ont reçu un coup de téléphone de leurs petites-filles.

— On en sait plus sur l'endroit où elles étaient retenues ?

— Pas encore. Mais elles vont bien et devraient retrouver leurs grands-parents très bientôt.

— Bien, lâcha Lara, visiblement émue. Et pour Milena ?

— Rien, pas une piste. Et son état est préoccupant mais stable pour le moment.

Lara encaissa sans rien dire.

— Bon sang ! dit Léon en s'approchant, c'était pas une partie de plaisir !

— Vous buvez quelque chose, monsieur le policier ? proposa Arnault de Battz, légèrement éméché.

— Volontiers.

— Alors venez avec moi. Lara, je vous emprunte ce bel officier !

Léon profita du départ du policier pour s'asseoir à côté de la jeune femme.

— J'ai eu le labo, dit-il tout bas sur un ton de comploteur. Ce sont bien les filles Moreau sur la photo, il n'y a aucun doute à ce sujet.

Lara soupira d'aise.

— Ils ne nous ont donc pas fourni cette photographie juste pour laisser espérer la famille Moreau.

— Je suis certain qu'on nous fera bientôt signe. Vous êtes soulagée ?

— Vous voulez parler de W3 ?

— Entre autres.

Lara prit son temps avant de répondre.

— Le lien entre mon enlèvement et l'affaire Moreau ne sera sans doute jamais établi. Et Ribaud mort, je ne sais plus à quoi m'accrocher.

166

Il y eut un détail que personne à W3 n'avait prévu, ce fut la fin du siège du domicile d'Arnault de Battz. Une migration de reporters s'opéra dès le dimanche matin. Le grain allait se moudre plus à l'est, précisément dans les hauts de Saint-Junien.

Arnault, Valentin et **Lara** s'en aperçurent en regardant les chaînes d'infos en continu. On y voyait la façade de la maison de Léon Castel, toujours couverte de tags racistes et de la touche personnelle de son propriétaire. « Crétin des Vosges » allait faire parler les journalistes en manque d'informations, chacun spéculant sur le destinataire du sobriquet. Ange Lebœuf, le maire de la petite commune lorraine, expliqua aux caméras à quel excité ils allaient avoir affaire, quand ils le trouveraient. Il parla de Sookie, une folle internée à Ravenel pour avoir tabassé l'enfant chéri du pays. Dédé, le patron du bistrot, décrivit Léon comme un dépravé qui ramenait des jeunesses chez lui alors que sa pauvre femme était morte à peine deux ans plus tôt.

Gageant que la meute reviendrait sous peu, Arnault de Battz proposa de prendre du bon temps, afin de de découvrir comment les événements tourneraient pour W3, ce qu'en diraient la presse, les personnalités mises en accusation, et quelle décision la justice prendrait à leur encontre. Pour le moment, seule la participation de Léon Castel était connue du grand public et des autorités, mais en tant que responsable légal de W3, Arnault de Battz savait qu'il disposait d'un court répit dont il comptait bien jouir au calme.

— Allez, champagne, bière, cocktails et tout le monde à la baille ! Apollon, à poil, qu'on voie si cette belle embarcation a une quille à sa mesure ! dit-il avant de plonger dans la piscine la tête la première.

Valentin, qui s'apprêtait à se baigner lui aussi, entendit son téléphone vibrer sur le transat.

— Salut, le petit, dit une voix familière.

— Egon ! Merde, ce que ça me fait plaisir de vous entendre.

— Dis donc, vous avez fait fort avec W3. Il y en a qui vont raser les murs à Paris !

Arnault s'approcha de Valentin et prit appui au bord de la piscine.

— Je peux lui parler ?

— Egon, Arnault voudrait vous parler.

— Réponds-lui que je n'en ai pas envie.

Valentin secoua négativement la tête en regardant Arnault, dont le visage se décomposa.

— Je me suis dit que tu ferais mieux de me rejoindre plutôt que de rester avec ta vieille tante.

— C'est pas cool de dire ça…

— Non, en réalité, vous allez tous être traqués par les médias et tu ne dois pas y être mêlé. Alors, si Lara est d'accord, tu viens passer le reste de tes vacances avec moi au soleil.

— Lara, s'écria Valentin en rejoignant sa sœur qui lisait sous le grand saule, Egon Zeller m'invite à... où ça au fait ?

— Aux Maldives, répondit Egon Zeller.

Valentin s'agenouilla auprès de sa sœur, un air ravi sur le visage.

— Il m'invite aux Maldives pour m'éloigner de W3 ! Dis oui, Lara.

— OK.

— Il faut que je lui parle, gémit Arnault de Battz qui était sorti de la piscine pour suivre le jeune homme.

— Non, répondit de nouveau Egon Zeller.

— Moi, on m'a toujours dit que quand on a un problème, il faut en parler, plaida Valentin. Vous savez, il n'est pas bien depuis que vous êtes parti. Soyez cool, réglez votre problème !

— Tu es gentil de prendre sa défense, mais c'est non. Tu as un vol demain à 10 heures. Je t'attendrai à l'aéroport.

Ce fut tout. Arnault de Battz resta comme choqué à côté de Valentin et de Lara. Puis il s'éloigna, la tête baissée. On aurait dit un vieillard.

— Egon ne veut pas vous parler, s'écria Valentin, mais rien ne vous empêche de venir avec moi. Là-bas, il n'aura plus le choix. Ou alors, il est vraiment grave !

Valentin dormit peu cette nuit-là, Arnault de Battz encore moins. Seule Lara, qui prenait ses somnifères, se reposa à peu près.

À 7 heures le lundi, Valentin et Arnault de Battz s'apprêtaient à quitter Lara.

— Je ne resterai que quelques jours, répéta le producteur pour la dixième fois à la jeune femme, tranquillise-toi, Honey. Tu vas avoir besoin de moi à tes côtés. Léon aussi.

— Je ne suis plus inquiète, s'agaça Lara. Un peu de solitude me fera du bien. J'en ai besoin, je crois. Et puis Bruno ne devrait plus tarder à rentrer du Sahel.

— N'oublie pas de relever le courrier tous les matins, trésor, l'arrosàge des plantes est automatique, sauf pour celles dans la maison, tu y penseras. J'y tiens beaucoup, ce sont des cadeaux d'Egon pour la plupart.

— Votre taxi est devant la porte, déclara Lara, soulagée d'en finir.

Elle les accompagna jusqu'à la grille, mais ne fit pas un pas dans la rue. Les portières claquèrent, le bruit du moteur diminua puis disparut.

Alors Lara poussa un profond soupir. Quand elle se croyait en sursis dans le blockhaus, jamais elle n'aurait pensé qu'un jour elle souhaiterait se retrouver seule à nouveau. Et pourtant, c'est bien ce qu'elle attendait depuis quelques jours, même si elle appréhendait beaucoup cet état, incapable d'imaginer jusqu'où la solitude l'entraînerait.

167

Installé dans un salon du Bristol où il avait pris une chambre aux frais d'Arnault de Battz, **Léon Castel** achevait son quatrième et dernier rendez-vous de la journée. La première interview avait été de loin la plus éprouvante. Il avait soigneusement choisi ses mots pour répondre au journaliste. Il n'était pas question de commettre d'impair ou de se laisser emporter par sa fougue habituelle. En la matière, Léon était son pire ennemi, il le savait mieux que quiconque. Les trois interviews suivantes avaient été plus simples. Les questions restant toujours les mêmes, Léon s'était contenté de jouer sa partition avec de menues variations.

— Il a bien mérité un whisky, son petit pépère ! se félicita-t-il en se dirigeant vers le bar. Il paraît qu'ils ont la meilleure carte de Paris, ici !

Choisir ne fut pas une mince affaire, tant la carte comportait en effet de spiritueux. Léon finit par se décider pour un scotch au nom imprononçable et se prélassa dans un fauteuil club en pensant aux innombrables fessiers d'éminentes personnalités qu'il avait dû recevoir.

— À la mémoire d'Hemingway ! dit-il en levant son verre.

Quand son téléphone sonna, Léon pensa qu'il s'agissait d'Hervé, qui devait s'ennuyer sec. L'appel entrant étant anonyme, il prit un accent lorrain et déclara :

— Comment qu'c'est !

— Bonjour, monsieur Castel, dit une voix aux intonations graves, je suis la personne qui vous a adressé ce que vous savez.

Léon perdit immédiatement ses envies de plaisanteries.

— Vous avez fourni un travail remarquable, poursuivit la voix.

— J'ai une bonne note ? Ce n'est sûrement pas pour cette raison que vous m'appelez ?

— Non, mais nous tenions à vous remercier.

— Nous ? C'est qui au juste ce « nous » ?

— Vous imaginez sans mal que je ne répondrai pas à votre question.

— Cet échange n'est pas équitable, provoqua Léon, vous me connaissez et je ne sais pas à qui je parle.

— Il faudra vous y faire.

— Vous êtes le dénommé Kalinine, c'est ça ?

Face au silence, Léon émit un grognement.

— OK, vous me remerciez, mais de quoi au juste ? D'avoir divulgué des informations arrachées des mains d'un mort ! Je croyais que ces fichiers provenaient d'Herman Stalker, vous vous êtes payé ma tête !

— La plupart des gens ne sont utiles qu'à eux-mêmes, et lorsqu'on en supprime un, on supprime juste son plaisir d'exister. Parfois, il faut que l'individu se sacrifie pour le bien du plus grand nombre.

Léon grinça des dents.

— Je vous écoute, vous voulez quoi ?

— Vous allez poursuivre l'aventure de W3 ?

— Poursuivre ? s'exclama Léon. Mais tout ça ne fait que commencer !

— Alors, c'est parfait. Attendez-vous à recevoir de nos nouvelles.

— Minute, papillon ! W3 est preneur de vos informations futures, mais nous ne voulons plus que le sang soit versé pour les obtenir.

— Vous n'êtes pas en mesure d'exiger, monsieur Castel. Ne jouez pas les vierges effarouchées. Vous n'avez pas fait la fine bouche sur nos informations pour lancer W3.

Léon encaissa, puis reprit après un silence :

— Juste une chose, monsieur Kalinine ou je ne sais qui…

— Appelez-moi Ilya.

— Ilya, répéta Léon. Va pour Ilya. Les petites Moreau, où sont-elles ? Leurs grands-parents ne sont pas responsables des crimes de leur fils. Ils ont suffisamment souffert, vous ne croyez pas ? Où sont-elles ? insista Léon. Où sont Clémence et Juliette Moreau ?

— Bientôt, vous recevrez cette information, quand le calme sera revenu.

— Pourquoi vous feriez ça ?

— Vous n'avez pas rendu publique la photographie des filles de Moreau, vous êtes donc une personne digne de confiance.

Cette fois, la voix de Léon se fit murmure.

— Et vous, qu'êtes-vous réellement, Ilya Kalinine ?

168

Lara Mendès n'avait pas fait grand-chose de sa matinée. Comme le lui avait demandé Arnault, elle s'était occupée des plantes en pot, puis s'était assise dans le jardin, avait contemplé les ondulations du vent dans les branches du saule, écouté les bruits de la rue, regardé les traînées blanches laissées par les avions très haut dans le ciel. Pas un instant elle ne voulut regarder les informations. Des chroniqueurs devaient se bagarrer autour des révélations de W3, sans savoir pour la plupart de quoi il retournait vraiment. Lara pensa à elle, à ses actions passées, à ses errements, à son avenir, à ce que signifiait vivre, ou plus exactement exister. Et cette réflexion l'emporta loin de tout ce pour quoi elle avait vibré jusqu'à présent. Une autre question lui tourna en tête : qui était-elle ? Lara pensait savoir, mais en fouillant sous les strates d'*a priori,* en dégageant ce que d'autres lui avaient inculqué, il restait peu de choses à quoi s'accrocher.

Presque rien.

Elle se sentait comme Milena, une enfant sans racines. Elle se souvint alors de Jo Lieras et de cette carte que le policier lui avait confiée à l'hôpital. Oui, sans doute, Lara avait besoin d'aide. Elle allait y réfléchir, pourquoi pas téléphoner à cette maison de femmes ?

À midi, elle quitta le jardin arrière pour répondre à la deuxième exigence d'Arnault de Battz : relever le courrier. Dans la boîte aux lettres, elle trouva un téléphone portable parmi des enveloppes. Après une hésitation, elle s'empara de l'appareil, le retourna et vit qu'un code était inscrit sur son dos. Elle alluma le téléphone et entra machinalement le code.

Quand il sonna, alors qu'elle regagnait l'abri de la maison le cœur battant, Lara refusa tout d'abord de décrocher. Elle le posa sur la table du salon et le regarda, paniquée. La sonnerie cessa et Lara regretta aussitôt sa lâcheté. Aussi, quand quelques instants plus tard le téléphone sonna de nouveau, se précipita-t-elle dessus.

— Oui, parvint-elle à dire la gorge serrée.

— Bonjour, Lara. Voulez-vous connaître l'identité de la personne qui vous a fait enlever par Stephan Ribaud ? lui demanda une voix anonyme.

— Comment savez-vous que…

— Un oui ou un non suffira.

Oui, non, Lara ne savait plus. Sa raison disait oui, ses tripes non.

— Nous ne vous obligeons à rien, reprit la voix. Il se trouve que cette personne est en notre pouvoir. À vous de décider.

— Oui, lâcha Lara dans un souffle.

— Un monospace bleu métallisé va s'arrêter devant le domicile de votre ami producteur dans deux minutes. Vous monterez à l'arrière, vous ne chercherez pas à voir le conducteur, et vous nous laissez faire. Vous avez compris ?

— Oui, accepta Lara comme dans un rêve.

La communication s'interrompit. L'esprit de Lara fut alors le siège d'émotions brutales et contradictoires.

— Mais t'es complètement conne, ma pauvre fille ! s'injuria-t-elle. Appelle les flics, barricade-toi…

Ils savent où tu es ! Tu ne peux pas leur échapper ; s'ils le décident…

Elle entendit un bruit de moteur ronronner dans la rue, juste devant la grille. Ses jambes flageolèrent et Lara manqua tomber. Elle trouva un appui contre la table, attendit une poignée de secondes que sa tension retrouve un niveau acceptable, puis elle se précipita dans la chambre pour récupérer son enregistreur électronique et s'arrêta dans la cuisine.

Elle regarda autour d'elle, en panique.

— Qu'est-ce que…

Ses doigts passèrent sur le manche de plusieurs couteaux à viande de belle taille.

— Vite, espèce de conne, grouille-toi !

Elle jeta son dévolu sur un tire-bouchon en bois qu'elle avait bien en main, ramassa le portable, son sac à main et verrouilla la porte d'entrée. Lara tremblait tant qu'elle dut s'y prendre à plusieurs reprises.

En traversant le jardin jusqu'à la grille, elle manqua faire demi-tour, tant ses jambes se dérobaient, mais elle tint bon.

Devant la grille se trouvait le monospace annoncé. Lara ouvrit la portière arrière et s'assit sur la banquette. Une paroi opaque la séparait du conducteur, et les vitres de l'habitacle arrière étaient masquées par des plaques de feutre noir.

Quand le véhicule démarra, Lara sentit qu'elle allait suffoquer. Elle accéléra le rythme de sa respiration et tenta de se calmer, ses doigts crispés sur le tire-bouchon.

— Ce ne sera pas long, annonça une voix dans des enceintes. Calmez-vous, nous ne vous ferons aucun mal. Dites-vous que si nous l'avions voulu, nous n'aurions pas monté une telle mise en scène.

Lara accepta l'explication, s'accrocha à sa logique tout le temps du trajet. Une vingtaine de minutes plus tard, elle sentit la voiture s'incliner vers l'avant, puis tourner.

On descend dans un parking, déduisit-elle sans cesser de penser qu'elle courait peut-être droit vers sa mort.

Elle entendit les pneus crisser, ce qui la conforta dans sa supposition. Le véhicule ralentit et s'immobilisa.

— Vous pouvez descendre, Lara, dit la voix. Sur votre gauche, vous trouverez une porte. Poussez-la et laissez-vous guider.

Lara obtempéra. Il n'était plus temps de changer d'avis.

La porte était épaisse, rien à voir avec une porte de parking d'immeuble. Derrière, elle trouva un couloir d'une vingtaine de mètres, s'y engagea. La porte se referma doucement dans son dos. L'endroit sentait la poussière. Le sol était recouvert d'une peinture lisse gris clair. Des rampes de néons illuminaient l'espace d'une lumière crue. Lara avança jusqu'à une autre porte, l'ouvrit et dévala une volée de marches en béton. À leur pied, elle aboutit sur un espace plus large, comme une sorte de palier desservant plusieurs ouvertures. Lara entendit un bruit de mécanisme et l'une des portes s'ouvrit.

La pièce qu'elle découvrit alors ressemblait à une cellule d'interrogatoire. Quatre mètres sur cinq, aveugle, occupée par une table et deux chaises, il y avait dans un des murs une découpe rectangulaire à 1,50 mètre du sol, fermée par un rideau en métal. Lara hésita à s'avancer dans la pièce, qui lui rappelait trop la cellule où Ribaud l'avait enfermée.

Tu retrouves ton tombeau, crevette, et cette fois, tu y es allée de ton plein gré !

Elle déclencha l'enregistreur dans son sac qu'elle serrait contre son flanc, dissimula son arme dans sa manche et se décida à entrer. La porte, mue par un mécanisme, se referma automatiquement.

— Non ! cria-t-elle en se ruant sur la poignée.

Mais elle eut beau forcer, elle ne réussit qu'à se faire mal aux doigts.

— Ouvrez-moi ! hurla-t-elle, laissez-moi sortir d'ici !

Lara capitula très vite. Crier ne servirait à rien. On lui avait proposé de venir, elle avait dit oui. Maintenant, elle allait attendre la suite.

Alors elle tira l'une des deux chaises et s'assit, puis posa son sac à main sur la table.

Il régnait un silence absolu. Dans un angle du plafond, Lara repéra une enceinte. On allait lui parler, quelqu'un se manifesterait tôt ou tard. Elle prit de profondes inspirations, en tentant de se persuader qu'elle avait de bonnes raisons d'être là.

— Pardon pour ce délai, dit bientôt une voix dans l'enceinte du plafond.

— Qui êtes-vous, bordel ? explosa Lara. J'ai le droit de savoir !

— Vous avez accepté les règles du jeu. Savoir qui je suis n'en fait pas partie.

— C'est quoi ces foutues règles? demanda Lara en se forçant à baisser d'un ton. Personne n'a parlé de règles.

— Vous voulez savoir qui est à l'origine de votre enlèvement, n'est-ce pas?

Lara acquiesça d'un signe de tête.

— Vous avez été victime d'un prédateur sexuel.

— Ça je le sais! ironisa Lara.

— Je ne vous parle pas de Stephan Ribaud.

— De qui, alors? cria la jeune femme qui sentait son calme l'abandonner de nouveau.

— De cet homme-là.

Face à Lara, le rideau métallique se releva lentement, révélant des barreaux solides. Elle quitta sa chaise et s'approcha à pas lents de l'ouverture. Derrière le rideau se trouvait une autre cellule en tous points identique à la pièce où elle se tenait.

Ce qu'elle vit la pétrifia.

— Bruno! Oh, mon Dieu, pourquoi tu es là, qu'est-ce qu'ils t'ont fait? Bruno! Réponds-moi!

Sanglé sur une chaise, dénudé, Bruno Dessay peinait à garder les yeux ouverts. Son menton roulait contre son thorax.

Les mains de Lara s'accrochèrent aux barreaux. À présent, elle tirait dessus de toutes ses forces.

— Qui êtes-vous? hurla-t-elle. Qu'est-ce que vous lui avez fait! Faites-nous sortir d'ici tout de suite!

— Vous partirez, Lara. Mais en ce qui concerne monsieur Dessay, c'est moins sûr, à moins que vous ne l'exigiez.

— Bien sûr je l'exige ! Laissez-nous partir ! réitéra Lara, au bord de la crise de nerfs.

— Pas avant que vous ne soyez en possession de toutes les informations nécessaires. Ensuite, vous déciderez du sort de cet homme.

Les mots ne s'imprimèrent pas dans l'esprit de Lara. Elle vit Bruno relever la tête. Ses yeux qui peinaient à rester ouverts se fixèrent un instant sur elle, sa bouche s'entrouvrit sur un rictus mauvais et un rire nerveux s'échappa de sa gorge.

— Ouvrez-moi, enragea-t-elle en tirant de plus belle sur les barreaux, laissez-moi le voir ! Bruno, c'est moi, ne t'inquiète pas, je vais te sortir de là. Brunooo !

— Asseyez-vous, Lara.

— Non ! Je ne m'assiérai pas. Je me fous de vos explications à la con. Je veux sortir d'ici et j'emmène Bruno avec moi !

— Écoutez d'abord. Vous souvenez-vous quand Bruno Dessay s'est intéressé à vous ? Quand vous avez commencé à enquêter sur l'assassinat de l'avocat Moreau. Vous en souvenez-vous ?

Lara fixait Bruno, incapable de détourner son regard de l'homme qu'elle aimait.

— Pourquoi s'est-il approché de vous, à votre avis ?

La question indifférait Lara. Elle et Bruno s'étaient plu tout de suite. Au début, elle avait freiné des quatre fers, elle s'en souvenait parfaitement. Coucher avec ce beau parleur, ça n'était pas vraiment une bonne idée. Mais il s'était montré si prévenant, si curieux de son avis, n'hésitant pas à lui montrer les ficelles d'un métier qu'elle maîtrisait à peine.

— Parce que Bruno Dessay était un client de Moreau. Mais pas de l'avocat, évidemment. Monsieur Dessay est un amateur de jeunes femmes, de très jeunes femmes. Vous lui avez plu à cause de votre gabarit. Vous êtes une femme, mais vous ressemblez à une adolescente. Il ne vous l'a jamais dit ?

Lara eut envie de se couvrir les oreilles.

— Vous avez reçu les enregistrements et les carnets de clientèle de Moreau. Comme vous avez pu le constater, ils ont été expurgés d'un certain nombre de noms. Entre autres celui de monsieur Dessay.

— Vous n'avez aucune preuve, tenta Lara. Vous êtes un assassin, vous avez tué le commandant Lambert pour récupérer ces documents ! Je refuse de vous écouter, vous m'entendez ? Laissez-nous sortir d'ici tout de suite !

— Vous pouvez crier, Lara. Mais pour sortir d'ici, il faudra attendre la fin de mon histoire.

— Vous êtes complètement cinglé !

— Éric Moreau s'était fait une spécialité rare dans le milieu de la prostitution. Il fournissait ses clients en jeunes filles vierges. J'insiste sur le mot, car elles n'avaient pas 16 ans.

— Arrêtez, supplia Lara.

De grosses larmes coulaient sur ses joues. Elle se sentait incapable de bouger, incapable de ne pas écouter, incapable de ne pas croire ce qu'on lui racontait. Elle se souvenait des désirs sexuels de Bruno, son penchant pour les trucs bizarres, ses fantasmes qu'il avait réussi à assouvir avec elle.

— Au cours d'une de ses séances monnayées à Éric Moreau, Bruno Dessay est allé trop loin. Une jeune fille n'a pas survécu. Elle s'appelait Maya Cravic et venait d'Ukraine. Son corps a été trouvé carbonisé dans un terrain vague. Ce sont des amis particuliers de Moreau qui s'en sont chargés. Comme aucun signalement de disparition ne correspondait à la découverte de ce cadavre, l'affaire a été classée. On a supposé qu'une prostituée avait mal tourné. Et on ne se soucie pas beaucoup du sort des prostituées. Elle était aussi anonyme que la petite fille qui se trouvait avec vous dans ce bunker. Vous comprenez à présent pourquoi monsieur Dessay tenait tant à vous garder à l'œil pendant que vous fouiniez dans la vie d'Éric Moreau ? Quand il a compris que vous étiez dans la bonne direction en cherchant à retrouver la liste de ses anciens clients, il a décidé de se passer de vous... corps et biens, ce samedi après votre émission. Qui pouvait indiquer votre trajet ? Qui pouvait raconter avec quelle voiture vous prendriez la route ? Qui a annulé votre rendez-vous pour que personne ne s'inquiète de votre disparition ? Qui a décidé de cacher à la cellule d'enquête vos avancées sur l'affaire Moreau ? C'est Herman Stalker qui a présenté Stephan Ribaud à Bruno Dessay, quand celui-ci cherchait de la chair fraîche. Il n'a jamais arrêté. Nous le soupçonnons même d'avoir utilisé le bunker avec Ribaud. Et il n'arrêtera jamais, à moins qu'on l'y oblige.

La voix qui avait débité ce laïus sur un ton monocorde s'arrêta, livrant Lara à un silence angoissant.

— Bruno, implora-t-elle, dis-moi que ce n'est pas vrai. Dis-le-moi, et je te ferai sortir de là !

Bruno Dessay leva de nouveau la tête vers Lara.

— Connasse, grogna-t-il.

Cette fois, Lara s'effondra en larmes. Ses jambes la lâchèrent et elle glissa le long du mur, les doigts toujours serrés sur son tire-bouchon. Un instant, elle se vit l'enfoncer dans ses poignets. Mais la douleur la paralysait tant qu'elle n'en eut pas la force.

De nouveaux sons résonnèrent dans l'enceinte. Recroquevillée contre le mur, Lara entendit une voix qu'elle connaissait bien à présent, la voix d'Éric Moreau. Il s'adressait à quelqu'un, sans qu'elle sache de qui il s'agissait. Puis ce quelqu'un répondit, et elle reconnut la voix de Bruno.

« J'ai déconné, je sais. Mais je te jure que ça ne se reproduira pas.

— Tu appelles ça déconner ? Mais tu l'as tuée cette pute ! Comment on tue une gamine en la baisant, ça m'échappe !

— J'avais pris de la coke et d'autres trucs. Ça m'a rendu dingue. Mais je te jure…

— Ta gueule, Bruno ! On va nettoyer ta merde. Mais tu ne refous plus les pieds chez moi. »

L'enregistrement fut coupé à cet endroit de la conversation.

— Vous disposez à présent du sort de monsieur Dessay, reprit la voix monocorde. Vous pouvez demander sa grâce ou nous laisser le supprimer. Le choix vous appartient.

Lara se releva péniblement.

— Qu'est-ce que vous dites ?

— La vie ou la mort pour Bruno Dessay, à vous de choisir.

— Mais vous êtes complètement malade, hurla Lara. Je veux partir, laissez-moi partir !

— D'accord, Lara. Nous garderons monsieur Dessay jusqu'à ce que vous ayez fait votre choix.

— Mais pourquoi ? Pourquoi vous faites ça ?

— Considérez-le comme un cadeau.

— Qu'est-ce qui vous fait croire que je ne vais pas tout balancer aux flics quand je serai sortie d'ici ? cracha Lara avec hargne. Vous pensez vraiment que vous valez mieux que lui ?

— Je pense que vous, vous valez bien mieux que lui, Lara.

La serrure claqua dans le dos de la jeune femme, qui sursauta. Elle vit la porte s'ouvrir automatiquement.

Alors elle ramassa son sac et se précipita sur le palier. Les jambes tremblantes, Lara regagna le monospace, qui la déposa devant le domicile d'Arnault de Battz, un peu moins de deux heures après qu'elle en fut partie.

Lara Mendès se barricada. Elle ferma les volets de la maison d'amis, éteignit son téléphone, jeta à la poubelle celui qu'elle avait trouvé dans la boîte aux lettres et coupa toutes les lumières. Du fond de sa caverne, Lara éprouva jusque dans ses tripes la douleur de l'absence, de la trahison, de la négation d'elle-même par l'homme qu'elle aimait. Bruno avait commandité sa mort, son anéantissement, et il savait obligatoirement ce que Ribaud lui avait fait subir.

Lara était prête à se cacher dans un trou, comme quand elle était gamine, pour oublier, faire comme si rien ne s'était passé, dormir, changer de vie, passer à autre chose. Mais c'était impossible. Les explications qu'on venait de lui fournir étaient certes atroces – Bruno Dessay préférait les gamines, les adolescentes, les filles sans poitrine, comme elle –, mais de son point de vue, il y avait pire.

Lara n'oublierait jamais les yeux de son amant, le rictus de haine qui tordait ses lèvres, et son unique parole d'adieu. « Connasse. »

Curieusement, la douleur s'estompa vite et Lara connut dans la foulée un état d'hébétement indolore où elle demeura prostrée jusqu'à ce que le sommeil l'emporte. Quand elle se réveilla, il était 18 heures. Lara connecta son téléphone au réseau.

Un SMS de Valentin l'attendait. Son frère et Arnault de Battz venaient d'atterrir à l'autre bout du monde.

« Egon Zeller fait la gueule et Arnault de Battz est tout mignon. À + crevette. Vive W3 ! »

La vie continuait.

Il fallait qu'elle retourne dans la ronde, sans quoi elle risquait de sombrer. Lara se décida. Elle attrapa son sac et sortit l'Audi d'Arnault du garage où était encore rangé le scooter de Bruno. Avec son chapeau de plage et ses lunettes Dolce & Gabana qui mangeaient la moitié de son visage, Lara obtenait l'effet inverse de celui qu'elle recherchait. Les gens la dévisageaient. Et puis, comme ils ne l'identifiaient pas, ils passaient à autre chose.

Sortir au grand air lui fit du bien. Il faisait encore très beau et Paris s'était déjà vidée d'une bonne partie de ses habitants. Lara trouva une place de stationnement derrière la gare Montparnasse, dans ce quartier moderne qu'elle détestait à présent. Puis elle remonta vers la rue de la Gaîté. Elle se rendit directement chez un serrurier où elle avait fait réaliser des doubles des clés de l'appartement de Bruno, exposa son problème. Elle avait perdu ses clés, son ami se trouvait en vacances à huit heures d'avion et elle craignait de devoir passer la nuit à l'hôtel.

Le serrurier reconnut sa cliente et succomba au déploiement de charme de Lara. Il l'accompagna jusqu'à son domicile présumé, força la serrure, en posa une nouvelle, provisoire, pour que Lara ne dorme pas la porte ouverte.

À 19 h 30, Lara referma la porte de l'appartement. Jouer la comédie à ce serrurier lui avait remonté le moral, prouvé qu'elle était capable au moins de ça. Pendant deux heures, Lara retourna l'appartement de Bruno. Tiroirs, placards, bureau, penderie, ordinateur, tout y passa. Elle mit la main sur des films X dont le contenu lui retourna l'estomac, trouva des accessoires de jeux sexuels et se souvint avec une vague de dégoût en avoir utilisé certains, ou laissé Bruno s'en servir sur elle. Derrière une planche dans le placard de sa chambre, Lara récupéra des DVD. Il s'agissait des ébats sexuels de Bruno avec différentes partenaires. Lara reconnut Pascale Faulx, bien plus jeune qu'à présent. Il y avait au bas mot une centaine de fichiers sur ces DVD. Certains montraient des jeunes filles, avec une nette prédominance de blondes tout juste pubères, petits seins, hanches ébauchées, visages encore enfantins.

Au creux de son oreille, Lara entendait la voix de Bruno lui murmurer des mots qui lui avaient fait tant plaisir à l'époque. « Tu es parfaite comme tu es, mon ange. Je n'ai jamais été attiré par les gros seins. Regarde, il tient dans ma bouche. »

— Quelle conne !

Il monta en elle l'envie irrépressible de parler à quelqu'un et de fuir cet endroit. Elle fourra les DVD dans son sac et gagna l'atmosphère protectrice de la rue. Lara scruta derrière ses lunettes les hommes qui la regardaient. La plupart en fait, même ceux qui accompagnaient une femme, des enfants, lui décochaient un regard. Soutenu, insistant, discret, c'était selon. Même les vieux.

Elle s'installa derrière le volant de l'Audi et appela Léon Castel. Il était le seul membre de W3 avec qui elle pouvait parler. Ils se donnèrent rendez-vous sur le parvis de Notre-Dame, devant la statue de Charlemagne. De là, ils traversèrent la Seine vers la rive gauche. Lara préférait rester au contact de la foule.

— Vous n'avez pas l'air au top, fit remarquer Léon.

— J'ai des nuits difficiles.

— Il faudra consulter un psy, vous savez.

— Oui, tout le monde me le dit, mais j'y vais à reculons.

— Normal, argua Léon. Quand on a vécu l'enfer, on n'a pas envie d'y retourner. Valentin et Arnault sont où ?

— Partis aux Maldives rejoindre un ami.

— Pourquoi n'y êtes-vous pas allée ?

— Parce que j'avais envie d'être seule.

— Vous n'êtes pas vraiment seule, là.

Lara garda le silence quelques instants.

— Je voulais vous demander quelque chose, finit-elle par dire.

— Je m'en doutais un peu.

— L'autre jour, vous m'avez dit ce que vous pensiez de l'acte d'Ulrick Seipel.

— Je n'ai pas changé d'avis. Ce père a fait ce qu'il devait faire. On ne se met pas en danger comme ça pour rien. Il n'envisageait pas d'autre solution.

— Mais… relança Lara. Et vous ? S'il arrivait malheur à Sookie, qu'est-ce que vous feriez ?

Léon hésita avant de répondre.

— Il faut être confronté aux choses pour savoir qui on est. Le problème qui s'est posé à Ulrick Seipel, et qui se poserait à moi si je vivais un drame pareil, c'est que la réponse du droit est inadaptée. Stephan Ribaud était une bête. Et encore, les bêtes n'agissent pas comme ça. Pourtant, même s'il avait été jugé responsable de ses actes, il n'aurait pas purgé une peine de plus de vingt ans. Que voulait le père de Petra ? La vengeance, Lara, il réclamait la vengeance pour sa fille ! Petra peut reposer en paix.

Lara écoutait en silence. Les mots de Léon pénétraient profondément en elle.

— Et qu'on ne me parle pas de la grandeur de la République, de la modernité, du pays des Lumières et toutes ces conneries. Face aux monstres, il n'existe qu'une solution, celle d'Ulrick Seipel. Sinon, ils finissent par recouvrer la liberté et recommencer. Regardez le calvaire du pauvre Bamberski pour obtenir justice pour sa fille Kalinka ! Vingt ans que ça dure ! Je vous fiche mon billet que Ribaud, lui, serait ressorti avant ses 45 ans. Comment l'auriez-vous vécu ce jour-là, Lara ? Vous y avez pensé ? Et n'imaginez pas que la justice vous aurait tenue informée de la date.

— Je ne sais pas, répondit Lara en prenant le bras de Léon pour échapper à la bousculade de la foule du quartier Saint-Michel.

— Les nuisibles doivent être écartés, c'est exactement comme pour les clients de Moreau. Ils ont passé une décennie à se croire à l'abri. La plupart ont certainement continué à se comporter comme des prédateurs sexuels, en toute impunité, grâce à leur pognon, à leurs réseaux.

— Alors nous avons eu raison de lancer W3.

— Parce que vous en doutiez encore ? s'étonna Léon en s'arrêtant au milieu de la foule pour observer le visage de Lara. Qu'est-ce qui cloche ? C'est parce que vous avez appris pour le secrétaire d'État Oury, c'est ça?

— Quoi, le secrétaire d'État?

— Il vient de se coller une balle dans la tête. Les avocats d'Arnault de Battz m'ont appelé pour me dire que sa famille portait plainte pour diffamation contre moi.

— Alors, c'est parti… balbutia Lara. Il va falloir assumer.

— Vous le saviez, nous le savions… Remuer la merde, c'est jamais simple. Mais si personne ne le fait, c'est la fin des haricots. Ce type a choisi, personne ne lui a mis le flingue sur la tempe. C'est lui qui n'assume pas ses saloperies. Vous n'avez qu'à vous dire que sa mort va certainement sauver la vie d'une gamine.

— Et venger celle de beaucoup d'autres.

— Nous devions choisir un camp, et c'est ce que nous avons fait. Ce ne sera pas facile, on va certainement en baver, Lara, mais la liberté, c'est justement ça, non?

— Peut-être, Léon. Ou peut-être, ce serait que tout redevienne comme avant.

— Vous ne vivrez plus jamais comme avant, la détrompa Léon. Si vous avez connu l'insouciance, c'est définitivement terminé. Allez, venez, on va boire quelque chose de frais et d'alcoolisé et on va parler de choses plus rigolotes.

La soirée les entraîna jusqu'aux abords de l'aube. Lara et Léon burent un peu plus que de raison. Lara se détendit peu à peu. Au cours des heures passées ensemble, ils échafaudèrent mille projets pour W3. Léon décida qu'à 5 heures, on avait le ventre creux, et invita Lara Au Pied de Cochon, dans le quartier des Halles.

Le jour se levait quand elle quitta Léon qui rentrait au Bristol pour assurer d'autres interviews dans la matinée.

Lara, trop fatiguée pour rejoindre l'Audi d'Arnault, se fit raccompagner en taxi à Neuilly. Elle referma la grille aux alentours de 6 heures et s'enferma dans la maison d'amis.

Ses chaussures volèrent au bout de la pièce, ses pieds rencontrèrent avec délice la surface fraîche du carrelage. Lara posa son sac sur une table, retira son jean et son chemisier. Elle fit un détour par la salle de bains, se brossa les dents, but un grand verre d'eau, puis s'installa dans le salon. Elle enclencha son enregistreur et se repassa le fichier à plusieurs reprises.

Connasse…

Pas une fois elle ne pleura.

Il était près de 8 heures du matin quand elle téléphona à l'hôpital Necker. Elle obtint le professeur Catherine Nicoud après quelques minutes d'attente.

— Bonjour, mademoiselle Mendès. Je comptais vous appeler dans la matinée.

— Comment va Milena ?

— La petite est au plus mal. Nous avons dû la mettre sous dialyse. Je suis désolée.

Lara déglutit avec difficulté.

— Mais… elle va s'en sortir ?

— Je ne sais pas. Son état s'est subitement dégradé, les antibiotiques ne sont plus efficaces et je crains une septicémie. Mademoiselle Mendès ?

La douleur plia Lara en deux. Elle mit un long moment à reprendre son souffle.

— Pardon. C'est… c'est dur.

— Je sais.

— Est-ce que je pourrais passer ?

— Quand vous voulez. Je n'autorise plus les visites, mais pour vous, je ferai une exception.

— Je vous remercie, professeur, articula Lara. Je serai là dans une heure, tout au plus.

— Alors à plus tard.

Après avoir raccroché, Lara se dirigea lentement vers la poubelle pour y récupérer le téléphone. Puis elle entra le code, debout devant la fenêtre ouverte, les yeux rivés sur le saule pleureur. Et attendit.

La sonnerie retentit deux minutes plus tard.

— Bonjour Lara.

— Faites ce que vous avez à faire, et assurez-vous que ce soit définitif, dit-elle sur un ton cassant avant de raccrocher aussitôt.

Elle éteignit l'appareil, le glissa dans son sac à côté de l'enregistreur. Puis elle se rendit dans sa chambre à pas lents, enfila un jean et une veste et quitta la maison d'Arnault en direction de la station de taxis.

Retrouvez les personnages de W3
dans le prochain tome de la série.

Des mêmes auteurs :

Jérôme Camut

Aux éditions Bragelonne :
MALHORNE, tome 1, roman, 2004
LES EAUX D'ARATTA (MALHORNE, tome 2), roman, 2004
ANASDAHALA (MALHORNE, tome 3), roman, 2005
LA MATIÈRE DES SONGES (MALHORNE, tome 4), roman, 2006

Nathalie Hug

Aux éditions Calmann-Lévy :
L'ENFANT-RIEN, roman, 2011
LA DEMOISELLE DES TIC-TAC, roman, 2012
1, RUE DES PETITS-PAS, roman, 2014

Jérôme Camut et Nathalie Hug

Aux éditions Bragelonne :
ESPYLACOPA, nouvelle, « Fantasy », 2006

Aux éditions Télémaque :
PRÉDATION (LES VOIES DE L'OMBRE, tome 1), roman, 2006
STIGMATE (LES VOIES DE L'OMBRE, tome 2), roman, 2007

INSTINCT (LES VOIES DE L'OMBRE, tome 3), roman, 2008
RÉMANENCE (LES VOIES DE L'OMBRE, tome 4), roman, 2010

Aux éditions Calmann-Lévy :
LES ÉVEILLÉS, roman, 2008
3 FOIS PLUS LOIN, roman, 2009
LES YEUX D'HARRY, roman, 2010
LES MURS DE SANG, roman, 2011

www.jeromecamut.com
www.nathaliehug.com

Le Livre de Poche s'engage pour
l'environnement en réduisant
l'empreinte carbone de ses livres
Celle de cet exemplaire est de :
850 g éq. CO₂
Rendez-vous sur
www.livredepoche-durable.fr

PAPIER À BASE DE
FIBRES CERTIFIÉES

Composition réalisée par Belle Page

Achevé d'imprimer en septembre 2014 en France par
CPI BRODARD ET TAUPIN
La Flèche (Sarthe)
N° d'impression : 3007312
Dépôt légal 1ʳᵉ publication : juin 2014
Édition 03 – septembre 2014
LIBRAIRIE GÉNÉRALE FRANÇAISE
31, rue de Fleurus – 75278 Paris Cedex 06